Siluetini Sevdiğimin Türkiyesi

Faruk Bildirici

SİLUETİNİ SEVDİĞİMİN TÜRKİYESİ

Yazan: Faruk BİLDİRİCİ

Yayın hakları: © Doğan Kitapçılık AŞ
1. baskı / temmuz 2000
6. baskı / ağustos 2000 / ISBN 975-6719-25-7

Kapak tasarımı: Dipnot
Baskı: Şefik Matbaası

Doğan Kitapçılık AŞ Hürriyet Medya Towers, 34544 Güneşli-İSTANBUL
Tel. (212) 677 06 20 - 677 07 39 Faks (212) 677 07 49

Siluetini Sevdiğimin Türkiyesi

Faruk Bildirici

Anne ve babama.
Ömür boyu emeğe bir demet teşekkür.

Özel bir yolculuk

Her yaşam özel bir yolculuktur. Aynı yollardan, aynı istasyonlardan geçen, hatta aynı otobüste yan yana koltuklarda oturanlar bile farklı bir yolculuk gerçekleştirirler. Başka bir deyişle her yolcu farklı bir serüven yaşar...

Ben de bir süredir bu özel yolculukların peşine düştüm; özel serüvenleri yazmaya merak saldım. Gündemdeki insanların –özellikle de politikacıların– yaşamları boyunca geçtikleri yollarda bıraktıkları izleri aramayı iş edindim. Kimi zaman, tıpkı Grimm masallarında, ormanda kaybolmamak için yollara ekmek kırıntısı atarak yürüyen *Hansel ve Gretel*'in peşinden giden kuşlar gibi hissettim kendimi.

Belki çocuksu gelecek, ama yine de yazmak istiyorum. Kuşlar, ekmek kırıntılarını buldukça ne kadar keyifle şakıyorsa ben de anı kırıntılarını keşfettikçe mutlu oluyorum. Her yeni kırıntıyı, parçayı yan yana koyup o insanın yaşam serüvenini öğrenme yolunda adım attıkça zevk alıyorum. Gerçi *Hansel ve Gretel*, ekmek kırıntılarını kuşları yemelmek için değil, iz bırakmak amacıyla serpiyorlardı. İnsanlar ise yaşarken –tabiatıyla– geriye iz bırakmaya çalışmıyorlar, en azından böyle bir hedefleri olmuyor.

Biliyorum, benim işim kuşlardan daha zor; çünkü anı kırıntıları yollara saçılmış değil. Bu bilgiler, orada burada dağılmış 9 ve çoğu kez de insanların belleğinin en gizli köşelerine saklanmış vaziyette.

O nedenle, portrelerimin oluşabilmesi için, kimi ayrıntıları defalarca deşmem, sayfalar dolusu belge, kitap, yazışmayı karıştırmam, onlarca kişiyle görüşmem, soru üzerine soru sormam gerekiyor. Zaman alan, uğraştıran bir süreç bu.

Hem bilgi toplama aşamasında yanlışlardan, manipülasyonlardan uzak durmaya, hem de yazım aşamasında o kişiyle ilgili yanlış bir bilgi vermemeye özen gösteriyorum. Biliyorum ki gözden kaçan bir ayrıntı ya da tek sözcüklük bir yanlış önce beni üzecek. O nedenle titizleniyorum. Bir kişinin yaşamöyküsünü araştırmaya girişirken, ilk iş olarak o kişiyle ilgili önceki düşüncelerimden, yargılarımdan arınmaya çalışıyorum. Bilgileri bir araya getirip yazıyı kurgularken de, çizdiğim portrenin, gerçeğine uygun bir resmi ortaya çıkarmasını hedefliyorum. İyi bir kişilik ya da kötü bir kişilik ayrımı yapmıyorum. Çizdiğim resim, orijinalini doğru yansıtıyor mu, yansıtmıyor mu? Bu soruyu temel alıyorum.

Aslında aynı soru, ortaya çıkardığım portreye bakan insanlar için de geçerli. Portrenin güzel ya da çirkin olduğunu söylemeden önce resmin objesine dönüp bir bakmalı, ondan sonra karar vermeli insanlar.

Ne yazık ki, bırakın objenin kendisi ile portreyi karşılaştırarak yargıya varmayı, kimileri, portrenin tamamına bile bakmadan görüş belirtecek denli "ilahlaşmış" bir konumda görebiliyor kendini. Kimileri ise, durdukları yere, içinde oldukları ilişkilere göre biçimlenen kalıplarla eleştirebiliyor yazdığınız bir portreyi.

Bana düşen ise, övgüleri keyifle dinleyip, eleştirileri duymazlıktan gelmek değil. Tam tersine, her eleştiriden ders almak, kendimi geliştirmek, yanlışlarımdan arınmak. İşte hedeflediğim bu. Eleştirileri artıya dönüştürüp dönüştüremediğime karar verecek olan ise okurlar. Ve tabiî ki, insan yaşamının o baş döndürücü gücü olan zaman. Kokusuz, şekilsiz ve aynı ölçüde sessiz olan o gizil güç...

Yanlışlardan arınma çabam içinde eleştirilerin, övgülerin yanı sıra bir de kendi içimde sorgulamalarım önemli bir yer tutuyor. Üstelik bunlar süreklilik arz ediyor. Örnek mi? Bir gün yeni parçaları birleştirirken içimde büyük bir sevinç dağının yükseldiğini fark ettim. O zaman kendimi suçlu hissettim! "Sen ne yapıyorsun? Özel serüvenlerin peşinden giderek hırsızlık yapmıyor musun?" diye sordum kendime, derin bir nefes aldım, oturup düşündüm yeniden.

Ve sonunda beynimdeki kıvrımlara düşen gölgeleri aydınlatmış olarak ayıldım. Rahatladım, "Hayır hırsız değilim" dedim, "Suçlu hiç değilim! Sadece ve sadece gazetecilik yapıyorum, bu toplumun sahnesine çıkan insanların geçmişlerini aydınlatmaya, fotoğraflarını doğru göstermeye çalışıyorum. O kadar!"

Üstelik tamamen gazetecilik yöntemlerini kullanarak, mahrem alanlara girmemeye özen göstererek çalışıyorum, bulgularımı okurların değerlendirmesine sunuyorum. İstiyorum ki gündemin ön sıralarına yerleşen insanların yaşamöyküleri Türkiye'de de bilinsin. İstiyorum ki politikacıların ya da çeşitli nedenlerle bu ülkenin siluetinde yer almış şahsiyetlerin geçmişlerinde aydınlatılmamış soru işaretleri kalmasın, kişisel serüvenleri şeffaf hale gelsin; bu ülkenin güzel insanları, doğru verilerle doğru kararlar versin.

Bugün artık Avrupa'da, özellikle de Amerika'da "yaşamöyküsü yazarlığı" başlı başına bir uzmanlık alanı. Lady Diana'nın yaşamöyküsünü ve ölümüne neden olan kazayı aydınlatmak üzere yola çıkan bir gazetecinin iki dedektifle birlikte çalıştığı, Monica Lewinsky'nin yaşamını anlatan kitabın yayımlandığı haberleri birbirini izliyor.

Hele, Reagan'ın, kendi yaşamını yazan Edmund Wilson'la düştüğü anlaşmazlık haberi çarpıcı bir örnek. Reagan'ın yaşamöyküsünü yazmak üzere 10 yıl önce 3 milyon dolar alan Wilson'ın yazdıklarını Reagan'ın yakınları beğenmemiş. Çünkü Wilson, "Edmund Morris" adını taşıyan bir karakter yaratıp, bu roman karakterini yaşamının belirli aşamalarında Reagan'la karşı karşıya getirmiş. Yani Reagan'ın yaşamöyküsünü kurgulayarak yazmayı yeğlemiş...

Belki de Morris'i, sıradan bir öyküyü çekici hale getirdiği için kutlamak gerekir, bilemiyorum. Ama benzer bir olayı Türkiye'de tekrarlamaya kalkmanın büyük sorunlara yol açacağına eminim. Çünkü değil kurgulanmış yaşamöyküleri, aslına tamamen sadık kalınarak yazılanlar bile insanları ayağa kaldırıyor. Hem sadece öykülerin başrol oyuncuları değil, o serüvenin bir döneminde küçük rolü olanlar bile rahatsız oluyor.

O nedenle yaşamöyküsü yazarken kurgusal bir öykü ortaya çıkarmak yerine aslına mümkün olduğunca sadık kalmak zorunluluğu doğuyor. Şimdiye kadar üzerinde çalıştığım bu portreleri, gerçeğe ulaşabilme yolunda harcanan bir çaba olarak görüyorum.

Gelelim *Siluetini Sevdiğimin Türkiyesi*'ne. Bu kitaptaki portrelerden bazıları ilk kez yayımlanıyor; tamamıyla yeni çalışmalar. Bazıları ise daha önce yayımlanan, ancak yeniden ele alınarak geliştirilmiş ve gazetede çıkan biçimleriyle ilişiği kalmamış portreler...

Kitapta yan yana getirdiğim bu portreler, son yıllarda öne çıkan, başka bir deyişle Türkiye'nin siluetini oluşturan isimler. Ben de bu siluetin bir bölümüne, yapabildiğim oranda ışık tutmaya, karanlıkta kalan noktaları aydınlatmaya çalıştım. "Siluet" dememin nedeni bu. "Sevdiğimin Türkiyesi" ise bu toprak-

12

lara duyduğum bağlılık ve sevgiden kaynaklanıyor.

Birbirleriyle tek ortak paydaları bu ülkede yaşamak ve son dönemde bir vesileyle öne çıkmak olan insanların portrelerini içeren bir kitaba ağırbaşlı bir isim yakışmazdı. Biraz gülümsetmek, gülümsetirken de bin yıl sonu Türkiyesi'ni çağrıştırmak gerekirdi. *Siluetini Sevdiğimin Türkiyesi* adının ülkemizdeki mevcut tabloya yakışan bir başlık olduğuna inandım.

Kitabın uzun bir hazırlanış öyküsü oldu. Ana çizgilerini oluşturduğum kitabın yayımlanmak için yaklaşık bir yıl beklemesi gerekti. Bu süre içerisinde, kitapta yer verdiğim kahramanlarımın yaşamöykülerindeki yeni gelişmeleri günü gününe izlemek zorunda kaldım. Oldukça yorucu bir faaliyet gerektiren bu dönem, kitabın "mayalanması"na vesile oldu.

Kuşkusuz kitapta kahramanlarımla ilgili "her şeyi" anlattığım kanısında değilim. Yazar David Bellos'un yaşamöyküsü yazarlığıyla ilgili yazısından bir alıntı yaparak anlatayım yaklaşımımı: "Her şeyi anlatmış olduğu iddiasındaki bir yaşamöyküsü yazarı, abartıyı yalana kaydırıyor demektir. Bir yaşamı anlatmaya kalkınca insan eleme yapar. Ve sorunlar da burada çıkar işte."

Her şeyi anlattığım iddiasında olmak bir yana, sadece portrelerini yazdığımı vurgulamak istiyorum. Bu kitabın bir eksiğinin, kadın kahraman bulunmayışı olduğu söylenebilir. Ancak Türkiye'nin son dönem siluetinde yeri olan en önemli isimlerden eski başbakan ve DYP Genel Başkanı Tansu Çiller'in yaşamöyküsünü daha önce bağımsız bir kitap olarak ele aldığım için *Siluetini Sevdiğimin Türkiyesi*'nde kadın kontenjanı boş kaldı.

Umarım bu haliyle beğenirsiniz...

Mayıs 2000
Faruk Bildirici   **13**

Devlet Bahçeli

Portakal paketindeki silahlar

12 Eylül öncesinin olaylı günleriydi. Her yanda silahlar patlıyor, kan dökülüyordu. Polis, 23 şubat 1978 günü bir ihbar aldı: "Adana'dan Ankara'ya gelen beyaz renkli, 01 FE 994 plakalı Renault marka araçta silah var!"

Araç, o gün saat 16.45'te Kepekli Boğazı'nda durdurulup arandı. İhbar doğruydu. Bagajda, portakal paketinin altına gizlenmiş iki makineli tüfek ile şarjörleri bulundu. Araçta dört ülkücü genç vardı; Ali Halaman, Fuat İstanbullu, Ekrem Pazarcı ve Sami Ocak. Üçü TRT'de, biri Ticaret Bakanlığı'nda çalışıyordu. Aynı zamanda öğrenciydiler. İstanbullu dışındaki üçü, Ankara Malî Bilimler ve Muhasebe Yüksekokulu öğrencisiydi.

İfadeleri alınınca her şey ortaya çıktı. Silah paketini Ali Halaman, Adana Ülkü Ocakları Derneği Başkanı Recai Yıldırım'dan almıştı. Ekrem Pazarcı'nın kendi köyünden getirdiği portakalları da silahların üzerine yerleştirmişlerdi.

Daha sonra yakalanan Yıldırım, silahların bulunduğu paketi kendisinin verdiğini itiraf etti. Silahları, Ülkü Ocakları Genel Başkanı Muhsin Yazıcıoğlu'nun istediğini de söyledi. Sanıklardan İstanbullu'nun ifadesinde önemli bir ipucu yer alıyordu. Silah taşınan aracın sahibi bir öğretim üyesiydi:

– (...) Renault otomobili, Başkent Malî Bilimler Yüksekoku- **15** lu öğretim görevlisi Devlet Bahçeli'den, arkadaşlar, memlekete gitmek için aldılar...[1]

Araç Bahçeli'nindi, ancak silah taşınacağını bilmiyordu. Aynı okulda öğrenci olan üç ülkücüye Adana'ya gidip gezmeleri için vermişti arabasını. Nedense polis, tutanaklara geçen bu bilgiyi hemen unutuverdi. Arabasında silah yakalanan öğretim üyesini çağırıp ifadesini almaya bile gerek görmedi. Hakkında ne bir soruşturma açıldı ne de bir dava...

Araçta yakalanan dört sanık, Ankara 4. Ağır Ceza Mahkemesi'nde yargılandı. Ruhsatsız silah nakletmekten mahkûm oldular.[2] Beşinci sanık Yıldırım ise 12 Eylül sonrasında Adana MHP ve Ülkücü Kuruluşlar Davası'nda yargılandı. Cezaevinde yattı, dava zamanaşımından düşünce kurtuldu.

Dikkati çeken, Bahçeli'nin gezmek için verdiği aracında silah taşıyan bu öğrencileriyle ilişkisinin bu olaydan hiç etkilenmemesiydi. Öyle ki, bu olaydan 20 yıl sonra MHP genel başkanı olan Bahçeli, portakal sandığındaki silah olayının iki kahramanı Halaman ve Yıldırım'ı, 1999 seçimlerinde MHP listelerinden aday gösterdi. Her ikisi de Adana'dan milletvekili seçildiler. Ülkücü davaya hizmetin karşılığıydı bu...

Fettahlıoğullarından Devlet

Devlet Bahçeli, ülkücü öğrenciler arasında etkili bir öğretim üyesiydi. Öğrenciliği, aynı okulda, Ankara İktisadî ve Ticarî İlimler Akademisi'nde geçmiş, ülkücü camiada o dönemde sivrilmişti.

1 1981/278 esas numaralı "Adana MHP ve Ülkücü Kuruluşlar Davası Gerekçeli Hükmü" 2. cilt, s. 1 257-1 260.

2 Uğur Mumcu, *Silah Kaçakçılığı ve Terör,* Tekin Yayınevi, nisan 1982, 5. baskı, s. 151.

"Fettahlıoğlu" adı verilen köklü bir Türkmen ailesinden geliyordu. Aile, önce Maraş'a yerleşmişti. Fatih'in Trabzon'u almasından sonra, Rum Pontus Devleti topraklarının Türkleştirilmesi için Fettahlıoğlu ailesinin bir bölümü bu bölgeye gönderilmişti. Bu göç, Cumhuriyet döneminde de sürmüş, aile Anadolu'da 15 kente yayılmıştı. Merkezi Kahramanmaraş'ta olan bir dernek bile kurulmuştu; Fettahlıoğulları Sosyal Yardımlaşma ve Dayanışma Derneği...

Osmaniye'nin Hasanbeyli beldesi de Fettahlıoğullarının yurt edindikleri bölgelerden biriydi. Salih Bahçeli de ailenin Hasanbeyli'de yaşayan kolundandı. Jandarma onbaşısı iken tezkere bırakan Salih Bahçeli, karakol komutanı olmuştu. O dönemde Osmaniye'nin varlıklı ailelerinden birinin kızı olan Gülsüm Hanım'la evlenmiş, Turan ve Nurten adlı iki çocuğu olmuştu.[3]

Eşi ölünce yine Osmaniye'nin önde gelenlerinden Ökkeş Kırıkkanat'ın kızı Saime'yi almıştı. İkinci oğlunun adını Servet, üçüncü oğlunun adını ise Devlet koymuştu. Rüyasında gördüğü bir kişinin, "Allah zengin bir devlet nasip etsin" demesinden etkilenmişti. Yeni doğan iki kızına da Serpil ve Semiha adlarını vermişti. Saime Hanım, kendi çocuklarını öbürlerinden hiç ayırmıyordu.[4]

Artık Osmaniye'ye yerleşmiş olan Salih Bahçeli, 300 dönümlük bir tarla sahibiydi. Aynı zamanda traktör bayiliği almıştı. En önemlisi sıkı bir CHP'li ve İsmet İnönü hayranıydı. Çocuklarının eğitimine önem veriyor, onların okumasını istiyordu.

Devlet, 7 Ocak İlkokulu'nu 1958'de pekiyi dereceyle bitirdi. Fakat doğum tarihi, okul kayıtlarında 1 ocak 1948 olarak geçi-

3 Arslan Tekin, "İşte Devlet Bahçeli", *Türkiye,* 2 haziran 1999.
4 Arslan Tekin, "İşte Devlet Bahçeli", *Türkiye,* 1 haziran 1999.

yordu.[5] Tarihlerde bir gariplik vardı; birbirini tutmuyordu...

Babası, onu ilkokuldan sonra Adana'daki Özel Çukurova Koleji'ne gönderdi. Erken yaşta ailesinden ayrılan Devlet, lisede memleketinden daha uzaklaştı. İstanbul'a yolladılar onu. Yine yatılıydı. İlk yıl Özel Akgün Koleji'ne devam etti. Derslerden kalan zamanı futbol dolduruyordu. Bir ara okul takımında oynadı. Fanatik bir Beşiktaşlıydı.

Lise 2'de okul değiştirdi, Ata Koleji'ne geçti, buradan diploma aldı. Liseden sonra üniversite için bir yıl beklemek zorunda kaldı. 1967'de Ankara İktisadî ve Ticarî İlimler Akademisi'ni kazandı. Artık Ankara yolu görünmüştü. Babası Ankara'dan ev aldı. Annesi de Ankara'ya gelince çok sevdiği Osmaniye yemeklerinden mahrum kalmadı.

Üniversite işgalinde başrol

O yıl tüm okullar olaylarla doluydu. Boykotlar birbirini izliyor, 68 rüzgârları esiyordu. Ancak Bahçeli'nin, 68 kuşağıyla hiçbir ilgisi olmadı. Akademide etkin olan sol gruplar yerine ülkücülüğe sempati duydu. MHP lideri Alparslan Türkeş'in seminerlerine gidip geldi. Boş zamanlarını Cumhuriyetçi Köylü Millet Partisi'nin gençleriyle geçirdi. Türkeş'in *Dokuz Işık*'ını adeta hatmetti. Nihal Atsız'ın, Ziya Gökalp'in kitaplarını okudu.

Ülkücülerin üniversitede örgütlenme çalışmalarında aktif rol aldı. 1969'da, AİTİA Ülkü Ocakları'nın kuruluşuna öncülük etti. Boykotlara karşı çıkan ülkücülerin sayısı artınca çatışmalar başladı. 1969'da, akademinin iki gün işgal edilmesinde baş-

5 Mustafa Bardak, Mehmet Özer, A. Acar Filiz, "19 Nisan'ı hiç unutmadık", *Star* gazetesi, 24 nisan 1999.

rolü oynadı. Silahların da konuştuğu bu işgal sonrasında ülkü-cü gençliğin liderlerinden biri haline geldi. Tüm ülkücü gençler onu tanıyor, seviyordu. O da, ülkücülerin ele geçirip solcular-dan temizlediği öğrenci yurtlarında hemen her akşam dolaşıp, ertesi günle ilgili planlar yapıyor, taktikler geliştiriyordu.[6] Akademinin Talebe Cemiyeti başkanlığı nedeniyle çıkan kavgada da ağırlığını koydu. Başkanlığı kazandı. 1970'te Millî Türk Talebe Birliği Ankara genel sekreteri seçildi. Her şeyi ül-kücü mücadeleydi o yıllar...

Üniversiteyi bitirdiği yıl olan 1971'de, meslek seçerken dün-ya görüşünü ön planda tuttu. O yıllarda üniversitede ülkücü öğ-retim üyeleri yoktu ve bunun değiştirilmesi gerektiğine inanı-yordu. Üniversitede kalıp, asistan olmaya karar verdi.

Çatlı'yla dostluk

Asistanlık dönemi başarılı geçmedi. Tüm benliğini ülkücü mücadeleye vermişti. Önce Ülkücü Maliyeciler ve İktisatçılar Birliği'ni kurdu. Ardından Ülkücü Asistanlar Derneği'ni kurup genel başkanlığını üstlendi.

Beyin enerjisinin küçük bir bölümünü ise Malî Bilimler ve Muhasebe Yüksekokulu'ndaki görevine ayırıyordu. Hocası Prof. Aziz Köklü'yle birlikte derslere giriyorlardı. Susurluk ka-zasıyla ünlenen Abdullah Çatlı da öğrencisiydi. Yıllarca süre-cek dostluk o günlerde başlamıştı. Bahçeli, o aileye, Çatlı'nın kaçak olduğu yıllarda babasına ilaç parası yardımında buluna-cak kadar yakınlaşmıştı.

Ülkücü camiada hızla kendine yer edinmesine karşın aka-

6 Arslan Tekin, "İşte Devlet Bahçeli", *Türkiye*, 4 haziran 1999.

demik kariyeri ağır ilerliyordu. Bilimsel makaleler yazmaya zaman ayırmıyordu. Doktora tezini hazırlaması da tezinin kabul edilmesi de epey zaman aldı. Tezini, Gazi Üniversitesi'nde yeni kurulan Sosyal Bilimler Enstitüsü'nde kabul ettirebildi. Aradan 10 yıl geçmiş, yıl 1982 olmuştu. "Doktor" unvanını almasını sağlayan tezinde, "Planlı Dönemde Türk Ekonomisinde Yapı Değişikliği"ni anlatıyordu. Tez savunmasına o gün hiçbir akademisyenin alınmaması dikkat çekiciydi. Oysa tüm tez sınavlarına isteyen girip dinleyebilirdi.

12 Eylül döneminde cezaevine girmedi. O da zamanını, cezaevindeki ülkücülere yardımla geçirdi. Cezaevindeki ülkücülerin eş ve çocuklarına "Devlet abi"lik yaptı, destek oldu.

Ülkücülerin aileleriyle ilgilenirken bile evlenmeyi hiç aklına getirmedi. Bekâr kalmasının nedeni –kendisine göre– hep siyasetle uğraşmasıydı. Merak edip soranlara, "Bizim gibi inançlı insanlar için nikâh, günü saati belli olmayan bir şeydir. Kısmet olmadı" dedi. Onu yakından tanıyanlar ise müzmin bekârlığının nedenini titizliğine dayandırıyorlardı.

Gerçekten çok titiz bir kişiydi. Evde, özel bir bankadan emekli olan ablası Serpil'in yaptığı yemekleri beğeniyle yiyordu. İçliköfte, kısır gibi yerel yemekler ve Adana kebaptan hoşlanıyor, sebze yemeklerinden uzak duruyordu. Dışarda yemek yemeye mecbur kalırsa da seçici davranıyordu. Ama nereye giderse gitsin çay bardağı ve sigarayı elinden düşürmüyordu.

Titizliği giyimine de yansıyordu. Asla ütüsüz pantolon, kravatsız ceket, boyasız ayakkabı giymiyordu. Klasik bir çizgi tutturmuştu elbiselerinde. Gri, soluk renkleri yeğliyordu. Ama renk uyumuna özen gösteriyor, beyaz çorap giyilmesinden nefret ediyordu.

Üniversite öğrenciliği döneminde uzattığı bıyığı sonra kesmişti. "Bıyıksız ülkücü" imajını benimsemişti, rahatsız olmuyordu. Tespih ve sigara ağızlığını da geride bırakmıştı.

Ülkücülerin kara dönemi

Hareketli günler, 12 Eylül'ün hemen ertesinde geri döndü. Türkeş'in eski gençlik danışmanı ve MHP Gençlik Kolları eski başkanı Ali Güngör'le bir ekip oluşturdular. Onlara, "Akademisyenler Grubu" deniyordu. Mayaş Yayınları'nı kurdular; haftalık *Hamle*, aylık olarak da *Töre* dergisini yayımladılar. MHP davasındaki savunmaları kitaplaştırdılar.

Muharrem Şemsek ise *Bizim Ocak* adlı dergiyi çıkarıyordu. Bahçeli ile Şemsek'in ilk görüş ayrılıkları "istişare toplantıları"nda başladı. Partileşme konusu tartışılıyordu. Şemsek, Muhafazakâr Parti'ye girmekten yanaydı; nitekim MP'ye girdi ve orada etkin bir isim oldu. Bahçeli, MP'ye uzak duranlar arasındaydı. MP'nin Milliyetçi Çalışma Partisi adını alması da durumu değiştiremedi. Millî Çapulcular Partisi (MÇP) deyip geçiyorlardı.

Türkeş'in nisan 1985'te cezaevinden çıkması sorunları azaltmaya yetmedi. Bahçeli ve Şemsek grupları arasında çatışma giderek şiddetlendi. 1986 sonlarında kavga, yumruklaşmalara kadar vardı. "Kara dönem" olarak adlandırılan günlerde Mayaş Yayınevi de soyuldu, kitaplar çalındı.

Ülkücü gençler o günlerde bir piknik düzenlediler. Amaç, üniversitedeki gençliğe dinamizm katmaktı. Teşkilatlanmaya karşı çıkan Bahçeli, bu pikniğe de destek vermedi. Birkaç gün sonra evinin önünde saldırıya uğradı. Birkaç genç yumrukladı, kafasını yardı.

Bahçeli'yi o gün kimin dövdüğü meçhul kaldı. Kimileri, pikniği düzenleyen gençleri suçladı; kimi söylentiler de Şemsek'i adres gösterdi. Olayın faili belirlenemedi, ama "ülkücü dayağı"ndan sonra Bahçeli ve Şemsek yıllarca hiç konuşmadılar. Birbirlerinden uzak durdular.

Aylar geçtikçe gerginliğin artması üzerine Türkeş duruma el koymak zorunda kaldı. Bahçeli'yi çağırdı: "Üniversiteden ayrıl, MÇP'ye gel." Bahçeli hemen "evet" demedi. "Ben arkadaşlarla görüşeyim efendim" deyip çıktı.

Görüşmenin ardından Tuğrul Türkeş'le Mayaş Yayınevi'nin Necatibey'deki bürosunda oturup sohbet ettiler. Bahçeli sıkıntılı, tereddütlüydü. "Şimdi istifa edip partiye girersem, 'Dayak yedi aklı başına geldi, partiye girdi' derler" endişesi içindeydi. Saatler sürdü istifayı kabul etmesi. En sonunda, "Peki Tuğrulcuğum, ben yarın istifa ediyorum" dedi, ama Tuğrul Türkeş işi noktalamaya kararlıydı:

– Hocam gel şu istifa dilekçesini ben yazayım da içim rahat olsun.

– Bana itimat etmiyor musun?

– Hayır itimatsızlıktan değil de dilekçeyi yazıp bitirelim.

Oradaki eski bir daktiloyu çektiler önlerine. Dilekçeyi yazdılar, Bahçeli imzaladı. Tuğrul Türkeş rahatladı. "Ben yarın üniversiteye bırakır oradan gelirim" diyen Bahçeli dilekçeyi aldı çıktı.

İstifa dilekçesini ertesi gün üniversiteye verdi. O gün takvimler 17 nisan 1987'yi gösteriyordu. Üniversitedeki hizmet süresi 16 yıl olmuştu. Bu süre yetmediği için emekli maaşı bağlanmadı.

Ancak bu sorun olmadı, maddî durumu zaten iyiydi. Ağabeyi Servet Bahçeli'nin kurup işlettiği "Osmaniye Özel Bahçeli Koleji"ndeki ortaklığından ve ailesinden kalan mallardan yeterli gelir elde ediyordu.

Milliyetçiler görev ifa etti

Türkeş, MÇP'nin 19 nisan 1987 kongresinde sağına eski MSP'li Abdülkerim Doğru'yu, soluna da Bahçeli'yi oturttu. Kongrede en fazla oyu Bahçeli aldı. Birinci sıradaki Bahçeli'yi Ali Güngör, Tuğrul Türkeş ve Muharrem Şemsek izliyordu. Tuğrul Türkeş de partiye o kongrede girmişti.

Bahçeli genel sekreterliğe getirildi ve Ali Güngör'le beraber partiye hâkim oldular. Türkeş'in yakın çevresinde yer aldılar. Muhsin Yazıcıoğlu'nun liderliğindeki "Türk-İslam ülkücüleri" ve Şemsek ekibiyle parti içi iktidar kavgasında etkili bir konumdaydılar.[7] Genel sekreter yardımcılığı verilen Şemsek ağırlığını kaybetmişti.

Bahçeli, genel sekreter olarak verdiği ilk mesajında MÇP'nin çizgisini üç sözcükle özetledi:

– İlim, tefekkür, iman...

Klasik MHP çizgisini savunan ekip, MÇP'yi reorganize etti. Partinin vitrinini yeniledi. Parti programı yeniden yazılırken, bir yandan da eski MHP'nin eylemleri inkâr edilmedi. Bahçeli, 12 Eylül öncesine de sahip çıktı: "1980 öncesinde milliyetçiler büyük ve tarihî bir görev ifa etmişlerdir. Gösterilen gayretler, bölücü, parçalayıcı ve ülkemizi geri bıraktıran şer hareketlerini önleyen en büyük faktör olmuştur. O meşum günlerde, Türk milliyetçiliğinin iman ateşi olmasaydı, Allah korusun bugün ülkemiz bir müstemleke olabilirdi."

Bahçeli, 1987 seçimlerinde milletvekili adayı oldu. Ancak Türkeş'in siyaset yasağının kalkması, MÇP'nin 1987 seçimlerinde başarılı olmasına ve partinin meclise girmesine yetmedi.

1991 seçimlerine kadar genel sekreterliği sürdürdü. 1991 se-

---

7 Kemal Can, "Devlet'in sakin gücü", *Milliyet*, 20 nisan 1999.

çimlerinde RP'yle ittifakı destekledi. Türkeş'in, Erbakan'la ilk görüşmesine de katıldı. Ama Adana'da, birinci sırada olmasına rağmen yine seçilemedi.

Ardından bir talihsizlik daha yaşadı. MÇP'nin adının MHP'ye dönüştüğü 29 aralık 1992 kongresinde, MKYK'ya giremedi. İlk kez uygulanan "çarşaf liste"nin kurbanı olmuştu. Rakipleri ismini silmişti. Türkeş, onu yine de yanından ayırmadı. "Genel başkan danışmanı" olarak partide tuttu.

Yol ayrımına gelmişti

Disiplinli bir partiliydi. Daha çok, parti, siyasî çalışmalar ve evi arasında geçen sade bir yaşam sürüyordu. Evdeki zamanının çoğunu da kitaplarla geçiriyordu. Türkiye-Avrupa ilişkileri ve Türk tarihi üzerine yapılan araştırmaları severek okuyor; edebiyattan, romandan, şiirden uzak duruyordu. Türk sanat müziğinden hoşlanıyor, çoğunlukla da Sadettin Kaynak ve Münir Nurettin dinliyordu.

Siyaset dışında tek hobisi vardı; o da eski Türk evleriydi. Nereye giderse gitsin Türk evlerini inceliyor, projelerini topluyordu. En büyük rüyası böyle bir eve sahip olmaktı. Bir mimar arkadaşının çizdiği, Amasya evlerini örnek alan bir projeyi Osmaniye'de bir yapıya dönüştürmek istiyordu. Bu hobisinden pek söz etmiyordu. MHP'de daha çok siyaset konuşuyordu. Çünkü o "Devlet Hoca"ydı...

Israrlı mücadelesi sonucunda 1994'te yeniden yönetime girdi. Genel başkan yardımcılığını üstlendi. Bu dönemde parti, Muhsin Yazıcıoğlu ve arkadaşlarının ayrılmasıyla sarsıldı. Yazıcıoğlu'nun kopması, tırmanan bir sürecin sonucuydu. Bahçeli, onlarla ilişkisini gerginleştirmedi. Hatta MHP içinde Yazıcıoğlu aleyhine konuşulmasına engel oldu. O nedenle de hep o grubun da saygıyla yaklaştığı bir isim olarak kaldı. MHP'de ülkücü geleneğin ve Türkçü kanadın tek temsilcisi konumuna yükseldi.[8] 1995 seçimlerinde Adana'da üçüncü sıradan aday gösterildi. Yine TBMM'ye giremedi. Seçilmesine rağmen, MHP barajı aşamadı. Seçimlerdeki "hanedan tartışmaları"nda genel merkezin tavrından rahatsız oldu. Rıza Müftüoğlu'nu eleştirdi. Ama suçlamalarını Türkeş'e yöneltmedi. Zaten Türkeş'e siyasî yaşamının hiçbir döneminde karşı çıkmamış, liderinin istediklerini hep itirazsız kabullenmişti.

Aslında klasik MHP çizgisini savunan birçok ülkücü gibi o da, MHP'nin bir yol ayrımına geldiğinin farkındaydı. Türkeş çizgisine karşı dipten bir dalga yükseliyordu MHP'de. Türkeş'in ölümü tam bu döneme denk geldi.

Olağanüstü kongre, Türkeş çizgisiyle bir hesaplaşma biçiminde geçti. Bahçeli, o çizgiye karşı yükselen tepkiyle bütünleşti. Ülkücü camiadaki saygın yeri, 12 Eylül öncesini inkâr etmemesi, tam tersine geçmişe sahip çıkması seçilmesini kolaylaştırdı.

18 mayıs 1997'deki kongrede ibreler onu gösterince ortam gerginleşti; sandalyeler havada uçtu; yumruklar konuştu. Ertelenen kongrede, rakibi Tuğrul Türkeş'i aşmakta zorlanmadı.

Klasik milliyetçiliğe dönüş

Genel başkan seçildikten sonra dikkat çeken ilk demeci, polisten kaçarken yanlışlıkla MHP Şişli ilçe binasına giren solcu gencin dövülerek camdan atılmak istenmesi konusundaydı: "Orada, atlamak isteyen birinin içeri çekilmesi olayı vardı.

---

8 Kemal Can, "Devlet'in Sakin Gücü", *Milliyet,* 20 nisan 1999.

Oradaki yumruklama olayına bakıyorsunuz sadece."[9]

Solcu genç camdan atlamak istemiş, ülkücüler onu içeri çekebilmek için yumruklamak zorunda kalmışlardı! Ne de olsa eylemci gelenekten gelen bir ülkücüydü. Yoksa hangi politikacı, kameralarla saptanan bir dayak olayını böyle savunabilirdi? Bahçeli'nin ilk işi parti yönetimini yenilemek oldu. "Kilit noktaları" güvendiği kişilere teslim etmesine rağmen gözünü hiç onların üstünden ayırmadı. Türkeş'in son döneminin tersine, zamanının çoğunu partide geçirdi. Böylece partiyi istediği gibi yönlendirmekle kalmadı, parti içinde olup biten her şeyden anında haberdar oldu.

"İstihbaratı" kuvvetliydi! Hatta bir gelişmeyi haber vermek isteyen yöneticiler, kimi zaman, söze "Efendim, haberiniz var mı?" diye başlamak zorunda kalıyorlardı. Çoğu kez de önceden haberi oluyordu.

Kritik bir dönemde genel başkan olduğunun farkındaydı. MGK'nın Siyaset Belgesi'nde ırkçılığın da bir tehdit sayılmasını ciddiye aldı. Öncelikle MHP'lileri üniversitelerdeki türban eylemlerinden çekti. "Türban sokakta çözülmez. Ürkek değil erkekçe çözüm"dü sloganlaştırılan gerekçesi.

Ayrıca, ülkücü gençlerin, İslamcı kesimlerle aynı saflarda, hem de aynı sloganlarla görünmesini önledi. "Bozkurtlar" daha az tekbir getirir oldu.

Bir yandan da, MHP'nin 12 Eylül öncesine bütünüyle sahip çıktı; Türkeş'in son dönemde artırdığı medyaya sevimli gözükme çabasını ikinci plana itti. Ağırlığını, MHP'nin Orta Anadolu'daki geleneksel kalelerine verdi yeniden. Daha da önemlisi, "Bozkurtlar"a güven vermeyi hedefledi. "Pop milliyetçilik"ten

---

9 Kürşad Bumin, "Masada birikmiş gazete kupürleri", *Yeni Şafak,* 4 haziran 1999.

vazgeçip klasik politikalara döndü. Bu da ülkücü kadrolarla bağ kurmasını sağladı. Türkeş'in dışa dönük ve "üst düzey politikası" yerine, içe dönmenin semeresini çabuk aldı. Taban, 1995 yenilgisinin düş kırıklığını üzerinden attı, harekete geçti. Taban canlanınca yeni kadrolaşmanın yarattığı rahatsızlık ülkücü camiada fazla yankı bulamadı...

"Elini çek Enver Bey"

Parti teşkilatını düzenli olarak gezdi. Türkiye'yi dolaşırken, geçmişten farklı olarak, bilip bilmediği yerlerde yemek yemek, tokalaşmak zorunda kaldı. Daha çok kolonyalı mendil kullanmaya başladı. Gittiği yerlerde partililerin tüm ısrarlarına karşın yüzünü öptürmemeyi başardı.[10]

Kibar ve mesafeli ilişkilerden hoşlanıyordu. Seçim öncesinde *TGRT* ve *Türkiye* gazetesi sahibi Enver Ören'in ziyareti sırasında yaşananlar, dokunmatik konuşmalardan nefret ettiğini ortaya koydu.

Ören, görüşme sırasında, her zaman yaptığı gibi, Bahçeli'nin dizlerine minik "şefkat tokatları" vurarak konuşuyordu. Dördüncü veya beşinci tokatından sonra Bahçeli sinirlendi:

– Bir daha bacağıma dokunmayın Enver Bey. Bu son olsun.

Salonda buz gibi bir hava esti. Bahçeli, orada bulunan yardımcıları Tunca Toskay ve Koray Aydın'a döndü ve bir daha Ören'le hiç konuşmadı. Ören'le vedalaşırken de aralarında soğuk bir konuşma geçti:

– Sohbetinize doyum olmuyor Devlet Bey.

– Evet, öyledir Enver Bey.

---

10 Nevin Bilgin, "Bahçeli zor olanı başardı", *Sabah,* 21 nisan 1999.

Bu tatsız görüşme, Bahçeli ve Ören'in ilişkisinde silinmez bir yer edindi kendine. Ören, seçim sonrasında bir kez daha MHP Genel Merkezi'ne uğramak istediğinde, Bahçeli artık, seçimden zaferle çıkmış bir partinin lideriydi. Ören'e yine soğuk davrandı.[11]

Bahçeli, dokuz koç kurban edip, dokuz davul çaldırarak başlattığı seçim kampanyasından hiç beklemediği bir sonuç almıştı. 18 nisan gecesi, genel merkezin bulunduğu Karanfil Sokak, "Başbakan Bahçeli" ve "Devletin başına Devlet gelecek" sloganlarıyla inliyordu. Ülkücüler zafer naraları atıyorlardı.

MHP, kurulduğundan bu yana ilk kez 130 milletvekili çıkarıyordu. DSP'nin ardından ikinci parti olmuştu. Bahçeli, seçim sonuçları belli olur olmaz tavrını açıkladı.

– DYP ve FP'nin dinlenmesi lazım.

DSP'yle koalisyona kapısı açıktı. Ancak Rahşan Ecevit'in, MHP'nin geçmişini gündeme getirmesi işleri bozar gibi oldu. "Ecevit'in özür dilemesi" koşulunu öne sürdü. Bülent Ecevit de özür dilemedi, eşinin kişisel düşüncesini söylediğini belirtmekle yetindi; Hüsamettin Özkan'ı Bahçeli'ye gönderdi. Temaslar sonrasında araya giren soğukluk giderildi ve koalisyon kuruldu. Ecevit başbakan, Bahçeli başbakan yardımcısıydı.

İlk iş olarak, partide demeçleri izne bağladı. Seçim kampanyasındaki başörtü savunuculuğuna rağmen, Antalya Milletvekili Nesrin Ünal'a başörtüsünü mecliste açması talimatını verdi. Koalisyonda kriz çıkmaması en önemli hedefi oldu. İntihar girişiminde bulunan DSP'li Hikmet Uluğbay'a hakaret eden Eyüp Aktepe'yi partideki görevinden aldı; af yasası görüşmelerini sessiz ve derinden yürüttü. Partisinin isteklerinden de taviz vermedi. Öyle ki, sonunda TBMM'den geçen af ya-

11 "Bacağıma vurmayın Enver Bey", *Yeni Şafak* gazetesi, 13 temmuz 1999.

sası, affı gündeme getiren Rahşan Ecevit'i bile şaşırttı. Önce o itiraz etti:

– Bu benim affım değil. Yeni şekliyle tasarı, çetelere ve katillere af getiriyor.[12]

Rahşan Hanım, yine MHP'ye atıfta bulunuyordu bu sözleriyle. Bülent Ecevit de eşine destek verdi: "Bu affın içime sindiremediğim yanları var." Bahçeli, Ecevit'in bu sözlerine de yanıt vermedi. Tam bu sırada Demirel'den veto haberi geldi. Canı sıkıldı. "Sayın cumhurbaşkanının kamuoyunu dikkate alıp veto etmesi normal. Ama keşke hükûmeti de dinleseydi" dedi. Ecevit çiftine ise yanıt vermedi.

Bakanların, deprem sonrasında açıklamaları yüzünden MHP hedef tahtası durumuna geldi. Osman Durmuş'a sahip çıktı, sadece açıklamalarını yazılı yapması için uyardı. MHP'ye yönelen eleştirilere kalkan oldu, ama duygularını ifade etmekten de geri durmadı:

– Ülkücülüğün iktidarı dahi çileli.

Deprem sonrasında olağanüstü hal ilan edilmemesinin nedenini de, "Böyle olağanüstü bir durumu sivil otoritenin aşabileceğini ispat etmemiz lazımdı" sözleriyle savundu.[13] Ertesi gün tahmin etmediği bir yanıt geldi. Hem de Genelkurmay Başkanı Orgeneral Hüseyin Kıvrıkoğlu'ndan:

– Türk Silahlı Kuvvetleri, Anayasa'nın, değiştirilmesi teklif dahi edilemeyecek olan temel ilkelerine sahip çıkıyormuş gibi görünüp uygulamada bu ilkeleri aşındıran partilere sıcak bakmaz.[14]

Bahçeli, Kıvrıkoğlu'nun sözlerini üzerine almadı. "Bizi hedef almıyor, o sözler normaldir" dedi, geçiştirdi. Bunula kalmadı,

12 Muharrem Sarıkaya, "Bu benim affım değil", *Hürriyet,* 23 eylül 1999.
13 Sedat Ergin, "Çankaya'ya sitem", *Hürriyet,* 3 eylül 1999; Sedat Ergin, "Ülkücülüğün iktidarı dahi çileli", *Hürriyet,* 3 eylül 1999.
14 Sedat Ergin, "28 Şubat bitmedi", *Hürriyet,* 4 eylül 1999.

Kıvrıkoğlu'nun demecini yerinde bulduğunu açıkladı. "28 Şubat'ın devam ettiği" sözlerine de itiraz etmedi.

Çetelerle mücadele

Sadeliği, gösterişten hoşlanmaması açısından Başbakan Ecevit'e benziyordu. Bahçeli de Ecevit gibi yerli marka araçlara alışkındı. Ancak arkadaşları, genel merkezdeki araçlar yenilenirken onu ikna ettiler. Son model Volvo'lar alındı. Araçların plakaları "9 Işık" ve Bahçeli'nin adının kısaltılmasından oluşan "DB" numuzunu taşıyordu. Bahçeli, parti gezilerinde 06 DB 009 plakalı bu aracı, hükûmet işlerinde ise 005 plakalı Mercedes marka aracı kullanıyordu. Uçaktan korkup, mümkün olduğu kadar karayolunu tercih ettiği için bu araçlara çok iş düşüyordu. Gezilerde, yüzlerce insanla tokalaşmak zorunda kalıyor, bol miktarda kolonya tüketiyordu.[15]

Gülmeyen ve sessiz bir kişilik olarak alışılmışın dışında bir başbakan yardımcısıydı. Ancak parti içi tartışmalarda, gerektiğinde tavizsiz davranıyordu. Adları, "ülkücü mafya" söylentilerine karışan üç bin kadar MHP'liyi partiden uzaklaştırdı. Tekir Yaylası'ndaki şenliklerde havaya ateş açan ülkücülere sert çıktı. Deprem sonrasında ihale alan MHP'lilere göz açtırmadı: "İhaleye giren MHP'li yanar."

Bahçeli'nin bu uyarısını dinlemeyen MHP'liler çıktı aradan. MHP Gümüşhane Milletvekili Bedri Yaşar'ın şirketi, Kocaeli'ndeki prefabrik konut ihalesinden 1,5 trilyonluk iş aldı. Basında, televizyonlarda yayımlanan eleştirilere karşı kimi MHP yöneticileri Yaşar'ı savunmaya girişti.

15 Nevin Bilgin, "Politikacı olarak Bahçeli portresi", *Sabah,* 20 ocak 2000.

Bahçeli ise olaya göz yummadı, Yaşar'ı çağırdı, "Ya ihale ya MHP" dedi. Yaşar ihaleyi bırakmak zorunda kaldı.

Ecevit'in Amerika gezisi sırasında başbakanlığa vekâlet etti. Gezi sonrasında en önemli konu, Cumhurbaşkanı Demirel'in veto ettiği af yasasıydı. Ecevit, çetelerin af yasası kapsamına alınmasına yöneltilen eleştiriler karşısında geri adım atmış, "İçime sindiremiyorum" diyerek topu MHP'ye atmıştı. Bahçeli de sorumluluğu üzerine almadı:

– MHP, bırakın çetelerin affedilmesini, çetelerle mücadele edilmesini savunmaktadır.

Böylece çetelere affı kimin yasaya soktuğu havada kaldı. Bahçeli sahiplenmeyince, DSP'li adalet bakanı çeteleri af kapsamından çıkardı. Fakat kamuoyunda çetelerin affını üstlenemeyen MHP, kapalı kapılar ardında Haluk Kırcı'nın af kapsamına alınmasını istedi.

Rahşan Ecevit yeniden devreye girdi: "Koalisyonun bozulması pahasına Kırcı'nın affına karşı çıkacağız." Rahşan Hanım Bahçeli'yi kızdırdı, yanıtı sert oldu:

– Milliyetçiler koltuk meraklıları değil, ülke ve inanç sevdalılarıdır. MHP için, başkalarının yaptığı gibi, "iyi suçlu, kötü suçlu" yoktur.

Bir zamanlar Alparslan Türkeş'in korumacılığını üstlenmiş olan, ancak yedi insanı öldürmekten mahkûm bir ülkücü de ancak böyle savunulabilirdi.

Öcalan sendromu

Koalisyon, ekonomiyle ilgili önemli kararlar aldı. İMF"yle stand-by anlaşması imzalandı ve hükûmet ağır yükümlülükler altına girdi. Tepki alacağı bilinmesine rağmen memur maaş **31** zammı yüzde 15'le sınırlandı. Ekonomiye ilişkin kararların alınması zor olmadı.

Koalisyonu en çok Abdullah Öcalan'ın idam dosyası zorladı. İdam cezasının Yargıtay'da onanmasının ardından hükûmetten farklı sesler çıkmaya başladı. ANAP lideri Mesut Yılmaz, Güneydoğu gezisi sırasında, "Avrupa Birliği'nin yolu Diyarbakır'dan geçer" deyince Bahçeli hemen yanıt verdi:

– Caniyi kurtaracak ya da cezasını değiştirecek mazeretler kabul edilemez. Bu, AB üyeliğinin temel şartı olamaz.

Bahçeli'nin böyle konuşması doğaldı. Ne de olsa, seçim meydanlarında Öcalan'ın idamını önemli bir koz olarak kullanmışlardı. Ecevit ise ezelden beri idam cezasına karşıydı:

– Duygusallıktan uzak olmalıyız.

Ecevit'in itirazı Bahçeli'yi duraksattı. "Önce vatan, sonra parti, sonra biz. İktidar sorumluluğunda hep bu ilkeyle hareket ettik. Bundan sapmayız."[16] Koalisyonu bozmak gibi bir niyeti olmadığını bir kez daha vurgulamasına rağmen, Ramazan Bayramı arifesinde gittiği Osmaniye'de sert çıktı:

– Ülkeyi kan gölüne çeviren bir teröristin yargı tarafından verilmiş cezasını engelleyen bir anlayış kabul edilemez. İnsan hakları insanlar içindir. Türk milleti her türlü dayatmayı aşacak güçtedir.

Bu da Gazi Üniversitesi'nden ve *Türkiye Günlüğü* dergisi yazarlarından Doç. Dr. Vedat Bilgin'in hazırladığı bir konuşmaydı.[17] Ecevit, Bahçeli'nin bu çıkışını da yanıtsız bırakmadı. "Dirisi değil, ama ölüsü, içerde ve dışarda ülkeye zarar verir." Basın üzerinden yürüyen tartışmanın ardından koalisyon liderleri 12 ocakta bir araya geldi. Zirvenin başlangıcında, MİT Müsteşarı

16 Fikret Bilâ, "Bahçeli: Önce vatan", *Milliyet*, 3 ocak 2000.
17 Ömer Şahin, "Sağı konuşturan hocalar", *Zaman*, 20 şubat 2000.

Şenkal Atasagun'un sunduğu 15 sayfalık bir rapor okundu:

– Öcalan'ın dirisi bizim için ölüsünden daha kıymetlidir.

Raporun özeti buydu; infaza karşı çıkılmasının nedenleri etraflıca anlatılıyordu.[18] Zirvenin bundan sonrası, dosyanın, Avrupa İnsan Hakları Mahkemesi kararı çıkana değin Başbakanlık'ta bekletilmesi için Bahçeli'nin iknasına yönelikti. Ecevit ve Yılmaz, tam yedi saat dil döktüler. Bahçeli, iki kez Yılmaz'ı aynı koridordaki makam odasına çağırarak baş başa görüştü. İkinci görüşmede koalisyondan çekilmekten söz etti:

– Sayın Yılmaz, bizim bunları kabul etmemiz mümkün olmayacak. İsterseniz biz hükûmetten çekilelim. Ama size dışardan destek vermeye devam edelim.

Yılmaz şaşırmıştı. Bir süre sessiz kaldı. Sonra ağır ağır konuşmaya başladı:

– Asarsak bunun geri dönüşü olmaz. Ama sağ kalırsa elimizde bir koz kalmış olarak kullanabiliriz. Bu formülün sizin endişelerinizi gidermiş olması lazım.[19]

Bahçeli, kabul etmekte zorlanıyordu. Yılmaz, 18 dakikalık görüşmeden sonra salona döndü. Birkaç dakika sonra Bahçeli geldi, yüzü gergindi. "Karar memlekete hayırlı olsun" dedi. Ecevit ve Yılmaz rahatladı. Üç lider, dosyanın Başbakanlık'ta bekletilmesi kararını imzaladılar.

Aslında Öcalan'ın idamının ertelenmesi anlamına gelen bu kararda, Bahçeli'yi rahatlatan formül son cümleye yerleştirilmişti:

"(...) Genel başkanlar, hukuka saygı içinde aldıkları bu kararın, terör örgütü ve yandaşı çevrelerce, milleti ve devletiyle Türkiye'nin yüksek menfaatleri aleyhine kullanılmak istendiğinin

---

18 Ertuğrul Özkök, "7,5 saat boyunca Bahçeli", *Hürriyet,* 14 ocak 2000.

19 Şükrü Küçükşahin-Nuray Babacan, "Yılmaz ikna etti", *Hürriyet,* 14 ocak 2000.

değerlendirilmesi halinde, erteleme süreci kesilerek infaz sürecine derhal geçilmesi hususunda görüş birliğine varmışlardır."

Öcalan ve yandaşlarına tehdit havası taşıyan bu cümlenin ikinci amacı, Bahçeli'ye partisini rahatlatmak için kullanabileceği bir silah vermekti.

Öyle oldu. Bahçeli, bu silahı iyi kullandı, MHP yönetimini ikna etmeyi güç de olsa başardı.

En yüce değer töre

Öcalan krizini atlatan koalisyon için bir başka kritik eşik, cumhurbaşkanlığı seçimiydi. Bahçeli yine uzlaşmaya açık davrandı:

– Kimi cumhurbaşkanı seçersek seçelim uzlaşmayla seçelim. Sadece Demirel'in görev süresinin uzatılmasında değil, seçimin alternatifleri çerçevesinde de partiler arasında samimi, açık uzlaşmalar arzulanıyor.

Bahçeli, hükûmetin devamını önemsiyor, o nedenle koalisyonun üzerine titriyordu. Partilerin kapatılmasının zorlaştırılmasıyla ilgili Anayasa değişikliğine o nedenle ses çıkarmadı. Ancak FP, Erbakan'ın mahkûmiyetinden sonra, pazarlığa 312. madde değişikliğini de eklemek isteyince itiraz etti:

– Bir kısım yayın organları ve siyasetçiler, "Bugün Fazilet'e, yarın MHP'ye" diyerek, adeta MHP'yi birileri adına 312. maddeyle tehdit edip yanlarına çekebilme hesapları içerisine girmektedirler. Bu çarpık ve pazarlıkçı zihniyet sahipleri bilmelidirler ki, bir gün MHP bu ülkenin insanlarını, din, mezhep, etnik köken ayrımcılığıyla bölmeye, parçalamaya, birbirine düşürmeye meyil ederse, zaten varlık sebebini inkâr etmiş olur."

Bu sözler, FP'lileri iyice sinirlendirdi: "Hani ürkek değil, erkektiniz?" eleştirileri yoğunlaştı. Bahçeli aldırmadı. Yine o bildik suskunluğuna döndü.

MHP'nin tam kadro oy vermesine rağmen Süleyman Demirel'in görev süresi uzatılamadı. Bu noktada Bahçeli'nin tavrı açıktı. "Ben aday değilim. Liderler aday olmasın." Kendisi aday değildi ve Yılmaz'ın da aday olmasını istemiyordu. Sonuna kadar da bu çizgiden hiç sapmadı. Zaten bu noktada taviz şansı yoktu. Çünkü parti tabanı Yılmaz'ın cumhurbaşkanlığına kesinlikle karşıydı.

Koalisyon zirvesinde cumhurbaşkanı adayları gündeme geldi. Ecevit'in adayları İsmail Cem ve Prof. Mehmet Haberal'dı. Bahçeli'nin adayları ise Sabahattin Çakmakoğlu ve Prof. Kâmil Turan'dı. Ecevit, Bahçeli'nin adayı Turan'ı, Yılmaz'a sordu. "Siz tanıyor musunuz?" Hayır, o da tanımıyordu.

Nasıl tanısın, Prof. Turan, sadece MHP çevrelerinde tanınmış bir kişiydi. Adolf Hitler'in, *Siyasi Vasiyetim* adlı kitabını Türkçe'ye kazandırmasıyla ünlüydü. Kitabın önsözünde, Nazi Almanyası'nın tarafsız bir kalemden yazılmamış olmasından yakınıyor, Hitler'e övgüler yağdırıyordu:

"(...) Bir deli diye kesinlikle umursanamayacak kadar önemli bir ruh ve kafa yapısına sahip olan Hitler, dikte ettirdiği bu satırlarda harbin o günlere kadar izah edilemeyen birçok yönlerini berrak bir ifade ile anlatmaktadır."[20]

Bereket ki Turan'ın adaylığını Ecevit benimsemedi. Üç lider, birbirlerinin önerdikleri isimler yerine meclis dışından bir isim olan Anayasa Mahkemesi Başkanı Ahmet Necdet Sezer üzerinde anlaştı. Devlet Bakanı Sadi Somuncuoğlu bu anlaşmadan hoşlanmadı. Cumhurbaşkanlığı için şansını denemek isti-

---

20 Adolf Hitler, *Siyasi Vasiyetim*, çev. Kâmil Turan, Ötüken Yayınevi, 1968, s. 8.

yor, Fazilet'ten de oy alabileceğinin hesaplarını yapıyordu.

Somuncuoğlu, Bahçeli'yle görüşüp adaylık için izin istedi. "Söz verdik. Parti bütünlüğü bozulmamalı" dedi Bahçeli. 1,5 saat süren görüşme tatsız sona erdi. "Size Sadi Abi diyoruz, Sadi Bey olmayın."[21]

İkna olmayan Somuncuoğlu, başvuru süresinin son saatlerinde TBMM'ye gitti. MHP milletvekilleri girişte bekliyordu. MHP Ordu Milletvekili Cemal Enginyurt ile Yozgat Milletvekili Ahmet Erol Ersoy, bellerinde silahlarla Somuncuoğlu'nu engellemeye çalıştılar. Enginyurt, koruma polislerini tartakladı, bağırıp çağırdı.

Somuncuoğlu'nun veremediği adaylık dilekçesini danışmanları TBMM Başkanlığı'na ulaştırdı. MHP milletvekilleri, dilekçeyi oradan alıp yırttılar.

TBMM Başkanı Yıldırım Akbulut'un, yırttıkları başvuruyu işleme koyduğunu duyan MHP milletvekilleri iyice sertleştiler. Başkanın odasına dalıp bağırıp çağırmaya başladılar. Akbulut, yumruklarıyla konuşmaya alışmış bu grupla diyalog kuramayacağını anlayınca arka kapıdan çıkmayı tercih etti.[22]

Kaba kuvvet kullanımından çok, MHP yönetiminin bu milletvekillerini savunması kamuoyunu şaşırttı. MHP Genel Başkan Yardımcısı Şefkat Çetin, Somuncuoğlu'nu "töre"yi çiğnemekle suçladı:

– Töreyi çiğneyen kişinin MHP üniformasını giymeye hakkı yoktur. Ülkücü tavır gösterilmiştir.

Bahçeli de üzgün olduğunu söyledi, ama ağırlığını "töre"den yana koydu. Sonuçta, istifa etmemekte direnen Somuncuoğlu, bakanlıktan azledildi. Öcalan'ın idamı, cumhurbaşkanlığı seçi-

21 Zekâi Özçınar, "Bahçeli: Leke olur", *Zaman,* 29 nisan 2000.
22 İsmet Solak, "Akbulut'un da odasını bastılar", *Hürriyet,* 29 nisan 2000.

mi gibi kritik eşikleri bile sorunsuz atlatan koalisyon, "töre" olayını da sessizce geçiştirdi.

Koalisyonda dalgalanma

Koalisyon içi ilk dalgalanma, hiç beklenmeyen bir anda gerçekleşti. Cumhurbaşkanı adayı olamayınca, hakkında "şaibe" yaratan soruşturma komisyonlarından kurtulup, başbakan yardımcısı olarak kabineye girmeyi planlayan ANAP lideri Mesut Yılmaz, çelme yedi. Türkbank gibi ağır iddiaların bulunduğu komisyonlarda Yılmaz'ın aklanması yönünde oy kullanan MHP'li milletvekilleri, SEKA komisyonunda, Yılmaz'ın Yüce Divan'a sevki yönünde oy kullandılar.

ANAP ayağa kalktı. Bahçeli'yi ağır bir dille suçlayıp, koalisyondan çekilmekle tehdit ettiler. Bahçeli geri adım atmadı. Partisinin haksızlık ve yolsuzluklarla mücadelede kararlı olduğunu vurguladı. ANAP'ın yanı sıra basını da eleştirdi:

– (...) Medyamızın gelişmeler karşısında sergilediği ikircikli tavırlar da dikkat çekici boyutlara ulaşmıştır. Başlangıçta meclis, alaycı bir edayla aklama-paklama yapmakla suçlanmış, daha sonra çok farklı bir yaklaşım sergilenmiştir.

Temiz toplum, temiz siyaset kampanyalarının bayraktarlığını yapan basınımızın bu ve benzeri konularda daha tutarlı ve duyarlı olmasını beklemek hakkımızdır.[23]

İstikrar adına, koalisyonun devamı için Yılmaz'ın aklanması mı, yoksa hükûmetin yıkılması pahasına Yılmaz'ın Yüce Divan'a gönderilmesi mi? Bahçeli bu ikilem karşısında kaldı.

---

[23] Başbakan Yardımcısı Devlet Bahçeli'nin 6 haziran 2000 tarihli MHP grup toplantısında yaptığı konuşma, s. 4.

Başbakan Ecevit, bu ikilemde hükûmetin devamı şıkkından yanaydı. O nedenle Yılmaz'la birlikte Bahçeli'ye baskı yaptı. Tam koalisyonda buzlar çözüldü derken, MHP'li milletvekilleri bir de cep telefonlarıyla ilgili komisyonda Yılmaz'ın suçlu olduğu yönünde oy kullandılar.

Arabuluculuk girişimleri de fayda vermedi. Bahçeli, doğru bildiğini okumakta tereddüt etmiyor, merkez sağın giderek küçülen partisinin liderini, kamuoyunun vicdanında her gün biraz daha suçlu duruma düşürüyordu.

Bahçeli, üçlü koalisyonun giderek kendisinin liderliğinin sınandığı bir arenaya dönüştüğünün farkındaydı...

Osman Durmuş

Cuci Han'ın torunu

Hamile kadın birden çığlık atmaya başladı. "Gözlerim görmüyor!" Korku içindeydi! Vücudunun her yanı şişmiş, gözleri görmez olmuştu. Köy yerinde ne doktor vardı ne yeterli ilaç. Ne olduğunu kimse anlayamadı. Elif kadının çığlıkları ve doğum sırasında gelen ölümü, oğlu Osman'ı sarstı. Osman, henüz altı yaşında bir çocuktu. Altı ay kadar sonra Osman'ın yüzünde, vücudunda yaralar çıktı. Perişan olan baba, oğlunu da kaybedeceği korkusuyla, onu Ankara'ya, Numune Hastanesi'ne götürdü. Doktorlar, penisilin yazdılar. 1953 yılının Ankarası'nda ilaç bulmak kolay değildi. Babası, ne yapıp edip buldu ilaçları. Yaralar iyileşti, ama yüzünde ve bacaklarında silinmez izleri kaldı.

İyileştikten sonra ilkokula başladı. Üçüncü sınıftayken, öğretmeni tüberküloz oldu. Bayanpınar Köyü İlkokulu bir yıl öğretmensiz kaldı. O dönemde annesinin acısını bir kez daha hissetti. En büyük arzusu doktor olmak, kadınların, annesi gibi doktorsuzluktan ölmelerini önlemekti. Bir yandan da ilkokulu bile bitirebileceğine inanmıyor, Çankırı'da ortaokula giden çocuklara imreniyordu.

Yeniden evlenen babasının, geçim sıkıntısı nedeniyle köyden göçmeye karar vermesi her şeyi değiştirdi. Kırıkkale'ye taşındılar; babası Makine Kimya Fabrikası'nda işe girdi. İlkokula devam etme fırsatı doğunca Osman çok sevindi.

Türkeş'le tanışma

İlkokulu bitirip ortaokula başladığı yıl, Türkiye, olaylarla sarsılıyordu. 27 Mayıs Darbesi, Demokrat Partili olan baba Mehmet Durmuş'u üzdü. Kırıkkale'de kimileri davul çalarken, onların evinde matem havası vardı.

Osman, ortaokulda kitaplara merak sardı. Kerime Nadir'in aşk romanlarıyla başlayıp, Abdullah Ziya Kozanoğlu ve Murat Sertoğlu'nun Türk tarihini konu alan kitaplarına uzandı. Ortaokul son sınıftayken yaz tatilini halk kütüphanesinde geçirdi. Hiç kalkmadan onlarca kitabı bitirdi. Artık klasikler ilgisini çekiyordu; Balzac, Hugo, Wilde...

En çok Jack London'ın *Deniz Kurdu*'nu sevdi. Gemide tutsak gibi çalışan bir genç, kendi ayaklarının üzerinde durmaya çalışıyor, "Bugüne kadar babamın ayakları üzerinde duruyormuşum, şimdi kendi ayaklarımın üzerinde duruyorum" diyordu. Bu sözler, Osman için esin kaynağı oldu...

1963 yılında sürgünden dönen Alparslan Türkeş'in fikirleriyle tanışması, yaşamında dönüm noktası oldu. Ülkücüydü artık.

Lise yıllarında Peyami Safa'nın, Necip Fazıl'ın kitaplarına yöneldi. Nihal Atsız'ın, *Bozkurtların Ölümü*, *Bozkurtların Dirilişi* kitaplarını hatmetti. Arif Nihat Asya'yı Kırıkkale'ye, şiir okumaya çağırdılar bir grup arkadaşıyla. "Bayrak" şiirinden çok etkilendi, ezberledi. Özellikle, "Söyle nereye dikilmek istersen seni oraya dikeyim" dizesini okumak onu her zaman heyecanlandırıyordu. Sadece halk müziği ya da Türk sanat müziği dinliyor, Batı müziği dinlemekten ise, alışkanlık yapacağı korkusuyla kaçıyordu.[1]

Ailenin kökeni

Liseyi bitirdiği yıl, üniversite sınavlarından sonra birkaç fakülteye birden önkayıt yaptırmak mümkündü. Ankara Üniversitesi'nin, Hukuk, Siyasal ve Tıp fakültelerine önkayıt yaptırdı. Sonunda Tıp Fakültesi'ne girmeye hak kazandı.

Fakülte, o yıllarda iki kampa ayrılmıştı: solcular ve ülkücüler. Osman, lise yıllarına göre aktifti. Kısa sürede ülkücülerin önde gelen isimlerinden biri haline geldi. 1968 döneminin olaylı günlerinde politikayı ön plana alınca derslerde epeyce zorlandı.

Dersler ve olaylarla baş etmeye çalışırken, babasının hastalandığı haberini aldı. MKE Fabrikası'nın haddehanesindeki ilkel çalışma koşulları, Mehmet Durmuş'un omirilik kanserine yakalanmasına yol açmıştı. Babasını, 1968'de kaybetti. Dört çocuklu ailenin geçimi için geriye sadece dul ve yetim maaşı kalmıştı. Kız kardeşinin, üvey annesi ile ondan olan iki erkek kardeşinin sorumluluğu Osman'ın omuzlarına yıkıldı.

Öğrenciliği sırasında nişanlandı. Nişanlısı Ayfer'in Çankırılı olan ailesi sonradan Ilgaz'a göçmüştü. Osman da nişanlısını görmek için fırsat buldukça Ilgaz'a gidip geliyordu. Ilgaz kaymakamı da milliyetçi camiada tanınmış bir isim olan Namık Kemal Zeybek'ti. Diş hekimi olan kayınpederi, CHP'li olmasına rağmen Zeybek'le iyi bir dostluk kurmuştu. Ilgaz ziyaretle-

---

rinde Zeybek'le tanıştı. Bir sohbet sırasında konu Kürt meselesine geldi. Osman Durmuş, "Benim aslım Kürt'tür; ailemiz sonradan Çankırı'ya göçmüş" dedi, anlattı:

"Ama ben Kürtlerin de Türk olduğuna inanıyorum. Bütün Türkler gibi ben de Cengiz Han'ın oğlu Cuci Han'ın torunlarındanım. Ayrıca bu hakkı kimse benden alamaz."[2]

Böyle düşünüyor, bunu anlatmadan da duramıyordu.

Cezaevinden kurtuluş

Nişanlanması, Tıp Fakültesi'nde militan bir ülkücü olmasını engelleyemedi. 13 nisan 1970'de, fakültede bir ülkücünün kaçırıldığı haberini duyunca harekete geçti. Aynı fakülteden olan Ülkü Ocakları Genel Başkanı İbrahim Doğan, baskın yapmaya karar vermişti. Toplanan 10 kadar ülkücünün çoğunun silahı vardı. Doğan, Durmuş'a da bir tabanca verdi.

Fakültenin morfoloji binasına bir kamyonetle gittiler. Baskın sırasında sağa sola ateş ettiler, rastladıkları solcu öğrencileri tartakladılar. Durmuş da Göksan Zeren adlı bir öğrenciyi yumrukladı. Durmuş ve arkadaşları, kamyonetle Selim Ölçer'i kaçırırken, geride kalan İbrahim Doğan ve Ali Güngör'ün açtığı ateş, doktor Necdet Güçlü'nün ölümüne neden oldu.

Doğan ve olaya karışan diğer arkadaşları sırayla yakalanıp yargılanırken, Durmuş yakalanamadı. Her gün okuluna gitmesine karşın, mahkeme kayıtlarına, "bulunamayan sanık" olarak geçti. Uzun süren yargılama sırasında çıkan 1974 affı Durmuş'u kurtardı. Böylece, olaya karışan arkadaşları yıllar-

2 Namık Kemal Zeybek'le kitap için yaptığımız söyleşi.

ca cezaevinde yatarken, Durmuş, bir gün bile hapse girmeden atlattı.[3]

Fakülteden, 1974 yılında mezun oldu. Olaylı yıllarda solcu mezunlar ayrı, ülkücü mezunlar ayrı yıllık hazırlıyordu. 12 Mart sonrasında olaylar durulmuştu aslında, ama yine de sağcılar, öbür mezunların çıkardığı yıllığa ne yazı verdi ne fotoğraf. Durmuş da vermedi.

Apandisitin ilk semptomu

İlk görev yeri Hopa Sağlık Ocağı'ydı. Karadeniz sahilindeki bu şirin ilçede iki yıl kaldı. Askerlik için yeniden Ankara'ya döndü. Asteğmen olarak yaptığı askerliğini, Millî Savunma Bakanlığı Sıhhiye Ana Depo Komutanlığı'nda tamamladı. 1976 sonunda askerliğini bitirdikten sonra ihtisas yaptı. 1980'de anatomi uzmanlığını aldı. Ankara Hastanesi'nde genel cerrahî asistanı olarak dört yıl çalıştı. 1984'te genel cerrahî uzmanı oldu; aynı hastanede, uzman başasistanlığa atandı. Fakat hastanede rahat değildi, meslekî sorunlar yaşıyordu.

Sağlık Bakanı Mehmet Aydın, tedavi hizmetleri genel müdürlüğüne Alparslan Türkeş'in doktoru olarak tanınan Dr. Mehmet Ünlü'yü getirince umutlandı. Ülkücü bir arkadaşını alıp Ünlü'nün yanına gitti. "İyi tanırım, milliyetçi bir arkadaştır. Genel müdür yardımcılığı yapabilir." Arkadaşı böyle tanıttı onu. Ünlü, Durmuş'la bir saat kadar konuştuktan sonra kararını verdi. "Olmaz" dedi. "Bu adamın ehliyeti yok. Tedavi hizmetlerini bilmiyor. Hitler'i sollayan milliyetçilik laflarıyla

---

3 Şükrü Küçükşahin, "Durmuş şanslı sanık", *Hürriyet,* 23 Kasım 1999; Ankara 1. Ağır Ceza Mahkemesi'nin 1971/77 esas ve 1973/29 numaralı kararı.   **43**

konuyu geçiştirmeye çalışıyor. Onu alırsam sağlığa yazık olur."

Sağlık Bakanlığı işi olmayınca Ankara Hastanesi'nden 1986'da ayrılarak Gazi Üniversitesi Tıp Fakültesi'ne geçti. Genel cerrahî dalında akademik kariyer yapmayı hedefliyordu. 1990'da doçentlik unvanını aldı. Ancak yıllar geçmesine rağmen bir türlü profesör olamadı. Gazi Üniversitesi Rektörü Prof. Dr. Enver Hasanoğlu'yla arası açıldı; Enver Hasanoğlu'nun rektörlük seçiminde desteklemediği için kendisine haksızlık yaptığına inanıyordu.

Ancak Durmuş'u yakından tanıyan akademisyenler arasında, profesörlük kadrosuna atanmamasını doğru bulanlar hiç de az değildi. Bu akademisyenler, birçok gerekçeyle birlikte, Durmuş'un, stajyer doktorlara genel cerrahî konusunda verdiği derslerden birinde yaşanan örnek olayı hatırlatıyorlardı.

Durmuş, dersi anlatırken, öğrencilere, "Siz not tutmayın, ben fotokopi dağıtacağım" dedi. Derslerden sonra fotokopileri dağıttı. Bu fotokopilerden ders çalışan bir stajyer doktor sınava girdi. Prof. Dr. Zafer Ferahköşe, "Apandisitin ilk belirtisi nedir?" diye sordu. Öğrenci, kendinden emin biçimde yanıtladı:

– Göbek çevresinde ağrı semptomu...

Prof. Ferahköşe kabul etmedi; "Hayır. İlk semptom iştahsızlık..."[4] Öğrenci itiraz etti:

– Nasıl olur? Osman Hoca'nın ders notlarında ilk semptomun göbek çevresinde ağrı olduğu yazıyordu.

– O zaman getir o notları görelim bakalım.

4 Apandisitin ilk belirtisi iştahsızlık. Ancak çoğu zaman hastanın ilk hissettiği, göbek çevresinde ağrı. O nedenle ilk semptom ile ilk hissedileni karıştırmamak gerekiyor. (Contants 27, "The Appendix", s. 1 383-1 395.)

Öğrenci fotokopileri getirdi, gerçekten öyle yazıyordu. Ferahköşe, konuyu daha fazla uzatmak istemedi. "Hadi sana buradan bir puan verelim." Ancak bu olay, kısa sürede tüm üniversite camiasına yayıldı.

Kiralık evde oturuyordu

Doçentlik döneminde de aktif bir ülkücüydü; politik kimliği yine öndeydi. 1993'te Türkiye Üniversite Öğretim Elemanları Sendikası'nı kurdu ve genel başkanlığını üstlendi. Durmuş, Gazi Üniversitesi kökenli olan Devlet Bahçeli'nin izinden gidiyordu. Bahçeli de bir zamanlar, önce Ülkücü Maliyeciler ve İktisatçılar Birliği'ni, ardından Ülkücü Asistanlar Derneği'ni kurmuştu...

Durmuş, ülkücü elitlerin yönetimindeki kuruluşlarda da yer aldı. Ankara Aydınlar Ocağı ile Türkiye İktisadî Sosyal Araştırmalar Vakfı'nın yanı sıra Türkiye Sağlık Çalışanları Vakfı'na üye oldu. Sağlık Çalışanları Vakfı'nın yöneticileri, fakülteden tanıdığı ülkücülerdi. Bu vakfın başkanlığını, Durmuş'un yargılanamadığı Teğmen Güçlü cinayeti davasından mahkûm olan yakın arkadaşı İbrahim Doğan yürütüyordu.

Bahçeli'nin 1997'de MHP genel başkanı olmasıyla birlikte Durmuş'un da yıldızı parladı. Bahçeli'nin listesinden, MHP Merkez Yönetim Kurulu'na seçildi. 1998'de MHP yükseköğretim, gençlik ve sendika araştırma grup başkanı oldu.

Her zaman olduğu gibi bu dönemde de politik faaliyetlerini hiç aksatmadı. Hatta kalp krizi geçirdikten sonra Beştepe'deki evine ziyarete giden fakültedeki doktor arkadaşları onu bulamadılar. Birkaç gün önce kalp krizi geçirmesine rağmen MHP'deki toplantıya gitmişti!

Bir ev kadını olan eşi, misafirleri içeri buyur etti. Doktorlar, evin içini görünce şaşırdılar. Bir genel cerrahî doçenti olmasına rağmen Osman Durmuş'un evi oldukça mütevazıydı. Sobalı bir evdi. Eşyalar, daha çok bir memur evinin eşyalarını andırıyordu. Üstelik ev kiralıktı. Üç çocuklu ailenin tek lüksü 1992 model Opel marka arabaydı.

Durmuş, hiç muayenehane açmamış, hep fakültede çalışmıştı. Hiçbir hastadan para almamakla ün yapmıştı. Bu konuda titiz bir doktordu doğrusu...

Kendine âşık

Gözü uzun süredir TBMM'deydi. 1995 seçimlerinde milletvekili adayı olmuş, ancak seçilememişti. 18 Nisan 1999 Seçimleri'nde Kırıkkale'den yeniden aday oldu. Listede ilk sırayı alacağından hiç kuşkusu yoktu.

Kırıkkale'de MHP'lilerin katılımıyla yapılan adaylık yoklaması sırasında da, "Ben birinciyim" diyerek geziniyordu. Fakat oylama sonucu beklediği gibi çıkmadı. Birinci sırayı, 1995 seçimlerinde de ilk sıradan aday olan Kırıkkalespor Başkanı Ergun Tekin aldı. İkinci sırayı Ali Kaymaz, üçüncü sırayı M. Ali Albayrak alırken, Osman Durmuş, ancak dördüncü sıraya girebildi.

Fakat genel merkez, bu sıralamayı değiştirdi. İlk iki sıradaki adayları veto eden genel merkez, Durmuş'u birinci, yoklamada ondan çok oy alan Albayrak'ı da ikinci sıradan aday gösterdi. Listelerin açıklandığı gün Kırıkkale'de bir huzursuzluk dalgası yükseldi. Bir grup ülkücü, MHP Kırıkkale İl Merkezi'ne gelerek, listeyi düzenleyenleri yuhalayıp saatlerce slogan attı.

Durmuş'un bir gün önce valiye giderek, "Hayatî tehlike nedeniyle koruma istemesi"nin nedeni o zaman anlaşıldı. Partili arkadaşlarının hışmından korkmuştu! Valilik koruma polisi vermeyince, seçim kampanyası boyunca, polis olan yeğeni Ali Durmuş ve onun üç arkadaşıyla dolaştı.

Dört gönüllü koruması, Acargil Tesisleri'nde verilen akşam yemeğinde de kapıda nöbet tuttular. Yemeğe, MHP'li adaylar ve parti yöneticileri katılmıştı. Bir ara kapıda karışıklık oldu. Korumalar, Durmuş'a destek vermeyen bir ülkücü genci yalnız bulunca bir odaya çekip tartaklamaya başlamışlardı. Arkadaşlarının dövüldüğünü duyan bir grup ülkücü yardıma koştu. Gençler, korumaların ellerindeki sopaları alıp, onları yumruklamaya başladılar. Kalabalıktan korkan Ali Durmuş, belindeki silahı çekti. Bir an karşısındakilere doğrulttu silahını, sonra hemen yere indirdi. O an üzerine atılıp elindeki silahı aldılar ve onu da yumrukladılar. Kargaşa sırasında kapıya fazla yüklenilmiş olacak ki birden kapı kırıldı ve korumalar ile ülkücüler alt alta üst üste, kanlar içinde yemek yenilen salonun ortasında buldular kendilerini. Korumalar, o şaşkınlıkla toparlanıp, soluğu Osman Durmuş'un arkasında aldılar. Osman Durmuş da şaşırmıştı, yerinden kalkamadı. Araya parti yöneticilerinden bazıları girdiler ve seçim öncesi bir skandal olmaması için olay kapatıldı.

Seçim kampanyası sırasında Ankara'dan büyük destek geldi. Kırıkkale, 06 plakalı araçlarla doldu taştı. Durmuş, bulduğu her kalabalığa nutuk çekti. Günlük konuşmalarında olduğu gibi kürsülerde de sözünü esirgemiyordu. Sivri dilli bir hatipti. Hatipliğine çok güveniyor, "Benim üstüme hatip yoktur" diyordu. Kendisiyle övünmeyi seviyor, sık sık, "Allah için, çok iyi de bir cerrahım" deyip duruyordu. Onu dinleyenlerde hep aynı izlenimi bırakıyordu: "Kendine âşık bir adam..."

Tüm Türkiye'de yükselen MHP dalgası, onu da TBMM'ye taşıdı.

Gürüz'e nefret

Sağlık Bakanlığı'na gelişi gürültülüydü. 50 kadar ülkücünün alkışları arasında girdi bakanlık binasına. Öyle bir kargaşa yaşandı ki, hemen yanında duran eski bakan M. Güven Karahan'ı göremedi. "Bakan nerede? Bakan nerede?" deyip durdu. İşaret ettiler; eski bakan hemen yanındaydı! O zaman fark etti Karahan'ı. Tokalaştı ve devir teslim töreni başlayabildi. Konuşmalardan hemen sonra, "Sayın Bakan, sizi daha fazla tutmayalım" deyince, Karahan, brifing vermeye fırsat bulamadan bakanlıktan ayrılmak zorunda kaldı.

Gazeteciler sordular: "Nasıl oldu da, dokuz yılda profesör olamadınız?" Bakanlık koltuğuna yeni oturmanın verdiği heyecandan olsa gerek sözünü esirgemedi:

– YÖK Başkanı Kemal Gürüz ve Gazi Üniversitesi Rektörü Enver Hasanoğlu yüzünden profesör olamadım. Çünkü onlar kendi arkadaşlarını, kendi adamlarını seçtiler.

Bu yanıt, Gürüz ve Hasanoğlu'nu ilk ve son kez açıkça suçlaması oldu. Bir daha aynı açıklıkta konuşmadı, bu konuya girmemeyi yeğledi.

O gün, gazetecilerin ayrılmasından sonra bürokratları topladı. Öncelikle, ihale verilen şirketlerden promosyon alımını yasakladı! İkinci olarak, hastane başhekimleri de dahil olmak üzere tüm üst düzey bürokratların ve birinci derece yakınlarının malvarlığını istedi. Bunlar, Sağlık Bakanlığı'nda ilk kez duyulan uygulamalardı!

Ardından, "1978'den beri partimiz iktidara gelmedi" diye hatırlattı. Yine sözü dolaştırmadan niyetini açıkça ortaya koydu:

– Benim ve arkadaşlarımızın beklentileri var. Bazılarının, yerlerini boşaltmasını bekleyeceğiz. Boşaltmazlarsa, eski dosyaları karıştıracağız.

Bakanlık bürokratları arasında sert bir rüzgâr estirdi bu konuşma. Toplantının ardından ilk kriz, iki gün sonra başlayacak Ulusal Aşı Günleri'nin ikinci turu nedeniyle yaşandı. Temel Sağlık Hizmetleri Genel Müdürü Niyazi Çakmak, 31 haziran pazartesi günü başlayacak uygulamayı haber verdi. Durmuş'un, aşı kampanyası konusunda kuşkuları vardı; kampanyanın devamını istemiyordu! "Aşı kampanyasıyla ilgili faaliyeti durdurun" dedi.

Genel müdür, hazırlıkları, yapılan çalışmaları ve konunun uluslararası taahhütler açısından önemini anlattı; kampanyanın durdurulamayacağını söyledi, dinletemedi. Çakmak, bakanlıkta eskiden beri ülkücü olarak tanınan Ana Çocuk Sağlığı ve Aile Planlaması Genel Müdürü Dr. M. Rifat Köse'ye koştu, durumu aktardı, yardım istedi.

Köse Durmuş'a gidip, Dünya Sağlık Örgütü'yle birlikte organize edilen kampanyanın iptalinin büyük skandala yol açacağını söyledi. Fakat Durmuş kararlıydı, kararından geri adım atmadı. Bunun üzerine Köse sinirlendi: "Devlet Bey'e şikâyet ederim." Aşı kampanyası böylece kurtuldu.

Bakanlıktaki öbür uygulamalara bakmaya fırsat bulamadan hastalandı. Bakanlığı devraldığı günün sabahı, Kırıkkale'de çıktığı teşekkür gezisinde tifo kapmıştı. Derice ilçesinin Dağobası köyünde içtiği suyun mikroplu olması nedeniyle, daha bakanlığa başlayamadan kendini Bayındır Hastanesi'nde buldu.

Hastanede kaldığı günlerde, eşinin yanı sıra, üniversiteden yakın arkadaşı Hacı Çelik refakat etti kendisine. Durmuş, hastaneden çıktıktan sonra bakanlıkta başlattığı atama furyasında Çelik'i, personel genel müdür yardımcılığına getirdi. Çelik, son bir ay içinde alelacele tez yazmış, asistanlıktan uzmanlığa yeni yükselmişti!

Durmuş, öğrencilik yıllarında Çelik'in ev arkadaşı olan Doç. Dr. Sefer Aycan'ı, temel sağlık hizmetleri genel müdürlüğüne atadı. Müsteşarlığa, ülkücü camianın önemli isimlerinden olan ve Durmuş'un kurduğu Üniversite Elemanları Sendikası'nda genel başkan yardımcılığı yapan Doç. Dr. Haluk Tokuçoğlu'nu getirdi. Tarih doçenti olan Semih Yalçın'ı da müsteşar yardımcısı yaptı. Her ikisi de Gazi Üniversitesi'nden olan Yalçın ve Tokuçoğlu'nun ortak özellikleri MHP Merkez Yürütme Kurulu üyesi olmalarıydı.[5] Durmuş, parti yöneticisi olmalarında bir sakınca görmemişti...

Durmuş, üç yıl boyunca Bahçeli'nin koruma polisi olarak görev yapan Zinnur Çoban'ı bakanlığa müşavir olarak aldı. Özel Kalem Müdürlüğü'ne de Bahçeli'nin özel kaleminden Sedat Kulaksız'ı getirdi.

Uzman olmayanları bile başhekim olarak atamakta sakınca görmeyen Durmuş'un kimi atamaları sağlıkçıları şaşırttı. Bunlardan biri, 14 yıl önce kendisini temel sağlık hizmetleri genel müdür yardımcısı yapmayan Keçiören Atatürk Sanatoryumu Başhekimi Mehmet Ünlü'yü görevden almasıydı. MHP'li olan Ünlü'nün yerine atanan kişi, Tokuçoğlu'nun yakın arkadaşı olan, ama sosyal demokrat bilinen Doç. Dr. Ünal Sakıncı idi. Ünlü, mahkemeye başvurup yürütmeyi durdurma kararı aldırdı.

Mahkeme kararı Durmuş'u kızdırdı. Yargıya meydan okudu. "Mahkeme kararıyla dönecekler, ama ben hizmeti iyi yürütmeyen başhekimleri yine görevden alacağım. Tazminat gerekirse maaşımın dörtte birini vereceğim." Durmuş, yargı, kararlarını dinlemeyeceğini bu denli açık ilan eden ilk bakan oldu.[6]

---

5 Süleyman Demirkan-Oya Armutçu, "MHP'de yine ihlal", *Hürriyet,* 12 şubat 2000.

6 Fatih Gürbüz, "Durmuş yargıya savaş açtı", *Akşam,* 3 ekim 1999.

Kardeşlere özel tayin

Bakan Durmuş'un, birbirini izleyen atamalarından akrabaları da nasiplendi. Seçim sırasında kendisini koruyan yeğeni Ali Durmuş'u bakanlığa alıp koruma polisi yaptı.

Üvey kardeşi Fuat Durmuş'u da unutmadı. Fuat Durmuş, 1980'de liseyi bitirdikten sonra Sağlık Bakanlığı'nda memur olarak işe girmiş, Dil Tarih ve Coğrafya Fakültesi'ni kazanınca geceleri nöbetçi memur olarak çalışıp, gündüzleri fakülteye gitmişti. Osman Durmuş bakan olunca Fuat Durmuş'u, Avrupa topluluğu şube müdürlüğünden, Personel Atama Daire Başkanlığı'na tayin etti; ardından personel genel müdür yardımcılığına getirdi. Bir süre sonra bir de ek görev verdi; Türk Standartları Enstitüsü'nde sağlık bakanlığı temsilcisi yaptı.[7] TSE temsilciliği, dolgun ek maaşın yanı sıra, hastanelere alınacak sağlık gereçlerinin denetlenmesi açısından önemliydi.

Bakanın öbür üvey kardeşi Fatih Durmuş'un bakanlıkla bir işi yoktu. O, ağabeyini izleyip diş doktoru olmuştu. Kırıkkale'de bir muayenehane açmış, serbest çalışıyordu. Fakat ağabeyi sağlık bakanı olduktan hemen sonra bir ayağını Ankara'ya attı. Diş hekimi arkadaşı Mehmet Duygulu'nun muayenehanesini devralarak, orada her gün 16.00'dan sonra hasta kabul etmeye başladı. Ankara Hastanesi eski başhekim yardımcısı olan Dr. Duygulu cezaevinde olduğu için, 21 eylül 1998'den beri muayenehanesini kullanamıyordu. Özel Demetevler Hastanesi'ne ortak olan Duygulu, hastane inşaatı sırasında moloz dökme sorunu yüzünden tartıştığı Atilla Karabek adlı kişiyi öldürmek suçundan 15 yıl ağır hapis cezasına çarptırılmıştı.

---

7 Taşkın Şenol, "Durmuş diyen yanılmış", *Star*, 20 şubat 2000.

Fatih Durmuş bu muayenehaneyi, "arkadaşlık hatırına bedelsiz" devraldı. Ancak bu devir işleminden kısa bir süre sonra, Duygulu'nun yakın arkadaşı ve Özel Demetevler Hastanesi'nde iş ortağı olan Doç. Dr. Sacit Turanlı'nın, Acil Yardım ve Trafik Hastanesi başhekimliğine atanması ilginç bir rastlantıydı.

Özel Demetevler Hastanesi'ndeki işini de bırakmayan Turanlı, aynı zamanda Sağlık Bakanlığı Müsteşarı Haluk Tokuçoğlu'nun yakın arkadaşıydı...

Fatih Durmuş da ağabeyi gibi aktif bir ülkücüydü. 1989'da MÇP'den belediye meclis üyesi seçilmiş, sonra bazı uygulamalara tepki göstererek partisinden istifa edip BBP'ye geçmişti. Yine belediye meclis üyesi seçilmiş, bir yıl kadar sonra MHP'ye geri dönmüştü.

Tuvalet temizliği ve doktorlar

Durmuş, sağlık bakanı olarak ilk çıkışını Dr. Oktar Babuna'nın başlattığı ilik kampanyasına karşı yaptı. Binlerce insan Babuna'ya uygun ilik bulmak için seferber olmuşken, Durmuş'tan farklı bir ses yükseldi. "Stratejik sakınca var" dedi. "Türklerin gen yapısının yabancılar tarafından araştırılması"nın doğru olmadığına inanıyordu!

İtirazın çıkış noktası yeterince tartışılmadı. Babuna kampanyasının kimi yanlışlıkları açığa çıkınca bakanın itirazındaki ırkçı yaklaşım toz duman arasında kaldı. Duman yatıştığında ayakta kalan, Babuna değil, Durmuş'tu. Bu kavgadan galip çıkmak, kendine güvenini daha da artırdı.

Marmara depremi sonrasında her aklına geleni patır patır söylemekten çekinmemesinin gerisinde yatan, bir önceki medyatik tartışmayı kazanmış olmanın rahatlığıydı.

"Yaşama alışkanlıklarını bilmediğimiz yabancı doktorlara ihtiyacımız yoktur!"

"Gönüllüler kalabalık etmesinler!"

"Amerikan Hastanesi'ne verecek tek hastamız yok!"

"Yunan kanı istemiyorum(!)."

"Ermeni yardım ekibine izin veremem!"

Her sözü ayrı bir cevherdi! Temiz tuvalet bulamamaktan yakınan İtalyan doktora, "Tuvaletleri ben mi temizleyeceğim?" diyen Kemal Sunal olsa, kahkahalarla gülmek mümkündü. Oysa Durmuş bir doktordu ve de sağlık bakanıydı.

Süper icraat

Durmuş, deprem sonrasında da gündemden hiç düşmedi. Özellikle atamalarıyla gündeme geldi. MHP İzmir İl Başkanı Yusuf Mamalı'nın hemşire eşi Gülsüm Mamalı'yı Dr. Behçet Uz Çocuk Hastanesi'ne müdür yardımcısı yaptı.[8]

Hastanelerde istediği kadrolaşmayı gerçekleştirebilmek için Tababet Uzmanlık Yönetmeliği'ni değiştirdi. Yeni yönetmelikle, hastanelerde şef atamalarını doğrudan kendisine bağladı. Sınava girmeyenleri, girip de kazanamayanları şef olarak atamaya başladı. Türk Tabipler Birliği Danıştay'a başvurunca, bu değişiklik iptal edildi ve atamalar durduruldu.

En önemli icraatı, hastanelerde vardiya dönemini başlatması oldu. Hazırlıksız başlayan bu yenilik, doktorların tepkisini çekti. Ama Durmuş, bu tepkilere aldırmadı.

Giderek gazetecilerle ilişkisi yumuşadı. Gazeteciler Durmuş'a ve esprilerine alışmakla kalmayıp, ilk günlerin tersine,

---

onu sempatik bulmaya başladılar. Her konuşması, her faaliyeti izlenen ender bakanlardan biri durumuna geldi.

O da medyanın ilgisini boşa çıkarmamak için ilginçlikler sergilemeyi sürdürdü. Bir hastane açılışında eline enjektör alıp bir bayan gazetecinin yüzündeki sivilceyi boşalttı; bir denetleme sırasında hastane yöneticilerine ellerini beş dakika kızgın radyatörler üzerinde tutma cezası verdi. Kalp Haftası açılışında futbolun kalple ilişkisini yorumladı:

"Holiganlar ve Kasımpaşalılar satırlarla, bıçaklarla kalp damarlarımızın daralmasına neden oluyor. Galatasaray, kalp damarlarımızın rahatlamasına, gevşemesine yol açıyor. Ama şu Fenerbahçe yok mu, bizi perişan ediyor. Her şeye rağmen Fenerbahçe'yi seviyorum."

Böyle olunca da gündemden hiç düşmemeyi hep başardı...

İbrahim Doğan

Cinayet hükümlüsü doktor

"Unuttum" dedi doktor. "30 yıl kadar oldu. Ben unuttum o olayı." Ve ekledi: "Gereken yapılmış, söylenecek her şey söylenmiştir."

Doktor, bu hesabın kapandığını düşünüyordu. Ona göre, yaşananlar, yaşanmışlar sayfasına yazılmış, mürekkebi bile solmuştu. Ama herkes onun gibi düşünmüyordu. Onlar diyordu ki: "Yaşanan, bahçeden çiçek koparmak değildi. Bir cinayetti..."

Doktor İbrahim Doğan'ın yaşamında iki dönemeç vardı; sonuncu dönemeç, bir fotoğraftan ibaretti. TBMM'de çalışıyordu. Hem de dört yıldır. Kimsecikler bir şey demiyor, yaşam çarkı kendi rutininde dönüyordu. Ne olduysa, 25 ocak 1997 cumartesi günü oldu. TBMM'de sağlık merkezi açılıyordu. Doktor Doğan, dönemin TBMM Başkanı Mustafa Kalemli'nin kulaklarını muayene etme "hatası"nı yaptı. Flaşlar ardı ardına patladı. Fotoğraflar ertesi gün hemen tüm gazetelerde yayımlandı. Kimileri Kalemli'ye baktı, kimileri de kulaklarını muayene eden doktora... Fotoğrafın sonucu, *Cumhuriyet* gazetesinde patladı:

"Teğmen Güçlü'yü öldüren doktor mecliste..."

Doktor İbrahim Doğan'ın yaşamındaki ilk dönemeç, dönüp dolaşıp yine karşısına çıkmıştı. Aradan yıllar geçmiş, saçları dökülmüş, ama kendisinin unuttuğu cinayeti başkaları unutmamıştı. 13 nisan 1970'te yaşananlar yine peşinden gelmişti...

Doğan, o günlerde Ülkü Ocakları ikinci başkanıydı. Ankara Üniversitesi Tıp Fakültesi'nde, solcuların, ülkücü Süleyman Oral'ı kaçırdıkları haberi geldi. Doğan, arkadaşlarıyla birlikte fakülteyi basmaya karar verdi. Hemşerisi Teğmen Mustafa İlersoy ve onun arkadaşı teğmen Fehmi Altınbilek'e ait iki tabancayı da yanına aldı. Silahlardan birini, gruptakilerden Osman Durmuş'a verdi. Öbürleri zaten silahlıydı. 10 kadar ülkücü, Konya plakalı mavi kamyonete doluştular.

Tıp Fakültesi Morfoloji Binası önünde kamyonetten indiler. Silahlarını çekip binaya girdiler. İlk gördükleri, Selim Ölçer oldu. Ölçer, Tıp Fakültesi Fikir Kulübü başkanlığından yeni ayrılmıştı. Doğan, Ölçer'i yakaladı, arkadaşlarına döndü:

– Götürün buna sorun, kaçırmayın...

Doğan'ın emrini duyan Mehmet Somuncuoğlu ve öbür ülkücüler, silahla tehdit ederek Ölçer'i kamyonete götürdüler, gözlerini bağladılar. İbrahim Doğan ve MHP Gençlik Kolları Başkanı Ali Güngör, ellerinde silahlarla dershaneleri dolaşıp aramayı sürdürdüler. Doğan, üç numaralı dershanenin kapısına ateş ederek açtı.

Baskını fark eden solcu öğrenciler de toparlanıp, Doğan ve Güngör'ün üzerine yürüdüler. Panikleyen Doğan ve Güngör, sağa sola ateş ederek binadan çıktılar.

Bu arada Ölçer'in kaçırıldığını gören askerî tıp öğrencileri de onu kurtarmak için harekete geçmiş, bunun üzerine, kamyonetteki ülkücü grup daha fazla bekleyememiş, geriye silahlı iki kişi ile bir taksi bırakarak uzaklaşmışlardı.

Doğan ve Güngör, ilerde bekleyen taksiyi görünce oraya doğru koştular. Solcu öğrenciler, taş ve sopalarla kovalamayı sürdürüyordu. Bir ikisinin elinde silah da vardı. Doğan ve Güngör, aceleyle taksiye bindiler. Araç dar yolda manevra yaparken önce Doğan, sonra Güngör, geriye doğru ateş ettiler.

Mermilerden biri, kaldırımda durup şaşkınlıkla olayı izleyen Asteğmen Doktor Necdet Güçlü'nün başına isabet etti. Güçlü, oraya devrildi, gözlüğü bir yana fırladı, elinde taşıdığı balık poşeti bir yana. Kurşun, tam burnunun üzerinden girmişti. Acil servise götürmek istediler; ama yolda öldü. 37 yaşındaki Güçlü, Amerika'da eğitim görmüştü. O zamanlar Türkiye'de protez alanında tek isimdi. Üniversitedeki bölümü de Güçlü kurmuştu...

Güçlü'nün vurulduğunu fark etmeyen Doğan ve Güngör, taksiyle Türk Ocağı binasına gittiler. Arkadaşları, Selim Ölçer'i oraya götürmüş, alt katta aspiratörlerin yanındaki küçük boşluğa kapatmışlardı. Doğan, Ölçer'i görünce tanıdı, eskiden birlikte öğrenci eylemlerine katılmışlar, zaman zaman sohbet etmişlerdi. Ölçer yardım istedi:

– İbo, ben burada ölürüm. Çok soğuk, donarım...

Doğan, arkadaşlarına döndü, talimat verdi: "Sakın ona dokunmayın, dokunanı yakarım" dedi. Bunun üzerine battaniye verdiler, aspiratörleri çalıştırmadılar.

Ölçer'i, tam 18 saat sonra sabaha karşı ordan çıkarıp, donmaması için yürüttüler. Cengiz Atak, ona helva ile tatlandırılmış çay getirdi, ekmek verdi. Sonra da serbest bıraktılar. Güçlü'nün öldüğünü ve polislerin peşine düştüğünü, Türk Ocağı'nda arama yapacaklarını duymuşlardı...

Cezaevi günleri

Olaya tanık olan herkesin tanıdığı Doğan, üç gün sonra yakalanıp tutuklandı. Ali Güngör ise 14 ay sonra yakalanabildi. Doğan ve Güngör, birlikte yargılandılar. Doğan, duruşmalarda, **57** cinayeti kendisinin işlemediğini savundu:

"(...) Arabaya bindikten sonra beyaz pardösülü bir şahsın hücuma geçmesi üzerine iki el havaya ateş ettim."[1]

Güngör de havaya ateş ettiğini söyledi. Ancak mahkeme, bu savunmadan pek tatmin olmadı. Çünkü Doğan ve Güngör'ün olayda kullandıkları silahlar, Türk Ocağı binasında bulundu. Silahların yanında, dokuz dinamit lokumu, 30 dinamit kapsülü ve bir molotofkokteyli de vardı.

Ankara 1. Ağır Ceza Mahkemesi'ndeki yargılamalar, 15 şubat 1973'te sonuçlandı. Mahkeme, Doğan'ı, toplam 10,5 yıl hapis cezasına mahkûm etti. Güngör'ü ise sadece ruhsatsız silah taşımak ve kavgada kullanmak suçundan 2 yıl hapis cezasına çarptırdı. Doğan'ın cezaevi günleri devam ederken, Güngör tahliye oldu ve Tarım Reformu Müsteşarlığı'nda işe girdi.

Ancak Yargıtay kararı bozdu. Yargıtay, her iki sanığın da cinayetten mahkûm olması gerektiği sonucuna varmıştı. Mahkeme, yinelenen yargılama sonucunda Doğan ve Güngör'ü 24'er yıl hapis cezasına mahkûm etti. Ama hangi silahtan çıkan merminin doktor Güçlü'yü öldürdüğü belirlenemediği için cezaları 12'şer yıla indirildi.

Mahkeme, 30 ekim 1974'te bu kararı verdiği sırada, Ecevit-Erbakan koalisyonunun çıkardığı af yasası yürürlüğe girmişti. Doğan, aftan yararlandı ve dava dosyası kapandı.[2]

Dört yıl kadar cezaevinde kalan Doğan, Tıp Fakültesi'ne döndü. Üçüncü sınıftan itibaren yeniden okumaya başladı. Okuldaki tüm ülkücü öğrenciler, ona, "Ağabey" diye sesleniyor-

---

1 Şükrü Küçükşahin, Ankara 1. Ağır Ceza Mahkemesi'nin 1971/77 esas ve 1973/29 numaralı kararı; "Durmuş şanslı sanık", *Hürriyet,* 23 kasım 1999

2 Yargıtay'ın bozma kararı sonrasında Ankara 1. Ağır Ceza Mahkemesi'nin verdiği 1974/91 esas ve 1974/486 sayılı ikinci kararı; Şükrü Küçükşahin, "Durmuş şanslı sanık", *Hürriyet,* 23 kasım 1999.

du. Tıp Fakültesi'ni bitirip doktor oldu. O artık kulak-burun-boğaz uzmanıydı.

Adlî Sicil Genel Müdürlüğü'ne başvurdu. Sabıkasını sildirmek istiyordu. Ankara 1 no'lu Ağır Ceza Mahkemesi, isteğini kabul etti ve sabıkası tüm sonuçlarıyla birlikte silindi. Yasak olan kamu hakları da iade edildi. Artık kamuda çalışmasının önünde yasal bir engel kalmamıştı.

Önce Etimesgut Sağlık Ocağı'nda çalıştı. Ardından Trafik Hastanesi'ne geçti. Kısa sürede yükseldi, başhekim muavini olarak görev yaptı. Oradan meclise sıçradı. Hüsamettin Cindoruk'un meclis başkanlığı döneminde parttaym çalışmaya başladı. Kalemli'nin başkanlığı döneminde de kadroya alındı.

Doğan, ülkücülerle ilişkilerini kesmedi. Bir yandan siyasete devam etti. 24 Aralık Seçimleri öncesinde Yozgat'tan milletvekili adaylığı da önerildi. Ama kabul etmedi.

Türkiye Sağlık Çalışanları Eğitim ve Dayanışma Vakfı'nı kurdu. TÜSEV, RP'li Ankara Büyükşehir Belediye Başkanlığı'yla iyi ilişkiler içindeydi. Belediye, gezici sağlık hizmetleri yürütülmesi için anlaşma yaptığı vakfa büyük malî yardımda bulundu. MHP'li Keçiören Belediyesi de toplu sünnet düğünlerini vakfa verdi. TÜSEV'de yönetici olan ülkücüler, bir ara gözlerini Ankara Tabip Odası'na diktiler. Kongrede, ATO yönetimine talip oldular. Ancak kazanamadılar.

TÜSEV'in ilişkisinin en iyi olduğu parti, Büyük Birlik Partisi'ydi. Vakfı ziyaret eden BBP Genel Başkanı Muhsin Yazıcıoğlu'nu, Doktor Doğan ağırladı. Yazıcıoğlu, sağlık konularında çözüm önerileri almak için TTB'yi değil, TÜSEV'i muhatap aldıklarını söyledi. Nedeni açıktı. Bir siyasî ortaklık söz konusuydu...

Doktor Doğan, geçmişiyle barışık. Cinayet hükümlüsü olmak da kariyerinin bir parçası. Ortada bir çelişki var: cinayet hükümlüsü olan ya da insan öldüren bir kişi, amacı insanları 59 yaşatmak olan doktorluğu yürütebilir mi? Tartışmalar bu etik sorun üzerinde yoğunlaştı. Tabiî her zaman olduğu gibi bu konu da tartışma sonuçlanmadan kapandı.

Doğan, tartışmalara aldırmadan TBMM'de doktorluğa devam etti. Hatta MHP'nin 1999 seçimlerinden sonra iktidar ortağı olması itibarını artırdı. MHP'li, Sağlık Bakanlığı'nda sözü geçen isimlerden biri oldu.

MHP'nin sürpriz yükselişi, Güçlü cinayeti sanıklarından Ali Güngör'e de yaradı. 18 Nisan 1999 Seçimleri'nde MHP'den milletvekili seçildi. TBMM'de çete ve mafyayı soruşturmak üzere kurulan komisyonun başkanlığına getirildi. "Bir cinayet sanığı, nasıl olur da çeteleri araştırabilirdi?" Bir gazeteci sordu bu soruyu.

– Mahkemelerin verdiği her karar gerçeğin ifadesi değildir. Olayın göbeğinde olmama rağmen Güçlü'nün öldürülmesine karışmadım. Şerefle yaşıyorum.[3]

Güngör, cinayetlerin, insan ölümlerinin sıradanlaştığı bir dönemin mirası üzerinde yükselen bir siyasetçi olarak, gönül rahatlığı içinde böyle bir yanıt verebiliyordu. Anlaşılan Türkiye'nin kendisiyle gurur duymasını bekliyordu...

---

3 "Çetecilerin hakkından cinayet sanığı gelecek", *Sabah,* 29 şubat 2000.

Halil Şıvgın

Erkek papatya

12 Eylül'den önce kitap pazarlamacılığı yapıyordu. Halil Şıvgın, önceleri Yeniden Millî Mücadeleci'ydi; sonra MHP'li olmuştu. Genç Ülkücüler Derneği'nin kurucularındandı.

11 eylül 1980 günü darbeyi önceden haber alan Alparslan Türkeş'in, saklanmak için aklına ilk gelen isimlerden biriydi. MHP Genel Sekreter Yardımcısı Yaşar Okuyan, Türkeş'i evinde saklayıp saklayamayacağını sorunca tereddüt etmiş, "Hale'ye sorayım" demişti. Eşi Hale, hamile olmasına karşın duraksamamıştı bile:

– Sayın Türkeş'i evimizde misafir etmekten şeref duyarız.

Ve Türkeş, Gaziosmanpaşa Kader Sokak'taki evlerine gelmiş, üç gün kalmıştı. 14 eylülde artık gizlenmesine gerek kalmadığı kanısına varan Türkeş, sabaha doğru henüz hava aydınlanmadan yürüyerek evden ayrılmış, sonra da gidip teslim olmuştu.

Şıvgın, hukuk diplomasını ilk o zaman hatırladı. İmam Hatip kökenli olan Şıvgın, fark derslerini verip lise mezunu olmuş, sonra da Ankara Üniversitesi Hukuk Fakültesi'ni bitirmişti. Diplomasını ilk kez MHP davasında kullandı. Türkeş ve MHP yöneticilerinin vekâletlerini aldı, ama bunu sadece görüşmek için kullandı; davalara hiç girmedi.

Türkeş'le yolları, 12 Eylül sonrasında ayrıldı. ANAP'ın kurucuları arasında yer aldı. "Özal'ın gözdeleri" arasına girmeyi başardı. Genel başkan yardımcısı olarak görev yaptı. ANAP'ın ilk döneminde milliyetçi kanada yakındı. Muhafazakârları Mehmet Keçeciler'in, milliyetçileri Mustafa Taşar'ın temsil ettiği kavgada arada kaldı. İlk kongre sonrasında Özal'ın genel merkez operasyonu sırasında Şıvgın da koltuğundan oldu.

Milliyetçi ve muhafazakârların kavgayı bırakıp "kutsal ittifak"ı kurmalarından sonra da ekiplerden uzak durmayı yeğledi. Pusulası artık sadece Özal'ı gösteriyordu. Bir süre "genel başkan danışmanı" sıfatını taşıdı; sonra yeniden genel başkan yardımcılığı koltuğuna oturdu.

Semra Özal'la ilişkilerini geliştirdi. Semra Özal'ın Çin gezisine katılmasının ardından basında ve parti içinde "erkek papatya" olarak anılmaya başlandı. Söylenenlere hiç aldırmadı; çünkü en önemli sıkıntısı bir türlü bakan olamamasıydı ve Semra Özal sayesinde bu sıkıntıyı aşmayı umuyordu. Öyle de oldu; hedefine 1989'da ulaştı.

Tayvan'dan gelen dolarlar

Sağlık bakanı olunca, babası ve kardeşlerinin bakanlığa girişini yasakladı. Onları bakanlık işlerine karıştırmak istemiyordu. Anlaşılan fazla güvenmiyordu.

En güvendiği insan, arkadaşı Faruk Güngör'dü. Onun öğretmen olan eşi Filiz Güngör'ü bakanlığa aldı. Önce APK başkanı yaptı, sonra da müsteşar yardımcısı. Satın almaların çoğunu onun imzasıyla yaptırdı. Filiz Güngör, bu imzaların bedelini yıllar sonra, hakkında 19 dava açılmasıyla ve mahkemeden mahkemeye koşarak ödeyecekti!

Şıvgın, bakanlığı sırasında nedense müfettişlerle hiç anlaşamadı. Bir gün müfettişlerin tümünü makamında toplayıp sorguya çekti. "Muş'ta doğum ve ölüm oranları nedir?" türü, sağlık istatistikleriyle ilgili sorular yöneltti. Müfettişlerin, bu soruların yanıtlarını bilmeleri gerektiğine hükmetmişti! Müfettişlerin bu istatistiklerden haberi yoktu. Bilmeleri de gerekmiyordu zaten. Fakat Şıvgın çok kızdı, esti yağdı. Ağza alınmayacak hakaretlerde bulundu müfettişlere.

Bir daha da Teftiş Kurulu'yla ilgilenmedi. Zamanının çoğunu vakıf çalışmalarına ayırdı. Bakanlık faaliyetlerine yardımcı olacağı gerekçesiyle beş ayrı vakıf kurdu:

İlaç ve Eczacılık Araştırma Vakfı, Tedavi Hizmetleri Vakfı, Çevre Sağlığını Koruma Vakfı, Tüketiciyi Koruma Vakfı, Sağlık Eğitimi Vakfı.

Bu vakıfların tümünün başkanlığını üzerine aldı. İlginç olan, başkanlığı, bakan sıfatıyla değil Halil Şıvgın olarak üstlenmesiydi. Oysa bu vakıfların tümünün gelirleri, doğrudan bakanlığın faaliyetlerinden elde ediliyordu. Bakanlığın alması gereken ilaç bandrol ücretleri bile İlaç ve Eczacılık Vakfı'na bağışlanmıştı. Sadece 1990 yılındaki ilaç bandrol gelirleri, o zamanki rakamlarla 2 milyar 939 milyon liraydı![1]

Sadece bu kadarla kalsa iyi. Dışişleri Bakanlığı, Tayvan'ın Türkiye'ye yardım isteğini, "Bu ülkeyi tanımıyoruz, Çin'in tepkisini çekeriz" gerekçesiyle reddedince, Şıvgın kendi vakıflarını devreye soktu. Tayvan, 8 milyon dolar olarak planlanan yardım miktarını azalttı, 2 milyon dolar gönderdi. Bu para, bir süre Samanpazarı'ndaki bir banka şubesinde bekletildi. Ardından Şıvgın'ın başkanı olduğu vakıflardan birine aktarıldı.

Vakfa aktarılan paranın bir kısmıyla, Labotest firmasından

---

1 Sağlık Bakanlığı başmüfettişleri N.Faruk Aşkın ile Ali Evranosoğlu'nun 29 kasım 1991 tarihli raporu.

otoanalizör ve kan sayım cihazları alındı. Kan sayım cihazlarının bir kısmı Türkmenistan, Azerbaycan ve Kazakistan Sağlık bakanlıklarına da hibe edildi.

Yılmaz'a zoraki destek

Sağlık bakanı olmasından sekiz ay sonra, Turgut Özal cumhurbaşkanı olup hükûmetten ayrılınca Şıvgın, kendini parti içi kavganın tam ortasında buldu. İlk kongrede Yıldırım Akbulut'un saflarında yer aldı. Verdiği desteğin karşılığı, bakanlıkta kalmasıydı.

İkinci kongreye bir hafta kala Semra Özal telefon etti ve Mesut Yılmaz'ı desteklemesini istedi. Oysa o güne değin hep Yılmaz'ın karşısında olmuştu! İtiraz edemedi; fakat Yılmaz'ın kendisiyle ilgili ne düşündüğünü merak ediyordu.

Kongre öncesi Yılmaz'la görüşen Namık Kemal Zeybek'e sordu: "Ne diyor benim için?" Zeybek, iyi düşünmediğini söyledi: "Bakan yapmayacak seni!" Şıvgın üzüldü, sağlık bakanlığına devam etmeyi çok istiyordu!

Yine de Semra Hanım'ın isteğine karşı çıkamadı. Yılmaz'ın yanında fotoğraflar çektirdi, gönülsüz bir destek verdi. Aktif bir çalışma sergilemedi. Yılmaz, onu bakan yapmadı, genel merkeze aldı.

Bu dönemde yeni bir vakıf kurdu; Türk Dünyasında Demokrasiyi Geliştirme Vakfı. Yeni vakfı aracılığıyla Türk cumhuriyetleriyle ilişkilerini geliştirdi. Sık sık bu ülkelere gezilere çıktı. Hatta iyi ilişkilerinin sonucu olarak, Türkmenistan, Şıvgın'a yeşil pasaport bile verdi...

Şıvgın, 1991 seçim kampanyasını yürüten genel merkez ekibinde görev aldı. Üçüncü kez meclise girdi, ama artık hem bakan değildi hem de partisi iktidar olamamıştı.

ANAP muhalefete düşünce, Şıvgın'ın bir zamanlar üzdüğü sağlık bakanlığı müfettişleri, intikam operasyonu başlattı. Şıvgın dönemi dosyalarını didik didik etmeye başladılar. 20'ye yakın dosyada usulsüzlükler saptadılar. 300 ambulans alımıyla ilgili dosyalarda önemli bulgulara rastladılar; raporlarını hazırlayıp yeni bakan Yıldırım Aktuna'ya verdiler.

Aktuna, ambulans ihalesindeki yolsuzluk iddialarını TBMM'ye getirdi. Kurulan komisyonda, Şıvgın'ın Yüce Divan'da yargılanması yönünde rapor çıktı. Ancak ANAP'ın geciktirme girişimleri sonuç verdi; raporun genel kurulda oylanması bir sonraki döneme kaldı.

Rahat bir nefes alan Şıvgın, bakanlıktan ayrıldıktan sonra tamamen kişisel kuruluşlar haline getirdiği vakıflar konusunda önlem aldı. Müfettişlerin dikkatinden kurtarmak için, Sağlık Bakanlığı hizmetlerine yardım amacıyla kurulan vakıfların isimlerini değiştirerek sağlıkla ilişkisini tamamen kopardı.

İlaç ve Eczacılık Araştırma Vakfı'nın adını Araştırma Vakfı, Tedavi Hizmetleri Vakfı'nın adını Hizmet Vakfı, Sağlık Eğitimi Vakfı'nın adını ise Eğitim Vakfı olarak yeniledi. Çevre Sağlığını Koruma Vakfı ve Tüketiciyi Koruma Vakfı'nın isimlerini değiştirmeye gerek görmedi. Zaten bakanlıkta, vakıflarla ilgili tek evrak bile bırakmamış, tümünü almıştı.

Çiller yardımıyla aklanma

Bu arada Şıvgın ANAP'tan ayrılmış, Turgut Özal'ın başına geçmesi beklenen Yeni Parti'ye girmişti. Burada beklediğini bulamayınca soluğu MHP'de aldı; "Yuvaya döndü" nutukları atılırken yüzü gülüyordu.

Ancak bu hava çabuk döndü; "kanına ANAP karışmış" biri olarak MHP yönetimiyle uyuşamadı. 1995 seçimleri öncesinde, Türkeş'in akrabalarının listelere doldurulmasını eleştirince, tartışma kısa zamanda kavgaya dönüştü ve "yuva"dan dışlandı. Milletvekili olamayınca kendini başkanlık sistemi ve dar bölge seçim sisteminin savunulmasına verdi. Bu konularda kitapçıklar hazırladı. Çalışma mekânı da Nenehatun Caddesi 77 numaradaki vakıf binasıydı. Türk Dünyasında Demokrasiyi Geliştirme Vakfı'nın "ezelî ve ebedî başkanı" olarak Orta Asya'yla yakın ilgisini sürdürüyor, sık sık yurtdışı gezilerine çıkıyordu.

Ambulans raporunun yeni mecliste görüşülmesi öncesinde Şıvgın, artık DYP'ye yakın duruyordu. Çiller'e telefon etti; iki bakanlık bürokratının aynı nedenle yargılandıkları davada beraat ettiklerini anlattı. Şıvgın'ı dinleyen Çiller, "Size haksızlık yapılmış" dedi. Bu konuşma etkisini gösterdi ve oylamaya DYP milletvekillerinin tamamı katılmadı. Bunun üzerine Yüce Divan'da yargılanması için gereken 276 oy bulunamadı. İşte o zaman Şıvgın rahatladı:

– Ben aklandım...

Aktif siyasete dönmesinin önündeki en önemli engeli aşmakla kalmamış, DYP'yle flörte başlamıştı. Yeni bir seçim dönemine kadar vakıflarına döndü. Vakıflarla ilgili yeni düzenlemeler yaptı. Asıl üzerinde durduğu, Araştırma Vakfı ile Hizmet Vakfı'ydı. Aralık 1998'de bu iki vakfın adını bir kez daha değiştirdi. 1990'da kurulduğunda İlaç ve Eczacılık Araştırma Vakfı adını taşıyan vakıf, Ankara Stratejik Araştırmalar Vakfı oluverdi. 1990'da Tedavi Hizmetleri Vakfı olarak kurulan vakıf ise Sağlık Hizmetleri Geliştirme Vakfı adını aldı. Şıvgın'ın çalışmaları bu iki vakıfta yoğunlaştı.

Şıvgın'ın vakıfları çeşitli tarihlerde denetimden geçti. Müfettiş raporlarında dikkati çeken ilk nokta, altı vakfın yönetim kurulunda da aynı isimlerin bulunmasıydı: Halil Şıvgın, Orhan Karapınar ve Hale Şıvgın...

Çevre Sağlığı ve Tüketiciyi Koruma vakıfları neredeyse hiçbir faaliyet göstermiyor, vakıfların katkılarıyla kurulan şirketler de sürekli zarar ediyordu! Müfettiş Mehmet Karabacak, vakıfların amacı doğrultusunda çalışılması ve malî durumunun düzeltilmesi uyarısında bulundu:

"(...) Vakıf yönetiminin vakfın küçülmesi pahasına vakıf iştiraki şirketlerin büyümesi yönünde hareket ettiği anlaşılmakla; vakfın menfaatleri gözönüne alınarak bir an evvel vakfa sağlam gelir kaynakları temin edilip vakfın güçlü hale getirilmesi..."[2]

Türk Dünyasında Demokrasiyi Geliştirme Vakfı'ndaki gariplikler daha çarpıcıydı. Aralarında iki gazetecinin de bulunduğu altı kişinin 14 ocak 1994'teki Amerika gezilerinin Konut Fonu bile vakıf kasasından ödenmişti. Başmüfettiş İsmail Kaya, bu ödemenin nedenini anlayamadı; raporunda bu garipliği aktarmakla kalmadı, vakfın, amacı doğrultusunda faaliyet göstermemesine de dikkat çekti...[3]

Belediye başkan adaylığı

Ankara belediye başkan adayı arayan Çiller'in anketlerinden onun adı ön sıralarda çıktı. Hem, milliyetçi-muhafazakâr kimliği Çiller'in yeni stratejisine uygun düşüyordu. DYP'nin ambulans ihalesiyle ilgili iddiaları önemli değildi! ANAP,

---

2 Vakıflar Genel Müdürlüğü Müfettişi Mehmet Karabacak'ın, Çevre Sağlığını Koruma Vakfı ve Tüketiciyi Koruma Vakfı'yla ilgili 12 ekim 1999 tarihli raporları.

3 Vakıflar Genel Müdürlüğü Başmüfettişi İsmail Kaya'nın, Türk Dünyasında Demokrasiyi Geliştirme Vakfı'yla ilgili olarak 10 haziran 1996 tarihini taşıyan, ekleriyle birlikte 12 sayfalık raporu.

DYP'lileri transfer ederken kendi iddialarını unutmamış mıydı? Çiller, Bilkent'teki evine çağırdı, adaylık önerdi. O da kabul etti. Oysa Melih Gökçek'in FP'den Çankaya belediye başkan adaylığı teklifini birkaç gün önce reddetmişti!

Şıvgın, kampanyasında kendisi gibi eski Yeniden Millî Mücadeleci Gökçek'i hedef aldı. Gökçek'in, Rusya'nın çılgın ve şoven politikacısı Jirinovski'yi ziyaretini diline doladı. Gökçek'le tam bir kapışma halinde geçti seçim dönemi...

FP'lilerin öylesine tepkisini çekti ki, ona "seks tuzağı" kurmaya kalktıkları bile yargının gündemine geldi. Tuzak için kullanılmakla suçlanan manken Eda Pulan savcıya itiraf etti:

– Hatipoğlu'yla TBMM'de buluştuk. Benden, belediye başkan adaylarından Halil Şıvgın'la samimiyeti ilerletmemi ve cinsel beraberliğimizi gizli kameraya kaydetmemi talep etti. Ev alıp para verecekti. Ancak ben, Halil Şıvgın'ı tuzağa düşüremedim.[4]

FP Diyarbakır Milletvekili Ömer Vehbi Hatipoğlu, bu iddiaları şiddetle reddetti. Tuzak iddiaları ortada kaldı. Fakat zaten Şıvgın seçimleri kaybetmişti. Gökçek'le kapışması da başarıya yetmemiş, seçimler tam bir hezimet olmuştu onun için.

Böylece siyaset yolunda çaldığı bir kapı daha kapanan Şıvgın, yine vakıflarına döndü. 1999'da İstanbul'da düzenlenen AGİT zirvesinin hazırlık toplantısına katılan sivil toplum kuruluşları yöneticileri arasında yer aldı, konuşma yaptı. Prestiji, vakıflarından kaynaklanıyordu...

---

4 Uğur Dündar, "Şu milletvekiline bakın", *Hürriyet,* 3 ekim 1999 (Ankara DGM Savcılığı'nın 27 eylül 1999 tarih ve 1999/4 numaralı dosyasından).

Hikmet Uluğbay

Ölümle kutsanan yaşam

Mülkiye'nin "İhtiyar Hikmet"iydi Uluğbay. Her zaman ölçülü oluşu, ağırbaşlı hali bu lakabı kazandırmıştı ona. İçedönük bir öğrenciydi. Okuldaki etkinliklerden, spordan ve siyasetten uzak duruyordu.

Siyasetten uzak durması, bilinçli bir karardı. Siyaset, bir öğrenciyken uğraşabileceği bir hobi değildi ona göre. Kendini iyice geliştirdikten sonra girebileceği bir hizmet alanıydı.

Oysa fırtınalı yıllar yaşanıyordu Ankara'da. Mülkiyeliler, Demokrat Parti iktidarına karşı yürütülen protesto eylemlerinin odağındaydı. 27 Mayıs Darbesi öncesinde düzenlenen ünlü 555 K gösterisinin başrol oyuncuları da mülkiye öğrencileriydi. Her ne kadar siyasetten uzak durmaya karar vermiş olsa da 5. ayın 5'inde saat 5'te Kızılay'da yapılan bu mitinge katılmadan edemedi. Kızılay Meydanı'nda toplanan binlerce insandan biri oldu; alandaki o müthiş basıncı, sloganları, marşları yaşadı. Daha önemlisi, öğrencilerin Başbakan Menderes'i tartaklamasına da tanık oldu. 50 metre kadar uzağında cereyan etti ünlü olay...

"İhtiyar Hikmet", birçok Mülkiyeli gibi bu olayların rüzgârıyla CHP Gençlik Kolları'na girmedi. O 27 Mayıs sonrasında eski günlerine döndü. Türkiye'nin sorunlarıyla ilgili bilgi ve fikir sahibi olmaya çalıştı, bol bol okudu. Tarihe meraklıydı. Ünlü Türk denizcisi Turgut Reis'e hayrandı...

Asıl dünyası dersleriydi. İlk yıllardan itibaren düzenli ders çalışan bir öğrenciydi. Zaman zaman tökezlediği de oluyordu. İkinci sınıftayken şubat ayında girdiği idare hukuku sınavı da böylesi bir örnekti.

Sınav sözlüydü. Prof. Tahsin Bekir Balta'nın yanına giren her öğrenci iki üç dakikada dışarı çıkıyordu. Hem de darmadağın bir ifadeyle. Belli ki soruları bilemiyorlardı! 14. sırada olmasına rağmen 45 dakika sonra sıra ona geldi. Yeterince hazırlanamamıştı. İdare Hukuku'ndan bihaberdi! Boynu bükük girdi içeriye. "Biir" dedi, Karadenizli hoca, "Tonzimat Förmani?" yazdı. İkinci soruyu anlamadı, soramadı da. Üçüncü soru da Islahat Fermanı'ydı. Düşünmesi için biraz zaman verdi.

O sırada hocanın asistanı içeri girdi. İkinci soruyu ona sordu. "İdarenin resen icra yetkisi" karşılığını verdi. Bir dakika sonra hocanın karşısında ter dökmeye başladı. Birinci soruyla ilgili ilk cümlesini duyan Balta, sözünü kesti. "Geç ikinciye..." İkinci sorunun ilk cümlesinde yine aynı tepkiyi gösterdi. "Atıyorsun, geç üçe." Üçüncü soruda da pek konuşmaya fırsat bulamadan kendini dışarda buldu.

Felaket kısa sürmüş, üzerindeki etkisi büyük olmuştu. Bir daha benzer sıkıntı yaşamamak için derslere daha sıkı asıldı. Dersleri dikkatle izledi. Sonuna kadar da böyle devam etti.

1961'deki son sınavlar, Şeker Bayramı'nın hemen öncesine rastlamıştı. Bayramı unutup, her zamanki gibi kendini sınav hazırlığına kaptırdı. IV. Malî Şube'de ders çalışırken "Kuş Alpay" (Alpay Özkaynak) yanına geldi, fısıldadı. "Bende bayram füzeleri var." Birini ateşlemeye karar verdiler. Sınıfta ateşlenen maytap, oradan oraya savrulmaya başladı. Sonunda "Lodidur Kadir Beg"e yöneldi. Yanan bir şeyin kendisine doğru geldiğini fark eden Kadir korkuyla ayağa fırladı ve bağırmaya başladı:

– Lo lo dur...

Maytap daha fazla dayanamadı. Barutu bittiği için Kadir'in ayaklarının dibine düştü. Sanki maytap emri işitmişti! Kahkahalarla güldüler...

Brici askerlikte öğrendi

Üniversiteyi bitirince Hazine Genel Müdürlüğü ve Milletlerarası İktisadî İşbirliği Teşkilatı Genel Sekreterliği'nde çalışmaya başladı. Hemen ertesi yıl, kamu hizmetine ara vermek zorunda kaldı. Askerlik zamanı gelip çatmıştı. Yedek subaylığını Polatlı'daki topçu okulunda yaptı.

Ankara'dan yine fazla uzaklaşmamıştı. Gerçi 29 mart 1939'da baba memleketi Isparta'da doğmuştu. Ancak inşaat yüksek mühendisi olarak kamuda çalışan baba Neşet Uluğbay, Anadolu'nun birçok kentini dolaştıktan sonra Ankara'ya yerleşmişti. Ragıp, Minüre, Leman, Muazzez ve Hikmet adlarındaki beş çocuğunu, Cumhuriyet'in genç başkentinde büyütmüştü. Ailenin beş numarası olan Hikmet, dört yıl Kayaş İlkokulu'nda okumuş, son yıl Sarar İlkokulu'na geçmişti. Atatürk Lisesi'ni bitirdikten sonra da Mülkiye yılları başlamıştı. Ankara, çocukluk ve gençlik yıllarının kentiydi.

Dolayısıyla Ankara'nın 70 kilometre uzağındaki Polatlı'da yabancılık çekmedi. Rahat bir askerlik yaptı. Arkadaşı Yener Dinçmen'le birlikte briç öğrendi. Tavladan ve öbür kâğıt oyunlarından hoşlanmıyordu, ama briç farklıydı. Belirli sinyallerden yola çıkarak peş peşe oyun senaryoları hazırlamayı gerektiren bu zekâ oyununu çok sevdi. Briç, askerlik günlerinin en büyük eğlencesi oldu. İki yıl süren askerlik sonrasında da briçten hiç kopmadı. Briç, en büyük hobisi haline geldi...   **71**

"Papaza söyle, ayini yapsın"

Askerlik sonrasında özel sektörde çalıştı. Özel sektördeki yapılanmanın, kişiliğine, hedeflerine uygun olmadığını anlaması için üç ay yetti. Hazine'deki işine geri döndü. Görevini sürdürürken bir yandan da İngilizcesini ilerletti. Ortaokul ve lisede Fransızca'nın yanı sıra yardımcı ders olarak İngilizce almış, Mülkiye'de de İngilizce görmüştü.

Kendisini geliştirme konusundaki kararlılığı ve disiplini, ona Amerika kapılarını açtı. 1966'da Maliye Bakanlığı bursuyla Güney Kaliforniya Üniversitesi'ne giderek ekonomi bölümünde mastır yaptı.

Artık mesleğinde hızla ilerlemenin yolu açılmıştı. İlk kez bu kadar uzun süre ayrı kaldığı Ankara'ya, 1968'de döndü. Kısa süre sonra da şube başkanlığına atandı. En önemlisi, Mülkiye'den yeni mezun olan Nedret Batumlu'yla tanıştı. Aralarında beş yaş fark vardı. Nedret Hanım, fakültede voleybol oynayan aktif bir genç kızdı. Birbirlerini sevdiler, evlenmeye karar verdiler. 29 temmuz 1969'da kıyıldı nikâhları. İkisi de Hazine personeli olduğu için nikâh tanıklarından biri, Hazine Genel Sekreteri Kemal Cantürk'tü...

Hikmet Uluğbay, Cantürk'ün gözdesiydi. Cantürk, onun ketum davranacağına inanıyordu. Devalüasyon'la ilgili etüt görevini ona verdi. Uluğbay, iki gün evine kapanıp çalıştı, raporunu verdi. Hükûmet, İMF ve dönemin DPT Müsteşarı Turgut Özal'ın da etkisiyle devalüasyon kararı aldı.

Karar, büyük bir gizlilik içinde İMF'ye bildirildi. 15 gün önceden haber vermek zorunluydu. Washington'daki görevliye kısa bir mesaj iletildi: "Papaza söyle, 10 ağustosta ayini yapsın." Bu şifrenin anlamı belliydi: "İMF'ye bildir, 10 ağustosta (1970) devalüasyon ilan edeceğiz." Böylesine gizli yürütülen hazırlıkları bilen yedi kişiden biriydi Uluğbay. Amirleri, onun enine boyuna tartmadan, uzun süre düşünmeden hızlı karar vermediğini biliyor, iş disiplinine, dürüstlüğüne güveniyorlardı...

Japonya günleri

Bürokrasi yaşamı problemsiz gidiyordu. Tek sıkıntısı, vejetaryen olmasıydı. Bir pilavdaki et suyunun kokusunu ya da bir çatalın ete batırıldığını hemen anlıyordu. Bu tercihinin temeli, beş yaşında yaşadığı bir olaya uzanıyordu. Dört ay beslediği kuzusunun kurban edilmesini unutamıyor, asla et yiyemiyordu. Bunu bilen arkadaşları, ona "etyemez" derlerdi...

1971'de, Tokyo Büyükelçiliği maliye ve ekonomi müşavirliğine atanınca vejetaryenliği daha büyük sorun haline geldi. Denizden çıkan her canlının tüketildiği Japon mutfağı, vejetaryenliğe çok uzaktı. Özellikle Büyükelçi Şükrü Elekdağ'la birlikte çıktıkları gezilerde sıkıntı çekiyordu. Büyükelçilikte ise ona özel yemekler çıkarılıyordu. Elçiliğin aşçısı, Japon Kavas Kaşamura'ya, bu durumdan yakınıyordu hep...

Tokyo'daki mutluluk kaynağı, eşi Nedret Hanım'dı. Yeni evli bir çift olarak ayrılamamışlardı birbirlerinden. Nedret Hanım, Hazine'deki işinden ayrılmış, 11 ay önce doğan ilk oğulları Burak'ı da alarak Tokyo'ya gelmişti.

Japonya, o dönemde hâlâ ünlü yazar Yukio Mişima'nın intiharının etkisi altındaydı. Batılılaşmaya karşı çıkan, Japon ruhunu korumaktan yana olan Mişima, fikirlerini yazmakla kalmamış, eyleme dökmüştü. 25 kasım 1970'te, dört arkadaşıyla birlikte Tokyo yakınlarındaki askerî bir karargâha baskın düzenleyen Mişima, ülkesinin silahlanmasını yasaklayan savaş sonrası anayasa- **73** sını eleştiren kısa bir konuşmanın ardından harakiri yapmıştı.

Hikmet Uluğbay, bir yıl sonra Tokyo'ya geldiğinde öğrendi Mişima'nın intiharını. Merak etti Mişima'yı, öyküleriyle tanıştı. Mişima'yı en iyi anlatan eseri, *Yurtseverlik* öyküsüydü. İsyan eden arkadaşlarına saldırı emrini yerine getirmeyen genç bir teğmenin, "Yaşasın imparatorluk kuvvetleri" notu yazdıktan sonra eşiyle birlikte intihar etmesini konu alıyordu bu öykü. İntiharı yüceltici bir eylem olarak işliyor, kılıç ile tenin buluşmasını ve ölümün bedeni teslim alışını kanlı ayrıntılar eşliğinde canlandırıyordu. Mişima, bu kanlı öyküyü sinemaya da uyarlamış, filmi kendisi yönetmiş ve oynamıştı.

Mişima da yaşamını, *Yurtseverlik* öyküsündeki gibi harakiriyle noktalamıştı. Japonlar, düşüncesi uğruna cesaretle ölüme giden Mişima'yı efsaneleştirmişti.

Adı etrafında oluşan efsane, Hikmet Uluğbay'ı da etkiledi...

Türkiye'ye dönüş

Uluğbay'ın Japon kültürüyle tanışma dönemi 1973'te sona erdi. Döndükten bir yıl sonra Nedret Hanım, Odalar Birliği'nde çalışmaya başladı; bir süre sonra da ikinci oğulları doğdu. Adını Çağlar koydular...

Hazine genel müdür yardımcılığına yükseldi. Dış ekonomik ilişkilere bakıyordu. Bu görevi NATO nezdinde Türkiye daimî temsilciliği maliye ve ekonomi müşavirliği izledi. 1981'de ise hazine genel müdürlüğüne getirildi. Banker faciası öncesi ve sonrasında yasal düzenlemeler hazırlayabilmek için gecesini gündüzüne kattı. Başbakan Yardımcısı Turgut Özal ve Maliye Bakanı Kaya Erdem'le ilişki halinde çalışıyordu. Bir teknisyen olarak işiyle ilgileniyordu; rakamların büyüsüne kapılmıştı...

Bir tesadüf olsa gerek, 12 Eylül dönemi, askerliği seçen ağabeyine de yaradı. Ağabeyi Ragıp Uluğbay, 1981'de orgeneralliğe terfi etti, ertesi yıl Millî Savunma Bakanlığı Müsteşarlığı'na ve hemen ardından NATO Güneydoğu Avrupa Müttefik Kuvvetleri Komutanlığı'na atandı. Ağabeyi, 1985'te emekli olurken, Hikmet Uluğbay da aynı yıl OECD'deki görevinden, Washington Ekonomi ve Ticaret müşavirliğine geçti.

Bu görev, onun için bürokrasinin zirvesiydi. İşinden arta kalan zamanını, ikinci elden kitapların satıldığı köhne kitapçılarda geçiriyordu. Öğle tatillerinde arkadaşlarını da kitapçılara sürüklüyordu. Dört yılı hızlı bir tempoda, kitaplarla haşır neşir bir halde geçirdi. Tarih merakını boyutlandırmış, iktisat tarihini de ilgi alanına katmıştı.

Şubat 1989'da Türkiye'ye döndükten sonra Devlet Bakanı Işın Çelebi danışmanlık önerdiğinde aktif bir görevi yoktu. Kabul etti. Danışmanlığı süresince Çelebi'ye mevzuat bilgisi ve deneyimiyle yardımcı olmaya çalıştı. Aslında iki farklı kişilikti yan yana gelen. Çelebi hızlı karar veren bir siyasîydi, Uluğbay ise tam tersi. Bu farklılık nedeniyle Uluğbay, bir "fren" işlevi gördü bakanın üzerinde.

1991'de Çelebi'nin bakanlığının sona ermesiyle birlikte Hazine'deki görevine geri döndü. Fakat böylesi pasif bir işle yetinmek istemedi. Bilkent Üniversitesi Ekonomi Bölümü'nde, ekonomi tarihi ve kamu finansmanı dersleri vermeye başladı. Bir yandan da *Daily News* gazetesiyle, haftada iki gün yazı yazmak için anlaştı. Yazılarında günlük çözümlere karşı çıkıyor, sosyal adalet ilkesinin korunmasının öneminin altını çiziyordu. Özal dönemi ekonomik kararlarının kısmen doğru olduğunu, ama çalışanların göz ardı edildiğini savunuyor, o uygulamaları bitmemiş bir reform olarak görüyordu. Çiller dönemi politikalarını ise sert biçimde eleştiriyordu.

Yazılarını gazeteye bir diskette getiriyor, her geldiğinde gazete yöneticileriyle günlük siyasî ve ekonomik gelişmeler üzerine sohbet ediyordu. Düşüncesini ifade ederken, saygılı ve kibardı. Herkese aynı özenli tavrı gösteriyordu...

İntihara giden yol

1992'de emekli olup, kamudaki görevinden tamamen ayrıldı. Üniversitedeki dersler ve gazete yazıları zaten yeterince zamanını alıyordu. Yazmaktan, okumaktan, düşünsel faaliyetlerden memnundu. Bir yandan da kitap yazmaya başladı. 1994 sonunda tamamladı kitabını: *İmparatorluktan Cumhuriyete Petropolitik.* Dostlarını ziyaret edip, kitabını takdim etti. *Hürriyet* Ankara Temsilcisi Sedat Ergin'e de kitabını götürdü. O gün Uluğbay'ın yaşamında bir dönüm noktasıydı.

Tesadüfen, aynı gün, kitabı Ergin'in masasında gören Bülent Ecevit, "Çok önemli bir çalışma. Bu kitaptan nasıl edinebilirim?" diye sordu. Ergin'in temin ettiği kitabı okuyup beğenen Ecevit, Uluğbay'la birlikte çalışmaya karar verdi. Önce *Daily News*'un sahibi İlnur Çevik'i arayıp fikrini aldı. "Acaba benimle birlikte çalışmak ister mi?" Çevik'ten olumlu yanıt alınca sorun çözüldü. Bir araştırmacılık heyecanıyla yazdığı kitap, ona politikanın kapılarını açmıştı. Birkaç ay Ecevit'e, ekonomik konularda danışmanlık yaptı; seçimlerde de milletvekili olup TBMM'ye girdi.

Yıldızı, Mümtaz Soysal'ın istifasından sonra getirildiği DSP grup başkanvekilliği döneminde parladı. Millî eğitim bakanlığı sırasında İslamcı basının hedef tahtası haline geldi. 28 Şubat Kararları'nı uygulaması, 8 yıllık eğitim ve türban konularındaki ısrarından nefret ediyorlardı. Laik kesim ise onu,

"İkinci Hasan Âli Yücel" olarak görüyordu.

Millî eğitim bakanlığından alınması, DYP Genel Başkanı Çiller'in, Ecevit azınlık hükûmetini desteklemek için neredeyse tek koşuluydu. Çiller, malvarlığını aklayan komisyon raporuna Uluğbay'ın yazdığı muhalefet şerhinin acısını çıkarmak için iyi bir fırsat yakalamıştı doğrusu!

Ecevit, Çiller'in istediğini yaptı, ama Uluğbay'ı, ekonomiden sorumlu başbakan yardımcılığına getirdi. Millî Eğitim'deki teknisyen tavrını bu görevde de sürdürdü. Bildik bakanlardan değildi. Milletvekilleri ve hiçbir yakınının tayin, terfi işlerine bakmadı.

Bakanlığının ilk döneminde Bodrum'daki yazlığına bile makam aracıyla gitmemiş, orada maliyeci arkadaşlarıyla birlikte taksiye, minibüse binmişti. Fakat 8 yıllık eğitim ve türban tartışmaları başlayıp, radikal İslamî kesimlerden ölüm tehditleri yağınca güvenlik ön plana çıktı. O zaman gönülsüz de olsa her yere makam aracıyla gitmekten başka çaresi kalmadı.

Sokakta yürüyememek, otobüse binememekten sıkıldı. Gösterişten hoşlanmayan, kalender bir tipti. Küçük oğlu Çağlar'ın, 12 temmuz 1998'deki nikâhını bile etrafa duyurmamıştı. Oğlunun nikâh tanığı, bakan arkadaşı Hüsamettin Özkan'dı. Bir yıl sonraki intihar sürecinin de yakın tanığı Özkan oldu. Nedret Hanım, 6 temmuz 1999 gecesi, ambulans çağırdıktan sonra ilk önce onu arayıp haber verdi:

– Hikmet intihara kalktı, yaralı...

Uluğbayların evinin önü birdenbire karıştı. Ambulans, polisler ve basın. Tüm Türkiye, bir bakanın intihar haberiyle sarsıldı. Uluğbay'ın, çenesine tabanca dayayıp tetiği çekmesi, Japonların ünlü harakirisiyle kıyaslandı.

Bir yandan Uluğbay'ın sağlık durumu merakla izlendi. Bir yandan da intiharın nedenleri sorgulandı. Ne ilk andan itibaren 77 hastaneye koşan Ecevit konuştu ne de Uluğbay'ın yakınları.

Belli olan, Uluğbay'ın tetiği çekmesine neden olan olaylar zincirinin borsadaki krizle zirveye ulaşmış olduğuydu. Uluğbay, İMF heyetiyle varılan anlaşmalara ilişkin belgeleri Mesut Yılmaz'a sızdırıp, akrabası Mehmet Kutman'ın haksız kazanç elde etmesine neden olmakla suçlanıyordu!

Taraflar açık konuşmayınca çeşitli senaryolar ortaya atıldı. İlk senaryoya göre, Ecevit gazetedeki haberler üzerine Uluğbay'ı çağırıp azarlamış, "Bir süre dinlenirseniz iyi olur" demişti. İMF heyetiyle yoğun geçen görüşmelerin ardından gün boyu çalışan Uluğbay, gece NTV'deki "Geceyarısına Doğru" programını dinlerken Yılmaz'ın kendisini zor durumda bırakan suçlamalarını duyunca da, "Herkes benim üzerime geliyor" deyip silahına sarılmıştı!

Başka bir senaryoya göre ise, İMF'nin niyet mektubu uyarınca hazırlanan ekonomiyi canlandırma paketi konusunda Ecevit ve Özkan'la anlaşmazlığa düşmüş, Ecevit, bunun üzerine "bir süre tatile çıkmasını" istemiş, buna üzülen Uluğbay intihara karar vermişti![1]

Sonuçta tüm senaryolar, "Kara Cuma" olayına dayanıyordu! Önce Yılmaz, Uluğbay'dan belge aldığı sözlerini düzeltti. Belge değil, bilgiydi söz konusu olan! Borsada trilyonlar kazandığı öne sürülen Mehmet Kutman'ın, "Kara Cuma" sırasında Türkiye'de olmadığını da sözlerine ekledi.

Ardından yetkililerin, borsada o gün olağandışı bir trafik yaşanmadığı açıklamaları geldi. Ecevit de Uluğbay'ın "dinlenmesini istediği" iddialarını yalanladı ve en kısa sürede "işinin başına dönmesi" dileğinde bulundu.

---

1 Bilal Çetin, "İMF'ye verilen gizli niyet mektubunun öyküsü", *Radikal*, 10 ağustos 1999.

Ecevit, yıkılmıştı. Uluğbay, hastaneden çıkana değin farklı bir âlemde yaşadı. Hastaneye günde iki kez gelip gitti. Hastane kapısında kameraların saptadığı yüzü, içine çöreklenen acıyı, üzüntüyü yansıtıyordu. Uluğbay, sağlığına kavuşup hastaneden çıkınca kendine geldi ancak.

Gecikmiş açıklama

Hastaneden çıkışta Uluğbay, mermi, dilini deldiği için konuşmakta zorlanıyordu. Kısa konuştu, herkese teşekkür etmekle yetindi ve evinin yolunu tuttu.

Birkaç gün sonra da bakanlıktan istifa ettiği haberleri geldi. Yerine Hüsamettin Özkan'ın atanacağı haberleri yayınlanırken bir sürpriz oldu; Recep Önal getirildi. Bu andan itibaren hayat normale döndü! Uluğbay, TBMM çalışmalarına katılmaya başladı...

İntiharın nedenleri üzerinde hiçbir açıklama yapmadan bir ay geçti. Bir açıklama metni yazdı, tam açıklayacaktı, 17 ağustostaki büyük deprem oldu. Açıklamayı erteledi. İki ay daha geçirdi. Hiçbir ipucu vermedi. Suskunluğu, 15 eylüle değin sürdü.

O gün, açıklama metnini önce Özkan'a götürdü. "Bu metni lütfen başbakana da iletin. Bu açıklamadan sonra sorulara muhatap olabilirsiniz, ne söylediğimi bilin, ona göre cevap verin" deyip, verdi.

Özkan'ın yanından çıkınca doğruca meclisteki odasına gitti. Beş sayfalık metni bir kez daha okudu, son düzeltmeleri yaptıktan sonra basına dağıtılmak üzere sekreterine verdi.

Gecikmiş açıklama, öncelikle, aile içi bir sorun nedeniyle intihar girişiminde bulunduğu haberlerini yalanlıyordu. Ece- **79** vit'in dinlenmesini istediği, buna üzüldüğü de doğru değildi!

Stresten, yoğun çalışmadan, İMF heyetiyle görüşmelerin yıpratıcılığından söz ettiği metinde, intihara neden olacak kadar üzülmesine tek neden gösterdi:

"Görsel ve yazılı basına da yansıyan ANAP Genel Başkanı Sayın Yılmaz'ın grup toplantısında yaptığı konuşmada, İMF belgesini benden aldığını söylemesine üzüldüm, ancak sonra yaptığı açıklamalarında, benden belge değil liderler toplantılarında bilgi aldığını belirtmiştir."

Sadece ve sadece Yılmaz'ı suçluyor, ancak olayın sonuçlarıyla ilgili hiçbir bilgi vermiyordu! "Kara Cuma"da kimilerinin trilyonlar kazandığı iddialarına hiç değinmiyordu!

Açıklama olan biteni açıklayamamakla kalmadı; hem Yılmaz hem Ecevit sessiz kaldı! "Kara Cuma", soruşturmayla da aklandı! Müfettişler dört ay boyunca çalışmış, ama borsada o gün olağandışı bir kazanç saptayamamışlardı! Bir skandal dosyası, daha kalın bir sis perdesiyle örtüldü.

Ekonomi yönetiminden birinci derecede sorumlu olan bir bakan, fazla çalışmaktan yorulmuş, "Ben artık intihar edeyim bari" demişti! Durup dururken üzülmüş; hatta üzülmekle kalmamış kendini suçlu hissedip yaşamını ölümle yüceltmeye çalışmıştı...

İntihardan geriye, Uluğbay'ın alnı ve dilindeki mermi izi kaldı. Doktorlar bu izleri estetik ameliyatla silebilirlerdi. Ama o istemedi. İntiharın çözüm olmadığını görmüştü, ama bu izleri taşımaktan da utanç duymuyordu.

DSP saflarında politikaya devam etti. Zaman zaman, maaşının karşılığını bu topluma tam olarak ödeyebildiğinden kuşkuya düşecek kadar sorumluluk duygusu ağır basan bir insandı o.

Mişima'yı ve onun, yaşamı ölümle kutsama çabasını unutmamıştı...

Hasan Denizkurdu

Menderes'in idamında ailece ağladılar

Balıkçı çocuğuydu. Fırtınalı gecelerde evin duvarına çarpan dalgalar korkuturdu onu. Yatağında büzülür, dualar okurdu. Dalgalar şiddetlendikçe küçük dudakları da hızlanırdı. Dileği, balığa çıkan babasının sağ salim dönmesiydi...

Bir gece, babası eve dönmedi. İyi haber, saatler sonra geldi. Azgın dalgalar kayığı parçalamış, babası güçlükle kurtulmuştu. O korkunç gün, ilkokul öğrencisi Hasan'ın belleğine kazındı.

Yine de öfke duymadı. Nasıl kızsın, gözlerini açtığında denizi görmüş, sevmişti. Denizci bir aileden geliyordu. Dedesi, Denizkurdu Hasan diye nam salmıştı. Denizkurdu Hasan, İstanköy'ün en usta denizcisiydi. Yelkenlisiyle, karayı takip ederek Mısır'a kadar gider, mal alır getirirdi. Dünya savaşı yıllarına kadar da denizle barışık bir yaşam sürdü. İtalyanlar adayı işgale hazırlanırken, o da göçe karar verdi. Rumların rahat vermediği öbür Türklerle birlikte İzmir'e göçtüler. Lakabı, kayıtlara soyadı olarak geçti. İstanköy'deki tapularının karşılığında Çeşme'de arazi verildi.

Denizkurdu Hasan, Çeşme'ye yerleşince denizciliği bıraktı. Oğlu Hüseyin'e devretti o işleri. Hüseyin de, kendileri gibi İstanköy'den göçen bir ailenin kızı olan Atifet'le evlendi. 14 şubat

1948'de doğan ilk çocuklarına ise dedenin adı kondu: Hasan...
Küçük Hasan da dedesi gibi deniz tutkunuydu. Yaz aylarını
denizle iç içe geçirirdi. Her yaz derisi renk değiştirir, neredeyse
siyahlaşırdı. Sandal sahibi olduğunda altı yaşındaydı. En büyük
mutluluğu, balık avlamaktı...
Deniz mevsimi kapanınca, futbol günleri başlardı. Komşu
mahallenin çocuklarıyla maç yaparlardı. Komşu mahallenin en
iyi oyuncusu Mustafa Denizli'ydi. Her maç kavgayla biterdi.
Maç hangi mahalledeyse, oranın çocukları öbürlerini döver
gönderirdi. Bu hiç değişmeyen bir kuraldı.

Turist rehberliği ve garsonluk

İlkokula başladığı yıl, bir kızkardeşi oldu. Sabaha karşı bir
gürültüyle uyandı. Evdeki herkesin bir bebekle ilgilendiğini gö-
rünce çok üzüldü. Tahta çantasını kaptığı gibi 16 Eylül İlkoku-
lu'na koştu.

O yıl, en büyük gururu, yakasındaki kırmızı kurdeleydi.
Okumayı ilk söken öğrencilerin göğsüne kurdele takılıyordu.
İki de kız öğrenciye kurdele takılmıştı; Sezen ve İffet. Bu kızlar
ile Hasan arasındaki gizli yarış, ortaokulun sonuna kadar da
sürdü.

Ortaokulda komik bir görünümü vardı. Şapkası üç numara
büyüktü. Dedesi, "Kafan büyür" demişti. Şapka bir türlü kafa-
sında durmuyordu. İçine gazete kâğıdı koyuyor, yine de düşme-
sini engelleyemiyordu. Şapka, gözlerine kadar kayıyordu kimi
zaman. O hali, aslında yaramazlığını dışa vuruyordu.

Ele avuca sığmaz bir çocuktu. Annesi öğle saatlerinde onu
yatağına yatırır, kendisi de uykuya çekilirdi. Çeşme'de öğle uy-
kusu, başka bir deyişle siesta alışkanlığı yaygındı. Annesinin

uyuduğuna emin olunca balkondan atlar, dolaşmaya çıkardı. En büyük merakı, bir kahveye ya da berber dükkânına gidip gazete okumaktı. Gazete okumayı çok seviyordu. İki saat kadar sonra gizlice eve dönüp yatağına giriyordu. Bir keresinde annesine yakalandı, dayak yedi, ama öğle kaçamaklarından vazgeçmedi.

Başa çıkmakta zorlanan Atifet Hanım, çareyi onu yaz aylarında işe yerleştirmekte buldu. Hasan, ilk olarak Berber Mustafa'nın yanına çırak girdi. İşini ressamlığa benzeten, en çok ense tıraşına özenen, futbolculuktan gelme bir berberdi Mustafa. Orada, Hasan'ın ilgisini, köpüklü balonu tıraş etmek yerine macera kitapları çekti. Tenten, Tommiks, Teksas, Doğan Kardeş ve de Mayk Hammer'i birbiri peşi sıra yuttu. Hammer'ın sarışınları gözlerinin önünde canlanıyordu...

Kitaplar bitince sıkılmaya başladı. İbrahim'in kahvesine geçti. Garsonluk, ilk işine göre daha hareketliydi. Garsonluğu benimsedi. Üç yaz çalıştı orada. Günlüğü 7,5 liraydı.

Turistleri de o dönemde fark etti. Çeşme o zamanlarda gözde turistik mekânlardandı. Turistlere yanaşıp, kırık dökük İngilizce konuşmaya başladı. Bir iki derken, iyice cesaretlendi. Hoş geldiniz sözcükleri, giderek, sohbetlere ve oradan da lokanta, otel tariflerine dönüştü. Önceleri öğle yemeklerini bedavaya getiriyordu. İşyeri sahiplerinin komisyon teklifleri artınca garsonluğu bıraktı. Böyle daha iyi para kazanıyordu. Hafta sonları araba tutup arkadaşlarıyla İzmir'e fuara gidip keyif yapıyordu.

Gençlik sevgilileri, yaz aşklarıydı. Turist kızlarla yazlık ilişkiler yaşıyordu. Sadece Manjuel adlı Fransız bir kızla ilişkisi yazı aştı, mektuplara, şiirlere sarktı. Anne babası bile gelip gördü Hasan'ı. Zaman, o güzel kızı da unutturdu. Yaşamın doğal akışı kaptı götürdü onu da...

Karakediler'e solistlik

Ortaokulu bitireceği yıl, Rasim Öğretmen, Hasan'ı sokakta top oynarken gördü. "Sen iyi bir öğrencisin. Seni öğretmen okuluna verelim" dedi. Bu düşüncesini anne babasına da söylemişti. Hasan, sabaha kadar ağladı:

– Öğretmen olmak istemiyorum.

Üniversiteye gitmek, sonunu bilmediği ufuklara açılmak istiyordu. Gözyaşları galip geldi ve İzmir günleri başladı. 1961, onun için yeni bir sayfanın açılışıydı.

İzmir Namık Kemal Lisesi'nin yatılı öğrencilerinden biriydi artık. En çok edebiyat derslerini seviyordu. Hocası Fuat Edip Aksu'dan hoşlanmıştı. Aksu, bir şairdi. Kız lisesinin önünde gördüğü bir genç kız için yazdığı şiir, dillerden düşmeyen bir şarkıya dönüşmüştü:

"Bir bahar akşamı rastladım size/ Sevinçli bir telaş içindeydiniz."

Hasan, Aksu'nun derslerini iple çekiyor, ders sırasında da zil çalmasın diye dualar ediyordu. Onun sayesinde şiiri sevdi, kitaplarla özel bir dostluk geliştirdi. *Tekamülün Altın Anahtarı* kitabını, ardından Varlık Yayınları'nın çıkardığı dünya klasiklerini okudu. Ortak kitap aldıkları 6-7 kişilik bir arkadaş grubu vardı. Bir yandan okuyor, bir yandan da tartışıyorlardı.

Müzikle ilişkisini geliştirmesi de bu döneme rastladı. "Karakediler" adlı grubun solistliğini üstlendi. Hatta Çeşme'deki amatör müzik yarışmasına katıldı. Meydanda toplanan halka iki şarkı söyledi; "Covani Covani" ve "Tamoy Tamoya". Timur Selçuk'un şarkılarındaki romantizm onu çarpıyordu...

Onu en çok etkileyen insanlardan biri Halikarnas Balıkçısı'ydı. Tüm kitaplarını okumakla kalmamış, radyo programlarının müdavimi olmuştu. Nerede olursa olsun kaçırmazdı Balıkçı'nın

"Heyyy... Heyyy..." diye başlayan programlarını. "Merhaba"sını duyunca, denizi görmüşçesine mutluluk yayılırdı yüzüne...

Beyninde fırtına çıkmıştı. Parçalandığını sandı önce. Zamanla her şey yerine oturdu. Liseyi bitirdiği yıl, kendi doğrularını oluşturmuştu, artık yere daha sağlam basıyordu...

Fen bölümünde başladığı liseyi, edebiyat bölümünden bitirmişti. Resim dersleri dışında başarılıydı. Hep en önde olmak istiyordu. Futbol maçlarında en çok golü atmak, derslerde birinci olmak gibi tutkuları vardı.

Ailesi doktor olmasını istiyordu. O gizlice gidip İstanbul Üniversitesi Hukuk Fakültesi'ne kaydoldu. İstanbul'da ilk yılı olan 1965'te yurtlarda kaldı. Babası balıkçılığı bırakmış, üniversitede memurluğa başlamıştı; annesi de belediyede memurluk yapıyordu. Onların gönderdiği paraya bir vakıftan aldığı burs da eklenince durumu düzeldi. Galatasaray'da bir eve çıktı. Alpay Tümer ve Mehmet Ali Ülcay adlı iki arkadaşıyla birlikte oturuyorlardı.

Üç arkadaş iyi anlaşıyorlardı. Birlikte sinema, tiyatroya, gece kulüplerine gidiyorlardı. Sekiz tuşu eksik bir piyanoyu çalan adamı dinleyip gırgır geçiyorlardı.

Derslerini ihmal etmiyordu. Amfiye ilk girenlerden biri oluyordu hep. Ön sıralardan yer kapıyor, Orhan Aldıkaçtı, H. Nail Kubalı, Tarık Zafer Tunaya, Lütfi Duran, Ragıp Sarıcalı, Sıddık Sami gibi hocaları dikkatle dinliyordu. İlk yılki sınavları rahatlıkla geçti. Bir soru dışındaki tüm soruların yanıtlarını vermişti. Bilemediği tek soru milletvekili dokunulmazlığıydı...

"Amerika'nın zencilerini taşlamayın"

Üniversitedeki ilk yıllarında bazı öğrenci eylemlerine katıldı. Birinde, Amerikan 6. Filosu'nun gelişini protesto ettiler. **85**

Kavgalar, polisle çatışmalar başlayınca uzaklaştı. Üniversitede boykot olunca ya sinemaya giderdi ya da kütüphaneye. Ne bulursa okuyordu, ama favori yazarı Albert Camus'ydü. Okudukça kendine güveni de artıyordu. Ağzı iyi laf yapıyordu. Tartışmak, hobisi haline gelmişti, bilgisiyle karşısındakini ezmekten zevk alıyordu. Uzun saçlar, dik yakalı kazaklar, kendini beğenmiş havasını tamamlıyordu. İşte tam bu dönemde tanıdı Yıldız'ı. Üniversiteye yeni gelen genç kız, üçüncü sınıfın uçarı Hasanı'nı çarpıverdi. Büyük bir aşk doğdu aralarında.

O yıl, üniversitede eylemlerin tırmandığı bir dönemdi. Hasan, eylemlere uzak durmakla kalmıyor, her fırsatta eleştiriyordu.

Bir gün kütüphanede oturuyordu. Bir grup öğrenci geldi, heyecanlıydılar. Oradaki herkesi dışarı çıkardılar. "Haydi" diyorlardı, "Amerikan askerleri Süleymaniye'ye gelmiş, onları kovalayalım." Hasan itiraz etti: "Niye taş atacaksınız? Bunlar da Amerika'nın zencileri."

Tartışırken, biraz da yaşının onlardan büyük olmasına güveniyordu. Aralarında Deniz Gezmiş'in de bulunduğu eylemin önderleri, birinci sınıftandı. Birbirlerini ikna etmeleri söz konusu olamadı tabiî.

Yıllar sonra Deniz Gezmiş'in idamını duyunca üzüldü. Zaten idamların, belleğinde korkunç bir yeri vardı. Çocukluğunda bir mahkûmun idamını seyretmeye götürülmüş, korkup kaçmıştı. Uzun süre rüyalarına girmişti idam sehpası.

Asıl ürkütücü anısı, Adnan Menderes'in asılmasıydı. Demokrat Partili ailesinin, Yassıada Duruşmaları'nı dinlemek üzere radyo başında toplanışlarını, idam haberini duyunca gözyaşlarına boğulmalarını unutamıyordu. O günden itibaren de idam cezasına hep karşı çıktı...

Komutana yoğurt seferleri

Üniversiteyi bitirdiği yıl, yaşamında dönüm noktasıydı. İngiltere'ye gidip eğitimine orada devam etmek istiyordu. Burs da buldu, ama Yıldız engeli çıktı karşısına:

– Gidemezsin, gidersen ilişkimiz biter!

Hasan duraksadı. Yıldız'la kendi aralarında sözlenmişlerdi. Ondan ayrılamazdı. Hayallerinin rotasını yeniden Türkiye'ye çevirdi.

Üniversitede asistan olarak kalması teklifini reddetmişti. Hemen askere de gitmek istemiyordu. Lisansüstü eğitime karar verdi. İşletme İktisadı Entitüsü sınavına girdi. Bin adaydan ancak 160'ı enstitüye alınıyordu. Sınavı kazandı.

İlk derslerden biriydi. Hoca, tahtaya bir resim çizdi. Öğrencilere sordu, çoğunluk, resimde "yaşlı bir kadın" gördü; birkaç kişi de "genç bir kadın." Hoca öğrencilere döndü:

– Demek, bir olaya tek açıdan bakmamak gerekiyor. Sizin böyle gördüğünüzü, başkası farklı görebilir.

İktisat dersleri ilgisini çekiyordu. Mutluydu. Tek sorun hukuktayken aldığı bursun kesilmesiydi. Yıldız'la ortak bütçeleri fakirleşmişti. Uzun çabalar sonucunda Koç Grubu'ndan burs alınca rahatladı. Kendini yine derslere verdi. Bir yıl çabuk geçti. Okul bitti ve askerlik yolu göründü.

12 Mart 1971 Muhtırası verildiğinde askerdi. İzmit Kandıra'da yedeksubaylık yapıyordu. Rutin günlerini renklendiren en önemli olay, İzmit'teki komutan Turgut Sunalp'e, ciple yoğurt götürmeleriydi. Komutan, Kandıra yoğurdunu seviyordu!

Bir olay da, İstanbul'daki genel aramada görev almasıydı. Koca kentte sokağa çıkma yasağı ilan edilmiş, her ev tek tek aranıyordu. Silah elde dolaşanlardan biri de asteğmen Hasan Denizkurdu'ydu. Ona Kadıköy bölgesi düşmüştü. Kapıları açıp giriyorlar, kimlikleri kontrol ediyorlardı. O gün çok sayıda fahişe, eşcinsel gördü, ama hiç silahlı militana rastlayamadı.

Askerde de kitaplara ayıracak zaman bulabiliyordu. Nöbet saatlerinde okuyordu. Daha çok roman okuyordu. Rus yazarlarının kitaplarını o dönemde bitirdi. Neredeyse onlarca kez gitmiş kadar tanımıştı Moskova'yı...

Her hafta sonu ise İstanbul'a koşuyordu. Cuma akşamı araba tutup gidiyor, pazartesi gece Kandıra'ya, birliğine dönüyordu. Yıldız okulu bitirmiş, evlenmek için onu bekliyordu...

Çanta sırtta Avrupa gezisi

Askerlik sonrasında ikisi de hemen İzmir'e döndüler. Evlilik hazırlıklarına giriştiler. Yıldız, İzmirli varlıklı bir ailenin kızıydı. Ev eşyalarının alınmasında onun ailesi yardımcı oldu. Bazı eşyalar da taksitle alındı. Vakit geçirmeden nikâh masasına oturdular.

Sıra iş bulmaya gelmişti. Eczacıbaşı ve Paşabahçe, iş teklif etmişti. Masa başında çalışma fikri ona hiç cazip gelmiyordu. Öğrenciliği sırasında ortak ev tuttuğu iki arkadaşıyla kafa kafaya verdi; yeni bir fikir geliştirdiler. Bir avukatlık bürosu kurup, ortak iş yapacaklardı!

Hacılar İşhanı'nda küçük bir büro buldular. Borç harç, bir masa iki sandalye satın aldılar. Tabela asıldı: "Hasan Denizkurdu, Alpay Tümer, Mehmet Ali Ülcay Avukatlık Bürosu"

İlk ay zor geçti. Karşıyaka'daki evden sefertasıyla yemek getiriyor, bürodaki ispirtolu ocakta ısıtıyordu. İdareli davranmak zorundaydı. İmdadına Çeşme'deki gayrimenkul davaları yetişti. Kadastro geçince yüzlerce arazi ihtilafı çıkmıştı.

Haftada iki üç gün Çeşme'ye gidip davalar alıp geliyordu. İlk davayı kazanınca sorun çözüldü. Zamanla davaların sayısı arttı, iyi para kazanmaya başladı. Eşi de özel idarede avukatlık yapıyordu.

Para sahibi olunca Avrupa hayalini gerçekleştirdi. Eşiyle birlikte sırt çantalarını kapıp trene atladılar. 32 gün boyunca dolaştılar. Avrupa'yı köşe bucak gezdiler. Yeşillikler içindeki Münih büyüledi onları. 1976 yılındaki bu geziden döndükten bir süre sonra ilk kızı doğdu; Neslihan.

Artık yaşamı daha renkliydi. Fırsat buldukça koşuyor, tenis oynuyor, sörf yapıyor, ailesiyle ilgileniyordu. Kordon'da yemek yiyor, Marmaris'e, Kıbrıs'a tatile gidiyordu.

Maddî sorunu kalmamıştı. Ev sahibi olmuş, ilk arabası olan kırmızı Doğan'ı satın almıştı. Büroyu değiştirmiş, Beyler Sokağı'nda iki odalı modern bir yer tutmuştu. Bu arada görünümünü de değiştirmiş, bıyık bırakmış, pipo içmeye başlamıştı. Daha "oturaklı" görünüyordu böyle...

Holding yöneticiliği

1981'e kadar aynı tempoda sürdü yaşamı. O yıl iki değişiklik oldu. Birincisi ikinci kızı Aslıhan'ın doğumuydu; ikincisi Yaşar Holding'in avukatlığını üstlenmesi. Önce Selçuk Yaşar'ın arazi davasını üstlendi, sonra da holdingin öbür davalarını. Yaşar, 1983'te, holdingde yöneticilik yapmasını önerdi, Denizkurdu reddetti:

– Sen beni alamazsın. Genel müdüründen fazla kazanıyorum.

Gerçekten iyi kazanıyordu. Hatta kimi davalara gayrimenkul karşılığı girmiş, epey arazi sahibi olmuştu. Yaşar, ısrar etti. "Gel, sana genel müdürün aldığının iki katını vereyim." Sonunda ikna oldu, avukatlık bürosunu bıraktı. Yeni görevi idare komitesi üyeliğiydi.

Hızla yükseldi; holdingin 16 şirketi ona bağlandı. Kısa zamanda holdingin önde gelen 3-4 yöneticisinden biri haline geldi. Holdingin dış ilişkilerini de yürütüyordu. MDP'nin İzmir il binasını tutan da oydu. Ancak MDP'nin tutacağına inanmıyordu. 12 Eylül döneminde Süleyman Demirel'e mektuplar göndermiş, "Sizin yasaklanmanız beni rahatsız ediyor" demiş bir kişi olarak MDP'ye içi ısınmıyordu...

Siyaset yerine oda yöneticiliğini yeğledi. Önce holdingi temsilen İzmir Ticaret Odası'na girdi. Kısa zamanda muhalefet oldu. Çağdaş Grup lideri olarak eskileri devirip, oda başkanlığı koltuğuna oturdu. Oradan Odalar Birliği Yönetim Kurulu üyeliğine sıçradı. Yalım Erez'i TOBB başkanı yapan ekipte yer aldı.

Yaşar'la yolları 1989'da ayrıldı. Yılda üç dört kez yurtdışına geziye, kayağa gidiyordu. Oda yöneticiliğinin yanı sıra Karşıyaka Spor Kulübü başkanlığını üstlenmişti. Yaşar, geri çekilmesini isteyince, "Ben artık yapamayacağım" karşılığını verdi.

Holdingden ayrılıp kendi işini kurdu; Denizkurdu Danışmanlık ve Turizm. Eşini de şirkete aldı. En önemli buluşu, Kartal Makarna'yı Pastavilla'ya çevirmesi oldu. Herkes yerli makarnayı İtalyan makarnası sanıp kapıştı...

Özal'ın teklifi

Bir yandan da *Yeni Asır*'da köşe yazılarına başlamıştı. Toplumsal olaylara ve siyasete ilgisi giderek artıyordu. Turgut Özal'a sempati duyuyordu. Oda başkanı olarak birkaç kez İzmir'e davet etmişti. Özal son gelişinde, Efes Oteli'ne kahvaltıya davet etti Denizkurdu'nu. Kahvaltıda, "Cumhurbaşkanlığını bırakıp parti kuracağım. Gelir misin?" dedi Özal. Hemen "Evet" karşılığını verdi.

Yeni Parti'de İzmir il başkanı olmaya hazırlanıyordu ki Özal'ın ölüm haberi geldi. Derinden yaralanmıştı. Ankara'ya gidip Özal'ın başında nöbet tuttu. Siyasette rotayı, DYP'ye çevirdi; bir ara Süleyman Demirel'le görüştü, ama olmadı. Ağırlığını yine oda başkanlığına verdi. Yaşar Holding'in karşısına bir rakip çıkarmasına rağmen başkanlığı bir kez daha kazandı.

Beklediği haber, 1995 seçimleri öncesinde geldi. Yalım Erez'in temasları olumlu sonuç vermişti. DYP'nin birinci sıradan adaylığı sözü verildi, kabul etti. Ancak gece gelen bir telefonla öğrendi ki dördüncü sıraya konmuştu. Canı sıkıldı, dördüncü sırada kazanması mümkün değildi. Kendine yediremedi.

Kampanyasını, ANAP listesindeki BBP'li Ökkeş Şendiller üzerine kurdu. "ANAP'a vereceğiniz oy BBP'ye gidecek." Bu mesaj etkili oldu, ANAP üçüncü sıraya düştü, Denizkurdu da 125 oy fark sayesinde milletvekili seçildi.

Meclis, beklediği gibi çıkmadı. DYP grup toplantısında basın yasası hazırlığını eleştirmesi bile hoş görülmedi. Yaşlılar, "Yeni huylar çıkarma. Sadece genel başkan konuşur" dediler. Şaşırmıştı.

Avrupa Parlamentosu Türk Grubu başkanlığına seçildi. Çoğunlukla yurtdışında oluyordu. İç siyasetten uzaktı. Ama Çiller'le çatışması kaçınılmazdı. TOBB'un Brüksel binasının açılışına gitmeye hazırlanırken Çiller'in mesajı geldi: "Burada önemli bir oylama var, gitme." Denizkurdu sinirlendi, hemen yanına gitti:

– Bir milletvekiline, özel kaleminizin telefon açıp, "Gitmeyeceksiniz" demesi şık değil.

Uzun süre genel başkanıyla teması olmadı. Ta ki Çiller'in meclisteki malvarlığı görüşmelerine kadar. Erez, onu kayak **91** yapmaya gittiği Fransa'da buldu. "Genel başkan, mecliste senin konuşmanı istiyor. Atla gel." Denizkurdu, aynı gün Ankara'ya döndü, ama Tansu Hanım İspanya gezisine çıkmıştı. "Özer Bey sizi bekliyor" dediler. Özer Çiller'in yanına girdi:

– Niye benim konuşmamı istiyorsunuz?

– Sizin konuşmanızı uygun gördük.

– Malvarlığınızın girdisini çıktısını bilemem. Sadece bu soruşturmaların siyasî olduğunu, meclisin böyle bir yetkisi olmaması gerektiğini söylerim.

Ali Rıza Gönül de oradaydı, atıldı:

– Ben konuşurum, hayatım boyunca taşıyacağım en büyük şeref budur.

Öyle de oldu. Gönül, malvarlığı savunması yaptı. Denizkurdu, konunun yargının görev alanına girdiğini vurguladı. Bu konuşmadan sonra Çiller ailesiyle arası bir daha düzelmedi.

Adalete bakanlık

Artık DYP'de sıkılıyordu. Parti disiplini nedeniyle Refahyol hükûmetine güvenoyu vermek rahatsızlığını artırmıştı. Hata yaptığını düşünüyordu. Refahyol aleyhine konuşmaya, 8 yıllık kesintisiz eğitimi savunmaya başladı.

Zamanla DYP'de küçük bir muhalif grup oluştu. Mayıs 1997'deki gensoru oylaması öncesinde 12 muhalif, Hilton Oteli'nde toplandılar. Kabul oyu verip, hükûmeti düşürmeye karar verdiler. Denizkurdu, "Gelin kâğıda döküp imzalayalım" dedi. Doğulu bir milletvekili, bıyıklarını sıvazladı:

– Ağabey, bak bizim bıyığımız var, biz sözümüzü tutarız.

– Sizden değil, bıyığım olmadığı için kendimden şüpheleniyorum.

Bu cevap, itiraz nedenini ortadan kaldırmıştı. Hepsi yazıp imzaladılar. Ancak imzaya rağmen çoğu sözlerini tutmadı. Kabul oyu verenlerden biri de Denizkurdu'ydu. İhraç edilmek üzere disipline verilince DYP'den ayrıldı.

Bağımsız milletvekili olarak Yılmaz hükûmetinin kuruluşuna destek verdi. ANAP'la arasında bir sıcaklık doğmuştu. Seçim kararı alınınca da bağımsızlar arasında adalet bakanlığı için ilk akla gelen isim oldu.

Yılmaz telefon ettiği sırada yeni aldığı yatı getirmek üzere Düsseldorf'a gitmeye hazırlanıyordu. Denizle yeniden kucaklaşmanın heyecanını yaşıyordu ki kendini Ankara'da buldu.

Yıldızı, Öcalan krizi sırasında parladı. Bilinen adalet bakanlarından değildi. Lafı hiç dolaştırmıyordu. İdamın ilkelliğine karşı duyduğu tepkiyi politik oyunlara kurban etmiyordu. İdam cezasını kaldıran bir tasarıyı TBMM'ye sevk etti. Ancak erken seçim kararı alınınca adalet bakanlığı sona erdi ve tasarı kadük oldu.

Yeni hükûmet kurulması çalışmaları sırasında yakın dostu Yalım Erez'i destekledi. Çiller'in son dakika manevrasıyla Ecevit azınlık hükûmetine yeşil ışık yakması, Erez'in, "partiler üstü" hükûmet kurmasını önledi.

Denizkurdu'nun Erez'le işbirliği, küskünlerin, erken seçimi önleme hareketi sırasında da sürdü. Beklendiği gibi ANAP'tan milletvekili adayı olmadığı gibi İzmir belediye başkan adaylığı önerisini de geri çevirdi.

Siyaseti bıraktı, İzmir'e döndü. Hiçbir caddesi denize açılmayan Ankara'da bunalmıştı!

Şevket Kazan

Vaiz hukukçu

13 yıl gezici vaizlik yapmıştı. Kürsüyü iyi kullanır, dinleyenleri etkilemesini bilirdi. Ağlar, ağlatırdı. Yaşam çizgisini değiştiren de bir kürsü konuşması oldu. O gün, Millî Selamet Partisi grubu toplanmış, genel af tartışılıyordu. Genç Milletvekili Şevket Kazan kürsüye çıktı:

"İslam'da cezaevlerinin ıslah edici özelliği önemlidir. İslam'da, ıslah edilen mahkûmun cezaevinde kalması doğru olmaz."

Affı savunuyor, gerekçesini İslam hukukuna dayandırıyordu. Milletvekilleri sessizce dinlediler. Etkilenmişlerdi. Genel Başkan Necmettin Erbakan'ın da sempatisini kazandı. Erbakan, CHP-MSP koalisyonuyla, af yasasıyla ilgili görüşmelerde de başarılı bulmuştu onu.

Kazan, birkaç gün sonra dolmuşta giderken kendi adını duydu, şaşırdı. Radyoda haberler okunuyordu. Yeni kurulan CHP-MSP koalisyonunda adalet bakanlığına atanmıştı. Beklemediği bir anda yaşamında yeni bir dönem başladı.

Henüz avukatlık stajını yapmamış bir hukukçuydu. Sürpriz şekilde bakan olduğu 1974 yılına gelene değin yaşamının neredeyse tamamı Kartal'da geçmişti. 12 Temmuz 1933'te Adapazarı'nda doğmuş, ailesi, henüz o çocukken İstanbul'a taşınmıştı. Ailesi, Kartal'ı mesken edinmişti.

Kartal Merkez İlkokulu ve ardından Kartal Ortaokulu'na gitti. Ortaokulu birincilikle bitirmişti. Din adamı olan babası, onu okuldan aldı. Oğlunun lise eğitimi yerine İslamî eğitim almasını istiyordu.

Gençlik yılları, babasının verdiği dini eğitimle, Arapça öğrenmekle geçti. Babası ölünce aile maddî sıkıntıya girdi. Ağabeyi Ahmet'le birlikte Binbir Çeşit Toptan Gıda ve Kırtasiye Mağazası'nı kurdu, birlikte çalıştılar.

1953'te askere gitti. Bahriye eri oldu, altı ay sonra Ankara'ya sevk edildi. Millî Savunma Bakanlığı'nda ve Deniz Kuvvetleri'nde görev yaptı. Zaman zaman Anıtkabir'de, tören kıtalarında yer aldı.

Ankara'da kaldığı 2,5 yıl içinde önemli bir adım attı. İzin alarak, akşamları, Türk-Amerikan Derneği'nde verilen kurslara gitti. İngilizce öğrendi. Bir de yarım kalan öğrenimini tamamlamasına yardımcı olacak bir kişiyle tanıştı. Yargıtay eski ikinci başkanlarından Mehmet Gönenli.

Askerlik sonrasında üç yıl daha kaldı Ankara'da. O süre içerisinde Gönenli'nin yardımıyla lise derslerine çalıştı. Eylül 1959'da İstanbul'a giderek, Haydarpaşa Lisesi'nde, dışardan bitirme sınavlarına girdi. 1960 haziranına kadar geçen sürede üç sınıfın derslerinin sınavlarını da başarıyla geçerek liseden mezun oldu.

Üniversite hayalini gerçekleştirebilmek için önünde bir engel kalmamıştı. İstanbul Üniversitesi Hukuk Fakültesi'nin sınavını kazandı. 1960'ta Hukuk Fakültesi'ne başladı. Öğrenci olduğu o yıl da evlendi.

Hareketli bir yaşam sürüyordu. Üniversite, mağaza ve bir yandan da konferanslar, derneklerin, cemaatlerin düzenlediği toplantılarda vaazlar...

Artık unvanı "gezici vaiz"di. Ateşli vaazlarıyla dinleyenleri büyülüyor, kolayca etki altına alıyordu. Tabiî vaazları polisin de dikkatini çekti. Türk Ceza Yasası'nın 163. maddesine muhalefetten hakkında dava açıldı. İddia, dinî propaganda yapmak, laikliğe aykırı davranmaktı. 1962'deki bu dava nedeniyle Hukuk Fakültesi'ne ara vermek zorunda kaldı. Yeniden mağazaya, esnaflığa döndü. İslamî kesimle ilişkilerini de sürdürdü. Nur cemaatine bu dönemde yakınlaştı. İslamî camiada ün kazandı. İki yıl kadar süren yargılama beraatle sonuçlandı. Ancak üniversiteye iki yıl sonra, 1966'da geri dönebildi.

Üniversiteye dışardan devam ederken, oradan oraya gezerek vaazları sürdürüyordu. Özellikle Gölcük bölgesinde ilgi görüyor, İslamî kesimlerden destek buluyordu. Giderek din adamlığından uzaklaşarak politik bir kişilik haline geldi. Necmettin Erbakan'ın kurduğu Millî Nizam Partisi, çizgisinin yerel uzantısı konumundaydı.

Siyasetle bu denli içli dışlı olunca fakülteyi ancak 1971'de bitirebildi. 11 yılda tamamladığı fakülteden sonra avukatlık stajını yapamadan Erbakan'ın yeni partisi Millî Selamet Partisi saflarında rol aldı. 1973 seçimlerinde Kocaeli'den milletvekili adayı oldu. Erbakan'la ilk kez 16 haziran 1973'te Eskişehir'de düzenlenen mitingde tanıştı.

Müstehcen yayına savaş

Zaten esnaflığa alışamamıştı. Milletvekili seçilince toptan gıda ve kırtasiye mağazasının yönetimini tamamen ağabeyine bıraktı, mutluluk içinde Ankara'ya koştu. Meclise alışmaya bile fırsat bulamadan da üç ayda bakan oluverdi. İlk icraatı malvarlığını açıklamak oldu:

"Kartal'da 600 metrekarelik arsa, 20 metrekarelik dükkânın üçte bir hissesi. Binbir Çeşit Mağazası'nda 200 000 liralık sermaye."

Adalet Bakanı olarak ilk demeci, Medenî Yasa değişikliyle ilgiliydi: "Evlenme ve boşanmaların kolaylaştırılmasına taraftarım." Medenî Yasa'yla uğraşmaya fırsat bulamadı. "Genel af" sorunu zamanının çoğunu aldı. Affa taraftar olduğu için yasa hazırlıklarını büyük bir gayretle, zevkle yürüttü.

"Açlık grevleri"yle de o günlerde tanıştı. Sağmalcılar Cezaevi'ne, "Afta eşitlik istiyoruz", "Ya af çıkar ya ölürüz" pankartları asıldı. Onlarca mahkûm ölüm orucuna başladı. Kimler affedilecekti? Bu soru aylarca tartışıldı. Sonunda af yasası çıktı çıkmasına ama MSP, koalisyon ortağı CHP'ye küçük bir kazık attı ! 163. madde mahkûmları affedilirken 141-142'den yatanlar kapsam dışı bırakıldı. Kazan ve arkadaşlarının gönlü, solcuların cezaevinden çıkmasına elvermemişti. Laikliğe aykırı suçlardan mahkûm olanlar hemen salıverildi. Afta eşitliği, Anayasa Mahkemesi'nin iptal kararı sağladı. Gecikmeli de olsa solcu mahkûmlar da af kapsamına girmiş oldular...

Bakanlık günlerinin büyük gürültü çıkaran ikinci olayı ise, "müstehcen yayınlara savaş açması"ydı. Sansür anlayışını hayata geçirmenin ilk adımı savcılara gönderdiği genelgelerdi:

"Müstehcen neşriyat mücadelesi bugüne kadar kanunlarımızda olduğu halde tatbik edilmeyen usul ve esas hükümlerinin tatbik edilmesinden ibarettir."

Genelgeler, amaca ulaşmasını sağlamaya yetmedi. Savcılara baskıya başladı. Telefon açıp, savcılara yasaları hatırlatıyor, sansür kararları vermeye zorluyordu. Sonuç aldı da. Birbiri ardına dergi ve gazetelere toplatma, filmlere yasaklama kararları çıkmaya başladı. O, bunu yeterli görmedi. Muhafazakâr vatandaşlardan yardım istedi:

"Savcıları ikaz edin, görevlerini yapmayan savcıları da bakanlığımıza bildirin."

Yarı çıplak kadın fotoğrafı görmeye tahammül edemeyenlerin hepsi, sevgili adalet bakanlarına yardıma koştu. İhbarlar yağdı; "falan kitapta sevişme anlatılıyor", "filan filmde öpüşme sahnesi var" diye...

Siyah bandın mucidi

"Başkomutanlığı"nı Kazan'ın yürüttüğü "milletin ahlakını kurtarma seferberliği" sırasında ilginç olaylar yaşandı. 18 haziran tarihli bir gazete için üç gün öncesinden toplatma kararı aldırdı! İstanbul'daki bir gazete için Ankara'dan toplatma kararı çıkarttırdı! Hatta sinemalara yapılan ani baskınlarla seyirciler dışarı çıkarılıp, filmlerin gösterimi durduruldu.

Yasaklayamadığı yabancı dergiler de Kazan'ın nefretinden kurtulamadı. O dergilerdeki çıplak kadın fotoğraflarının müstehcen olmaktan çıkarılması için "siyah bant" formülünü geliştirdi. Kazan'ın bu buluşu, yabancı gazetecilerin ilgisini çekti. Associated Press Ajansı, İslamî zihniyetin Türkiye'de ulaştığı aşamayı tüm dünyaya duyurdu:

"(...) Devlet memurlarından kurulu bir daire, Türkiye'ye ithal edilen yabancı yayımlardaki kadınların göğüs uçlarına ve çıplak popolarına kalın uçlu siyah kalemlerle çizgi çekiyor..."

Gerçekten komik bir uygulamaydı. Aslında bantların bir şey örttüğü de yoktu. Olsa olsa erotik noktalara dikkat çekilmiş oluyordu! Yine de bu komik uygulama, yerli gazete ve dergilere de yayıldı. Onlar da Kazan'ın hışmına uğramaktan çekiniyorlardı...

Cumhuriyet tarihinin, bir kitaba karşı basın toplantısı düzenleyen ilk bakanı olma unvanını kazandı. Ona göre, ünlü yazar Çetin Altan'ın *Bir Avuç Gökyüzü* adlı kitabı, "gençlerin ahlakını bozacak" nitelikteydi! Mutlaka, ama mutlaka yasaklanması gerekirdi! Bereket, mahkeme Kazan'ın baskısına aldırmayıp kitabı beraat ettirdi.

Gazeteler, yasaklanan kitap, dergi, filmlerle ilgili haberlerle kaplanıyordu her gün. Ne de olsa Kazan sıkı çalışıyordu. Müstehcen yayım avını sürdürürken, ilgisini cezaevlerinden de esirgemedi. Kasaba cezaevlerine kadar gitti. Kendi temposuna yenilmemek için ilaçlardan yardım aldı. Masasının üzeri vitaminler ve dayanıklılığı artıran ilaçlarla dolup taştı. Yine de 66 kilodan 60 kiloya kadar düşmekten kurtulamadı.

Erbakan'ın talimatı o sırada geldi. Sevgili bakanının cansiperane sürdürdüğü mücadelesini, tüm MSP'liler desteklemeliydi! Talimatı alan İçişleri Bakanı Oğuzhan Asiltürk, yardıma koştu. Kazan ve Asiltürk el ele verdi. Sansür kurulları yeniden düzenlendi. Ne yazık ki, koalisyon ortağı CHP gözlemci konumundaydı. Ecevit, gelişmeleri uzaktan izliyordu...

Asiltürk yurtdışına çıkınca İçişleri Bakanlığı'na Kazan vekâlet ediyordu. MSP'li iki bakan Fehim Adak ve Korkut Özal, Keban Barajı'nın açılışı için Elazığ'a gitmişti. Kazan, Elazığ Valisi Rıfat Kaplan'a hemen ertesi gün, bir yazı gönderdi:

"İki bakanı karşılamayarak, gerekli ilgi ve saygıyı göstermediğiniz için merkez emrine alındınız..."

Oysa Vali Kaplan, başka bir uçakla gelen Başbakan Ecevit'i karşılamıştı. Aynı anda iki yerde birden olamazdı. Derdini anlatamayan vali, soluğu Danıştay'da aldı. Danıştay, bakanın verdiği "ilgisizlik cezası"nı "adaletsiz" buldu ve iptal etti.

Adalet bakanının adalet terazisi şaşırmıştı. Neyse ki, CHP-MSP koalisyonu sadece 10 ay sürebildi, bakanlığının ömrü uzun olmadı.

Zabıt kâtibi

Erbakan'ın gözbebeği durumuna gelmişti. Erbakan, bakanlıktan sonra onu MSP grup başkanvekilliğine getirdi. O günlerde adı "Hoca'nın zabıt kâtibi"ne çıktı. Tüm toplantılarda Erbakan'ın yanında oturuyor, tutanak tutuyordu. Hiçbir ayrıntıyı atlamıyordu.

Yine de Erbakan, onu 1. Milliyetçi Cephe koalisyonunda kabineye almadı. Hiç itiraz etmedi, hoşnutsuzluk belirtmedi. Parti içinde Erbakan'a muhalefet başlayana kadar da grup başkanvekilliğine devam etti. MSP'deki rahatsızlık tırmanınca "14'ler" olarak anılan muhalifler grubundan Ahmet Tevfik Paksu, çalışma bakanlığından istifa etti. İstifasını, parti lideri Erbakan yerine, götürüp Başbakan Süleyman Demirel'e verdi.

Demirel, Erbakan'ın, "İstifa yok" diyerek, isyanı gizlemeye çalışmasına aldırmadı, istifayı açıkladı. Erbakan, zor durumda kaldı. Vakit geçirmeden yeni ve güvenilir bir bakan atamak zorundaydı. O kargaşada önce Süleyman Arif Emre'ye söz verdi. Kısa sürede fikir değiştirip, Kazan'ı bu göreve getirdi.

Kazan'ın çalışma bakanlığı günlerinde, Özel Kalemi'nde, daha sonraki yıllarda politikada sivrilecek iki isim vardı; Necati Çelik ve Abdüllatif Şener. Çelik, bir yıl kadar Özel Kalem Müdürlüğü'nde kaldı. Ama fiilen dört ay kadar görev yaptı. Kazan'la yakın ilişkileri, Çelik'in Hak- İş'te sendikacılığa başlamasına değin sürdü.

Şener ise o günlerde öğrenciydi. Özel Kalem'de getir götür işlerine bakıyordu. Kazan, sevdiği bu gence malî yardımda bulunuyordu. Çelik ve Şener, Kazan'ın yanında çalışmanın semeresini yıllar sonra gördüler. Her ikisi de Refahyol Kabinesi'nde bakan oldu.

Alevî memura sürgün

Kazan'ın, çalışma bakanlığı günleri de adalet bakanlığı dönemini aratmadı. Kamuoyunda en çok tartışma yaratan bakanlardan biri olmayı hep başardı. "Kıdem Tazminatı Fonu" oluşturma girişimi hem işçilerin hem de işverenlerin tepkisini çekti. İtiraz edenlerin başını Türk-İş çekiyordu. Direniş güçlü olunca tartışmalar uzun sürdü. Kasım 1976'da başlayan bakanlığının kısa ömrü, bu fonu kurmaya yetmedi.

Yurtdışındaki işçilerin sorunlarına önem verdi. Almanya'ya gitti, işçiler onu coşkuyla karşıladı. Ayakkabılarını çıkarıp, çoraplarıyla masaların üzerinden kalabalıklara hitap etti. Vaaza benzeyen uzun konuşmalar yapıp, vaatlerde bulundu.

Ankara'ya dönünce, bakanlıkta "Yurtdışı İşçi Sorunları Genel Müdürlüğü"nü kurdu. Büyükelçiliklere çalışma ataşeleri atanmasını sağladı. Arkasından yurtdışındaki işçilerin sorunlarını çözmek için ilk icraatı o ülkelere vaiz göndermek oldu. Eski meslektaşlarına yeni iş alanları yaratırken, bakanlıkta sürgün dalgası estirmekte sakınca görmedi. Leyla Türker adlı bir memurun Erzurum'a sürülmesinin gerekçesi, "Alevî ve solcu" olmasıydı.[1]

Erbakan ve MSP'li bakanların tavırları, Demirel'i kısa sürede bıktırdı. "Bitli yorgan"a benzettiği koalisyondan kurtulmak için tek çıkış yolunu, erken seçimi desteklemekte buldu. Seçim önerisi TBMM Genel Kurulu'nda görüşülürken Kazan, Demirel'in TBMM'deki odasına girdi. Peşrev yapmadan, Erbakan'ın tehdidini iletti:

– Sayın Başbakan, talimat verin milletvekilleriniz Genel Kurulu terk etsin. Aksi halde MSP grubu yarın yapılacak gensoru

---

1 Lütfi Kaleli ve Ahmet Şahin adına Avukat Süleyman Ateş'in, Ankara Cumhuriyet Savcılığı'na yaptığı 18 şubat 1997 tarihli suç duyurusu.

görüşmelerinde sizi kaderinizle baş başa bırakacaktır.

Ardından sözü "Mobilya Soruşturma Komisyonu"na getirdi; "Bu komisyonda da aynı şeyi yaparız." Anlaşılan MSP, soruşturma komisyonlarını koalisyon ortaklarına karşı kullanmaya o günlerden alışmıştı...

Koalisyondan kurtulmayı kafasına koyan Demirel, dinlemedi bile. Kalktı, ağır adımlarla odadan çıktı. Merdivenlerden inerken, sinirlerine hâkim olmaya çalıştı:

– Sayın Kazan, düşüncenize katılmama imkân yok. Ama siz Nahit Bey'le bir görüşün.

Hemen Menteşe'ye koştu. Menteşe de kestirip attı: "Pazarlık yapmayız." Tehdit sökmemişti. Erken seçim kararı meclisten geçti. Yine de MSP grubu ertesi günkü gensoru oylamasına tam kadro geldi. MSP'liler "ret" diye işi bitmiş hükûmeti savunurken, tüm salon gülüyordu. MSP, Mobilya Komisyonu'nda da tehdidinin tersini yaptı.

Aslında MSP, seçimden kaçmakta haklıydı. 1977 seçimlerinde MSP milletvekillerinin yarısı bile yeniden seçilemedi. Kazan da seçimi kaybetti. Üstelik yedi aylık çalışma bakanlığına güvenip, Kocaeli yerine Bülent Ecevit'in karşısında Zonguldak'tan aday olmuştu...

Nöbetçi aday

Seçimden sonra, eski bakan ve milletvekillerinin oluşturduğu "gayrimemnunlar grubu"na destek verdi. Bu grup, Erbakan yerine Genel Sekreter Oğuzhan Asiltürk'ü hedef alıyordu. Asiltürk'le çekişmelerinin temeli o günlerde atıldı. Yıldızları yıllarca hiç barışmadı.

Erbakan, Kazan'a bir "arpalık" buldu; Ereğli Demir Çelik **103**

Yönetim Kurulu üyeliği. Bu koltuk etkili oldu. Memnuniyetsizliği giderildi. Hoca, Kazan'ı, Aralık 1977 Yerel Seçimleri'nde İstanbul Belediye Başkanlığı'na aday göstererek onore etti. MSP afişlerindeki slogan epeyce fiyakalıydı:

"Büyük şehre büyük başkan..."

Beklenen oldu, seçilemedi. CHP'li Aytekin Kotil, oyların yüzde 30'unu alıp, İstanbul belediye başkanı oldu.

Kazan, siyasî yoğunluktan kurtulunca bu boşluktan yararlandı, yıllardır bir türlü fırsat bulamadığı avukatlık stajını tamamladı. 1979 kısmî senato seçimlerinde bu kez Van'dan senatör adayı gösterildi. Fevzi Kartal'ın karşısında, az farkla kaybetti. Yenilgi üstüne yenilgi almıştı. Zonguldak, İstanbul ve Van. Üç ayrı kentte üç ayrı yenilgi...

Ardından kendini tamamen partiye verdi. MSP genel başkan yardımcısıydı ve teşkilattan sorumluydu. Ona "Hoca'nın hamalı" diyorlardı. Hatta bir gün gazetecinin biri sordu: "İki eşli olduğunuz doğru mu?" Politikadaki rolünü de içeren kısa bir yanıt verdi:

– İki evli olduğum doğru. Birisi partim, öbürü eşim.

Gazetecinin bu soruyu sormasının nedeni, çıkan yoğun söylentilerdi. Güya, Kocaeli'de bir kadını tanımış ve kocasından boşanmasını sağlayıp ikinci eş olarak almıştı. Bu söylentiler doğrulanamadı. Evliliğiyle ilgili tek bilgi, 1960 yılında, 27 yaşında bir gençken Güner Hanım'la evlenmiş olmasıydı...

Şafak restoranın aşçısı

12 Eylül'ün ertesinde, MSP Genel Merkezi'ni basan askerleri o karşıladı. Arama tutanağını imzaladıktan sonra tutuklandı, öbür MSP yöneticileri gibi İstihbarat Dil Okulu'na götürüldü.

"Selamet Koğuşu"na gelen gazete ve dergilerdeki çıplak kadın fotoğraflarını keçeli kalemle boyama görevi Kazan'a verilmedi. Bu işi Asiltürk yapıyor, çıplak kadınları giydiriyordu. Selametçiler, giyinmiş kadın fotoğrafları görebiliyorlardı. Kazan, "Şafak restoran"ın aşçısıydı. Her sabah, omzuna peçetesini atıp, yatağının üzerine kahvaltı hazırlıyordu. "Öyle sıradan bir kahvaltı değil; peynir, zeytin, bal, reçel, sucuk, mevsimine göre domates, salatalık... Kahvaltı masası Kazan'ın yatağının üzeriydi. Daimî müşterileri Erbakan, Recai Kutan, Fehmi Cumalıoğlu, Süleyman Arif Emre, Lütfü Doğan'dı."[2]

Restoranın adını "Kazan restoran" koymadılar. Çünkü Şevket Kazan'ın soyadı tencere, kazandan değil, Kazan Türklerinden geliyordu. Ailesi Kafkas kökenliydi.

Tutukluluk günlerinin en büyük eğlencesi, Fenerbahçe maçlarıydı. Kendisi gibi koyu bir Fenerli olan Şener Battal'la birlikte takımlarının hiçbir maçını kaçırmıyorlardı.

Fenerbahçe'nin maçını dinlerken radyoya konsantre oluyordu. Tıpkı Erbakan'la konuşurken ve namaz kılarken başka hiçbir şeyi duymaması gibi Fenerbahçe maçlarında da kendini kaybediyordu. Sarı lacivert onun için bir tutkuydu. Hatta gençliğinde, "Fenerbahçe galip gelsin" diye namaz kılıp dua edecek kadar fanatikti...

1981 temmuzunda cezaevinden çıktı. 10,5 ay aradan sonra özgürdü, ama işi yoktu. Birkaç arkadaşıyla birlikte bir şirket kurdu. Arap ülkelerine ihracat ve ithalat yapacaklardı. Ataç Sokak'ta bir büro tuttu. Şirket, ticarette başarılı olamadı. Ama büro, MSP yöneticilerinin çok işine yaradı. Davanın karargâh merkezi haline geldi.

---

2 Soner Yalçın, *Hangi Erbakan,* Öteki Yayınevi, genişletilmiş 4. baskı, haziran 1995, s. 212, 213.

1985'te biten davada, aleyhindeki en önemli suçlama Rotterdam ve Stuttgart'taki konuşmalardı. Sözleri banda alınmıştı. Rotterdam konuşması dinlendi:

"Kuranıkerim'in aile hayatına olan hükümleri geçiyor mu? Hayır. Onun yerine ne geçiyor? İsviçre'den alınan Medenî Kanun geçiyor. Kuranıkerim'in ticaret hayatına ait hükümleri geçiyor mu? Hayır. Onun yerine Almanya'dan alınan Ticaret Kanunu geçiyor."

Hâkim sordu: "Bu sözler senin mi?" Kabul etmeye yanaşmadı: "Orada konuştum. Ama bu sözler bana ait değil..." Öbür iddiaları da reddetti. Dava sonunda 3,5 yıl ağır hapis cezasına çarptırıldı. Karar, Askerî Yargıtay'dan döndü. Yine yargılandı. Tüm MSP yöneticileri gibi o da bu kez beraat etti. Ne de olsa artık ANAP iktidardaydı, Özal başbakandı...

Rubaîlerin dili

12 Eylül'de siyasete zorunlu olarak ara verince avukatlığa döndü. SSK İşhanı'ndaki bir avukat arkadaşının bürosuna yerleşti. MGK yasağı, avukatlık yapmasını engelledi. Ancak sol görüşlü avukatların hâkim olduğu barolar 1985'te bu yasağa aldırmamaya başlayınca çalışma izni alabildi.

Şirketi kapatıp, Onur İşhanı'nda bir avukatlık bürosu açtı. Davalara girmeye başladı. Duruşmalara geç kalmakla tanındı. Daha çok MSP'den tanıdığı kişilerin davalarına giriyordu. Laiklik aleyhine konuşan din dersi öğretmenleri, şeriatı övenler, hep onun müvekkiliydi.

Savunmasını üstlendiklerinden biri, Ayrancı Lisesi'nin din dersi öğretmeni Ahmet Günay'dı. Bu öğretmen, derste "Erkeklerle kadınların el sıkışması zinadır, Batı'da Müslüman olmayanlar Alevîlerde olduğu gibi kızları babalarıyla, erkek kardeşleriyle yatıyorlar" diye konuştuğu için DGM'de yargılanıyordu.[3] Avukatlığı sürdürürken bir gözü siyasetteydi. 1983'te Kocaeli'den bağımsız aday oldu, MGK veto etti. 1986'da yasaklar kalkınca siyasete geri döndü. Öbür MSP'li yöneticiler gibi o da RP saflarında yerini aldı. MSP tabelası tarih olmuş, yerine RP tabelası asılmıştı.

1987'de RP, barajı aşamadı. Yeni seçimleri beklerken, 12 Eylül günlerinde cezaevinde yazdığı şiirlerle ilgilenme fırsatı buldu. Şiirlerini 1992 yılında bastırdığı küçük bir kitapta topladı. Kitabın önsözünde, "*Sabır Demeti* adı altında size sunduğumuz bu rubaîler, ahiretimiz için Rabbımızdan .ecir ümit ettiğimiz günlerde, bu zorluklar çekilirken yazıldı. Görüldü ki, O'nun lütfu da güzel, kahrı da!" açıklamasını yaptı. Rubaîlerinde, "er geç zafer"den söz etti; sabır önerdi:

"Gam yeme, ey Müslüman, sabırla gözleyedur,

Yakın feth-i ilahi yakın zafer günleri!"

Şeriat hedefini, İslamî mücadele anlayışını rubaîlerinde açıkça dile getiriyordu...

İBDA-C'nin telgrafı

Özlediği meclise 1991 seçimleriyle kavuştu. 11 yıl aradan sonra eski görevi olan grup başkanvekilliğine döndü. Birçok yerde RP'yi savunmak ona düşüyordu. Sivas Davası'nda da böyle oldu.

Erbakan talimat verince cüppesini giyip Sivas Davası'na koştu. Şeriatçıları savunmak eski alışkanlığıydı. Mahkeme,

---

avukatlık başvurusunu reddetti. Buna rağmen, insan yakanları savunma girişimi Alevîlerin belleklerinden hiç silinmedi.

1992'de Bağdat'ta düzenlenen bir toplantıya RP grup başkanvekili olarak katıldı. El-Reşit Oteli'nde gazeteciler de vardı. *Taraf* dergisinden Kâzım Albayrak da davetliler arasındaydı, aynı otelde kalıyordu. Bir ara Kazan'a yaklaştı, konuşmak istedi. Kazan, onun konuşmalarından hoşlanmadı; "fikirlerini saplantılı" buldu. Dergi için de demeç vermedi.

Kazan, bir yıl sonra ocak 1993'te yine RP'yi temsilen Bağdat'a gitti. Irak'ı destekleyen İslamî örgütlerin toplantısına katıldı. El-Reşit Oteli'nin lobisinde otururken, yakına düşen Amerikan füzesinin küçük bir parçası sağ bacağına isabet etti. Hafif yaralandı. Füze iki kişiyi öldürmüş, 30 kişiyi yaralamıştı. Geçmiş olsun mesajları yağdı. En ilginç telgraf, İBDA-C'den geliyordu:

"Sayın Şevket Kazan,

Emperyalist Amerika ve müttefiklerinin attığı füze sonucu Bağdat'ta El-Reşit Oteli lobisinde ayağınızdan yaralandığınızı TV ve basından üzülerek öğrenmiş bulunmaktayım. Geçen yıl aynısı yapılan ve benim de sahibi bulunduğum İBDA-C 'Taraf' dergisi adına davetli olarak katıldığım ve birlikte olduğumuz İslam Halk Konferansı'na bu yıl cezaevinde olduğum için katılamamıştım."

Telgraftaki imza, Bağdat'ta tanıştığı Kâzım Albayrak'a aitti. Albayrak'ın adresi "Bayrampaşa Cezaevi İslamcı Siyasî Koğuş B-14" olmuştu.[4]

Albayrak, üç aydır cezaevinde olmalarına rağmen hâlâ ifadelerinin alınmamasından yakınıyor, yardım istiyordu. Kazan, RP Milletvekili Ali Oğuz'a verdi telgrafı. "Bir bak, savcılarla gö-

 4 Ergün Poyraz, *Refah'ın Gerçek Yüzü*, Poyraz Yayınları, 1996, s. 142, 143.

rüş. Üç aydan beri ifade veremiyorlarmış." Kazan'ın görevlendirdiği Ali Oğuz, Albayrak'ı cezaevinde ziyaret etti, sorunlarıyla ilgilendi. Oğuz, Kazan'ın dünürüydü. Oğuz'un oğlu, Kazan'ın kızıyla evliydi...

Refahyol'un mimarı

İslamî çevrelerdeki ilişkileri ve Erbakan'a sadakati, Kazan'ı, RP'de "ağabeyliğe" taşıdı. Partililer ona hep saygı gösterdi. Çabuk sinirlenmesine, bağırıp çağırmasına aldırmadan sevdiler onu. Kazan da partililere hep şefkatli ve yardımsever oldu; onları RP'li olmayanlardan ayrı tuttu.

Partili gençlere destek olmayı hiç ihmal etmedi. 1994 yerel seçimlerinde, Hoca'yı, Tayyip Erdoğan, Melih Gökçek gibi gençlerin önünü açması için ikna etti. 1995 seçimlerinde ise Ali Coşkun ve arkadaşlarının RP'den adaylığını engelledi. Erbakan'ın, iç kabinesinin etkili bir üyesiydi. Yaşlılardan oluşan bu gruba, parti tabanında "Politbüro" deniyordu o dönem.

Refahyol koalisyonunun kurulmasına büyük emeği geçti. Pazarlıkları yürüten aslardan biriydi. Çabalarının karşılığını, yıllar sonra yeniden adalet bakanlığı koltuğuna oturarak aldı.

Oturunca da hemen geçmişi geçmişte bıraktı. DYP lideri Tansu Çiller'i örtülü ödenek konusunda ilk suçlayanın kendisi olduğunu, TOFAŞ ve TEDAŞ önergelerini kendisinin verdiğini unutuverdi. Hatta oylamalarda Çiller'i aklayanlar arasında bile yer aldı.

Bir tek, Çiller aleyhine açtığı 5 milyarlık davadan vazgeçmedi. Her şeyi unuttu, ama örtülü ödenek konusundaki demecine, Çiller'in, "Şerefsiz" karşılığını vermesini affetmeye yanaşmadı.

Refahyol koalisyonunun "işe en çok adam yerleştiren RP'li **109** bakanı" unvanını aldı. Yüksek Askerî Şûra'nın kovduğu iki subayı da işe almaya çekinmedi. Eleştiriler karşısında geri adım atmak yerine o başkalarını suçladı. RP-MKYK toplantısında Enerji Bakanı Recai Kutan ve Bayındırlık Bakanı Cevat Ayhan'a kızdı:

– Refah kadrolarına yakın isimleri işe almıyorsunuz. İhaleleri Refahlı müteahhitlere vermiyorsunuz.

Her icraatı, kamuoyunda tepki yarattı. Gündemden hiç düşmeme başarısını gösterdi. Kadına yönelik aile içi şiddete verilecek cezaları artıran taslağı geri çevirdi. Gerekçesi de kadın kuruluşlarını ayağa kaldırdı:

– Karıkoca arasına girilmemesi gerek.

Susurluk soruşturmasıyla birlikte eli kolu her tarafa uzanır hale geldi. Savcıları toplayıp talimatlar yağdırdı; Mehmet Ağar'la ilgili fezlekeyi işleme koymadı. Kendisini eleştiren basını "temizlemeyi" icraat programına aldı.

Aczmendî lideri Müslüm Gündüz'ü yakalayan polislere soruşturmadan söz etti; Susurluk olayındaki çeteleri yok saydı; Uğur Mumcu suikastı için müthiş bir tanık buldu; Aczmendîlerin saçını sakalını kestirmek isteyen DGM savcısına soruşturma açtırdı. Avrasya gemisini kaçıran şeriatçı militanları cezaevinde ziyaret etti. "Mum söndü oynuyorlar" sözleriyle Alevîleri sinirlendirdi.

1973'te, cezaevlerini İslam hukukuna göre değerlendiren Kazan, 1997'de Irak'tan dönüşte de bu ülkedeki "Kuran'dan sure okuyan mahkûmların affedilmesi uygulamasını" övdü. Kazan, 24 yıl önce müstehcen yayınlar için savcı ve hâkimleri tek tek uyarıp işlerine karışan Kazan'dan farklı değildi.

Bakanlığı sırasında aldığı Mercedes sorun oldu. Kaçak Mercedes aldığı haberlerine tepki gösterdi. Arabayla uğraşmaya vakti olmamış; partili arkadaşları Almanya'dan bir Mercedes getirmişler, ama gümrük kapısında yapılması gereken işlemleri unutmuşlardı! Kazan, çareyi Mercedes'i, Almanya'ya geri göndermekte buldu.

Doğru bildiğinden şaşmadan yoluna devam etti. 28 Şubat gerginliği sonrasında tutuklanan Sincan Belediye Başkanı Bekir Yıldız'ı cezaevinde ziyaretini bile gizlemedi.

Sonunda olan oldu. Cumhuriyet Başsavcılığı, cezaevine gidişini "Adalet bakanının mahkeme kararını protestosu" olarak algıladı. Anayasa Mahkemesi de bu iddiayı haklı buldu; Kazan'ın cezaevi seferi RP'nin kapatılması gerekçeleri arasında sayıldı. Kazan'a da Erbakan'la birlikte siyaset yasağı getirildi.

Erbakan kitabı

1999 seçimlerinde dışarda kalmayı içine sindiremedi. 12 Eylül sonrasında yasaklıyken yaptığı gibi bir kez daha bağımsız adaylığı denedi. Bağımsız adaylığı yine reddedildi. Parlamento dışında kalması bile FP kulisinden uzaklaşmasını sağlayamadı. Muhalif pozisyonundaki gençlere susmalarını tavsiye eden demeçler verdi.

Siyasetten uzaklaşınca günlerini, 1989'da kurduğu ve o tarihten itibaren başkanı olduğu Hukuk Araştırmaları Derneği'nde geçirmeye başladı. Cezaevlerinde açlık grevleri başlayınca Ankara Kapalı Cezaevi önüne kadar gidip bu eylemleri destekleyen açıklamalar yaptı. Oysa adalet bakanı olur olmaz başlayan açlık grevlerine karşı farklı tavır almıştı. Hükümlü ve mahkûmların isteklerine karşı uzun süre direnmiş, sert açıklamalar yapmıştı.

Benzer polemikler sayesinde medyanın ve politikanın gündeminden hiç düşmedi. Gazeteci-Yazar Ahmet Taner Kışlalı'nın **111** öldürülmesinin ardından başlayan tartışmaları yorumlayan Yargıtay Cumhuriyet Başsavcısı Vural Savaş, onu suçladı:

"Sivas'ta vatandaşlarımızı diri diri yakanların avukatlığını yapan, İBDA-C militanlarını cezaevinde özel şekilde ziyaret eden kişiyi adalet bakanı yapanları..."

Hemen dava açmak üzere harekete geçti. "Ben hiç İBDA-C militanlarını ziyaret etmedim." Bu tür açıklamalara, gazetelerde kendisiyle ilgili olarak çıkan açıklamalara anında tepki verdi. Hiçbir suçlamayı yanıtsız bırakmadı.

Asıl ağırlığını, kitap yazmaya verdi. Önce anılarını kitaplaştırdı, 28 Şubat sürecinde olup bitenleri kendi penceresinden anlattı, Çiller'i suçladı. Son olarak da Erbakan'ın yaşamını kitaplaştırmaya yöneldi...

Oğuz Aygün

Bayar'ın ruhunu Ecevit'te buldu

1969 seçimleriydi. AP Genel Başkanı Süleyman Demirel, Polatlı'da konuşuyordu. "Soğanın cücüğü" diye bağırdı birisi. Başka sesler de katıldı ona. Demirel şaşırdı, etrafına bakındı. "Ne diyor bunlar?"

Arkasında duran Oğuz Aygün kulağına eğildi; "Efendim beni kastediyorlar." Demirel, elini Aygün'ün omzuna attı, öne çekti. "İşte soğanın cücüğü yanımda." Bir alkış yükseldi...

Coşkuyu gören Demirel havaya girmişti. Etkileyici bir nutuk çekti. Miting alanından ayrılırken, Aygün'den dinledi alkışın kaynağını:

"10 gün önce buradaydık. Tüm adaylar, ilçelerinin adıyla tanıtıldı. Ben 'Gençlik kollarından gelen arkadaşımız' diye tanıtıldım. Kalktım, 'Bu arkadaşlar soğanın kabukları. Ben soğanın cücüğüyüm. 1933'ün 1 temmuzunda Ankara'da pembe bir evde doğdum' dedim. Bu konuşma çok hoşlarına gitmiş."

Haksız sayılmazdı Aygün. Çocukluğu, yetişkinliği hep bu kentte geçmişti. Yaz tatillerinde bile Kızılcahamam'da kalırlardı. Ankara, ruhunda iyice yer etmişti. İnönü İlkokulu'nda okumuş, Gazi Lisesi'ni bitirmişti.

O zamanlar, Ankara'da yaşamak, politikacıları yakından görme mutluluğuna erişmek demekti. Daha bir ilkokul öğrencisiyken, bayramlarda İsmet Paşa'yı ziyaret eden çocuk grubunda yer alırdı. Ne de olsa annesi öğretmen, babası ilköğretim müdürüydü. İsmet Paşa'nın elini öperek büyümek CHP'li olmasına yetmedi. Tam tersine kuruluşundan itibaren Demokrat Parti'ye ilgi duydu. Liseyi bitirdiği 1950, DP'nin zafer yılıydı. O, artık her bulduğu taşın, sandalyenin, kürsünün üzerine çıkıp nutuk atmaktan hoşlanan bir gençti. Ankara Üniversitesi Tıp Fakültesi'nde öğrenci derneği başkanıydı. Fakülteye sığmıyor, diğer fakültelerdeki öğrenci derneği seçimlerinin kulislerinde de boy gösteriyordu. Amaç, "Solcular yerine milliyetçi arkadaşlar seçim kazansın"dı. Oradan oraya koşturan, frapan giyimli bir öğrenciydi.

Demokrat Parti, saflarındaki yerini 1957'de aldı. Aracılar bulup, Adnan Menderes'le tanışmış; parti mitinglerinde mikrofon almaya başlamıştı. Kırıkkale ya da Ankara'nın Cebeci Çayırı'nda Menderes gelmeden önce kürsüye çıkıyor, sesini koyveriyordu! O artık, DP Gençlik Kolları genel başkanıydı. DP'nin parlak bir ismiydi! Celal Bayar, onu oğlu gibi seviyordu.

Siyasete askerlik molası

Üniversiteyi bitirince siyasete askerlik nedeniyle zorunlu olarak ara verdi. Ankara'dan ilk kez bu kadar uzun süre uzaklaşıyordu. Yine de Malatya ve ardından gelen Erzincan günleri keyifli geçti. Er Eğitim Alayı'nda, baştabip vekiliydi. Ayrıca lisede fizik ve kimya dersleri veriyordu. Hafta sonları ata binip köylere gidiyordu.

Terhis olduğu gün, hayalleri politikayla kaplıydı. Tren, Ankara'ya doğru ilerlerken hep politikadan, meclise girmekten söz etti. Yerköy'de bir gariplik oldu. Tren, orada saatlerce bekletildi. O zaman öğrendi, gece askerlerin idareye el koyduğunu! Hayallerin yerini endişe almıştı. Yanındaki subay arkadaşı da kendi derdine yanıyordu:

– Ah Doktorcuğum, tam torpil bulmuştum, her şey altüst oldu...

Yedi saat rötarla Ankara'ya girdi tren. Farklı bir Ankara'yla karşılaştı; DP iktidarı bir anda tepetaklak olmuştu. 27 Mayısçılar, DP yöneticilerine karşı gözaltı, cezaevi furyası başlatmışlardı. Aygün de aldı bu furyadan nasibini. Evini aradılar askerler; bir şey bulamadılar...

Hayallerini kaybetmek bir yana işsiz kalmıştı. DP'li olduğu için "vebalı" muamelesi görüyor; tıp diploması bir işe yaramıyordu. Sonunda dayanamadı, bir tanıdık bulup, Kara Kuvvetleri Komutanı Orgeneral Muhittin Onur'a gitti. Durumu anlattı, hatta biraz da cesurca çıkıştı:

– Bu memlekette yaşama hakkım yok mu? İş bulamıyorum.

Ve Paşa'nın yardımıyla Gülhane Askerî Tıp Akademisi'ne girdi. İhtisas yapmaya başladı. 27 Mayıs'ın sert esen rüzgârlarının dinmesini gözledi bir yandan da. 1961'de politika yeniden ısınmaya, yeni partiler kurulmaya başlandı. Önce karar veremedi; DP bayrağı neredeydi? YTP'de mi, AP'de mi? Bir süre gözledi; sonra pusulanın ibresi AP'yi gösterdi.

Milletvekilliğini kafasına koymuştu. Önseçimlere katıldı. Menderes'in asıldığı gün, hem ağlıyor hem de oyları sayıyorlardı. Beşinci sıraya girdi. AP, dört milletvekili çıkarınca meclis hayali yine ertelendi.

Seni gidi kürtajcı doktor

Yine işine döndü. İhtisasını 1965'te bitirip, Gülhane'den ayrıldı. Sıhhiye'de muayenehane açtı. Jinekolog olarak fena ka- **115** zanmıyordu. Hem en büyük hobisi olan politikaya daha fazla zaman ayırabiliyordu...

1968'de Ankara belediye başkanlığına aday olmak istedi. Ama Demirel onu istemedi. Bayar'a yakınlığıydı neden. Demirel, Ekrem Barlas'ı aday göstermeyi yeğledi. Aygün, itiraz edemedi. 1969 seçimine kadar bekledi. Bu kez amacına ulaştı, meclise girmeyi başardı. Ve 11 yıl kaldı orada.

AP grup başkanvekilliğine kadar yükseldi. 1973'ten itibaren AP'nin kurmaylarından biriydi artık. Sık sık meclis kürsüsüne çıkıyordu. Bir keresinde CHP'li Çağlayan Ege'yi sinirlendirdi. Yerinden laf attı, "Seni gidi kürtajcı doktor." Aygün, yanıtsız bırakmadı:

– Hanımefendi sizi de mi kürtaj yapmıştım?

Genel Kurul'dan kahkahalar yükseldi. Ege, kıpkırmızı oldu, başını önüne eğdi. O zamanlar kürtaj yasaktı, kimi doktorlar gizlice yapardı!

Aygün'ün sivri dilinden nasibini alanlardan biri de Erbakan'dı. 1979'daki bütçe konuşmasında Demirel ve Ecevit'e "İspenç horozu" benzetmesi yapmış; sertçe eleştirmişti. Aygün, yanıt vermek üzere kürsüye çıktı:

– Horozu anladık da peki bu horozların tavuğu kim?

Kastettiği şey açıktı! AP ve CHP sıralarından kahkahalar patladı. Grup başkanvekilliği, bu tür olaylarla sürüp gitti. Mecliste etkin bir isim olmasına rağmen Milliyetçi Cephe hükûmetlerinde bakan olamadı.

Demirel'e kızdı, parti içinde muhalifleri organize etmeye başladı. Hem grup başkanvekilliği makamında oturuyor hem de hükûmeti yıkmak üzere çalışıyordu. Bir ara Ecevit'le görüştü. AP'den büyük bir grubu kopararak, CHP'yle koalisyon kurmayı planlıyordu. Ancak Ecevit'le görüştüğü söylentileri ayyuka çıkmış; Demirel, kopmaları engellemek için önlem almıştı.

7 haziran 1977 seçimlerinde 213 milletvekili çıkaran Ecevit, beklemeye tahammül edemedi. AP'nin içine doğrudan kendisi el atıp, tek tek milletvekili koparmaya girişti. Bunu duyan Aygün, yine Ecevit'e gitti:

– Beyefendi, bunlara inanmayın. Ben 25-30 kişi getireceğim. AP'yi çökerteceğim, biraz bekleyin.

Ecevit, Aygün'ü bekleyemedi. 11 milletvekili buldu ve ünlü Güneş Motel Olayı'nın ardından koalisyon hükûmetini kurdu. Aygün, hükûmetin kurulduğu gün çok sinirliydi. Kuliste CHP'nin sol kanat milletvekillerinden Kemal Anadol'un da aralarında bulunduğu bir grup milletvekiline rastladı. Açık açık konuşmakta bir sakınca görmedi:

– Sizin genel başkanınız çok hırslı. Başbakanlığa oturmak için acele ediyor. Biraz sabretseydi ben 25-30 kişi getirecektim. O bir an önce başbakan olabilmek için 11 kişiye fit oldu.

Umutları suya düşmekle kalmamış Demirel'in güvenini de yitirmişti. AP grup başkanvekilliği sürdü, ama Demirel, onu hep uzakta tuttu.

Doktorluğu unutmuştu

11 eylül günü geç vakitlere kadar çalıştı. Gece 02.00 sıralarında meclisten çıktı; evine gitti. Az sonra çalan telefon yeni bir askerî müdahaleyi haber veriyordu.

Bu darbeden sonra da gözaltına alınmadı. Hatta darbeden 26 gün sonra Celal Bayar ve 48 AP milletvekili onun evinde toplandılar. Durumu değerlendirdiler. Yapacak fazla bir şey yoktu; beklemekten başka...

Politikadan zorunlu olarak kopunca doktorluğa döndü yeniden. Yıllardır muayenehanesine uğrama fırsatı bulamamıştı. Dok- **117** torluğu unutmuştu aslında. Fakat yapacak başka işi de yoktu.

Bir gün yeni evli bir çift geldi muayenehanesine. Genç kadın hamileydi, muayene etti. Erkeğe döndü, aniden soruverdi:

– Bu çocuğu istiyor musunuz?

Adam şaşırdı, bu da nereden çıkmıştı? "Neden böyle bir şey soruyorsunuz? Bir sorun mu var?" Aygün, başını salladı, zor bir durum dercesine.

– Evet, eşinizin rahminde küçük bir ur var.

– Çocuğun alınması mı gerekiyor?

– Hayır, riskli bir durum. Bebekle birlikte ur da büyüyebilir, büyümeyebilir de...

– Biz çocuğu istiyoruz. Ama anne için bir tehlike varsa lütfen söyleyin ona göre karar verelim.

– Anneyi sürekli kontrol altında tutmamız yeterli olur. 15 günde bir muayeneye gelin. Vereceğim ilaçları kullanın.

Genç çift, allak bullak olmuştu. Aygün'ün muayenehanesinden çıktıktan sonra günlerce ne yapacaklarını bilemediler. Deneyimli yakınları, Aygün'ün başka hastalarıyla ilgili örnekler verip, başka bir doktora gitmelerini önerdiler.

Sonunda problemli doğumlarla ilgili bir uzman doktor bulundu. O doktora Aygün'ün bulgularını aktardılar. Doktor şaşırdı, "Ur falan yoktu!" Ultrasonla muayene edildi, yine ur bulunamadı!

Genç çift, bir daha Aygün'e gitmedi. Ancak genç kadın, sıkıntılı bir hamilelik geçirdi. "Ya Aygün'ün söyledikleri doğruysa?" Bu kuşkudan, çocuk doğana kadar kurtulamadı. Çocuk sezaryenle doğdu; ameliyata giren doktorlar rahmi bir kez daha kontrol ettiler! Hiçbir sorun yoktu![1]

---

1 Sözü edilen genç çift, bu satırların yazarı Faruk Bildirici ve eşi Serpil Bildirici'dir. Olay kasım 1983'te aynıyla yaşanmıştır.

Aygün ya hatalı teşhis koymuştu. Ya da hastasını sık sık muayenehanesine çekmek gibi basit bir hesap nedeniyle öyle konuşmuştu...

DP ile DSP'nin farkı

Bereket Aygün'ün gözü doktorluktan çok politikadaydı. 12 Eylül döneminin sonunda partiler yeniden kurulurken heyecanlandı. Süleyman Demirel'in gölgesinde kurulan Büyük Türkiye Partisi'nde kendine yer bulamayacağını bildiğinden askerî yönetimin kurduğu Milliyetçi Demokrasi Partisi'ne yöneldi.

Aygün, eski AP'lileri MDP çatısı altında toplayabilmek için bir toplantı düzenledi. 81 AP'liyi toplantıya çağırdı. Demirel, bu daveti öğrenince devreye girdi ve "Tapulu arazime gecekondu kurdurmam" diye tepki gösterdi. İsmet Sezgin, Nahit Menteşe, Yiğit Köker gibi arkadaşları aracılığıyla davet edilenleri uyardı.

Sonuçta Aygün'ün toplantısına sadece 30 kişi katıldı. Üstelik toplantının tutanakları da ertesi gün tam metin halinde Güniz Sokak'a, Demirel'e ulaştı.[2] Toplantının başarısızlığı Aygün'ün MDP'deki konumunu da etkiledi, bu sayfayı kapatmak zorunda kaldı.

Sürekli fırsat kolladı fakat siyasete dönmek için olanak bulamadı. 9 şubat 1988 günü randevu alarak, Cumhurbaşkanı Kenan Evren'e gitti. Dönemin Başbakanı Turgut Özal'ı eleştirdi, ülkenin gidişatından yakındı. Eleştirilerinden, Süleyman Demi-

---

2 Celal Kazdağlı, *Demirel'in Liderlik Sırları,* Beyaz Yayınları, aralık 1999, s. 127, 128.

rel de nasibini aldı. "Demirel kafa yapısını değiştirmedi, bu yüzden çok hatalar yaptı, yapmaya da devam ediyor" dedi. Evren'e ise övgüler düzdü:

– Milletin yegâne güvencesi sizsiniz, millet sizi çok seviyor.

Bir parti kurmaya çalıştığını, bunun için uygun zamanı beklediğini ifade etti. Evren de ona başarılar diledi, anlattıklarıyla ilgili bir yorum yapmadı.[3]

CHP yeniden kurulunca o da AP'nin yaşama dönebilmesi için çalışanların arasında yer aldı. Olmadı, Demirel, izin vermedi buna. AP feshedilip DYP'ye katılınca Aygün, bu kez DP'nin hayata dönmesi için uğraştı. Bu partiye de Aydın Menderes el koydu. Oradan da çekilmek zorunda kaldı. Tam o günlerde meclis koridorunda Ecevit'le karşılaştı.

– Nerelerdesiniz Allah aşkına?

– Hep hüsran, hep hüsran...

– Bana uğra da bir konuşalım.

Bu sıcak konuşmayı unutmadı, iki gün sonra DSP Genel Merkezi'ne uğradı. Saatlerce sürdü sohbetleri. Eski rakiplerin saçları beyazlaşmıştı. Ve bugün yaklaşık düşünceleri paylaşıyorlardı. Aygün, 1994'te DSP'ye üye oldu; yeni partisini hiç yadırgamadı.

Ona göre, ne kendisi değişmişti ne de Ecevit. Sadece aynı noktada buluşmuşlardı o kadar. DSP'ye geçişinin hikmetini soranlara DYP ile DSP arasında fark olmadığını anlatıyor, transferini savunuyordu:

"Demokrat Parti misyonuyla DSP misyonu şimdi aynı kalıba girdi. DP misyonunda laiklik vardır, din istismarı yoktur DSP de öyle. Bülent Bey de inançlı ve din istismarına karşı.

3 Kenan Evren, *Kenan Evren'in Anıları*, Milliyet Yayınları, mart 1992, 6. cilt, sayfa 240.

DP'nin temelinde sosyal adaletçilik vardı; Bülent Bey de sosyal adaletçi. Bayar da Atatürk milliyetçisiydi, Bülent Bey de. DP umdelerine en çok uyan şahıs bugün Bülent Bey'dir."

2 ekim 1994'te DSP Parti Meclisi üyesi oldu. Parti Meclisi'nde, beş yıl boyunca hiçbir politik gelişme karşısında sesini çıkarmadı. Tam Ecevit çiftinin istediği gibi bir Parti Meclisi üyesi oldu; onların alınmasını istediği kararlara itirazsız onay verdi.

Ödülünü 18 Nisan 1999 Seçimleri'nde aldı. DSP'nin Ankara milletvekili adayı oldu. DSP'nin oy patlaması, onu da meclise taşıdı. 19 yıl aradan sonra yeniden parlamenterdi. Rahat bir nefes aldı, "Politikada kimse sıfır olmuyor" dedi. TBMM'de şöyle bir etrafına bakıp mırıldandı:

– Batıyorsun, çıktığın zaman kötü şeyler unutuluyor, iyi şeyler hatırlanıyor.

Kişisel geçmişini kendisi de belleğinin gerilerine atmıştı. Yeni döneme, yeni imajla başladı; artık bembeyaz olan saçlarını kömür karasına boyadı. Ne hülyalar kuruyordu, neler...

Beklediğini bulamadı. Ecevit, onun onca tecrübesini görmezden geldi! Onu ne bakan yaptı ne de grup başkanvekili.

Bu duruma içerledi, ama belli etmedi. Aylarca sessiz kaldı. Cumhurbaşkanlığı seçimi öncesinde ortaya çıktı, "Adayım" dedi. Gerekçesi de "liderlerin uzlaşma adı altında tek aday dayatması"nı protestoydu.

İlk tur kendisi dahil dört kişinin oyunu alabildi. Yine de Ecevit ve Özkan'ın çekilmesi isteğini kabul etmedi. Cumhurbaşkanlığı seçimleri sonrasında DSP'den ayrılmadı, ama bir ara Güniz Sokak'ta görüldü.

Yıllar önce koptuğu Demirel'in huzuruna çıkmaktan medet umar hale gelmişti...

Kubilay Uygun

Tombaladan çıkan vekil

Kubilay Uygun'un annesi de şaşırmıştı oğlunun parti değiştirmelerine. Her gün yeni bir transfer haberi duymaktan bıkmıştı. Anne Neriman Uygun, "Bugün televizyondan duydum, gene istifa etmiş" dedi ve ekledi:

– Kızıyorum. Ama bana sormuyor ki? Niye yaptın deyince de, "Öyle gerekti" diyor. Yaptığı yanlış.

Ellerini iki yana açtı, çaresizdi. "Biz partimizi değiştirmeyiz" dedi. Arkasında duran kızı Çiğdem Zeybek de aynı görüşteydi; "Biz partimizi değiştirmeyiz." Partileri de DYP'ydi. Çünkü aile politikayla Demokrat Parti'de tanışmıştı.

Baba Orhan Uygun, 1957'de DP'den Afyon milletvekili seçilmişti. Aile, Ankara'nın yolunu tutarken, Kubilay henüz iki yaşındaydı. 27 Mayıs 1960 Darbesi babasının milletvekilliğine son verince ailece yine Afyon'a döndüler.

Kubilay, Sincanlı'daki iki katlı, dış cephesi mermer kaplı evde büyüdü. Liseyi bitirene kadar politikayla pek ilgisi olmadı. Üniversiteyi kazanamayınca bir arayışa girdi. İşte o dönemde fark etti siyasetin bir kazanç kapısı olduğunu. 12 Eylül dönemi sonrasında yeni partiler kurulurken, babasının partisi olan DYP saflarında yerini aldı. Sincanlı İlçe Başkanlığı'nı kuranlardan biri oldu.

İlk yerel seçimlerde DYP'den İl Genel Meclisi üyeliğine seçildi. 1989 seçimlerinde, DYP'den belediye başkan adayı olamayınca sinirlendi ANAP'a koştu. Vakit geçmişti, ANAP'tan da başkan adayı olamadı. ANAP İlçe Yönetim Kurulu üyeliği ve İl Genel Meclisi üyeliğiyle yetinmek zorunda kaldı.

Asıl hareketlenmeye 1994'te başladı; ANAP onu yine belediye başkan adayı yapmayınca gitti, CHP'den aday oldu; ancak sadece 150 kadar oy alabildi. İlçesinde bu kadar az oy alan birini CHP de 1995'te milletvekili adayı yapmadı.

O da CHP'ye kızıp, soluğu DSP'de aldı. "Yıllardır Ecevit hayranıyım" dedi. DSP'nin Afyon'da milletvekili çıkarma beklentisi yoktu o günlerde. Dolayısıyla adaylık için başvuranlar fazla değildi. Gerçi Afyonlular, Kubilay'ı tanıyorlardı. Ancak listeleri düzenleyen DSP Genel Sekreteri Rahşan Ecevit için o sadece "eski bir milletvekilinin oğlu"ydu! Genel Merkez'den gelen listede Kubilay'ın birinci sırada olduğunu gören Afyonlu DSP yöneticileri şaşırdılar. DSP'de Genel Merkez kararına itiraz ne mümkün!

Seçim kampanyasına başladılar. Kubilay, kampanya sırasında pek yormadı kendini. Zaten hatırı sayılır bir geliri yoktu. Arkadaşlarıyla ortak kurduğu Hisar televizyonu yıllar önce kapanmıştı, uzun süredir işsizdi.

Seçim öncesinde, birkaç kez köylere gitti, bir kez de beş araçlık bir konvoyla kentin caddelerinde turlayıp, bir broşür dağıttı:

"Neden Demokratik Sol, bağımsızlığı özgürlükle pekiştirmek için; çoğulcu ve katılımcı demokrasiyi geliştirip sürekli kılabilmek için; demokrasiyle sosyal adaleti, hızlı gelişmeyi ve etkin yönetimi bağdaştırabilmek için."

Seçim sonucu, herkes için sürpriz oldu. DSP 31 000 oy almış, 39 000 oy alan MHP barajı aşamayınca Kubilay'a meclis yolu açılmıştı. Sonuçları görenlerin yorumu hep aynıydı:

– Kubilay tombaladan çıktı...

Kubilay, sevindirik oldu. Mazbatasını aldığı gibi DSP'lilere bir teşekkür bile etmeden hemen Ankara'ya hareket etti. Günler sonra evindeki eşyalarını taşımak için döndü Afyon'a. Doğan marka arabasını değiştirmiş bir Rover almıştı. Plakası, DSP'ye teşekkürlerini ifade ediyordu: 06 DSP 03...

O gece Afyon'da iki kişiyle karşılaştı. Alkollüydüler, Kubilay'a sataştılar. O da silah çekti. Ne de olsa bir milletvekiliydi artık o...

Ankara'ya yerleştikten sonra seçildiği kenti unuttu. Mecliste de varlık gösteremedi. Silik bir milletvekiliydi. Afyon'un yerel gazeteleri, Kubilay'la ilgili bir tek haber bile yapamadılar. Ne bir açıklaması vardı yazacak, ne de kente bir hizmeti.

Transfer sezonu

3 temmuz 1996'da DYP'ye geçene kadar sessiz sakin bir milletvekiliydi. İlk kez, DYP'ye transferi nedeniyle haber oldu. Afyon'da DSP'ye oy verenler çok kızdılar. Arayanlar, telefonuna ulaşamadı. Önlem almış, numaralarını değiştirmişti. Ulaşabilenler ise hep aynı yanıtı aldı:

– Sizden oy mu istedim? Bana oy verin mi dedim?

Yine de tepkilerden etkilenmiş olsa gerek ki, üç gün sonra partisine geri döndü. Ama bir kez hareketlenmiş, transfer sezonunu açmıştı, durmayı başaramadı. Tam 24 gün sonra bir kez daha DYP'nin kapısını çaldı. Mecliste sayısal açıdan zor durumda olan DYP için Kubilay'ın "parmağı" kıymetliydi. Onu partilerine bağlamak için epey çaba harcadılar. Hatta öğretmen olan eşi Fatma Uygun'un Sanayi Bakanlığı Teşkilatlandırma Genel

Müdürlüğü'ne atanmasını sağladılar. DYP Genel Başkanı Çiller, Kubilay'a kırat rozetini takarken mutluydu:

– Hem baba ocağına hem ananın şefkatli kucağına hoşgeldin.

Kubilay da gülerek dinledi. Bu tabloyu gören DSP de Kubilay'ı geri almak için çaba harcamaktan vazgeçti. Çanakkale'den seçilen Şerif Çim'i ve Iğdır'dan seçilen Adil Aşırım'ı sağ partilere kaptıran DSP, Kubilay'ın gidişini de sessizce kabullendi. Parti içinde ne bir tartışma yarattı transferler, ne de Rahşan Hanım herhangi bir özeleştiri gereği duydu!

Gençliğinde ülkücüymüş!

DYP'de bir yıl kadar kaldı. Yaz ayları gelince yine transfer sezonunu açtı. Bu sefer, rotasını MHP'ye yöneltti. Alparslan Türkeş'in ölümünden sonra MHP'de geçici olarak genel başkanlık koltuğuna oturan Tuğrul Türkeş'in, partiyi canlandırmaya ihtiyacı vardı. Erzurum Milletvekili İsmail Köse'yle birlikte Kubilay'ı da partisine transfer etti.

MHP'de işler Tuğrul Türkeş'in beklediği gibi gitmedi, olaylı bir kongre sürecinden sonra Devlet Bahçeli geldi MHP'nin başına. Yeni yönetim, Kubilay'ı, MHP'de istemiyordu. Hemen belli ettiler niyetlerini. Mesut Yılmaz Hükûmeti'ne güvenoyu konusunda da Kubilay'la anlaşamadılar. Kubilay, parti yönetiminin çekimser oy kullanması talimatını dinlemedi, MHP'de daha fazla kalamayacağının farkındaydı. "Evet" oyu vererek, koalisyon partilerine transfer işareti çaktı. Partiden ihraç edileceği haberleri çıkınca, uzatmadı, hemen MHP'den istifa etti. Ayrılırken, "Ülkücü hareket gençlik aşkımdı. Gönlüm ülkücü harekettedir" diyerek, istifaya gönülsüz olduğunu vurgulamadan edemedi...

126

Artık Kubilay'ın girip çıkmadığı partilerin sayısı azalmıştı. Koalisyon ortakları ANAP ve DSP, Kubilay'ı almak istemedi. O da yeni kurulmuş bir parti olan DTP'ye yöneldi. "DTP'ye geçecek misiniz?" diye soran gazetecilere güldü:

– Neden olmasın? Ben geçmeye, siz de yazmaya alıştınız. Zaten kaç parti var ki?

O gönüllüydü, ama DTP'liler onu almaya hevesli değillerdi. DTP'de itiraz sesleri yüksek çıkıyordu. DTP, hemen "Gel" diyemedi. Kubilay, bir süre bağımsız kaldı. Bu dönemde mecliste hep hükûmet doğrultusunda oy kullandı; iktidar partileriyle ilişkisini geliştirdi. ANAP Afyon Milletvekili Nuri Yabuz'un kızının 11 eylül 1997'deki düğün törenine katılmak üzere uzun zamandır uğramadığı Afyon'a bile gitti. Düğünde alkolü fazla kaçırınca kent merkezinde silahını çıkarıp, havaya ateş etti. Polis, tutanak tutmaktan öteye gidemedi tabiî.

Bu ve benzeri haberler de DTP'ye girişini önleyemedi. Çünkü DTP'nin TBMM'de grup kurabilmek için bir parmağa daha ihtiyacı vardı. Karşı çıkanlar, bunu hatırlayınca geri adım atmak zorunda kaldılar. 28 aralık 1997'de DTP'nin kapıları ona açıldı. DTP'de yine yaza kadar kalabildi. Her yıl olduğu gibi haziran ayı gelince, transfer sezonunu açtı. 12 haziran 1998'de DTP'den istifa etti.

Transfer rekorunun ne kadar tepki çektiğini algılayamamıştı. Gazeteler, televizyonlar, büyük tepki gösterdi. Adı, "Fırıldak Kubi"ye çıktı. Herkes onun için ağzına geleni söylemeye başladı.

Ankara Barosu avukatlarından Cevat Balta, konuşmaktan daha ileri gitti. Kubilay hakkında savcılığa suç duyurusunda bulundu: "Kubilay Uygun, sürekli parti değiştirerek meclisin manevî şahsiyetine hakaret ediyor."

Şöhreti, Almanya'ya kadar uzandı. Almanya'nın ünlü dergilerinden *Focus*, temmuz 1998 sayısında, "Türk politikacıların **127** siyaseti kendileri ve yakınları için kullandıklarını" yazdı ve Kubilay'ı örnek gösterdi. Dergi, bir de "Kubi fıkrası"na yer verdi haberinde:

"Evden çıkarken karısı, 'Seni nerede bulabilirim?' diye soruyor. O da 'Bilmiyorum en iyisi cep telefonumdan ara' yanıtını veriyor..."

Afyonlular da sinirleniyorlardı. Kimisi "dönek" diyordu, kimisi daha ağır hakaretler yağdırıyordu... Aslında tepkileri sadece Kubilay'a değildi. DYP'den seçilen Afyon milletvekilleri Yaman Törüner ve Nuri Yabuz da istifa edip, ANAP'a geçmişlerdi. Afyonlular, kentlerinden bu kadar çok transfer düşkünü milletvekili çıkmasını içlerine sindiremiyorlardı...

Kubilay'ın niyeti DYP'ye geçmekti. O nedenle, kurulurken güvenoyu verdiği Yılmaz Hükûmeti'ne, 25 kasım 1998'deki güvenoylaması sırasında "Hayır" oyu kullandı.

Fakat tepkiler büyüyünce Kubilay DYP'ye giremedi, DYP de Kubilay'ı alamadı. Bağımsız kaldığı günlerde meclisten, siyasetten iyice uzaklaştı. Sahte raporlar alıp, meclise gitmemeye başladı. Aylarca gitmeyince dikkati çekti, TBMM Başkanlık Divanı aldığı raporları kabul etmedi. Daha önemlisi, milletvekilliğinin düşmesi gündeme geldi. TBMM Anayasa Adalet Karma Komisyonu, Kubilay'ın milletvekilliğinin düşmesine karar verdi.

Sadece DYP'den birkaç cılız destek geldi. "Neden sadece Kubilay Uygun'un raporlarına dikkat ediliyor? O hedef seçiliyor?" Cılız da olsa bu itiraz haklıydı; Kubilay, meclise uğramayan tek milletvekili değildi!

Durum böyle olunca Kubilay'ın milletvekilliğini düşürmeye kimse yeltenemedi. Konu, TBMM Genel Kurulu'nda gündeme gelemedi. Zaten seçim de yaklaşıyordu, Kubilay'ın da artık siyasete aldırdığı yoktu. O, gece hayatına takılıyordu.

Nihayet bir gece magazin muhabirleri, onu "seksi manken"

Sibel Özcan'la Sheraton Oteli'nde yakaladılar. Kubilay'ın, mankeni oracıkta bırakıp kaçması da "Çapkın Milletvekili" unvanı verilmesini önleyemedi. İkinci unvanı, uzun süre, magazin programlarında tekrarlandı durdu.

Ve sonunda beklendiği gibi seçim dışı kaldı, 18 Nisan 1999 Seçimleri'nde hiçbir partinin aday listesine giremedi. Siyaset ve meclis defterini kapatmak zorunda kaldı. Yaşamına "emekli milletvekili" olarak devam etti.

Zaman bolluğundan olmadık işlere el attı; farklı alanlara uzandı. Yeni hobisi televizyon dizileriydi. Fazla televizyon izlemekten olsa gerek bir dizi çekmeye karar verdi. Başrolde kendisi oynayacaktı. Daha senaryo çalışmaları başlarken bir gazeteye demeç verdi:

– Dizi çok ses getirecek.

Dizinin konusu gerçekten enteresandı. Bir parlamenterin yaşamı bağlamında kirli siyasî ilişkiler, siyaset ve aşk ilişkileri. Siyasetin bu yüzünü en iyi kendisinin anlatacağına inanıyordu...

Kamer Genç

DYP'nin sol kanadı

Yaz ayları ayrılık demekti. Baba Ali Genç, her yaz ailesinden kopup İstanbul'a gidiyordu. İnşaatlarda çalışıp para biriktiriyordu. Bu para, uzun kış ayları boyunca ailenin tek geçim kaynağıydı neredeyse.

Kışlar zor geçiyordu. Ramazan köyündeki ev tek gözlüydü. Dört kardeş tek döşekte uyuyorlardı. Üşümemek için birbirlerine sarılıyorlardı. Tabiî birinin kaptığı hastalık hemen öbürüne geçiyordu. Dördünün birden kızamık olmasının nedeni de buydu. Kardeşlerden üçü kızamığı atlattı, ama en büyükleri Hıdır'ın talihi yaver gitmedi. Hastalığı zatürreeye çevirdi. Ne doktor vardı ne de ilaç. Onu kurtarmak mümkün olamadı.

Ağabeyini yitirmek küçük Kamer'i derinden etkiledi. Yaşadıkları sefalete kızıyordu en çok. Ağabeyini her hatırladığında aynı duygu kaplıyordu içini. Yokluğu aşma hırsıyla doluyordu. Fakirliği yenmenin tek çaresi okumaktı.

Köydeki ilkokulun çalışkan öğrencilerinden biri oldu. İlkokul bitince onu Nazimiye ilçesindeki ortaokula gönderdiler. Asıl sorun ortaokul bitince yaşandı. Ailenin maddî imkânları sınıra dayanmıştı. Oğullarını Tunceli'deki liseye gönderecek güçleri yoktu. Liseyi dışardan okudu; sonra Maliye Meslek Okulu'nun yatılı bölümüne girmek için Ankara'nın yolunu tuttu. 225

numaralı öğrenciydi artık. Derslerden çok, parasızlık canını sıkıyordu. Üstelik ailesinden çok uzaktaydı. Sadece yaz aylarında köye gidebiliyordu.

Köye dönüşü iple çekmesinin ikinci nedeni ağanın kızı Sevim'di. Kışın koyunlara yedirmek için meşe yaprağı toplarken rastlamıştı ona. İlk görüşte sevmişti. Sevim de karşılıksız bırakmamıştı bu aşkı. Fakir oğlan, zengin kız sık sık buluşmaya başlamışlardı. Bu ilişki, ağanın hoşuna gitmedi. Yine de engelleyemedi iki gencin sevgisini. 1960'ta okulu bitiren Kamer'in ilk işi Sevim'i istemek oldu. Ağa vermedi kızını. Sevim'i unutmak ne mümkün? Elazığ'daki stajyer Maliye memurluğu ve ardından Manisa'daki yedeksubay öğretmenlik günleri hep onu düşünmekle geçti!

"Nerede benim omlet?"

Cebi biraz para görmüştü. Bununla yetinmeyip büyük adam olacak, daha çok para kazanacaktı! Ancak üniversiteye gidebilmesi için lise diploması gerekiyordu. Önce bu engeli aştı. Fark derslerinin sınavını verip, Tunceli Lisesi'nden diploma aldı. Bingöl'de vergi kontrol memuruyken 1962'de üniversite sınavına girdi ve kazandı. Ankara İktisadî ve Ticarî İlimler Akademisi'ne kaydoldu. Devam zorunluluğu yoktu; sadece sınavlara gidip geliyordu.

Tayininin Ankara Defterdarlığı'na çıkması işini kolaylaştırdı. Cebeci'de, Hukuk Fakültesi'nin arkasındaki öğrenci yurdunda kalıyordu. İşine gidip geliyor; kalan zamanlarda derslere çalışıyordu. Etrafta olup bitenlerle ilgilenmiyor; başı önünde yürüyordu.

Dar bütçesi, karnını ancak kantinden doyurmaya yetiyordu.

Orada en ucuz yiyecek omletti. İki ya da üç yumurtalı omlet öğrencilerin gözdesiydi. O nedenle hep sıra oluyordu... Yurdun cemiyet başkanı Erkan Kemaloğlu, bir gün hızla kantine daldı. Hazır bir omlet görünce "Bu kimin?" diye sordu. "Kamer'in" dediler, onu gösterdiler. "Bunu alıyorum, ona yenisini yapın" dedi Kemaloğlu. Kamer, "O omlet benim" deyip kavga çıkarmak istemedi. Sessizce beklemeye devam etti...

Örnek politikacı arayışı

Yurtta kaldığı dönemde bu tip olaylar karşısında hep aynı tavrı gösterdi. Kavga ettiğini gören olmadı. Hep kavgadan uzak durmayı yeğledi. İki yıl sonra bütçesi uygun hale gelince bir eve çıktı. Öğrenci çevresinden, sosyal faaliyetlerden daha da uzaklaştı. Öyle ki, 1966'da mezun olduğunda yıllıkta yayımlanması için fotoğraf vermedi. Maliye Bölümü'ndeki arkadaşları onun hakkında bir şey yazmadılar. Aldırmadı bile. Diplomasını kaptığı gibi Danıştay'a koştu. Aralık sonundaki sınavlara girdi. Aynı dönemden 35 kişiyle birlikte sınavı kazandı. 16 ocak 1967'de raportör (tetkik hâkimi) olarak göreve başladı.

27 yaşındaki bu gencin yaşamında yeni bir sayfa açıldı. Sevim'le evlenme girişimlerini hızlandırdı. O da okulunu bitirmiş, İngilizce öğretmeni olmuştu. Ağa, bir kez daha ret yanıtı verdi. Ama Kamer yine vazgeçmedi. Evlenme isteğini sık sık tekrarladı. Ağanın inadı yıllar sonra kırılabildi. İlk girişimin üzerinden tam 13 yıl geçmişti!

Evlendikten sonra her şey yerine oturdu. Yaşamındaki rutin akışı bozan en önemli gelişme, 1974'te Fransa'ya gidişiydi. Paris günleri bir yıl sürdü. Orada eğitim gördüğü Uluslararası Kamu Yönetimi Enstitüsü'nden diploma aldı. Danıştay ve Bölge

133

İdare Mahkemeleri'nde meslekî gözlemlerde bulundu.

Fransa'dan döndükten sonra Danıştay'da yükselebilmek için iki tez hazırladı. İlk tezinde "Fransa'da idarî işlemlerde yürütmenin durdurulması", ikincisinde ise "Kamu gücünün kullanılması" konusunu işledi. Her iki tez de *Danıştay* dergisinde yayımlandı. "Danıştay yardımcısı" sıfatıyla imzaladığı kamu gücüyle ilgili tezinde devlet şemasını anlatıyordu. Tezin son satırları ise politikacılara çağrı niteliğindeydi:

"(...) sahip oldukları makamı idarede ve yürütmede beceriksiz oldukları yolunda duraksamalar bulunduğu takdirde görevi bırakmayı yurttaşlık görevi sayarak kendilerinden sonra gelecek nesillere örnek olmaları gerekir."

Bu yaklaşım, o günkü politikacılara duyduğu tepkinin yansımasıydı. Ecevit ve CHP'ye sempati duyuyor, ama politikayı kendine uzak hissediyordu. Kendini tam anlamıyla işine vermişti. Danıştay'da aktifti. 1976'da bir kitap sahibi oldu. *Malî Yargılama Usulü ve Uyuşmazlıklarına İlişkin Danıştay Kararları* başlıklı kitapta vergi uyuşmazlıklarına ilişkin önemli Danıştay kararları bir araya getirilmişti. Kitap, 4. Daire'de çalışan altı raportörün imzasını taşıyordu. İlginç olan, kitabı birlikte hazırladıkları Tahsin Yağmurlu'yla arasının bir süre sonra bozulmasıydı. Bazı davalarla ilgili kulis yaptığı söylentileri ve hakkında ihbar mektupları tam bu dönemde yoğunlaşmıştı.

"Adımızı kurtar bari"

12 Eylül geldiğinde 6. Daire'de kanun sözcüsü (savcı) olarak çalışıyordu. Ancak kendini işine eskisi kadar bağlı hissetmiyordu. Danışma Meclisi kurulacağı açıklamaları dikkatini

çekti. Meclise girmek hiç fena olmazdı! Dostları, bu düşüncesini desteklemedi. "12 Eylülcülerin meclisine girmekle yanlış yaparsın" dedi bir arkadaşı. Onun yanıtı hazırdı:

– Bu mantıkla girmezsek DM tamamen sağcıların denetimine girer.

Emekliliğini isteyip, DM'ye başvurdu. Listeler açıklanınca Tunceli ahalisi şaşırdı. Kimdi bu Kamer Genç? Tanıyan fazla kimse yoktu o sırada. Millî Güvenlik Konseyi'nin seçtiği isimler arasında yer alınca kentte onu tanıyanlar zamanla çoğaldı. Kamer Genç, itirazlarını seslendirmeye daha DM tüzüğü görüşülürken başladı. Tarih 16 kasım 1981'di; kürsüye çıktı:

– Ölüm cezalarının yerine getirilmesi konusunda karar verme yetkisi meclisimizin dışında bulunmaktadır.

Tabiî bu karşı çıkışı kabul görmedi; idam cezaları DM'de oylanmaya başladı. İdamlarda karşı oy kullandı. Yakınları, buna rağmen "darbecilerin meclisine" girmesini bağışlamıyorlardı. Anayasa oylaması yaklaşırken, akrabası olan eski Isparta Defterdarı Abdullah Polat hâlâ ona kızgındı:

– Hiç olmazsa Anayasa'ya karşı çık, hem adımızı kurtar hem meşhur ol.

Öyle yaptı. Anayasa'ya "hayır" oyu kullanarak Tuncelilerin adını kurtardı. Büyük ün kazandı. Eleştirilerinin dozunu giderek artırıyordu:

– Bu kanunları getirdiğiniz zaman artık demokrasiden bahsedilemez. Bundan böyle parti kurmak sadece zenginlerin tekeline bırakılmıştır.

Bu çıkışları yaptığı sırada çoktan politikaya devam kararı vermişti. Yeni partileri bekliyordu. Sosyal Demokrat Parti'yi kendine yakın buldu. Ama MGK'nın veto engeline takılınca milletvekilliği hayali suya düştü.

Moda İşhanı'nda bir büro kiralayıp, malî müşavirliğe başla- **135** dı. Uzmanlık alanı olan vergi uyuşmazlıklarıyla ilgili işler alıyordu. Danıştay'a sık uğruyor, 4. Daire Kalemi'ne gidip kararları öğreniyordu. Bu durum eski arkadaşlarını rahatsız etti. Oraya girmesini engelleme kararı aldılar.

Zaman zaman "iş takibi" için gittiği Maliye Bakanlığı'nda da problemler yaşıyordu. Gelirler Genel Müdürü Altan Tufan ve yardımcısı Hasan Şener'le tartışması, bu tatsızlıklardan biriydi. Bunları önemsemiyordu. Onun gözü meclisteydi. Her ay Tunceli'ye gidiyor, seçmenlerle bağını geliştiriyordu. Malî sorunlarını çözmüş biri olarak bu faaliyetlerde zorlanmıyordu.

Tapu kardeşte kiralar kendi cebinde

O artık bir gayrimenkul zenginiydi. En kârlı yatırımı Ankara'da yapmıştı. 1972'de Dikmen'de kardeşiyle ortak bir tarla almış, tapusunu onun üzerine çıkarmıştı. Beş yıl sonra bir tarlaya daha sahip olmuş; yıllar sonra tarlalardan imar geçince müteahhitlere verip onlarca daire kazanmıştı. Bu dairelerden beşini satıp Çankaya'da lüks bir daire almıştı.

Çankaya Belediyesi'ne verdiği emlak beyannamesinde ise 7 491 ada 19 parselde bir daire, 7 453 ada 17 parselde ise dört dairesi olduğunu bildiriyordu. Tapuda arsa, belediyede daireydi(!). Kaldı ki, sorulduğunda Dikmen'de kalan dairelerinin sayısını hep farklı açıklıyordu. Kimi zaman 9, kimi zaman 11 dairesi kaldığını söylüyordu. Ancak nedense tapuda bu kadar dairesi görünmüyordu.

Malvarlığı dosyası gariplikleriyle doluydu. Belki de bunun nedeni bir zamanlar "vergi uzmanı" olan Kamer Genç'in, ödemesi gereken vergi miktarını sembolik rakamlara indirmek istemesiydi.

Üstelik dokuz yıl boyunca emlak vergisi ödememişti. Bu nedenle de belediye, 1990'dan 1999'a kadar ödemediği toplam 93 milyon liralık vergi borcuna karşılık mallarına haciz konması için tapuya bir yazı göndermişti.

Dikmen İlker'deki Ata Apartmanı'nın arsasının tapusu, küçük kardeş İmam Genç'in üzerine kayıtlıydı. Dolayısıyla müteahhitten alınan dairelerin de ona ait olması gerekiyordu. Ancak bu dairelerdeki kiracılar ile binayı yapan Müteahhit Elvan Özsoy, İstanbul'da oturan emekli Öğretmen İmam Genç'i tanımıyordu bile. Kirayı, dairelerin sahibi olarak bildikleri Kamer Genç'in banka hesabına yatırıyorlardı.

Kamer Genç'in, toprağa yatırım yaptığı yerlerden biri de Bursa'ydı. 1977'de Uludağ yolunda aldığı tarlanın üzerinde Çamüç adlı lokantayı yaptırmıştı. Lokanta kentin gözde mekânlarından biriydi.

Tek sorun lokantanın önündeki otoparkın mahkemelik olmasıydı. Dava açan Karabıyık, Yumak ve Kayar ailelerinin iddiası önemliydi: "Kamer Genç, üç dönümlük tapusu sayesinde bizim dört dönümlük tarlamıza sahip çıkıyor!"[1]

Tartaklandığı gece

Malvarlığıyla ilgili sorunlar, siyasetle uğraşmasını engelleyemedi. 1987 seçimlerinde Tunceli'den SHP milletvekili olarak meclise girmeyi başardı. Meclise girer girmez insan hakları savunuculuğuna soyundu, sert demeçler vermeye başladı: "Recep Ergun işkencecidir. Mecliste bulunması bile utanç vericidir."

---

[1] Bursa 6. Hukuk Mahkemesi'nde görülen 1996/081 numaralı dosya.

Asıl hedefi dönemin Başbakanı Turgut Özal'dı. Sık sık Özal'ı suçlayan demeçler veriyor; mecliste ANAP'lılarla tartışıyordu. Dilinin freni tutmuyor; "tosbağa", "süper terbiyesiz", "odun kafalı tahta" gibi hakaretler yağdırıyordu. Özal ve ANAP'lı milletvekilleri, her kavgadan sonra tazminat davası açıyor; çoğunu kazanıyorlardı.

TBMM Plan ve Bütçe Komisyonu üyeliğinin yanı sıra "SHP'nin Gölge Maliye Bakanı" olarak faaliyet gösteriyordu. Polis ve türban yasası görüşmelerinde neredeyse kürsüden inmeyerek müthiş bir muhalefet yapıyordu. Alevîleri, Kürtleri savunuyor; SHP'nin radikal kanadı "Yenilikçiler" grubunda yer alıyordu.

Her zamanki atak hali, 1989'da gölgelendi. Genel Başkan Erdal İnönü, milletvekillerinin Paris'teki "Kürt Konferansı"na gitmelerini yasakladı. Önce sinirlenip, "Bu kararı tanımayacağını" açıkladı. Ancak birkaç gün sonra tavır değiştirdi, Paris'e gitmedi. Geri adımı sayesinde SHP'den ihraç edilmekten kurtuldu. Yine de Paris olayının izlerini silmesi zor olmadı. Çünkü hem partinin en aktif milletvekillerinden biriydi; hem de Tunceli'de seviliyordu. 1991 seçimlerinde önseçimden liste başı olarak çıkması da bunun göstergesiydi.

O yıl, Tunceli'nin Ovacık ilçesinde tatsız bir olay geldi başına. Bütün gün gezip dolaşmış, çok yorulmuş; akşam yemeğinde içtiği rakının da etkisiyle yatağa uzanır uzanmaz uyuyakalmıştı. Geceyarısına doğru dışardan gelen gürültülerle uyandı. Camı açtı, aşağı baktı. Birkaç kişi, otelin önünde bir genci sıkıştırmış dövüyordu. Müdahale etme gereği duydu:

– Durun dövmeyin. Ayıp değil mi yaptığınız?

Aşağıdan sert bir ses yükseldiğinde henüz sözlerini bitirememişti:

138   – İn aşağı görelim bakalım.

Kamer Genç, pencereyi kapatıp yatağına dönmeyi kendine yediremedi. Giyindi aşağı indi. Kendini tanıtmaya fırsat bulamadı. Ekip şefi durumundaki adam, genci bırakıp ona yöneldi. İtişme kakışmanın ardından güçlükle adamın elinden kurtulup otele döndü.

Genç nedense hiç kabul etmedi, ama o gece kendisini tartaklayanın o dönemde Tunceli'de "Sakallı" lakabıyla tanınan kişi olduğu dillere düştü. Tunceli Emniyet müdürü ve askerler, ona "Ahmet Bey" diye hitap ediyordu. "Sakallı", emrindeki Özel Tim mensubu polislerle Ovacık ilçesini birbirine katıyor; köylerde insanları meydanlarda toplayıp çırılçıplak soyup dövüyordu. Etrafında bir korku halesi yaratmıştı.

Genç, Ovacık'taki Turist Otel'de meydana gelen bu olayın üzerine gitmedi, ama Sakallı'nın faaliyetleri hakkında bir soru önergesi hazırladı. İlk kez bu önergeyle TBMM'de adı duyulan Sakallı, yıllar sonra tüm Türkiye'de "Yeşil" lakabıyla tanınacak olan Mahmut Yıldırım'ın ta kendisiydi...

Malvarlığı babandan mı?

Kamer Genç, ikinci kez TBMM'ye girdiğinde SHP koalisyon ortağıydı. İnsan hakları konusundaki çıkışlarını sürdürdü. Ancak zamanla iktidara alıştı, itirazları zayıfladı. Cumhurbaşkanlığı koltuğuna oturmuş olan Özal'la uğraşmaktan ise vazgeçmedi. Özal'dan "Çankaya ormanları içinde oturan zat" diye bahsetmesi ANAP'lıları bir kez daha kızdırdı. Yine kavga çıktı, yine mahkemelik oldu. Başka bir gün ANAP'lı Alpaslan Pehlivanlı, "Eşşoğlu..." diye bağırıp çanta fırlatınca, su dolu bardağı atarak karşılık verdi.

Sadece ANAP'lılarla tartışmıyordu. TBMM'nin 6 nisan **139**

1993'teki birleşiminde CHP'li Veli Aksoy'la karşı karşıya geldi. Sık sık laf atınca Aksoy, dayanamadı:

– Sayın Kamer Genç lütfen... Açtırma benim ağzımı! Uludağ'dan girerim, Anamur'dan geçerim, Dikmen'de noktalarım seni! Lütfen...

– Ne biliyorsan söyle!

Genç, bağırınca Aksoy, asıl konuyu bırakıp ona döndü:

– Uludağ'da lokantan, Dikmen'de kat karşılığı verdiğin arsalar, Dikili, Çeşme, Didim, Alanya, Side'deki yazlıkların...

ANAP sıralarından "Vay vay vay" sesleri yükseldi. Aksoy, elinde bulunan, Genç'in Bursa'daki arsa ve dairelerinin listesini ise okuma gereği duymadı. Sözlerini sürdürdü:

– Başkent Sitesi'ndeki iki lüks dairen, Konutkent'teki iki villan, Anamur'daki arsaların. Danıştay memur maaşıyla mı aldın bunları? Yoksa fakir babandan veraset yoluyla mı geçti sana?

ANAP, RP ve CHP'liler, alkışlıyorlardı. Genç çok sinirlenmiş, ayağa fırlamıştı; "Ben şimdi senin ağzına tıkacağım!" Kürsüye çıkıp yanıtladı:

– Bakın arkadaşlar, 25 sene memuriyet yaptım, eşim de çalışıyordu. 1,5 sene de Fransa'ya gittim. 1977'de Bursa'da 3,5 dönümlük bir arazi aldım 60 000 liraydı. Sahip olduğum 3-4 daire var, kooperatifler kanalıyla...

Sözleri, RP ve ANAP milletvekillerinin "Oooo!" nidalarıyla kesildi. Genç, savunmasını sürdürdü:

– Bakın, 1977'de Dikmen'de aldığım arsayı 4 daire karşılığında vermişim. Bu CHP'liler benimle ilgili araştırma yapıyorlar. Milletvekilleri hakkında tutulan MİT raporu niteliğindeki raporların sizleri rahatsız etmesi lazım.

Genç, CHP'lilere malvarlıklarını mecliste açıklama çağrısında bulundu. Kavga gürültü arasında kürsüden indi. Ama ne o günlerde ne de daha sonra malvarlığını açıklamadı. Mahkemelerde sorulduğu zaman bile malvarlığını açıklamaktan kaçındı. İş bu noktaya gelince hep sinirleniyordu.

Sosyalistten öte komünist

Hayalî İhracatla ilgili araştırma komisyonundaki başkanvekilliği de olaylı geçti. Bir toplantıda tartıştığı DYP'li Başkan Mahmut Öztürk'e kül tablası, tel zımba fırlattı. Kavga güçlükle yatıştırıldı.

En çok kavga ettiği kişilerden biri ANAP'lı TBMM Başkanvekili Yılmaz Hocaoğlu'ydu. Ondan "Sayın Kürsü" diye söz ediyor, Hocaoğlu da "Mazurlu" karşılığını veriyordu. Bir gün meclisteki askerî birliğin gazinosunda içki içen Genç, soluğu Hocaoğlu'nun odasında aldı; konuşmak yerine yumrukladı.

Şaşırtıcı olan, birkaç ay sonra TBMM başkanvekilliği koltuğuna oturmasıydı. Yönettiği her birleşimde kavga çıkarmayı başarıyordu. Yine de Başbakan Çiller, onu beğeniyordu. Anayasa değişikliği görüşmelerindeki oldubittilerini zevkle izliyordu. Aralarında sıcak bir iletişim kurulmuştu (!).

Bu ilişki, 1995 seçimleri öncesinde işine yaradı. SHP, CHP'yle birleşmiş ve Genç'in yıllarca karşısında mücadele verdiği Baykal, genel başkan seçilmişti. Önseçim yapmayan Baykal'ın kendisini listeye koymayacağını biliyordu. İşte tam bu dönemde Çiller çağırdı, DYP'ye girmesini istedi:

– Kamer Bey, bakanlıklar emrinde, Tunceli için ne istiyorsan yapsınlar.

Fazlaca düşünmedi, kabul etti. Bu keskin dönüş haberi kulislerde anında duyuldu. ANAP'lı Mustafa Balcılar sordu; "DYP'ye geçeceğin doğru mu?" Genç kendine özgü bir üslupla **141** yalanladı: "Peki sen eşcinsel misin?" Tabiî bu sözü nedeniyle yüklü bir tazminat ödedi.

Sonra da gidip DYP'den aday oldu. "Baykal'a gücümü göstereceğim" diyordu. Öyle de oldu, DYP ilk kez Tunceli'den milletvekili çıkardı. Genç, bu başarıyı, HADEP'in barajı aşamamasına borçluydu. TBMM'ye yeniden girişinin diyetini Çiller'e ödemek için yapmadığı kalmadı. ANAP'ın Çiller'in örtülü ödenek harcaması için verdiği soruşturma önergesini işleme koymaması bunlardan biriydi.

İkincisi de Refahyol koalisyonuna karşı çıkmamasıydı. Ret oyu kullanmak yerine güvenoylamasına katılmamayı yeğledi. Sonra da koalisyonun icraatına destek oldu. Bu, geçmişini bir kez daha inkâr etmekti. Geçmişi RP'liler aleyhindeki demeçlerle doluydu; "Adil düzen ahır düzeni", "Hacıyla hocayla bu memleket yürümez", "RP, TC'yi yıkarak şeriat getirmek istiyor". RP'liler, bu demeçleri unutmadılar; bir türlü sevemediler onu. RP Milletvekili Zeki Ünal'ın meclis kürsüsünden ona su fırlatıp, "Çok kızgındı" demesi bunun yeni kanıtıydı. Genç'in tepesi attı:

"Nereme dokundu ki kızgın olduğumu anladı?" Böylece mahkemelik olduğu RP'liler listesine Ünal da eklendi.

Basınla ilişkisi de bozuldu. "Abiciğim, abiciğim" ya da "Şekerim" diye yanaştığı gazetecilere düşman kesildi. Her yazılana sinirleniyordu:

– TBMM üyeleri yemesin içmesin, eğlenmesin, kooperatif kurmasın. Peki ne yapsın?

Habercilerin meclis kulislerine girmelerini yasaklamaya çalıştı; başaramadı. Suçlayan konuşmalarını artırdı; televizyonlarla konuşmak için 5 000 dolar isteyeceğini açıkladı. Kimse kapısını çalmayınca ilgi çekme çabasına girişti. Bir resepsiyonda "Demirel ölsün, yerine ben geçeyim" dedi. Üstelik bu sözleri bir kâğıda yazıp altını imzaladı. Sonra da meclis açılışında saatlerce Demirel'in arkasında ayakta durup saygı gösterisinde bulundu.

Çiçek sulama

İçkiyi fazla kaçırınca dilinin bağı iyice çözülüyordu. Küba gezisindeki bir resepsiyonda, Castro'nun arkadaşlarına, kendini "Sosyalistten öte ben komünistim" diye tanıtıp, "Bu rejimi koruyun" nasihatları vermesi bu tip olaylardan biriydi.

Alkol alınca yeni tanıştığı kadınlara bile "Tunceli'nin havası, suyu ve balının erkekleri çok güçlü yaptığını" anlatmaktan geri durmuyordu. Sanatçı Harika Avcı'ya "Seksi bir şeyler giy de gel" demesi, onu yakından tanıyanları hiç şaşırtmamıştı. Onlar, benzer birçok olaya tanık olmuşlardı.

Kumarı da en az rakı kadar seviyordu. Refahyol Hükûmeti' nin onu en çok üzen icraatı kumarhanelerin kapatılması olmuştu. Kollu kumar makinelerine ilgisini bilen organizatörler, onu Kıbrıs'a davet ettiler. Nisan 1998'de, Kıbrıs'a giderken mecliste işe yerleştirdiği oğlu Seçkin ile İstanbul'da özel bir bankada çalışan kızı Seçil'i de yanına aldı. Kumar turuna değil de tatile çıktığı görüntüsü vermek istiyordu.

Ama başaramadı, gazetecilere yakalandı. "Allah Allah" dedi; "Demek ki, mecliste yaptığım konuşmalardan hoşlanmayanlar bu tezgâhı hazırladı. Peşime adam taktılar." Tepkisi bu oldu. Ne de olsa o Kamer Genç'ti. "DYP'nin sol kanadı"ı temsil ediyordu (!).

1999 seçimleri öncesinde mecliste yaşanan karmaşayı iyi kullandı. Küskünler ile Faziletlilerin, seçimi erteleme ve Erbakan'ın yasağını kaldırma girişimine karşı durdu. Sık sık kürsüye çıkıp, Tunceli'den, kentin sorunlarından söz etti. Tunceli **143** seçmeni mesajı aldı. Yine imdadına Nazimiye ilçesinden aldığı blok oylar koştu. CHP ve HADEP barajı aşamayınca Genç, bir kez daha milletvekili seçildi.

Yeni hedefi, Demirel'den sonra cumhurbaşkanı olmaktı. Güneş tutulması sırasında gazeteciler sordu; "Ne dilek tuttunuz?" Yanıtı, izleyenleri gülümsetti; "Tabiî Demirel'den sonra cumhurbaşkanı olmayı..."

Bu andan sonra olan biten her şeyi cumhurbaşkanı adaylığına bağladı. Gazeteciler, oğlunun Oran'daki evinden sarışın Dansöz Hayal'le birlikte çıkarken yakalayınca da aynı gerekçeyi öne sürdü:

– Yarın bir otele gideriz, odamıza kadın sokarlar. Bir tezgâh var. Tabiî cumhurbaşkanlığı seçimi yaklaşıyor. Biz de adayız. Defterimi dürmek istiyorlar. Tabiî Süleyman Bey'in, Mesut Bey'in çevresi var.

Oğlunun evine çiçek sulamaya gitmiş; basın yanlış anlamıştı. Neyse ki, cumhurbaşkanı adaylığı için resmen başvurmadı da basının Genç'e ilgisi, güzellik salonu ve kebapçı açılışları dışında azaldı.

Genç'ten doğan boşluğu, cumhurbaşkanlığına aday olan DSP'li Mail Büyükerman fazlasıyla doldurdu. Büyükerman'ın görüntüsü, günlerce televizyonlardan, gazetelerden eksik olmadı. Espirileriyle, Genç'ten kalır yanı olmadığını kısa sürede kanıtladı...

Altan Öymen

Sakin güç

En sevdiği oyun alanı, Birinci Meclis'in parkıydı. İçinde nilüferlerin yüzdüğü havuz, yemyeşil çimenler, küçük Altan'ı mutlu etmeye yeterdi. Anneannesi elinden tutar, Ulus'ta gezdirir, parka getirirdi. Ulus'tan her geçişinde hiç ihmal etmez, meydandaki Atatürk heykeline selam verirdi.

Kimin öğrettiğini bilmiyordu, ama her selamdan sonra başının okşanmasından, "Aferin" denmesinden hoşlanıyordu. Büyük ihtimalle aileden biriydi selam vermeyi öğreten. Ne de olsa ailede herkes öğretmendi...

Babası Hıfzırrahman Raşit Öymen, Cumhuriyet'in ilk eğitimcilerindendi. İstanbul Maarif müdür muavini olan Hıfzı Bey, öğretmen yetiştirmek üzere açılan hızlandırılmış kurslarda ders de veriyordu. Fatma Nezaket Hanım'la orada tanışmış, kurs sonunda evlenmişlerdi. İki yıl sonra, 1932'de ilk çocukları Altan doğmuştu.

Hıfzı Bey'in tayini Ankara'ya çıktığında Altan üç yaşındaydı. Evleri, Ulus Meydanı civarındaki kargacık burgacık sokaklardan birindeydi. Tek çocuk olan Altan, ahşap evin gözdesiydi. Hıfzı Bey de fırsat buldukça küçük oğlunu Ulus'a çıkarıyordu. Bir gün meclise yaklaştıklarında heyecanlandı. "Bak" dedi, oğluna. "İşte Atatürk!"

Altan, babasının işaret ettiği yere baktı, ama bir türlü Atatürk'ü göremedi. Daha doğrusu, o kocaman, heybetli Atatürk heykeline benzetemedi gördüğü insanı. Yine de o günkü siluet, belleğinde büyük bir yer edindi kendine...

Harbiye'ye karşı Mülkiye

İsmet İnönü'yü ilk gördüğünde ise ortaokul öğrencisiydi. Örsan ve Gülden adlarında iki kardeşi olmuş; babası 1943 seçimlerinde CHP'den milletvekili seçilmişti. Doğduğu yer olan Trabzon yerine eşinin memleketi Bolu'dan aday gösterilmişti.

Birkaç ev değiştirdikten sonra Bahçelievler'e taşındılar. İki katlı, bahçeli, küçük, yeşil, kırmızı, mor evlerden oluşan bu semtte daha çok politikacılar oturuyordu. Dostlarını ziyarete gelen İnönü'yü sık sık, Bahçelievler caddelerinde görmek mümkün oluyordu.

Altan, o yıllarda henüz politikaya ilgi duymuyordu. En büyük zevki yazmaktı. *Çocuk Sesi* ve *Afacan* dergilerinin müdavimiydi. Gönderdiği okuyucu mektubunu *Çocuk Sesi*'nde görünce sevinçten havaya uçmuştu. Yayımlanan ilk yazısı oydu. Örsan ve Gülden'le birlikte, boyalı kalemlerle hazırladıkları dergiyi tanıdıklarına 5'er kuruşa okutmak; Atatürk Lisesi'ndeki *Atayolu* adlı duvar gazetesine şiir yazmak özel bir keyif veriyordu ona. Derslerden arta kalan zamanını, sinemaya, operaya, tiyatroya ve de kitaplara ayırıyordu.

Basketbol da ilgi alanındaydı. Mülkiye'deki basket maçlarını kaçırmıyordu. Mülkiye'nin Harbiye'yle yaptığı maçlarda Mülkiye öğrencilerini destekliyordu. Kendini onlara yakın hissediyordu. Çünkü ideali Mülkiye'ye girip, kaymakam olmaktı.

146   Girdi de...

Sınav engelini rahat aştı. 1949'da Mülkiye'ye girdiğinde Türkiye, çokpartili dönemin değişim rüzgârlarıyla çalkalanıyordu. Üniversite gençliğinin yükselen yıldızı, Demokrat Parti'ydi. O ise çoğunlukla susuyor, "babasının oğlu" denmemesi için kendini Halk Partili ilan etmiyordu.

Ancak CHP'nin, 14 Mayıs 1950 Seçimleri'nde aldığı hezimeti içine sindiremedi. DP'nin din istismarı yaptığına inanıyordu. Büyük bir tepki duydu olanlara. Koştu, CHP'nin Bahçelievler Ocağı'na üye oldu. Artık resmen CHP'liydi...

Sekiz kere yazılan haber

Seçim sonuçlarının getirdiği değişim bu kadarla sınırlı değildi. Hıfzı Bey, milletvekili seçilememiş, emekli maaşı yetmeyince Nezaket Hanım yeniden öğretmenliğe dönmüştü. Aile, geçim sıkıntısı içerisindeydi.

Mülkiye öğrencilerinin çoğu bir işte çalışıyordu. Altan da iş aramaya başladı. Bahçelievler'den arkadaşı olan Ömer Uluç'a anlattı iş aradığını. Ömer, sonradan ünlü bir ressam olacaktı. "Neden gazeteci olmuyorsun?" diye sordu; CHP'nin yayın organı olan *Ulus* gazetesinde iş bulabileceğini söyledi. Doğrusu güzel bir fikirdi!

Birkaç gün sonra Altan, *Ulus* gazetesinin kapısındaydı. Doğruca Yazı İşleri Müdürü Münir Berik'e çıktı:

– Ben gazeteci olmak istiyorum. Mülkiye'de öğrenciyim.

Berik, karşısına dikilen gence sorular sordu. O zaman öğrendi CHP'li Hıfzırrahman Raşit Öymen'in oğlu olduğunu. Sonra başından savdı:

– Şimdi sana iş veremem. Bir iki ay sonra gel.

Bilmiyordu ki, karşısındaki üniversiteli inatçıydı, kafasına   **147** taktığını yapana kadar rahat edemezdi! Bir ay sonra yine *Ulus* gazetesindeydi Altan:

– Bir ay sonra gel demiştiniz...

Berik, bu kez süreyi kısalttı. "15 gün sonra gel, bakalım" dedi. Tabiî 15 gün sonra yine *Ulus*'taydı. Bu böyle sürdü gitti. Berik, baktı ki kurtulamayacak, pes etti, onu istihbarat şefine gönderdi. O gün 12 aralık 1950'ydi tarih.

İstihbarat Şefi İlhan Paniç'in yüzü, içtiği şaraptan olacak kırmızıydı. Özellikle de burnu. O dönem, gazetecilerin çoğu için şarap, gündüzleri de vazgeçilemeyen bir tutkuydu.

Paniç, onu dinledi. Sonra kocaman daktiloları gösterdi gözucuyla. "Daktilo biliyor musun?" Gerçi evde babasının bir daktilosu vardı; ara sıra tak tuk basarak yazıyordu, ama bildiği söylenemezdi. Kekeledi, ne "biliyorum" dedi, ne de "bilmiyorum!"

– O zaman Danıştay'a git. Ticaret Odaları Tüzüğü çıkmış, haberini al gel...

Ticaret Odaları Tüzüğü nedir? Tüzük, Danıştay'da kimden alınır? Bunları bilmiyordu. Sormaya da cesaret edemedi. Dışarı çıktı. Tütüncü Behçet'ten kâğıt kalem aldı. Troleybüse bindi, Danıştay'da sora sora 6. Daire'yi buldu, kapıyı açıp girdi. Kurul üyeleri toplantı halindeydi, masanın başındaki adam başını kaldırdı:

– Ne istiyorsun oğlum?

– *Ulus* gazetesinden geliyorum. Ticaret Odaları Tüzüğü çıkmış...

– O tüzük çıkalı 15 gün oldu. Biz de toplantı halindeyiz. Anladın mı?

Gazeteye döndü, utana sıkıla Paniç'e anlattı olanları. "Otur yaz o zaman" dedi Paniç. Ne yazacaktı? Nasıl yazacaktı? Hiçbir şey bilmiyordu, ama çaresi yoktu. Oturdu, "Ticaret Odaları Tüzüğü çıkmıştır" gibilerinden birkaç satır yazdı.

Götürdü verdi, Paniç, beğenmedi. "Olmamış." Biraz düzeltti, geri götürdü. Yine beğendiremedi. Tam sekiz kez yazdı. Sonunda Paniç, nasıl yazması gerektiğini anlattı da öyle kurtuldu. Saatlerce uğraşıp yazdığı haberi, ertesi gün gazetede görünce dünyalar onun oldu. O artık gazeteci olmuştu. İlk zamanlar sadece adının başharfleri çıkıyordu, sonraları imzası da çıkmaya başladı. Hele malî sorunlar başgösterip, gazetedeki muhabir sayısı azaltılınca imzalı haberlerinin sayısı arttı. Henüz 20 yaşındayken, yine *Ulus* bünyesinde çıkarılan haftalık *Pazar Postası* gazetesinin yazı işleri müdürlüğünü ona teslim ettiler. *Ulus*'ta, çok az gazeteci kalmıştı o sırada. Altan Öymen, Bülent Ecevit, Cüneyt Arcayürek, İbrahim Cüceoğlu ve Haluk Tuncalı da onlar arasındaydı...

Ocak başkanlığı

Bir gün gazeteye üç CHP'li geldi. O tarihte Bahçelievler'deki kayıtları Çankaya Gençlik Ocağı'na nakledilmişti. Ocak kongresinde başkan adayı olmasını önerdiler. "İki aday var, ama arkadaşlar seni istiyorlar" dedi biri. Öneri cazip geldi, kabul etti.

Kongre sonuçlarını görünce beyninden vurulmuşa döndü! Adaylardan biri 40, diğeri 37, kendisi ise sadece dört oy almıştı. Durum açıktı, 37 oy alan adayın oylarını tırtıklamak için kullanılmıştı! İtiraz edecek oldu. "Bu politikadır, olur" yanıtını verdiler.

Kullanılmış olmayı kabullenemedi. O da gereğini yaptı, arkadaşlarını üye yazdırdı, kulis yaptı. Ocak başkanlığını bir sonraki kongrede kazandı. 1953'te partilerin Gençlik Kolu kurabilmesi yasallaşınca CHP Gençlik Kolları Merkez İdare Kurulu'na da girdi. Ecevit'in de bulunduğu, İdare Kurulu'nun düzenlediği 149 etkinliklerden biri, Üstat Münir Nurettin'in katıldığı bir konserdi.

Bu arada DP yönetimi, bir kanun çıkarıp CHP'nin mallarına el koydu. *Ulus*'un binası kamulaştırıldı. Ertesi gün yeni bir gazete çıkarıldı; *Yeni Ulus*. Gazetenin sahibi Nihat Erim'di. Denizciler Caddesi'nde depodan bozma küçük bir yere sığıştılar. Bir yandan da üniversite çatısı altında siyasî faaliyetlerde bulunuyordu. "Ankara Hukuk ve Siyasal Bilgiler Mensupları Fikir Kulübü" adlı bir dernek kurmuşlardı. Kulüpte sadece CHP'liler değil, Hüsamettin Cindoruk gibi DP'li gençler de çalışıyordu. Münazaralar düzenliyor; Peyami Safa, Nurullah Ataç gibi dönemin ünlü yazarlarını konferanslara çağırıyorlardı.

"Altan burası boş"

Artık kaymakamlık fikri çok geride kalmış, gazeteciliği bir meslek olarak benimsemişti. O nedenle Mülkiye'de zorlanıyordu. Geziler nedeniyle okula devam edemeyince ikinci sınıfta iki yıl kaybetti. Ertesi yıl, okula gittiğinde ilk sıralar kapılmıştı. Arka sıralara doğru ilerlerken bir ses duydu:

– Altan burası boş...

Seslenen 150 kişilik sınıftaki iki kız öğrenciden biriydi: Aysel. Sevindi, Aysel'in yanına gidip oturdu. Oturuş, o oturuş. Hiç ayrılmadılar. Birlikte malî şubeye gittiler, birlikte mezun oldular ve nişanlandılar. Hemen ertesi yıl, 1956'da da evlendiler.

Her ikisinin de yabancı dilleri iyiydi. Aysel, bir burs kazanıp Amerika'ya giderken, Almancası iyi olan Altan Öymen de Almanya'ya gitti. Eşinden sonra döndü Ankara'ya.

İlk göz ağrısı olan, gazeteciliği öğrendiği *Ulus*'tan ayrılmıştı artık. Cihat Baban'ın kurduğu *Tercüman* gazetesinde "Ankara mümessili" oldu. Ardından yine Baban'ın çıkardığı *Yeni Gün*'ün genel yayın müdürlüğünü üstlendi. Hızla mesleğinin zirvesine tırmanıyordu.

Ardından eski gazetesi *Ulus*'tan transfer teklifi geldi. Açılan dava kazanılmış, *Yeni Ulus* yine *Ulus* olmuştu. Teklifi cazip buldu, *Ulus*'ta polemik yazarlığına başladı. Bir yandan da röportajlar yapıyor, *Akis* ve *Kim* dergilerine yazılar yazıyordu. 1959'da askere gittiğinde de imzasız yazıları sürdürdü. Çünkü malî durumu çok parlak değildi, üstelik ilk çocuğu doğmuştu; paraya ihtiyacı vardı.

27 Mayıs 1960 öncesinin hareketli günlerinde hâlâ askerdi. İzinli çıkıp, Kızılay'daki ünlü "555 K" kodlu protesto gösterilerine katıldı. Sivil giysili olmasına rağmen birisi ihbar edince yakalandı. Gözaltına alındı, sıkıyönetim mahkemesi serbest bıraktı. Darbe olduğu sırada soruşturma sürüyordu. Tabiî ki dava düştü.

Askerliği bittikten sonra gazeteciler meslek örgütleri kontenjanından Kurucu Meclis üyesi seçildi. *Ulus* gazetesi günlerinde yakından tanıdığı İsmet İnönü'yü daha sık görüyordu. Kurucu Meclis'te partiler olmamasına karşın, fiilî bir CHP grubu oluşmuştu. Zaman zaman İnönü başkanlığında toplanıyorlardı.

1962'de yeniden Almanya'ya gitti. Bu kez, basın ataşesiydi. Tam 4,5 yıl kaldı bu görevde. Sonra yine gazetecilik günleri başladı. 1967'de *Milliyet*, 1968'de *Ulus*, 1969'da *Akşam* gazetesi.

12 Mart ve Madanoğlu Davası

12 Mart Darbesi sırasında, *Akşam*'da yazıyordu. Madanoğlu Davası nedeniyle haziran 1971'de gözaltına alındı. Yıldırım Böl- **151**

ge"de 17 gün kaldı. Doğan Avcıoğlu ve arkadaşlarının, kendisinin evinde iki kez toplantı yaptıkları saptanmıştı.

Bu toplantılardan haberi yoktu! 4 haziran 1970'te, Paris'teki eşinin yanındaydı. Ankara'daki evde ise Avcıoğlu misafir kalıyordu. Pasaporttaki giriş çıkış damgalarındaki tarih netti! İkinci toplantı tarihi olan 16 haziran 1970'te de Ankara dışındaydı, onu da faturalarla belgeledi. Sonuçta, hakkında takipsizlik kararı verildi. Dava bile açılamadı...

Serbest kaldıktan sonra polis, bir türlü rahat bırakmadı. Sık sık evi basıldı, kitapları götürüldü. Sıkıyönetimin de baskısıyla *Akşam*'daki işine son verildi. Bunun üzerine Uğur Mumcu, Örsan Öymen, Hasan Cemal, Sevgi Soysal, Gül Önet, İsmet Solak, Ali Polat gibi isimlerle birlikte ANKA ajansını kurdular. Onların da çoğu işten atılmış ya da cezaevine girip çıkmıştı.

O günlerde tüm Türkiye'nin gözü Deniz Gezmiş'in yargılandığı davadaydı. Üç idam kararının verilmesiyle birlikte harekete geçti. İdam cezasına karşı bir imza kampanyası açıldı. Kampanyayı İstanbul'da Onat Kutlar, Ankara'da Altan Öymen, Emil Galip Sandalcı ve Erdal Öz yürütüyordu. Sıkıyönetimin gadrine uğramamak için de bir formül bulunmuş, TBMM'ye dilekçe biçiminde bir metin hazırlanmıştı. 10 000'i aşkın imza toplandı. Meclis ve parti liderlerine verildi.

Dilekçe idamları engelleyemedi, ama Öymen'in başına sorun oldu. Bir süre sonra gözaltına alındı. Suçlama garipti. Gezmiş ve arkadaşlarının idamını önlemek için Soyfa'ya uçak kaçıranlara yardım ettiği iddia ediliyordu. Gözleri bağlanıp, saatlerce sorguya çekildi. Soruların çoğu uçakla değil, dilekçeyle ilgiliydi. İmzaları nasıl topladın? Kimler yardım etti?

Zaten gözaltına alınması, dilekçenin intikamından öte bir şey değildi. Ne kadar uğraştılarsa da uçak kaçırmayla ilişki kuramadılar. Buna rağmen 2 ay 20 gün gözaltında tuttular...

Kebap üzerine doktrin tartışması

Sonraki günler sakin geçti. ANKA'da iyi, uyumlu bir ekip kurmuşlardı, gazetecilik yapmak keyifliydi. Bu döneme noktayı, 1977 seçimleri öncesinde CHP Genel Başkanı Bülent Ecevit'ten gelen telefon koydu. Milletvekili adayı olmasını istiyordu. Eski arkadaşını kıramadı tabiî ki...

Yıllar sonra yeniden aktif politikaya dönmüştü. Önce milletvekilliği, ardından grup başkanvekilliği, CHP genel sekreter yardımcılığı ve bir ay kadar süren turizm ve tanıtma bakanlığı. Diğer darbeler gibi 12 Eylül Darbesi de hayatının akışını değiştirdi, siyasî yasaklı oldu.

Cumhuriyet'te yazmaya başladı. Birinci sayfadan yorumlar yazıyordu. Kısa bir süre sonra 12 Eylülcülerin ünlü "52 numaralı bildirisi" çıktı. Kapatılan parti yöneticilerinin demeç vermeleri, yazılar yazmaları da yasaklanıyordu.

Öymen, siyaset dışı konulara kaydı. O yazıyor, Tan Oral çiziyordu. En ilginci de Adana yazısıydı. "Herkül'ün şehri" diye adlandırdığı Adana'nın mitolojideki yerinden başlıyor; "kebap üzerine doktriner tartışmalar"la son buluyordu. Adana kebabına soğan konur mu, konmaz mı? Kimi ustaya göre cinayetti soğan koymak, kimine göre de lezzet!

Yasaklar kalkana kadar devam etti bu tür yazılar. Yazı yazmak onun için savaşa girmek gibi bir şeydi. Bir top kâğıt alıp odaya kapanıyor, her kâğıda birkaç satır yazıp, öbürüne geçiyordu. Sık sık karalıyor top yapıp odanın bir köşesine fırlatıyordu kâğıtları. Yazı bittiğinde odanın zemini kâğıt toplarıyla kaplanmış oluyordu. Kendisi ise saçı başı darmadağın bitkin bir halde çıkıyordu odadan. Yazısının bulunduğu kâğıt tomarını, telekse yazacak görevliye verince derin bir nefes alıyordu.

1987'de *Milliyet*'e geçti. Hem başyazılar yazıyordu hem de **153** genel yayın koordinatörüydü. 12 aralık 1990'daki yazısına farklı bir üslupla başladı:

"Cumhurbaşkanı Turgut Özal telefon etti. Bugünkü yazınızı okudum. Benim kıvırtma ihtimalimden bahsediyorsunuz. Hayır. Kıvırtmıyorum. Ne söyledimse o. Anayasa'nın değiştirilmesinden yanayım..."

Aslında Öymen'in ilk kez yazısında kullandığı bu üslup o günlerde kimi köşe yazılarında boy gösteriyordu. Üç gün sonra yine *Milliyet*'te yazan Mümtaz Soysal, Öymen'i isim vermeden ağır bir dille eleştirdi:

"Son günlerin Türk basınında şöyle başlayan yazılara sık sık rastlanır oldu:

'Telefon çaldı. Açtım. Karşımda cumhurbaşkanı... Dedi ki...'

Şöyle başlayanlar da var:

'Kulaklığı kaldırıp numarayı çevirdim. Cumhurbaşkanı hemen çıktı. Dedim ki...'"

Soysal, yazısını, "Eski denizcilik bayramlarındaki 'yağlı direk' yarışı gibi bir şey. Birazcık ilerleyen, düşüyor" diyerek tamamlıyordu. Hem böylece Öymen'in yazısı üzerinden giderek o üslubu yaygın biçimde kullanan yazarları da eleştirmiş oluyordu.

Öymen, Soysal'a bir gün sonra yanıt verdi. "... Özal, bazen kendisini eleştiren bir yazıyı görünce ona anında cevap vermek için, yazarı olan gazeteciye bir 'geceyarısı telefonu' açıyor. Gazeteci de, o cevabı öğrenip onu da yansıtma imkânını buluyor. Bence iyi bir şey."[1]

Soysal, Öymen'in bu yazısını yanıtlamadı. Tartışma uzamamış oldu.

1 Cüneyt Arcayürek, *Kriz Doğuran Savaş,* Bilgi Yayınevi, mayıs 2000, s. 171-179.

Bizim başkan çok temkinli

Öymen, yazılarını sürdürürken SHP Genel Başkanı Erdal İnönü'den 1991 seçimleri öncesinde milletvekili adaylığı teklifi aldı. Kabul etmedi. Gazeteciliğe devam etmek istiyordu. Aktif siyasetten, 1995 seçimlerine kadar uzak kaldı.

Aday listelerinin kesinleşmesinden bir gün önce Deniz Baykal aradı, ısrarlıydı. Buna rağmen reddetti. Sonra araya başka isimler de girince kıramadı ve aday oldu.

Üçüncü kez meclisteydi artık. Yoğun, çalkantılı bir dönemdi. En yoğun günler de seçim kararının alınmasından sonra yaşandı. Küskün milletvekillerinin seçimi iptal ettirme çabasına karşı duran ender CHP'lilerden biri oldu. Meclisteki son konuşmasını da o sırada yaptı.

Seçim yenilgisinin ardından Baykal, istifa edince genel başkanlığa aday oldu. Kulis yapmadı, kavgacı bir üslup yerine uzlaşmadan söz etti. "Sakin Güç" olarak çıktı ortaya. 22 mayıs 1999'daki kongrede dengeler ondan yana ağırlık koydu. Hasan Fehmi Güneş'i, 13 oy farkla da olsa geride bıraktı. Ve 49 yıldır içinde olduğu CHP'ye, genel başkan oldu.

Siyasetteki bu rol değişimine rağmen *Milliyet*'teki yazılarını sürdürdü. Ancak eleştirilere beş ay kadar dayanabildi. 17 ekim 1999 günü, "Bu Köşeden" başlıklı köşesini kapattı. 44 yıllık alışkanlığına veda ederken, bundan sonra kitap yazacağını duyurdu.

Oysa parti teşkilatlarının yenilenmesi, propaganda faaliyetleri tüm zamanını alıyordu. Genel Sekreter Tarhan Erdem, iyi bir teknisyendi. Üye kayıtlarının yenilenmesi hedefinin ağırlığı Erdem'in omzundaydı.

Öymen ise sık sık gezilere çıkıyordu. Galatasaray maçını izlemek üzere ATA uçağına binip Leeds'e giden siyasîler arasında yer aldı. Yılbaşı gecesini de Bolu'da geçirdi. CHP'li Ankara Ye- **155** nimahalle Belediyesi'nin düzenlediği iftara katıldı. O geceden gazetelere yansıyan, orucunu açmak için yemek kuyruğuna giren Öymen'in görüntüsüydü.

CHP'de çok tartışıldı bu fotoğraf. Öymen, gazetecilere özellikle haber verilmediğini savundu. Ancak Genel Sekreter Yardımcısı Haluk Özdalga'nın, CHP'nin seçim yenilgisine ilişkin raporundaki saptaması dikkat çekiciydi:

"... uygulanan politika yüzünden din duyguları güçlü pek çok seçmen CHP'ye oy vermedi."

Oruç tutan bir CHP genel başkanı görüntüsü verilerek, rapordaki bu tespitin gereği yapılıyor, "din duyguları güçlü seçmene" mesaj iletilmeye çalışılıyordu aslında.

Öymen, bu ve benzeri çalışmalar sonrasında CHP'yi yeniden dirilttiğine inanmaya başladı. Tüzük taslağına "Genel seçimlerde seçim başarısı elde edilememesi durumunda genel başkan ve PM üyeleri görevlerinden ayrılırlar" maddesi koydurması bile bu güvenin göstergesiydi. "10 milyondan aşağı oy alırsak istifa ederim" diyor "yüzde 30-35'lik oya dayanan iktidar gücünü hedeflediğini" söylüyordu.

Gerçi Öymen ve ekibine göre, CHP'de işler iyi gidiyordu. Mayıs ayındaki olağan kongreyi erteleme eğilimine girdi. Ama muhalefet aynı görüşü paylaşmıyordu. Öymen, CHP'de beklenen çıkışı gerçekleştirememişti! Bir süre bekleyen muhalefet grupları, yeniden hareketlendiler. Deniz Baykal bile CHP genel başkanlığına dönme planlarını yeniden masanın üzerine çıkardı.

Öymen, geçici miydi, kalıcı mı? Bunu zaman gösterecekti, belki de bir seçim! Fakat görünen gerçek, Öymen liderliğindeki CHP'nin, toplumsal muhalefetin önüne geçip yükselen bir dalga yaratamadığı, sokaklarla bütünleşemediğiydi. CHP, salon
156 politikalarına hapsolmuştu...

Diyarbakır'daki bölge toplantısı, Öymen yönetiminin tabanda bıraktığı etkiyi açığa vuran iyi bir örnekti. "Halkla birlikte çözüm projesi" çerçevesinde düzenlenen toplantıda Öymen, sözlerine "Türk ve Kürt Arkadaşlarım" diyerek başladı. Kürtçe televizyon ve Kürtçe eğitim konularında süratle adım atılması gerektiğini savundu.

Bu konuşması bile toplantıdaki CHP il başkanlarını tatmin etmedi. Bingöl İl Başkanı Mustafa Kurban, ayağa kalktı. Necmettin Erbakan ve Tayyip Erdoğan'ın bölgede yaptıkları konuşmalar nedeniyle mahkûm olduklarını hatırlattı:

– Burası siyaset açısından heyecanlı bir bölge. Konuşmacılar gaza gelip ateşli konuşmalar yapıyor. Böyle konuşanların da eli yanıyor. Sanırım bizim genel başkanımız da o nedenle çok temkinli konuştu!

Açıkça, korkaklıkla suçluyordu. Öymen, yeniden söz aldı, Kurban'ı yanıtladı:

– Ben cezaevinden, davadan, hiç kimseden korkmam. Ben bu ülkenin cezaevlerinde yattım. Hem de herkesin bildiği bazı ünlü kişilerle birlikte. Ben söyleyeceğimi her yerde söylerim. Batı illerinde de söylerim, burada da söylerim.

Gerçekten neye inanıyorsa onu söylüyordu. Beğenilmese, yeterince cesur bulunmasa da kendisi gibi davranıyordu. Farklı görünmek gibi bir kaygısı yoktu. O nedenle de eski alışkanlıklarını bile terk etmemişti. Örnek mi? Daktiloya alışamayan birisi olarak, bilgisayara uzak durdu. Yıllardır yaptığı gibi elle yazmayı tercih etti. Üç beş satır yazdıktan sonra beğenmeyip karaladığı kâğıtları top haline getirerek odasının orasına burasına fırlatmayı da bırakmadı. Kimi zaman bir sigara tellendirmekten hoşlanmasına rağmen paket taşımama alışkanlığından da vazgeçmedi. Eskiden olduğu gibi çevresindekilerden aldı keyif sigaralarını. Sigarasını yakmak için uzatılan çakmakları **157** cebine koyma dalgınlığı sürdü; elini cüzdanına zor atma alışkanlığı da değişmedi.

Kısacası gazetecilerin "Altan Abisi" ile CHP'nin "Altan Abisi" farklı değildi. Yazılarındaki ılımlı, dengeli, sakin ve mutedil çizgisini genel başkanlıkta da aynen takip ediyordu...

Hüsamettin Özkan

1968 dans kralı

Başbakan Yardımcısı Hüsamettin Özkan, 1968 Kuşağı'nın farklı bir temsilcisi. O 1968'in dans kralı...

O yıl, 18 yaşındaki Özkan'ın rüyalarını politika değil dans süslüyordu. 1967'de dans yarışmasına katılmış, başarılı olamamıştı. Dans krallığını, 1968'de de kaybetmemek için Ümit İpar'dan dans dersleri aldı. Dansa kendini o kadar kaptırmıştı ki, Pertevniyal Lisesi'nde, teneffüslerde bile dans çalışıyordu. İpar'dan öğrendiği figürleri koridorda bir o yana bir bu yana salınarak tekrarlıyordu.

Güzel dans ediyordu. Hele Tülin Aktan adlı kız arkadaşıyla olunca "dansı şiirleştiriyorlardı." *Akşam* gazetesinin düzenlediği "1968 Altın Fener Dans Yarışması"na birlikte katılmaya karar verdiler. Ümit İpar'dan birlikte dans dersleri aldılar.

Altı numaralı çift olarak yarıştılar. Yarışmada çiftler muhtelif dans türlerini icra ediyorlardı. İkili, zamanın çaça, samba, rumba, rock and roll, twist, shake gibi bütün moda danslarını icra etti. Bir de tango tabiî...

Açık Hava Tiyatrosu'nu dolduran binlerce davetli, danslarını hayranlıkla izledi. Jüri, alkışlar arasında onları kral ve kraliçe ilan etti. Sadece izleyenler ve jüri mi? İkinci olan çift de onların başarısını takdir etti. İzleyenlerin "kırmızı peri"ye benzettikleri ve sonradan ünlü bir pop sanatçısı olan Sevda Karaca, "Jüri isabetli karar almıştır" dedi ve Özkan ile Aktan'ı kutladı: "Şu anda Türkiye'de en iyi dans eden çiftlerden biri. Kendilerini seyretmekten ben bile zevk duydum."

Akşam gazetesinin, dans yarışmasının sonucunu duyuran haberi, "Altın Feneri Aktan ve Özkan kazandı" başlığını taşıyordu. Dans yarışması haberi, "İzmir'de 6. Filo'yu protesto gösterileri devam ediyor" haberiyle yan yana gelmişti. Bir yanda eylemler sırasında iki gencin bıçaklanışına ilişkin fotoğraf. Hemen yanında da dans kral ve kraliçesini dans ederken gösteren siyah beyaz fotoğraf. Her ikisi de 1968'in farklı yüzünü yansıtan görüntüler...

"Binlerce kişi sabaha kadar eğlendi" diyordu, yarışma haberinin spotu. Haberin girişi de yarışmanın ruhuna uygun bir havadaydı: "Şimdi gençliğin, dansseverlerin dünyasında bir kral ve kraliçe var." Bu satırları, "edebiyat" kokulu cümleler izliyordu:

"Dansı şiirleştirmiş bu çift, önceki gece gazetemizin düzenlediği 1968 Altın Fener Dans Yarışması finalinde bir kral ve kraliçeliği kapıp kaçtılar. Altı numaranın uğuruna çengellediklerine inandıkları bir başarının sevincini binlerce kişi ile birlikte yaşadılar, binlerce kişi ile bölüştüler. Sabahın alacakaranlığında koltuklarında Altın Fener ödülü kazanmayı başarmanın sevincini çiğneye çiğneye yeni danslara, yeni umutlara doğru gidiyorlardı."[1]

Dans yarışması yasağı

Babası Yusuf Özkan, oğlunun dans krallığını *Akşam* gazetesinden öğrendi. O sırada bir iş için memleketi Kayseri'ye gitmişti. Haberi okuyunca çok sinirlendi. Oğlunun dans yarışma-

---

1 "Altın Feneri Aktan ve Özkan kazandı", *Akşam,* 31 ağustos 1968.

sına katılmasını kabullenememişti.

Çerkez kökenli muhafazakâr bir aileydiler. Memleketleri, Kayseri'nin Develi ilçesiydi. Baba Yusuf Özkan, eşini ve yedi çocuğunu da alarak, 1960 yılında İstanbul'a göçmüştü. Unkapanı'nda kereste tüccarlığı yapmaya başlamış; çocuklarının tümünü okutmaya özen göstermişti.

En küçük oğlu Hüsamettin'i de Koca Ragıp Paşa İlkokulu'na verdi. Hüsamettin, 1950'de Develi'de doğmuş; ilk yaşam dersini Erciyes'in zirvesine bakarken almıştı. "Başını kaldırdığında şapkanı düşürmeyeceksin!" derdi babası. Şapkayı düşürmemenin yolu sürekli uyanık olmaktı![2]

Baba Yusuf Özkan, İstanbul'a döner dönmez, Hüsamettin'i yanına çağırdı. "Neden böyle gereksiz işlerle meşgul oluyorsun" diye çıkıştı. Bir de fıkra anlattı:

"Bir gün padişah hünerli insanlar arasında bir yarışma açmış. 10 kese altın ödül koymuş. Adamın biri gelmiş, 'Ben iki iğneyi arka arkaya koyar ipliği attım mı, ikisinden birden geçiririm' demiş. Gerçekten de iki iğneyi arka arkaya koymuş, ipliği bir fırlatmış, ikisinin de deliğinden geçirmiş."

Hüsamettin, merakla dinliyordu. Babası ona döndü. "Peki padişah ne yapmış biliyor musun?" Oğlunun yanıtını beklemeden sürdürdü anlatmayı:

"Padişah, askerlerine dönmüş, 'Bu adama bu hüneri için 10 kese altın verin. Sonra da 10 defa kırbaçlayın.' Adam şaşırmış! Hem altın hem kırbaç! Padişah, son sözünü söylemiş, 'Çok yeteneklisin, ama bu yeteneklerini neden hayırlı bir işte kullanmıyorsun?'"

Fıkra bitti. Bir an sessizlik oldu. "Hüsam, sen de bu adama benziyorsun. Dans yarışmasına falan katılmak yok. Bir daha böyle şeyler duymayacağım" dedi Yusuf Özkan.

Hüsamettin, bir daha dans yarışmasına katılmadı. Ama o yaz gece kulüplerine gitmekten de vazgeçmedi. Tülin ve Hüsamettin çifti, o yaz İstanbul gece hayatının en gözde ikilisiydi. Onlar içeri girdiğinde, pist boşaltılıyor, kenara çekilen gençler ilgiyle usta dansçıları izliyorlardı.

Ancak dans dolu bu rüya uzun sürmedi; Özkan ile Aktan'ın yolları bir süre sonra ayrıldı. Piste çıktığında saatlerce inmek bilmeyen Tülin Aktan, dans dünyasından kopamadı. "Calipso kralı Metin"le evlendi, kendine yine dansla dolu bir yaşam çizdi.

Hüsamettin ise danstan koptu. Pertevniyal Lisesi'nden mezun olduktan sonra Galatasaray İktisat ve İşletmecilik Yüksek Okulu'na devam etti. Okulu bitirdikten hemen sonra da evlendi. Eşiyle aralarında yedi yaş fark vardı. Yaşamını birleştirdiği Çiğdem, Hüsamettin'i dans yarışmalarından birinde izlemiş, kıvrak hareketleriyle büyülenmişti. İki kızları oldu; Özlem ve Didem.

İş yaşamına ilk adımı, ağabeyi Necdet Özkan'la birlikte attı. Uzun süre müteahhitlikle uğraştı. İstanbul'un çeşitli semtlerine binalar kondurdu. Ağabeyi, 1973'te, Bayrampaşa beldesinde belediye başkanı olunca şirketteki işlerin ağırlığı Hüsamettin'in üzerine kaldı. Necdet Özkan, 1977'de başkanlığı sona erdikten sonra İstanbul Belediye Başkanı Aytekin Kotil'in yardımcısı oldu.

Necdet Özkan, CHP saflarında aktif politika yaparken, Hüsamettin, politikanın dışında kaldı. Sadece bir kez 1970'te İstanbul delegesi oldu, o kadar. Ağabeyiyle aralarında sessiz bir anlaşma vardı, Hüsamettin'e düşen ticaretti.

İşten arta kalan zamanını futbolla dolduruyordu. Dansın yerini futbol almıştı. Beşiktaş tutkunu olan Hüsamettin, hemen her cumartesi, arkadaşlarıyla futbol oynuyordu. Futbol arkadaşları arasında kimler yoktu ki! Mehmet Ağar, Ünal Erkan, eski futbolcular Cemil, Selim, Arif, Gökçen Dinçer...

Tam bir eğlence adamıydı. Kabadayılarıyla ünlü Yenikapı'da, birlikte büyüdüğü bitirimlerle rakı içmeyi seviyordu. Aralarında Sadettin Tantan gibi polis kökenlilerin de olduğu geniş bir dost çevresi edinmişti.

Ecevitlerle tanışma

O arada ağabeyi, 12 Eylül sonrasında bir süre uzak kaldığı politikaya DSP saflarında dönmüştü. 1990'da Bayrampaşa'da ara seçim olunca, Bülent Ecevit, belediye başkanlığı için onu aday gösterdi.

Ecevit, 19 ağustostaki ara seçim öncesinde İstanbul'da karargâh kurdu. Seçim kampanyası boyunca Bülent ve Rahşan Ecevit'e, Hüsamettin Özkan yardımcı oldu, arabasıyla gezdirdi. İnsan ilişkilerinde başarılı olduğundan Ecevitlerin güvenini kazandı. Necdet Özkan, seçimi kazanıp belediye başkanı olunca da kampanya sırasında kurulan ilişki sürdü. Hüsamettin Özkan, Ecevit'in isteğiyle DSP'ye üye oldu; ilk kurultayda da Parti Meclisi'ne girdi.

Bir yıl kadar sonra 1991 seçimlerinde Ecevit, Necdet Özkan'a, milletvekili adaylığı önerdi. Fakat Necdet Özkan, aday olmak istemedi, belediye başkanlığından memnundu. Ecevit, onun üzerine, yeni bir öneride bulundu:

– Peki, bana Hüsamettin Bey'i verir misiniz?

Necdet Özkan, hiç düşünmeden onay verdi. "O zaten sizin evladınız" dedi. Ecevit, böylece sadece bir milletvekili adayı değil, "manevî evlat" seçmiş oldu. Hüsamettin Özkan'ı, Bayrampaşa-Gaziosmanpaşa-Eyüp bölgesinden ilk sıraya koydu. **163**

Açıklanan liste, Mehmet Sevigen'i üzdü. Sevigen, DSP İstanbul il başkanı olmasına karşın, listede Özkan'dan sonra yer bulabilmişti. Partili arkadaşları, Sevigen'i, "Ağabeyini seçimde çalıştırmak için onun ilk sırada olmasında fayda var" diyerek teselli ettiler.

Seçim sonuçları DSP açısından sevindirici olmadı. DSP sadece yedi milletvekili çıkarabildi; Bülent Ecevit, Hasan Akyol, Hasan Basri Eler, Erdal Kesebir, Hüsamettin Özkan, Mehmet Sevigen, Nami Çağan...

Tek teselli

Hüsamettin Özkan da buruktu. Başarısız seçim sonuçları yüzünden milletvekili seçilmesine bile sevinemiyordu:

"Tek tesellim genel başkanımla daha fazla birlikte olmak. Mecliste onunla yan yana olmak."[3]

İlk vurguladığı nokta, Ecevit'e yakın olmaktı. İstediği gibi de oldu. Kendi şirketini, ablasının eşi olan ve aynı zamanda ikinci kuşak amcaoğlu Süleyman Özkan'a devretti.

Ankara'ya gelir gelmez, Bülent Ecevit'in en yakınında yer aldı.[4] Altı milletvekili arasında öne çıktı. Öbür milletvekilleri de onun kendilerinden farklı olduğunu fark ettiler. O, İtalya'dan giyinmeye özen gösteren, antika arabalara merak salan, okumaktan fazla hoşlanmayan, yaz tatillerini Kınalıada'da demirlediği mütevazı teknesinde geçiren havalı bir İstanbul çocuğuydu. Ut ve saz çalan bir Türk sanat müziği hayranıydı. Sami Hazinses'in türküsünü, özellikle de "Ah ah ölüyorum / Vallahi çok seviyo-

3 "Ecevit kardeşini de aldı", *Cumhuriyet,* 31 ekim 1991.
4 Güler Kömürcü, "Fethullah dedikoduları", *Akşam,* 23 haziran 1999.

rum" nakaratını gönülden söylüyordu. Sesi güzeldi.

Kumkapı'daki meyhanecilerle, balıkçılarla dostluk, onun "bıçkın" yanına hitap ediyordu. Zaman zaman cep telefonu çalıyor, bir meyhanenin şef garsonuyla "koçum" muhabbeti başlıyordu...

CHP kavgası

Milletvekilliğinin ilk yıllarında radikal çıkışlarda bulunmadı. Parlamentoda herkesle iyi geçindi; siyasetten çok dostluklarını önde tuttu. O, bir siyasetçiden önce bir gönül adamıydı.

ANAP'lı Cumhur Ersümer'in RTÜK üyeliğini destekledi, partili milletvekillerinden de Ersümer'e oy vermelerini istedi. Sonraki yıllarda Halil Şıvgın'ın ambulans yolsuzluğu iddialarında, Ziraat Bankası'na borçları konusunda Cavit Çağlar'a ve dokunulmazlığının kaldırılması isteminde Mehmet Ağar'a destek vermesi de bu çizgisinin örnekleriydi.

Özkan'ın, dost ve akraba çevresi, hayli genişti. İş çevreleriyle, Sadettin Tantan, Mehmet Ağar ve Ünal Erkan gibi emniyetçilerle ve merkez sağ partilerden politikacılarla samimi ilişkiler içindeydi.

Yılların politikacısı Sümer Oral'la akrabaydı. Necdet Özkan'ın eşi Ümran Hanım, sonradan Şişli Belediye Başkanı Gülay Atığ'la evlenen Orhan Aslıtürk'ün kız kardeşiydi. Aslıtürk'ün öbür kız kardeşi Türkân da Sümer Oral'la evliydi.[5]

1992 haziranında ara yerel seçimler öncesinde Rahşan Hanım, Hüsamettin Özkan ile Erdal Kesebir'e, seçim yapılacak yerlerdeki parti örgütlerinin durumunu inceleme görevi verdi.

---

5 Taşkın Şenol, "Baldız bacanak hükûmeti", *Star,* 21 ekim 1999.

Kesebir, "Rahşan Ecevit'in prensi" olarak tanınan Ali Dönmez'in yerine genel sekreterliğe getirilmişti.

Özkan meclis kanadında, Kesebir partide ağırlıktaydı. İkisi farklı karakterlerdi. Olaylara farklı yaklaşıyorlardı. O günlerde gündemde olan CHP'nin yeniden açılması tartışmalarında da farklı düşünüyorlardı. İstanbul'dan Kesebir'in Brodway marka aracıyla yola çıktılar. Arabayı Özkan kullanıyordu, hemen konuya girdi:

– Bülent Bey'i yanlışa götürüyorsun. Biz beş kişi birlikteyken senin tek başına hareket etmen yanlış...

Özkan, ağabey gibi davranıyor; CHP'nin yeniden açılmasının, Ecevit'in de CHP'nin başına geçmesinin doğru olacağını savunuyordu. Uzun uzun anlattı bu görüşlerini. Kesebir ise karşı çıktı; DSP ile CHP'nin farklı partiler olduğunu, DSP'nin devam etmesi gerektiğini söyledi. Birbirlerini ikna edemeden döndüler geziden.

DSP içindeki CHP kavgası giderek tırmandı. 9 eylül 1992'de CHP açılırken dört milletvekili DSP'den ayrıldı. CHP'nin kurulmasını savunan Özkan ise son anda fikir değiştirerek DSP'de kaldı.

CHP, görkemli bir kongreyle yeniden açılırken, Ecevit'in DSP'sinde sadece iki milletvekili kalmış oldu; Özkan ve Kesebir. Fakat o günden itibaren de ikisinin yıldızları bir türlü barışmadı...

Ağabeyini emekli etti

Hüsamettin Özkan, o günden sonra Ecevit'in gölgesi haline geldi. Genel başkanının her an yanında olan, ama hiçbir konuda demeç vermeyen, öne çıkmayan sessiz bir politikacı profili çizdi.

Özkan'ın yerini perçinlediği 1995 seçimleriyle kanıtlandı. Ecevit, 1995 seçimlerinde Hüsamettin Özkan'ı yeniden liste başına koyarken, bu kez ağabeyi Necdet Özkan'a fikrini sorma gereği duymadı. Oysa Necdet Özkan, 1994 yerel seçimlerinde DSP'nin İstanbul büyükşehir belediye başkan adayı olmuş ve kazanamamıştı; yani boştaydı. Ecevit sorsaydı, milletvekili olmak isteyebilirdi.

Özkan'ın, ağabeyini siyasetten emekli ettiği 1995 seçimleri sonrasında DSP grubu daha genişledi. Özkan, grup başkanvekilli oldu. Bu andan itibaren partili milletvekillerinin Genel Başkan Ecevit'le görüşme taleplerinin tek muhatabı haline geldi. Milletvekilleri, ona sormadan ne bir toplantıya katılabiliyor, ne de kendi başlarına bir demeç verebiliyorlardı. Özkan'la didişen birinin DSP'de şansı yoktu.

Kesebir için de öyle oldu. Özkan, beklediği fırsatı eylül 1996'da yakaladı. Kesebir ve arkadaşları, Büklüm Sokak'ta bir büroda toplanmışlardı. "Çile Çiçekleri" adıyla bir hareket oluşturuyorlardı. Özkan, bunu öğrenince harekete geçti. Ecevit, DSP'nin güç koşullarında yanında olan Kesebir'i, apar topar DSP'den ihraç etti.

İlk bakanlık

Özkan, Bülent Ecevit'in meclisteki faaliyetlerinin anahtarı konumuna yükseldi. Ecevit fotoğraflarının bütünleyicisi unsuru olmanın yanı sıra temsilciliğini de üstlendi. DSP'nin, meclisteki temaslarını Ecevit adına hep o yürüttü.

Refahyol Hükûmeti'nin yıkılıp yeni hükûmetin kurulması sırasında yürütülen kulis faaliyetlerinde aktif rol aldı. ANAP'la kurulan koalisyon hükûmetinde Halk Bankası, Devlet İstatistik **167**

Enstitüsü ve Diyanet'ten sorumlu devlet bakanlığı görevine getirildi.

Özkan, daha önce milletvekilleri üzerinde sürdürdüğü rolü, bu kez DSP'li bakanlar üzerinde sürdürmeye başladı. Ecevit'le görüşmek isteyen partili bakanlar ile Başbakan Ecevit arasında köprü oldu.[6] Bakanlar, Ecevit'le ilişkilerini hep Özkan üzerinden yürüttüler.

Bu dönemde de gazete ve televizyonlarda görünüp, öne çıkmaya çalışmadı; tercihini yine Ecevit'in gölgesinde kalmaktan yana kullandı. Herkesle iyi geçinmeye çalışan Özkan, sadece CHP'yle çatıştı. "CHP, RP'den bile kötü! CHP'de hırsızlar var" açıklamasıyla izlediği çizginin dışına çıktı.[7] CHP de bu suçlamaları yanıtsız bırakmadı. Özkan'ı, dinî bir cemaat lideri olan Fethullah Gülen'e yardımcı olmak, Mehmet Ağar'la "çetevari" ilişkiler içine girmek, Halkbank'tan usulsüz krediler verdirmek, ağabeyinin Sarıyer'deki bir arsasına değer kazandırmakla suçladı. İddialara yanıt, Özkan'ın avukatı Olcay Mis'ten geldi. Mis, yazılı açıklamasında tüm iddiaları kesin bir dille reddetti.[8]

Özkan, bu yalanlamayla da yetinmedi; kendisini "Fetullahçı" olmakla suçlayan CHP milletvekili Tuncay Karaytuğ'a tazminat davası açtı. Dava dilekçesinde de Fethullah Gülen'i, "şeriatçı devlet kurmak için gizli hedefleri olan biri" olarak nitelendirdi.[9] O güne değin Özkan, ne Gülen ne de şeriatçılar konusunda hiç bu kadar net görüş açıklamamıştı...

O güne değin Özkan'ın İslam ve laiklik konusundaki görüşleri hakkında en önemli veri, milletvekilliği ve daha sonra da

6 Işık Kansu, "Cin gibi arabulucu", *Cumhuriyet,* 21 haziran 1999.
7 Taha Akyol, "Alternatif", *Milliyet,* 4 temmuz 1996.
8 "DSP'den CHP'ye dava", *Hürriyet,* 10 kasım 1998.
9 "Özkan: Fethullahçılar laiklik düşmanı", *Hürriyet,* 16 eylül 1999.

bakanlığı sırasında içkisini hiçbir zaman açıkta içmemeye özen göstermesi ve Diyanet'in düzenlediği İslam şûralarındaki konuşmalarıydı:

"Türk milleti İslam'a yürekten bağlıdır. İslamiyet, barış, kardeşlik, sevgi, adalet ve hoşgörü dinidir. Hz. Muhammed, dinimizin inşa etmek istediği insanın canlı bir örneği, yaşayan bir modelidir."

Türkiye'de her politikacının özellikle de merkez sağ partilerin yöneticilerinin yaptığı türden konuşmalardı bunlar. Zaten solun alışık olduğu türden bir politikacı olmadığını her davranışı ortaya koyuyordu. DSP Şişli İlçe Kongresi'nin Uğur Mumcu'nun ölüm yıldönümünde yapacağı etkinliği önlemesi de böylesi bir örnekti. "Bir hayır dua okuyun yeter" demiş, geçmişti.[10]

Kritik manevralar

Özkan, Ecevit'in hemen kritik manevralarının ardındaki isim oldu. 1998 aralık ayında Yalım Erez'in hükûmet kurma girişiminin son anda fiyaskoyla sonuçlanmasının da mimarlarındandı.[11]

Erez'in hükûmeti kurmak üzere olduğunu gören DYP Genel Başkanı Çiller panikledi; "Ecevit'in başbakanlığında azınlık hükûmetine razıyım" mesajı gönderdi. Bu mesaj üzerine Ecevit'in talimatıyla harekete geçen Özkan, bir hafta sonu İstanbul'a giderek ANAP Genel Başkanı Mesut Yılmaz'ın karde-

10 "Ecevit'in yanındaki Hüsamettin Özkan", *Cumhuriyet,* 23 haziran 1999.
11 Sedat Ergin, "Ecevit'in manevrası", *Hürriyet,* 29 şubat 2000; Serpil Çevikcan, "Düğümü Özkan çözdü", *Milliyet,* 29 şubat 2000.

şi Turgut Yılmaz'la görüştü. Turgut Yılmaz, gençlik yıllarından arkadaşıydı. Ecevit'in azınlık hükûmeti kurması için ikna etmesi zor olmadı.

ANAP'ın olurunu aldıktan sonra DYP Genel Başkanı Tansu Çiller ve onun görevlendirdiği Bekir Aksoy'la bir araya geldi. Gizli görüşmeler başarıyla sonuçlandı. Ecevit'e, 19 yıl aradan sonra yeniden başbakanlık yolu açılmış oldu.

Bu, siyasî kulislerde hiç beklenmeyen bir gelişmeydi. Koalisyonun yıkılmasına öncülük eden CHP Genel Başkanı Deniz Baykal'ın da böyle bir olasılığı aklından bile geçirmediği belliydi.

Ecevit, azınlık hükûmetini kurdu ve başbakanlık koltuğuna oturdu. Başbakanlığı sırasında da Ecevit'in şansı yaver gitti. Abdullah Öcalan'ın Kenya'da yakalanıp Türkiye'ye getirilmesi ve ardından PKK'nın silah bırakması, Ecevit'i zirveye taşıdı. DSP, 18 Nisan 1999 Seçimleri'ne bu rüzgârla girdi ve seçimden birinci parti olarak çıktı.

DSP birinci partiydi, ama 136 milletvekili çıkarmıştı. Koalisyon oluşturmak zorunluydu. İş yine konunun uzmanı Özkan'a düştü. ANAP zaten seçim öncesinden beri DSP'yle blok oluşturmuş durumdaydı; koalisyona hazırdı. Sorun üçüncü ortağı bulmaktaydı. Aritmetik, MHP'yle ortaklığı dayatıyordu.

Özkan, MHP'yle temasa geçti. Görüşmeler olumlu biçimde ilerlerken birdenbire Rahşan Hanım'ın demeci patladı. MHP Genel Başkanı Devlet Bahçeli tepki gösterdi, koalisyon görüşmeleri aniden kesildi.

Bahçeli'yi ikna etme görevi de doğal olarak Özkan'a düştü. Bir geceyarısı MHP Genel Merkezi'ne gitti; köprüleri yeniden onardı. Kısa süre sonra da üçlü koalisyon kuruldu.

DSP-MHP-ANAP arasında bakanlıkların eşit paylaşıldığının açıklanması üzerine eleştiri okları Özkan'a yöneldi. Mesut Yılmaz'ı kollamak ve ANAP'a milletvekili sayısına oranla fazla bakanlık verdirmekle suçlandı. Özkan, her zaman olduğu gibi yanıt vermeye değer görmedi; duymazdan geldi...

Yeni hükûmetle birlikte, başbakan yardımcılığına yükseldi. "Gizli Başbakan" olarak anılmaya başlandı. Her açıklama sırasında Ecevit'in hemen arkasında durdu. Görevleri arasında merdivende tökezleyen Ecevit'in kolundan tutmak ya da meclisteki oylamada elinde unuttuğu zarfı hızla kapıp kupaya atmak da vardı.

Başbakan Ecevit'in Amerika gezisine katılmayışı daha ilk anda belli oldu. Ecevit havaalanındaki basın toplantısında yanlış bir metni okuyunca tüm gözler Özkan'ı aradı. O yoktu! "Geziye katılmasını Rahşan Hanım engelledi. Ecevit de hasta!" haberleri birbirini izledi. O yemin etti:

– Ona en yakın bir kişi olarak söylüyorum. Eğer Ecevit'in böyle bir hastalığı varsa ve saklıyorsam namerdim.

Ecevit'in hastalığıyla ilgili kaygıların yaygınlaştığı dönemde çıkan bir haber dikkat çekiciydi:

"ABD Kongresi'ne verilen bir raporda, Ecevit'in halefinin Hüsamettin Özkan olduğu yazıldı."[12]

"Ecevit'in halefi" olarak ilan edilmesi üzerine gözler, onu daha dikkatli izlemeye başladı. İki nokta dikkat çekiciydi. Birincisi, Özkan'ın avukatı Olcay Mis'in, Türk Hava Kurumu'na kayyum olarak atanan üç kişiden biri olmasıydı.[13]

İkincisi ise günlük gazete okuma alışkanlığı olmayan Özkan'ın, Türk siyasetini Ecevit kadar yakından tanımamasıydı. Bir gün Meclis koridorunda arkadaşlarıyla sohbet ederken 70

12 Cüneyt Arcayürek, "Şaşırtan bakanlar şaşırtan haberler", *Cumhuriyet,* 20 temmuz 1999.
13 Nuray Başaran-İsmail Küçükkaya, "Özkan'ın avukatı THK kayyumu", *Star,* 3 kasım 1999.

yaşlarında bir beyefendi yaklaştı yanına. "Merhaba Sayın Bakan" dedi; "Yakın akrabalarınızla her hafta İstanbul'da bir yemekte buluşuyoruz ve sizi her yemekte anıyoruz." Özkan, zoraki bir gülümsemeyle yanıt verdi:

– Yaaa öyle mi? Çok memnun oldum.

Yaşlı adam uzaklaştıktan sonra DSP İstanbul Milletvekili Ahmet Tan sordu. "Tanıdınız mı?" Özkan tanımamıştı. "Sabit Osman Avcı" dedi Tan. Özkan'ın yüz çizgilerinde yine bir değişiklik olmadı. Bu isim ona bir şey ifade etmemişti.[14]

Oysa Avcı, yakın siyasî tarihin en ünlü isimlerinden biriydi...

Başarısız pazarlık

Yürüttüğü başarılı pazarlıklarla Ecevit'e başbakanlık yolunu açan Özkan, ikinci önemli operasyonda duvara çarptı. Mesut Yılmaz'ın, Süleyman Demirel'in görev süresinin 5 yıl daha uzatılmasını desteklemeyeceği anlaşılınca Ecevit, ek desteğe ihtiyaç duydu. Özkan'a, Fazilet'le pazarlık yapma görevi verdi. Özkan, gizlice FP'li Lütfi Esengün ve ardından FP Genel Başkanı Recai Kutan'la görüştü, Anayasa değişikliği için pazarlık yaptı.[15]

Pazarlığın en önemli maddesi, parti kapatılmasını zorlaştırmak üzere 69. maddenin değiştirilmesiydi. FP, 69. madde karşılığında Demirel'in süresinin uzatılmasına destek verecekti. Özkan, FP'yle bir metin üzerinde anlaşma sağladı.

Ecevit sevindi. 5+5 için gerekli Anayasa değişikliği konusunda FP'nin de desteğinin sağlandığını açıkladı. Bu sürpriz manevranın sahibinin Özkan olduğunu belirterek, onu onore

14 İdris Akyüz, "Bakan Özkan ve Siyaset", *Posta*, 4 ekim 1999.
15 Serpil Çevikcan, "Düğümü Özkan çözdü", *Milliyet*, 27 şubat 2000.

etti. Koşullar bu olunca Mesut Yılmaz, Demirel'in süresinin uzatılmasını gönülsüz de olsa kabul etmek zorunda kaldı:

– Keşke başka türlü olsaydı. Ama Demirel'in ismi üstünde uzlaşma kuruldu, hükûmetin devamı bizim için daha önemli.[16] Başbakan Yardımcısı Devlet Bahçeli de destek zincirine katıldı. Demirel'in devamı için gereken destek sağlanmış görünüyordu.

Fakat her şey Ecevit'in beklediği kadar kolay olmadı. FP, Özkan'la anlaşmalarına rağmen pozisyon değiştirdi. Anlaşılan tam ikna olmamışlardı. Yeni tavizler koparamayınca oylamalarda tam destek vermediler.

TBMM'deki oylama sırasında Ecevit, iktidar partilerine mensup milletvekillerinin oylarını göstererek kullanmalarını istedi. Ecevit'in bu istemine DYP'lilerin büyük çoğunluğu itirazsız uydu. Kabine girerek oyunu gizli kullanan Devlet Bakanı Recep Önal'ı, Özkan, eliyle işaret ederek yanına çağırdı. Ne dediği duyulamadı; fakat azarladığı belliydi.[17]

Yine de 5+5 önergesi TBMM'den geçirilemedi. Özkan'ın operasyonu bu kez başarısızlığa uğramış; FP'yle yaptığı anlaşma işlememişti.

Özkan'ın adı, yeni cumhurbaşkanı için isim arayışları sürerken de gündeme geldi. DYP lideri Çiller, Ecevit'e el altından haber göndererek, Özkan'ın adaylığını destekleyebileceklerini iletti. Ancak Ecevit, üzerinde durmadı bu önerinin.

Ecevit, Anayasa Mahkemesi Başkanı Ahmet Necdet Sezer'e yöneldi. Beş parti liderinin Sezer'in adaylığına imza vermesi ve cumhurbaşkanı seçilmesi, hem koalisyona hem de Özkan'a derin bir nefes aldırdı.

---

16 İsmet Berkan, "Hayallerim, aşkım ve Çankaya", *Radikal,* 1 mart 2000.
17 Nazlı Ilıcak, "Kral öldü, yaşasın kral", *Yeni Şafak,* 7 nisan 2000.

Özel telefona saygı

Özkan, büyük kızını tam da cumhurbaşkanlığı trafiğinin yo-
ğunlaştığı günlerde evlendirdi. Koç Üniversitesi'nde mastır ya-
pan kızı Özlem, İstanbul Üniversitesi İktisat Fakültesi öğretim
üyelerinden Prof. Erdoğan Alkin'in doçent oğlu Emre'yle yaşa-
mını birleştirdi. 10 mart 2000'deki düğüne Ecevit ailesi katılma-
dı. Kimileri "Ecevitler yine prensiplerini bozmadı" dedi; kimile-
ri ise yadırgadı bu durumu...

Ancak Özkan'ın yaklaşımında hiçbir değişiklik olmadı. Yine
Ecevit'in arkasındaki yerini korudu. Yine Ecevit'e unuttukları-
nı hatırlatmak için dikkat kesildi. Ankara'nın en güçlü isimle-
rinden biri olmayı sürdürdü.

Makam odasında çalışırken Ecevit'e 10 adım mesafedeydi.
Kısa bir koridordan geçerek Ecevit'in odasına ulaşabiliyordu.
Bu da yetmemiş, masasına, ahizeyi kaldırdığı zaman doğrudan
Ecevit'i karşısında bulabileceği tek hatlı özel bir telefon konul-
muştu. Ecevit aradığında Özkan, saygısından ayağa kalkarak
konuşuyordu.

Yine de Ecevit, atamalar konusunda kendisine başvuranları
"Lütfen Sayın Özkan'la görüşür müsünüz?" diyerek, Özkan'a
havale ediyordu. Özkan, bir tür "fiilî başbakan" konumunday-
dı...

"Ya Ecevit sonrası?" diye soranlara da hep aynı yanıtı veri-
yordu; "Ecevit'le geldim, Ecevit'le giderim." Ecevit'e sadakat,
onun için her şeyin üzerindeydi...

Şenkal Atasagun

Bulmaca meraklısı

Yıllar sonra yeniden karşılaştığı okul arkadaşı dayanamadı. Şöyle bir toparlandı, sordu; "Şenkal, nasıl oldu da MİT'e girdin? Nereden çıktı bu istihbaratçılık?"

Arkadaşının sorusuna şaşırmadı Şenkal Atasagun, gülümsedi. "Ben bulmaca çözmeyi severdim. Babam da beyin jimnastiği yapmak için çok bulmaca çözerdi. İstihbaratçılık da bana bulmaca çözmenin uzantısı gibi geldi."

Hep beraber güldüler. Bulmaca hastası olduğunu biliyorlardı. Yükseköğrenim için gittiği Fransa'da, sonradan eşi olan İnci'ye mektup yazmadığı zamanların çoğunu bulmaca çözmeye ayırıyordu. Bulmacalar ve mektuplardan başını kaldırıp da bir kayak kenti olan Grenoble'da bir kez bile kayağa gitmemişti.

Kayak yapmamasının bir nedeni de ayağını kırmaktan korkmasıydı. Kısıtlı maddî imkânlarla okuyordu. Ayağının kırılmasının maliyetinin büyük olacağını biliyordu.

Galatasaray'da futbol oynarken iki kez bileği, bir kez burnu kırılmış, bacağına defalarca tekme yemişti. Ortaokul ve lise yıllarında iyi bir kaleciydi. İki yıl, Galatasaray Genç Takımı'nda, üç yıl da lise takımında kalecilik yapmıştı. Göz dolduruyordu. Lise 2'deyken, Mehmet Ali Hoca onu kenara çekti: "Sende umut

var" dedi. Bir zamanların ünlü kalecisi Turgay Şeren'i yetiştir-
mişti; bu işi biliyordu.

Antrenörleri Gündüz Kılıç da Mehmet Ali Hoca'yla aynı gö-
rüşteydi. Şenkal'ı profesyonel yapmaya niyetlendi. "Hem tahsil
hem futbol olmaz. Okumaktan vazgeç, seni A takımına alalım"
teklifinde bulundu. Şenkal havalara uçtu. Zaten okumaya çok
hevesli değildi. Babasına koştu, anlattı olanları.

Şehabettin Bey, çok sinirlendi. Askerî bir doktor olduğu için
oradan oraya dolaşırken ilk oğlunun eğitimi aksamış, o neden-
le ikinci çocuğu Şenkal'ı sırf iyi eğitim alabilsin diye ilkokuldan
itibaren yatılı olarak Galatasaray'a vermişti. O ise şimdi karşı-
sına geçmiş, tahsilini yarıda kesmekten, Galatasaray'ın kalecisi
olmaktan söz ediyordu! İki tokat attı ve o yaz İstanbul'da kal-
masına izin vermedi; kendisinin görevli olduğu Diyarbakır'a gö-
türdü onu.

Şenkal, yaz sonunda İstanbul'a futboldan vazgeçmiş olarak
döndü. Futbolu unuttu, derslerine sarıldı. Futbol yüzünden 8.
ve 10. sınıflarda kaldığı için 11. sınıfta kendisinden iki yaş kü-
çüklerle aynı sınıfta okumak zorunda kaldı. Sınıfın büyüğü
olunca kavgaları ayırmak ona düştü. Sınıf arkadaşları arasında
sık kavga çıkıyordu. Bir gün kendi aralarında bir kabine kurup
eğleniyorlardı. Kim ne bakanı olacak tartışması kavgaya döndü
aniden. Hüseyin Yarsuvat, bir yumruk attı; Vedat Doledo'nun
gözü şişti. Şenkal araya girip kavgayı yatıştırdı.

Başka bir gün bitişik sınıfla çekişme neredeyse kavgaya dö-
nüşecekti. Sınıf arkadaşlarının sopaları çekip, kavgaya hazır-
landığını gören Şenkal, müdahale etti, her iki tarafın söyledik-
leri arasında bir fark olmadığını anlattı. Sopaları bırakmaya ik-
na oldu arkadaşları...

Başarılı bir arabulucuydu, kavgayı sevmiyordu. Hareketli-
176 likten hoşlanıyordu. Okuduğu kitaplar bunun göstergesiydi.

Edebî eserlerden uzak durur, II. Dünya Savaşı'ndaki casusluk öyküleri anlatan maceralara bayılırdı.

Sinemada da seçimi hareketli filmlerden yanaydı. Hafta sonlarında Emek, Yeni Melek ve Atlas sinemaları arasında koşturur, kimi günler üç film birden seyrettiği olurdu. Ama Yeşilçam'ın duygusal melodramları onu çekmezdi. Romantik değildi. Her zaman gülmeye hazır, şen şakrak, esprili bir gençti. O yüzden de lisedeki lakabı, sevimli ve muzip bir hayvandı. Hep öyle lakaplar takmışlardı birbirlerine. Şevket Altuğ'a "Kocakafa Şevket", Mehmet Ulusoy'a "Koyun Mehmet", Asaf Savaş Akad'a "Atkafa Asaf", M. Ali Birand'a "Topal M. Ali", Tolga Yarman'a "Profesör Tolga" diye sesleniyorlardı. Şenkal'ın lakabı da sevimli, muzip bir hayvandı.

Nereden bilsinler sınıf arkadaşlarının gelecekte ünlü birer şahsiyet olacağını...[1]

Çuval dolusu mektup yandı

Şenkal, okulun popüler öğrencilerindendi. Aynı zamanda Mümtaz Soysal gibi Galatasaray'da ender rastlanan Beşiktaşlılardandı. İlkokula başladığı günden itibaren Beşiktaş taraftarıydı. Beşiktaşlı futbolcuların antrenman yaptığı Şeref Stadı'nın okulun hemen yanında olmasından etkilenmişti. Belki de kafasına uymayan kuralları takmayan asi ruhundan kaynaklanmıştı Beşiktaşlılığı. Hem herkesin Galatasaraylı olduğu bir okulda Beşiktaşlı olmak, takıma girebilmek için avantaj getiriyordu.

---

1 Altuğ ünlü bir tiyatro ve sinema yıldızı; Ulusoy, Türkiye'yi Fransa'da temsil eden başarılı bir tiyatrocu; Akad, ünlü bir ekonomi profesörü; Birand, ünlü bir haberci, Yarman da ünlü bir nükleer fizik profesörü oldu.

Galatasaray Lisesi'nden 1961-1962 öğretim döneminde mezun olduğunda, futbolla ilgisi sadece taraftarlık düzeyine inmişti. 21 yaşındaki bir genç olarak, bir süre ne yapacağına karar veremedi. Hedefi, Hariciye'ye girip diplomat olmaktı. Önce Mülkiye'yi düşündü, sonra fikir değiştirdi, Fransa'ya gitmeye karar verdi. Paris yerine o dönemin ünlü eğitim merkezlerinden biri olan Grenoble'u seçti. Lisedeki gecikmeyi kapatmak için Grenoble Üniversitesi'nde iki yıllık "siyaset bilimi" önlisans programına kaydoldu.

Öğrenci kenti olan Grenoble'a kasım ayında gidince yer bulmakta zorlandı. Galatasaray'dan o yıl mezun olan M. Celali Aslıer'le karşılaşınca sorunu çözüldü. Bir ay kadar önce gelen M. Celali, bir ev bulmuştu. Şenkal, bir yıl onunla aynı odada kaldı.[2]

Grenoble'da yedi-sekiz Türk vardı. Ömer Kavur, Tanju Korel, Cemre Karacan (Birand). Onlarla zaman zaman kafede karşılaşıyorlardı. Monoton bir yaşamları vardı Gronoble'da. Bütün gün okul. Fransızca ve İngilizce eğitim. Sonra üniversite kafeteryasında yemek. Akşam saatlerinde ders, sonra kısa bir yürüyüş ve bir kafede içilen kahve. O kadar.

İki yıllık okulu bitirdikten sonra ekonomi ya da politika bölümlerini seçerek öğrenime bir yıl daha devam etme fırsatı vardı. Şenkal, bir yıl daha kaldı. Üç yıllık eğitimini tamamladıktan sonra 1965'te Türkiye'ye döndü.

İlk iş olarak askere gitti. 28. Tümen'deki Muhabere Okulu'nda bir yıl kaldı. "Muhabere Okulu'nun en sevimli öğrencilerindendi. Yüzünden tebessüm eksik olmaz, şakalarıyla etrafı kırar geçirirdi. Askerliği de ciddiye almaz, her fırsatı değerlendirip

2 Sinan Hıncal, "İyi kaleci, iyi yer tutar", *Aktüel,* mart 1998.

kırardı."[3] Dönem arkadaşlarından Hıncal Uluç'un belleğinde böyle yer etti.

Yedeksubaylığının son yılını Kara Kuvvetleri Komutanlığı Protokol Bölümü'nde geçirdi. Askerdeyken ders çalışıp, Siyasal Bilgiler Fakültesi'nin fark derslerini vermeyi hedefliyordu. En büyük hayali büyükelçi olup, İnci'yle birlikte dünyayı dolaşmaktı. İnci, önemli birinin eşi olmayı hak edecek bir kadındı ona göre. Büyük bir aşktı onunki. Bir an önce evlenmek için can atıyordu.

Ancak Mülkiye'nin kitapları Şenkal'a ağır geldi, bir süre sonra bıraktı çalışmayı. Yaşamının akışını değiştiren iş teklifi, askerliğinin son günlerinde geldi. MİT'te çalışan teyzesinin kızının istihbaratçılık teklifini tereddütsüz kabul etti.

Askerliği biter bitmez, MİT'e girmesi, arkadaşları için tam bir sürpriz oldu. Evlenmesi ise kimseyi şaşırtmadı. Heyecanla gözledikleri yuvayı kurunca İnci Hanım'la oturup zor bir karar verdiler. Gronoble yıllarında birbirlerine yazdıkları mektupları yaktılar. Haftada üç gün karşılıklı yazılan mektuplar, koca bir çuval olmuştu...

Ustası Hiram Abas

MİT'in dinamik bir dönemiydi, MİT'i bir kurum haline getiren yasa, 6 temmuz 1965'te, yani iki yıl önce çıkmıştı. MİT'in efsanevî müsteşarı Fuat Doğu işbaşındaydı. Doğu, 1967'de MİT'te büyük bir yenileşme hareketi başlatmış, MİT'e, yabancı dil bilen, üniversite mezunu sivilleri almıştı.

O yıl Şenkal Atasagun'la birlikte, sonradan MİT'te önemli

---

3 Hıncal Uluç, "Şenkal", *Sabah,* 17 ekim 1999.   **179**

görevlere gelen Miktad Alpay, Ertuğrul Güven, Erkan Ersil ve Mahir Kaynak gibi isimler de vardı kuruma girenler arasında.

Hem çağdaş bir yapı kazandırılmaya çalışılan, hem de usta çırak ilişkisinin hâkim olduğu MİT'te Kontrespiyonaj Bölümü'nde çalışmaya başladı.[4]

Gençliğin hareketli olduğu, Sovyetler'e karşı casusluk faaliyetlerinin yoğun olduğu bir dönemdi. Atasagun'un çalıştığı, "Sovyet Masası" MİT'in en aktif bölümlerinden biriydi. Kontrespiyonaj, MİT'in temel faaliyetlerindendi.

İlk büyük işi, 1968 ekiminde Doğu Bloku hesabına casusluk yaptığı saptanan Türk diplomat Nahit İmre'nin yakalanmasıydı. Atasagun, iki amiriyle birlikte İmre'nin sorgulanmasına katıldı. Genç istihbaratçı Atasagun, İmre operasyonunun ardından birçok önemli dosyada görev aldı. Adolf Slovik ve Kerim Manukyan davalarının mahkeme aşamasını da izledi.

Giderek mesleğine iyice ısındı, daha bir coşkuyla çalıştı. İşine bağlanma, onu başlangıçta okul arkadaşlarından, yakın çevresinden kopardı. MİT, aydınların korkuyla baktığı bir kurumdu. MİT'te çalıştığını öğrenen bazı arkadaşları ondan uzaklaştı.

Ailecek görüştüğü iki yakın dost edindi kendine. İlki, Beyrut ve Atina görevlerinin ardından 1971'de İstanbul'a dönen Hiram Abas'tı. İkincisi ise Mehmet Eymür'dü.

Hiram Abas'la aynı odada çalışıyorlardı. Şefine "Hiram Abi" diye hitap ediyor, ona büyük saygı duyuyordu. Aslında Atasagun, silah ve sokağa yakın, operasyonel bir istihbaratçı olan Abas'tan çok farklıydı. Bir kere silaha uzaktı. Atış talimine gittiklerinde Abas, yüzlerce mermi yakar, bir kertenkeleyi 20 met-

---

4 Kontrespiyonaj: yabancı unsurların gizli yürüttüğü casusluk ve benzeri faaliyetleri engellemek için yapılan karşı faaliyetler (Mehmet Eymür, *Analiz*, Milliyet Yayınları, şubat 1997, 2. baskı, s. 58).

re uzaktan vurabilirdi. Atasagun ise Abas'ın hatırına mermi ya-
kardı. Hedefi tutturmakta başarılı olduğu söylenemezdi.

Abas'a bağlılığı, ekim 1972'deki mektup hareketine destek
vermesine neden oldu. Kaleme alınmasına katkıda bulunduğu
mektuba imza koydu. İstanbul'dan 30 istihbaratçının imzasını
taşıyan mektup, "Servisimizi çok seven ve vatanımıza bağlı
olan bizler..." diye başlıyor; MİT'te atama, tayin ve çalışma biçi-
minde geniş çapta reform gerekliliği vurgulanıyordu.

Dış görevlerdeki MİT mensuplarına yaklaşımı eleştirilen Dı-
şişleri Bakanlığı'na alternatif yaratma önerisi getiriliyordu:

"Dış görevlerde diğer devlet müesseselerinin (Turizm Tanıt-
ma, Ticaret Bakanlığı, Türk Hava Yolları, Basın Yayın, TRT gibi)
kadrolarından da faydalanma cihetine gidilmesi uygun olacaktır."

Askerlerin servis üzerindeki etkisi dolaylı biçimde eleştirili-
yordu. En önemlisi, MİT içerisinde idarî kararlara etkisi olan
"yabancı devletler lehine çalışan şahıs veya şahısların bulundu-
ğu" iddia ediliyordu. Mektubun son satırlarında, "Türkiye ve
servisi çok seven, uzun senelerden beri sadece servisin malı
olan bizler" diye vurgu yapılmasının nedeni, imzalayan servis
elemanlarının tamamının sivil kökenli olmasından kaynaklanı-
yordu.

"1972 Muhtırası" olarak ünlenen mektup, MİT'te bomba et-
kisi yarattı. Dönemin MİT Müsteşarı Nurettin Ersin, mektupla
ilgili soruşturma açtı. Uzun incelemelerden sonra olay, imzala-
yanlara birer uyarı cezası verilerek geçiştirildi.

MİT'ten istifa

Atasagun, mektuptan da anlaşılacağı gibi, MİT'teki uygula-
malardan yana sıkıntılıydı. Ona göre, MİT, CİA gibi enformas-

yon alan, "dış tehdit" olarak tanımlanan aslî görev sınırlarında
kalan bir kurum olmalıydı. Operasyonlar gizli tutulmalı, ama fa-
aliyetler tamamen legal sınırlarda tutulmalıydı.

1975'te, ilk dış göreve çıkınca rahatladı. Soğuk Savaş döne-
minin önemli bir merkezi olan Brüksel'de görev almak mesle-
ğinde bir dönüm noktası oldu. Fransızca ve İngilizcesinin iyi
olması, insanlarla kolay dostluk kurması Brüksel'de işine ya-
radı.

Galatasaray'dan okul arkadaşı Ünal Aysal ve eşi Ahu Ay-
sal'ın da yardımıyla hem Avrupalı politikacı ve diplomatlardan
hem de Türklerden oluşan geniş bir dost çevresi edindi kendi-
ne. İstihbaratçıdan çok diplomata benzetiyorlardı onu.

Brüksel'de, eşiyle birlikte keyifli günler geçirdi. Üstelik okul
yıllarında olduğu gibi futbola da zaman ayırabildi. NATO takı-
mının kalesini korudu; iki yıl üst üste kupa aldılar.

Üç yıl sonra dış görevi sona erdi, Ankara'ya atandı. Kont-
respiyonaj Şube Müdürlüğü Değerlendirme Kısmı'nda görev-
lendirildi. İstanbul'dan uzak olmak hoşuna gitmemişti; sıkılı-
yordu.

İstanbul'a tayin isteği kabul edilmeyince bir sabah aniden
istifa etmeye karar verdi. Hiram Abas da aynı saatlerde emek-
lilik dilekçesini vermişti. Abas'ın ayrılma gerekçesi farklıydı.
MİT'te önünün tıkandığına inanıyordu.

Atasagun'un istifa dilekçesi aynı gün öğleden sonra kabul
edildi. Kasım 1980'de MİT'ten ayrıldığında ne emeklilik hakkını
kazanmıştı ne de bir iş hazırlamıştı.

Brüksel'deki Türk marketlerine toptan mal satan bir arka-
daşı, birlikte çalışmayı önerdi. Peynir tenekelerine, meyve san-
dıklarına ancak altı ay dayanabildi. Ticaret ona göre değildi, ay-
rıldı. 1,5 yıl kadar boşta kaldı. Tamamen boşlukta geçti günleri,
işsiz güçsüz...

Övgü dolu mektup

Nuri Gündeş aradı bir gün. Geri dönmesini önerdi. Atasagun hiç düşünmeden kabul etti. O sırada MİT İstanbul bölge başkanı olan Gündeş, işlemleri bir günde tamamladı. Önce "uzman müşavir" olarak atandı. Bir süre sonra da Kontrespiyonaj şube müdürlüğüne getirildi.

Atasagun'un bu dönemde gerçekleştirdiği en önemli faaliyet, Turan Çağlar'ın sorgulanmasıydı. 1978'de *Aydınlık*'taki "Kontrgerilla" dizisine bilgi sızdırmakla suçlanan Çağlar, 1983'te bu kez "Amerikalılar"a bilgi sattığı gerekçesiyle yakalandı.

Küçük ipuçlarından yola çıkan Atasagun, delilleri önüne koydu. "Sarılmışım. Sizden kaçırılacak bir şey kalmamış" diyen Çağlar, zorluk çıkarmadan anlattı her şeyi.

Kalp hastası olan Çağlar'ı, her akşam sorgudan sonra doktor kontrolünden geçiriyorlardı. Hem sorguyu hem de doktor muayenesini videoya kaydediyorlardı. 15 gün kadar süren sorgu bitince, ailesini MİT'e getirip "mavi oda"da Çağlar'la görüştürdüler.

Çağlar, Ankara'ya gönderildikten sonra kendini mektup yazmaya verdi. Mektuplarında, kendisine komplo kurulduğunu savunuyordu. Mektuplardan birini de MİT'e gönderdi. 17 haziran 1983 tarihini taşıyan bu mektubunda, İstanbul'da sorgulandığı günlerde şeref misafiri muamelesi gördüğünü vurguluyor, kendisini yakalayan ve sorgulayan MİT elemanlarını övüyordu. Hatta daha da ileri giderek önemli tespitlerde bulunuyordu:

"Bu elemanlar yetkili olarak yönetime gelseydi ne 12 Mart, ne de 12 Eylül olurdu. İsimlerini bilmediğim, sorgum sırasında sevgimi ve saygımı kazanan bu iki değerli arkadaşıma **183** da veda mektubu yazmak isterdim."[5]

Çağlar'ın, Atasagun'un adını öğrenmek için fazla zamanı olamadı. Henüz mahkeme kararını vermeden, nisan ayı içerisinde Mamak Cezaevi'nde kalp krizi geçirerek öldü. Çağlar'ın, ilacını almayarak ölümü seçtiği öne sürüldü.[6]

Çakıcı'yla ilk temas

1986'da MİT'teki rüzgârlar farklı yönlerden esmeye başladı. dış istihbarat daire başkanı olarak teşkilata damgasını vuran Gündeş, ayrıldı. Hemen ardından Hiram Abas müsteşar yardımcısı olarak geri döndü. Eymür de o sırada MİT okulunda öğretim üyeliği görevindeydi. Abas'ın dönüşüyle birlikte Eymür de MİT'te aktif bir konuma geldi.

Abas'ın kuruma dönüşü Atasagun'u da sevindirdi. Atasagun, o sırada MİT İstanbul bölge başkan yardımcısıydı. 1987'de Ankara'dan bir mesaj geldi. Eymür'ün imzasını taşıyan mesajda, İstanbul'da Alaattin Çakıcı isimli bir genç olduğu, babasının Dev-Sol tarafından vurulduğu ve devlete yardımcı olmak istediği yazılıydı.[7] Çakıcı'yla görüşüp kanaatini belirtmesi isteniyordu.

Atasagun, Çakıcı'yla görüştü. İzlenimi olumsuzdu, kullanılamazdı. Ankara'ya bildirdi. Ancak bu olumsuz görüş, Çakıcı'nın o tarihten itibaren MİT'le ilişki kurmasını engelleyemedi.

1990'a kadar İstanbul'da kalan Atasagun, ikinci kez Brüksel'e

---

5 "En ünlü MİT'çi ilk kez Aktüel'de", *Aktüel,* 26 mart 1998; Tuncay Özkan, *Bir Gizli Servisin Tarihi,* Milliyet Yayınları, s. 200.

6 Çağlar'ın yakalanması ve ani ölümünün karanlık bir senaryo olduğu da iddia edilmektedir.(Talat Turhan, *Emperyalizmin Batağındaki İstihbarat Örgütleri,* Sorun Yayınları, 2. baskı, mayıs 1999, s. 51-54.

7 Fatih Çekirge, "Gerçekler", *Sabah,* 25 ağustos 1998.

atandı. Bu kenti seviyordu. Üstelik orada kurduğu dostlukları, Ünal ve Ahu Aysal'ın, güney sahilindeki tatil köyüne kadar uzanıyordu. Hemen her yaz aynı ekiple tatile çıkıyorlardı. Tatil arkadaşları arasında Cem Duna ve Ümit Pamir gibi diplomatların yanı sıra sınıf arkadaşları Cemre ve M. Ali Birand da vardı.

Kimse işinden konuşmuyordu orada. Esprilerle, eğlenceyle dolu günler geçiriyorlardı. Gündüzleri denize girip kitap okuyorlar, geceleri özel partiler düzenliyorlardı. Örneğin "siyah-beyaz akşamı"nda tüm konuklar, siyah-beyaz giyinip öyle katılıyorlardı partiye.

Tatil köyünde bir de disko vardı. Büyükler değil, ama çocuklar gidiyordu diskoya. Çocukları kontrol görevini, kimi zaman espriyle karışık Atasagun'a veriyorlardı. "Hadi Şenkal, istihbaratçı olarak bu senin görevin! Git bir bak. Çocukların etrafında sakıncalı kimse var mı?" Gerçi kendisinin çocuğu olmamıştı, ama arkadaşlarını kırmaz, abartılı bir ajan havasına bürünür, çalıların arasından, duvar diplerinden kayarak gider bakardı diskoya. Hep birlikte kahkahalarla gülerlerdi. Atasagun, böylesi oyunların da katkısıyla Galatasaray günlerindeki muzip, şakacı haline geri dönerdi...

Eymür'ün dönüşü

Büyükelçi Sönmez Köksal, 9 kasım 1992'de MİT müsteşarlığına atandı. Atasagun, bu atamaya sevinmedi. Halbuki Köksal, 1980'lerin ortalarından itibaren tanıdığı, kimi yaz tatillerinde birlikte olduğu bir arkadaşıydı. Üzülmesinin nedeni, MİT'i, teşkilatın içinden gelmeyen birinin yönetmesinin imkânsız olduğuna inanmasıydı.

Gerçekten Köksal, ilk günlerde Yenimahalle'deki MİT kam- **185** püsünde bile korumalarıyla birlikte koşacak kadar teşkilata yabancıydı. Köksal, yabancısı olduğu teşkilat içinde dayanacağı, güveneceği tek isim olarak arkadaşı Atasagun'u görüyordu. Köksal, Atasagun'u, eylül 1993'te Ankara MİT bölge başkanlığına getirdi. Yabancı elçiliklerin bulunması nedeniyle casusların cirit attığı, kontrespiyonaj faaliyetinin yoğunlaştığı Ankara'da bölge başkanlığı, MİT'te önemli bir posttu. Atasagun, Ankara'ya geldikten sonra ayrılmaz ikili oldular. Pek çok sosyal faaliyette hep birlikte göründüler.

O günlerde polisin Ankara'daki bir Dev-Sol hücre evine yapılan baskında Mehmet Eymür'ün öldürülmesine ilişkin planlar bulundu. Cinayet planları son derece ayrıntılıydı. Üstelik Eymür'ün yaşamına ilişkin doğru bilgilere dayanıyordu.

Atasagun, hazırlanan planları görünce üzüldü. Seyirci kalamazdı. Kalktı, Antalya'da bir buz fabrikasını işleten Eymür'ün yanına gitti.

"Hayatın tehlikede" dedi. Korunabilmesi için MİT'e dönüşten başka çaresi olmadığını söyledi. MİT'ten olaylı ayrılan Eymür, geri dönüşün imkânsız olduğuna inanıyordu.

– Alay ediyorsun. Böyle bir şey olamaz...

– İkimiz de farklı kanalları zorlarsak neden olmasın?

Eymür, güçlükle ikna oldu. İki koldan faaliyete geçtiler. Atasagun, Köksal ve Mehmet Ağar'la görüştü, durumu anlattı. Eymür de Başbakanlık istihbarat başmüşavirliği görevinde bulunan Nuri Gündeş'in aracılığıyla Başbakan Tansu Çiller ve eşi Özer Çiller'e ulaştı. Sonunda MİT'in kapıları, Eymür'e bir kez daha açıldı. 31 ocak 1995'te kuruma geri döndü.

1995 temmuzunda Atasagun, MİT'te operasyon daire başkanlığına atandığında Eymür, aynı dairede "Kontrterör Merkezi başkanı"ydı. Eymür, altı ay kadar Atasagun'un yardımcısı olarak çalıştı.

Ancak aralarında sorun çıkması fazla zaman almadı. Her ikisinin de çizgileri, yöntemleri çok farklıydı. Atasagun, Eymür'ün yürüttüğü bazı operasyon dosyalarını birer birer kapattı. Bir dönem içtikleri su ayrı gitmeyen iki arkadaşın araları açılmaya başladı.

Başbakana ulaşmakta güçlük çeken Müsteşar Sönmez Köksal, çareyi Eymür aracılığıyla eşi Özer Çiller'le temas kurmakta bulmuştu. Köksal, Özer Çiller'i MİT kampüsüne davet etti. Düzenlenen yemeğe Atasagun da katıldı. Ancak yemek sonrasında brifing için salona geçileceği söylenince itiraz etti. "Millî İstihbarat Teşkilatı, yalnızca başbakana bilgi verir." Köksal'ın başkanlığında verilen brifinge katılmadan oradan ayrıldı.[8]

Köksal, zaten Atasagun'un sürekli kendisini eleştirmesinden bıkmıştı. Brifing olayı sonrasında Atasagun'dan tamamen koptu. Bununla da kalmayıp Atasagun-Eymür kavgasında Eymür'ün safında yer aldı. Onun anlattıklarına inanmayı yeğledi.

Kısa süren zafer çığlıkları

Olup bitenlerin en önemli sonucu, Köksal'ın, Eymür'ün başında olduğu "Kontrterör Merkezi"ni Operasyon Başkanlığı'na bağlı bir birim olmaktan çıkararak, doğrudan kendine bağlaması oldu. Bu da operasyonlarda iki başlılığı getirdi. Eymür, doğrudan Köksal'a bağlı olunca sık sık Operasyon Dairesi'nin alanına girmeye, Atasagun'u rahatsız etmeye başladı.

Atasagun'un, Eymür'den boşalan başkan yardımcılığına Yavuz Ataç'ı getirmesi de MİT içindeki çekişmeler açısından önemli sonuçlara yol açtı. Bir zamanlar Alaattin Çakıcı'yı kaynak olarak kullanan ve benzer istihbarat yöntemleri uygulayan Ataç ve Eymür'ün arası açıldı. Böylece MİT'teki kavga, Atasagun-Ataç-Eymür çatışması halini aldı.

Sonbahar aylarında Başbakan Tansu Çiller'den, "Sizden Apo'nun kellesini istiyorum" talimatını alan Köksal, bu görevi Eymür'e vererek Atasagun'u dışladı.

Eymür, Öcalan'ı öldürmek için düzenlediği operasyona "Yeşil" kod adlı Mahmut Yıldırım'ı da kattı. Aslında Yeşil'in MİT'le ilişkisi 1991'de kesilmiş, ancak Eymür, kasım 1995'te Yeşil'i MİT'e geri almıştı. İlginçtir ki, Yeşil'e 500 dolar aylık bağlanmasına ilişkin yazının altında Eymür'ün yanı sıra daire başkanı olarak Atasagun'un da imzası vardı. Belge, Yeşil'in kendi adına değil sahte bir isim olan Metin Atmaca adına düzenlenmişti. Atasagun gibi bir kurt istihbaratçı Metin Atmaca'nın Yeşil olduğunu bilmiyor muydu? Bu soru yanıtsız kaldı.

İlk "Apo operasyonu" 6 mayıs 1996'da, Şam'da gerçekleştirilebildi. Öcalan, binanın önüne yerleştirilen Mercedes minibüsteki C-4 patlatıldığı sırada telefonla konuşuyordu. Telefon konuşması da MİT'in Yenimahalle'deki merkezinden dinleniyordu. Patlamadan sonra telefon görüşmesi kesildi. MİT'te kısa süreli bir sevinç yaşandı. Fakat zafer havası uzun sürmedi, çünkü patlamanın şaşkınlığını atlatan Öcalan yeniden konuşmaya başlamıştı.

Öcalan'ın kurtulmasının nedeni, üç tarafı çelikle kaplı minibüsün gerekenden daha uzağa ve yanlış açıyla park edilmesiydi.

Eymür ve Yeşil ekibi, Öcalan'ı öldürmek için altı ay sonra yeni bir girişimde daha bulundu. Öcalan'ın, bir radyo konuşması için 27 kasımda Bekaa Vadisi'ne geleceği haber alınmıştı. Operasyon için tüm hazırlıklar tamamlanıp beklenmeye başlandı. Öcalan son anda gelmekten vazgeçince yine kurtuldu.[9]

Operasyon başarıya ulaşsaydı, dönemin Başbakanı Mesut Yılmaz, Çiller'in verdiği talimat sayesinde siyasî yaşamının en büyük fırsatını yakalayacaktı.

Eymür de kahraman olacak, belki de MİT müsteşarlığına kadar tırmanmasını sağlayacak bir yol açılacaktı önünde. Fakat girişim başarısızlıkla noktalanınca Eymür kurum içinde zor durumda kaldı. Atasagun ve Ataç'la çatışması da doruğa çıktı.

Londra'ya sürgün

Atasagun ve Ataç da kendi aralarında çekişme içindeydi. Üçlü kavga, Müsteşar Köksal'ı da rahatsız ediyordu. Köksal, bir yandan da Susurluk Skandalı sonrasında MİT'e yönelen eleştiri oklarının altında bunalıyordu.

Susurluk tartışmaları sırasında MİT'le ilgili her şey ortalığa saçıldı. Atasagun'un da adı, Çeçen militanların 16 ocak 1996'da Avrasya gemisini kaçırması olayının kan dökülmeden bitirilmesinden sonra ikinci kez basına yansıdı. Korkut Eken, TBMM Susurluk Araştırma Komisyonu'na verdiği ifadede, Atasagun'dan söz etti:

"... Çatlı'nın Papa Suikastı konusunda ayrıntılı bilgi verebileceğini söyledi. Telefonla Şenkal Bey'e bildirdim. Şenkal Bey 'İlgilenmiyoruz konuyla' dedi."[10]

Halbuki Atasagun, bu kararı kendi başına almamış; Anka-

---

9 "Apo'nun kurtulduğu gece", *Hürriyet,* 6 ekim 1998.
10 Veli Özdemir, *Susurluk Belgeleri,* Scala Yayıncılık, nisan 1997, s. 371.   **189**

ra'ya sorduktan sonra "İlgilenmiyoruz" yanıtını vermişti. MİT'in ilgilenmemesi kadar, aranan bir cinayet suçlusunu görmezden gelmesi de manidardı tabiî.

Susurluk süreci boyunca Atasagun'la ilgili suçlamalar bu kadarla kaldı. Kutlu Savaş'ın hazırladığı "Susurluk Raporu"nda da ona yönelik hiçbir iddia yer almadı. Eymür'ün 1987'de hazırladığı "1. MİT Raporu"nda da Atasagun'un adı, sadece bir kez, MİT görevlisi Mustafa Ercan'ın, Dündar Kılıç'la ilgili ifadesinde bir konuşmayı dinleyen kişi olarak geçmişti. Orada da hakkında hiçbir suçlama yöneltilmemişti.

Susurluk kazası sonrasında yine Eymür'ün hazırladığı "2. MİT Raporu"nda Abdullah Çatlı'nın da içinde bulunduğu Emniyet-çete organizasyonu gözler önüne serildi. Tartışmalar, suçlamalar kısa sürede Eymür ve Ataç'ı, ardından MİT'i de kapsadı. Toz duman içinde geçen 1997'nin ilk aylarında, MİT'te tüm dikkatler dıştan gelen suçlamalara yöneldi. İç çekişmeler, geri planda kaldı.

Sönmez Köksal, kavgaları unutmamıştı. ANASOL Hükûmeti kurulup Mesut Yılmaz yeniden başbakan olunca bir fırsatını bulup, üçünden de kurtuldu. Ağustos 1997'deki jet tayinlerle, Miktad Alpay'ı müsteşar yardımcılığına getirdi; Atasagun'u Londra'ya, Eymür'ü Washington'a, Ataç'ı da Pekin'e gönderdi.

İngiltere, Atasagun için sürgün yeri oldu. Operasyon başkanlığından sonra Londra'ya gelmesi, İngiliz istihbaratını rahatsız etmişti. PKK'ya yönelik bir operasyon için Londra'ya geldiğinden kuşkulandılar, gelip sordular:

– Buraya düzeni bozmaya mı geldin?

Ve tabiî aldıkları yanıtlardan tatmin olmadılar. Atasagun'u sürekli izleyerek neredeyse nefes bile almasına izin vermediler.

Atasagun için Londra, cehenneme döndü.

Müsteşarlığa tayin

Başbakan Mesut Yılmaz, muhalefet döneminde Budapeşte'de yumruklanmasını hazmedemiyordu. Yumruk olayının uzantılarının MİT'te olduğuna inanıyor, kurumu yeniden yapılandırmak istiyordu. Bunun yolu da öncelikle müsteşarı değiştirmekten geçiyordu.

Yılmaz, müsteşarlığa emniyet kökenli Kemal Yazıcıoğlu'nu getirmeyi düşünüyordu. Yazıcıoğlu için koalisyon ortaklarından destek bulamadı. Yeni adaylar ortaya çıktı. Askerler, başlangıçta Miktad Alpay'ı istiyorlardı. Alpay'ın adaylığının zayıflamasında söylentiler etkili oldu. Aday olarak Emre Taner ve Şenkal Atasagun kaldı.

Yılmaz'ın 9 aralık 1997'deki bir günlük Londra gezisi Atasagun'un önünü açtı. Başbakanın gezisini izleyen gazetecilerden biri, Atasagun'un yakın arkadaşıydı. Yılmaz'a, Atasagun'la görüşmesi için ısrar etti. Onu kıramayan Yılmaz, Atasagun'u kaldığı otele çağırdı. Önce uzak davrandı, ama 1,5 saatlik görüşmede Atasagun'a ısındı.

Mesut Yılmaz, Türkiye'ye döndükten sonra MİT müsteşarlığı konusunda müthiş bir kulisin ortasında buldu kendini. Alaattin Çakıcı bile kendince kulise girmişti.

Atasagun'u, 19 ocak 1998'de Ankara'ya çağırdı. Birkaç kez daha görüştüler. Başbakanın yakınlık duymasındaki önemli etkenlerden biri de Atasagun'un Özer Çiller'e verilen brifinge katılmamasıydı. Politikaya bulaşmamış, sivrilikleri olmayan bir istihbaratçı olan Atasagun böylece tek aday durumuna geldi. Genelkurmay da itiraz etmedi.

Son anda bir pürüz çıktı, Cumhurbaşkanı Süleyman Demirel, atama kararnamesini masasında tam altı gün bekletti. Demirel, Genelkurmay Başkanı Orgeneral İsmail Hakkı Karadayı ve Başbakan Yılmaz'la görüşüp, "son bir defa daha değerlendirdikten sonra" kararnameyi onayladı. Demirel, son kez değerlendirmeye neden gerek duymuştu? O anlaşılamadı...

Eymür ve Ataç'ın uzaklaştırılması

Atasagun, MİT'in 72 yıllık tarihinde teşkilat içinden gelen ilk sivil müsteşardı. 11 şubat 1998'de müsteşarlığa atandıktan sonra kurum içinde Mehmet Eymür ve Yavuz Ataç'ı da kapsayan bir soruşturma başlattı.

Bir yandan da MİT'i yeniden yapılandırmaya girişti. "Taşeron" kullanımına son verirken, idarî yapıyı da yeniledi. Atamaları, Silahlı Kuvvetler'deki Yüksek Askerî Şûra'ya benzer bir "Üst Kurul"a devretti. Genelkurmay-MİT-Emniyet'in telefon dinlemelerini koordinasyon için ortak bir merkez kurulması girişiminde bulundu.

Miktad Alpay'ı istihbarattan sorumlu müsteşar yardımcılığında tutarken, idarî işlerden sorumlu müsteşar yardımcılığına Sadi Sağlam'ı getirdi. Operasyondan sorumlu yeni bir müsteşar yardımcılığı kurarak, bu göreve de Emre Taner'i atadı.[11] MİT'in bu güçlü isimleriyle, her sabah düzenli olarak toplantı yapmayı alışkanlık edindi.

Müsteşarlığının ikinci ayında, 92 yaşındaki babasının ölüm haberi geldi. Cenaze töreninde, ağabeyi Seval'le birlikte annelerinin koluna girdiler. 65 yıllık eşini kaybeden Hayrünnisa Hanım, iki oğlunun arasında güçlükle ayakta durabiliyordu.[12]

Şehabettin Bey'in bıraktığı en önemli miras, kitaplarıydı.

---

11 Sedat Ergin, "Taşeron devri bitti", *Hürriyet,* 31 mart 1999.
12 "Müsteşarın acı günü", *Hürriyet,* 2 nisan 1998.

Tam 40 koli. İlk sayısından son sayısına kadar *Hayat* ve *Ses* dergileri. *Tommiks* ve *Pekos Bill*'in tümü ciltlenmiş çizgi romanları kalmıştı geriye. Bir de bulmaca çözerken kullandığı ansiklopediler...

Ne yazık ki, oğlunun artık bulmaca çözecek vakti kalmamıştı. Atasagun, nadiren bulduğu boşlukları casus romanları okuyarak değerlendiriyordu. Alaattin Çakıcı'nın yakalanmasıyla başlayan tatsız yoğunluk, o şansı da elinden aldı.

Çakıcı'ya kırmızı pasaportu Yavuz Ataç'ın verdiği haberleriyle birlikte "kaset savaşı" patladı. Gözler, Susurluk Olayı'nda olduğu gibi yine MİT'e yöneldi.

Atasagun, sessiz kalmadı. Eymür ve Ataç'ı merkeze çekti. Bu hareketi yanıtsız kalmadı. Gazetelerin elektronik posta kutularına Mehmet Eymür'ün eşi Janset Eymür'ün adıyla zehir zemberek bir mesaj gönderildi. Mesaj, " 'Sen bu ülkeye çok hizmet ettin, hiçbirimiz senin yerini tutamayız' diye eşime iltifatlar yağdıran Şenkal Atasagun'un şimdi 'Eymür eski Eymür değil diyebilmesi için biraz utanması lazım' " diye başlıyor; Atasagun'u suçluyordu:

"Eşim, yeraltı dünyasının MİT'teki temsilcisi diye nitelediği Yavuz Ataç ile ilgili birçok teşebbüste bulunmuş, sözlü olarak ve resmî yazılarla bu şahsın teşkilatta tutulmaması gerektiğini, Alaattin Çakıcı'ya ve yeraltı dünyasına bilgi aktardığını belirtmiştir. Şenkal ise Ataç'ı himayesine alarak başında bulunduğu birimde önemli bir göreve getirmiş, eşimin Yavuz Ataç'la ilgili teşebbüslerini Yavuz Ataç'a bildirerek onu eşime karşı kışkırtmış ve neticede Amerika'ya tayinimizden önce Yavuz Ataç'ın beline silah koyarak eşimi makamında tehdit etmesine ve birbirleri ile yumruk yumruğa girmelerine neden olmuştur.

Eşime de haksız yere disiplin cezası verildiği bu olaydan hemen önce Yavuz Ataç'ı metresi Neyzi isimli kadınla birlikte yurtdışına Alaattin Çakıcı ile birlikte operasyona yollayan Şen- **193** kal Atasagun'un kendisidir. Keza Alaattin Çakıcı'yı MİT'e empoze eden de yine kendisidir. Bunları eşleri dahil bütün MİT camiası biliyor. Bunlar nasıl olsa ortaya çıkmayacak mı? Kırmızı pasaportun kimler tarafından verildiği, Çakıcı'yı kimlerin görevlendirdiği, Birdal olayının kilit ismi Mehmet Kulaksızoğlu'nun kimlerin himayesinde olduğu, Yavuz Ataç, Kaşif Kozinoğlu gibi kişilerin MİT'te kimlerden himaye gördüğü nasıl olsa ortaya çıkacak. Onun için suçluluk telaşı içinde eşime değişti demek, onu bütün olayların içinde gibi göstermek insafsızlıktır."[13]

Bu mesaj, doğrudan Atasagun'u hedef alan bir savaş ilanıydı.

Yılmaz'ın iması

Birkaç gün sonra düzenlenen 30 Ağustos kokteylinde gazetecilerin en çok merak ettikleri konu MİT'teki bu çatışmaydı. Başbakan Yılmaz, "Çakıcı devleti kullanmış, devlet onu değil" deyince, sordular:

– Yani Çakıcı, Yavuz Ataç'ı mı kullanmış?

– Yalnızca Ataç'ı değil, onun üstündekileri de kullanmış...

Bir gazeteci, Yılmaz'ın bu sözleri üzerine hatırlatma gereği duydu; "Ama Ataç'ın üstünde Mehmet Eymür, Şenkal Atasagun ve Sönmez Köksal vardı..." Yılmaz, bu hatırlatmaya itiraz etmedi, susmayı yeğledi...

Bu sözler, en çok kokteylde bulunan Atasagun'u şaşırttı. Atasagun, Yılmaz'dan, Janset Eymür'ün suçlamaları karşısında kendisine destek veren bir açıklama bekliyordu. Ne yazık ki, başbakanın sözleri tam tersi imalarla yüklüydü.

Atasagun, Yılmaz'ın sözlerinin acısını karşılaştığı gazetecilerden çıkardı:

"Son günlerde MİT'e yöneltilen suçlamaların arkasında medyada köşe başlarına yerleşmiş 68 Kuşağı mensuplarının önyargıları rol oynuyor."[14]

Soğuk Savaş dönemi mantığını yansıtan bu bakış, MİT içerisinde kaldığında normal gözüküyordu. Oradaki "senyörler"in çoğu hâlâ bu düşünceyi taşıyordu. Ancak Atasagun'un ağzından ifade edilince dikkat çekti. Demeç, basında büyük eleştiri aldı. Ardından Atasagun, tepkileri yumuşatmak ve yapılanları anlatabilmek amacıyla basın mensuplarıyla daha sık görüşmeye başladı. Aslında basınla diyalog yöntemlerini biliyordu. İstanbul'dayken bir ara basınla ilişkileri üstlenmişti.

Atasagun, MİT'e yöneltilen suçlamaların odağındaki isimleri Eymür ve Ataç'ı uzaklaştırmayı da ihmal etmedi. Eymür'ü Şeker Şirketi'ne atayarak teşkilat dışına çıkardı. Eymür ise bu atamaya karşı Danıştay'da dava açtı, ama bir yandan da emekliliğini isteyerek, Amerika'ya döndü. İstifa baskısı Ataç üzerinde de sonuç verdi ve o da emekliye ayrıldı.

Eymür, mücadelesini farklı alanlarda sürdürdü. Susurluk Davası'nda MİT'i suçlayan açıklamalar yaptı. İddialarını kanıtlamak üzere de davanın görüldüğü İstanbul 6 No'lu DGM'ye bir dilekçe gönderdi. Dilekçede, MİT'e ait 12 bilgi fişine yer veriyordu. Fişlerde neler yoktu ki? Uyuşturucu, suikast girişimleri, cinayetler, her tür "rutin dışı" faaliyet söz konusuydu. Suçlananlar ise daha çok Abdullah Çatlı, Oral Çelik, Nurettin Güven, İbrahim Şahin, Korkut Eken ve Mehmet Ağar'dı. Asıl hedef, MİT değil, Emniyet çevresindeki güç odağıydı.

Nedense yanıt, sadece MİT'ten geldi. Atasagun, Eymür'ün,

"kendi kusurunu örtmek için teşkilatı suçladığı" karşılığını verdi...

Öcalan'ın paketlenmesi

MİT'in kamuoyundaki imajı açısından dönüm noktası, Abdullah Öcalan'ın Türkiye'ye getirilmesi operasyonuydu. Öcalan'ın 9 ekim 1998'de Suriye'den çıkmasıyla başlayan ve 16 şubat 1999'da yakalanarak Türkiye'ye getirilmesine kadar geçen süreçte MİT'e çok iş düştü. Öcalan, İtalya'dan ayrıldıktan sonra uçakla oradan oraya dolaşıp dururken yerinin saptanması zorlu bir uğraş haline geldi. Yeri konusunda çelişik haberlerin yayımlanması, MİT'e yönelik eleştirilere neden oldu.

Atasagun, 2 şubat günü, yazarlar Sedat Ergin, Emin Çölaşan ve Yavuz Donat'ı yemeğe davet etmişti. Sohbet sırasında söz Öcalan'a gelince Atasagun, "MİT uyuyor mu?" eleştirilerini yanıtladı:

– Bu olayda kurumumuz iyi bir çalışma ortaya koymuştur. Dünya servislerinin üzerinde bir performans gösterdik.

Öcalan'ın o sırada bulunduğu yerle ilgili olarak adres de verdi: "Elimizdeki istihbarat bilgileri, Apo'nun şimdi Rusya'da olduğunu gösteriyor."[15]

Aslında bir gün önce Öcalan'ın Atina'da olduğunu saptamışlar; Yunanistan istihbaratına faks mesajıyla iletmişlerdi tepkilerini. Yunanlılar reddetmişler, ama Öcalan'ı ülkelerinde daha fazla tutamamışlardı.

Atasagun, Öcalan'ın o an nerede olduğunu bilmiyordu, ama

---

15 "Rusya'ya kilitledik", *Hürriyet,* 3 şubat 1999; Emin Çölaşan, "MİT'te bir öğle yemeği", *Hürriyet,* 3 şubat 1999.

yeniden Rusya'ya dönmesinden endişe duyuyordu. Putin'in PKK kartını kullanmaya karar vermesi halinde Öcalan, Türkiye'nin başına büyük bir bela açabilirdi. Atasagun, o nedenle gazeteciler aracılığıyla Rusya'ya mesaj göndermeye çalışıyordu...

Oysa MİT'te Atasagun, gazetecilerle öğle yemeği yediği saatlerde Öcalan, Kenya'ya varmıştı bile. Öcalan'ı taşıyan özel uçağın Korfu'dan 2 şubat sabahı saat 06.00'da havalanarak, yerel saatle 11.33'te Nairobi'ye inişinden ve Öcalan'ın gelişinden CİA anında haberdar oldu.[16] MİT, o ana kadar Kenya'dan habersizdi.

İki gün sonra, 4 şubatta CİA'nın Ankara istasyon şefi, Atasagun'u ziyaret etti. Öcalan'ı Türkiye'ye teslim etmeyi teklif etti; bir koşulu vardı:

"Operasyonu Amerikan ve Türk ekipleri gerçekleştirecek. Ancak ne olursa olsun Abdullah Öcalan Türkiye'ye sağ olarak getirilecek, mahkemede adil olarak yargılanacak ve öldürülmeyecek."[17]

Öcalan'ın Afrika'da olduğunu söylemekle yetindi; koordinatlarını vermedi. MİT, birkaç gün içinde kendi teknik imkânlarıyla, Öcalan'ın Kenya'daki Yunanistan Büyükelçiliği rezidansında olduğunu belirledi. CİA, ortak operasyonu geciktirmeye kalkınca bu kart masaya sürüldü.

CİA-MİT ortak Kenya operasyonu böylece başladı. Kenya makamlarının da operasyona katılımıyla sessizce büyükelçilikten çıkarılan Öcalan, paketlendi ve havaalanında bekleyen MİT görevlilerine teslim edildi. Öcalan'ı Türkiye'ye getiren uçakta, üç MİT elemanı, üç Genelkurmay Başkanlığı Özel Kuvvetler'e mensup subay ile GATA'dan bir doktor bulunuyordu.

16 Nur Batur, "Yunanistan'ı sarsan APOGATE-2", *Hürriyet,* 19 mart 1999.
17 Tuncay Özkan, *Operasyon,* Doğan Kitapçılık, şubat 2000, 1.baskı, s. 1-3.

Öcalan İmralı'ya yerleştirildikten sonra Atasagun, derin bir nefes aldı. Susurluk Skandalı sonrasında çok tartışılan MİT, uzun süreden beri ilk kez bu tartışmaların uzağına düştü. Gazetelerde, televizyonlarda MİT'le ilgili övgü dolu haberler aniden arttı.

Sadece Türkiye'de değil, başka ülkelerde de MİT'i başarılı bulan yazılar yayımlandı. Ünlü askerî savunma ve istihbarat dergisi *Jane's Defence*'ta yer alan yazı da bunlardan biriydi. Yazar Sean Boyne, "MİT'in yükselişi Şenkal Atasagun'un teşkilatın başına geçmesiyle başladı" yorumunda bulunuyordu.

Kutlanamayacak doğum günü

"İmkânları ülke sınırları dışına taşmış" MİT'in müsteşarı olarak mutluydu. Her şey yolundaydı, MİT'i istediği kulvara sokmuştu. Öcalan'ın yakalanmasıyla başlayan başarı haberleri, 1999'u unutulmaz bir yıl haline getirdi.

1999, Atasagun'un yaşamında ikinci bir iz daha bıraktı. 17 ağustos 1999 depremini unutamayacak. Tabiî bu ülkede yaşayan herkes gibi, hep binlerce insanın ölümünü hatırlayacak. Hem bu felaketi hatırlamak için özel bir nedeni daha olacak. Çünkü 1941 yılının 17 ağustosunda Kars'ta dünyaya gelmişti. Artık doğum günlerini kutlayamayacak!

Körfez depremiyle ilgili haberler, MİT'i de gündemin alt sıralarına itti. Atasagun, aylar sonra Başbakan Bülent Ecevit'in 4-6 kasım 1999'daki Moskova gezisi sırasında yeniden basında göründü. Soruları yanıtlamamasına rağmen kameralar, objektifler gezi boyunca hep onu izledi.

Ecevit'in görüşmeleri sırasında masada yer aldı. Masanın karşı tarafında ise dönemin Rusya Başbakanı Vladimir Putin vardı. Putin eski bir istihbaratçıydı. Bir zamanlar, KGB'nin yeni adıyla iç istihbarattan sorumlu Federal Güvenlik Servisi'nin başkanlığını yapmıştı.

O nedenle Putin, başbakanlık görevine geldiğinde kutlama mesajı gönderenlerden biri de Atasagun'du. Putin de bir teşekkür mesajıyla karşılık vermişti. Aralarındaki bu sıcak ilişki, Öcalan'ın Rusya'ya kaçışı sırasında yardımlaşmaya dönüşmemiş; "Rus istihbaratı üç maymunu oynamıştı." Türkiye istihbaratı da her seferinde onları bilgi ve belgeyle yalanlamak zorunda kalmıştı.[18]

Atasagun'un, Ecevit'in yanında masaya oturmasının nedeni de PKK'nın Rusya'daki faaliyetleri konusunda "üç maymun" oyununun tekrarını önlemekti. Ancak masada, iç istihbarattan sorumlu servis şefine ayrılan sandalye boş bırakılınca Atasagun etkisiz kaldı.

Ecevit'in ısrarı üzerine Putin, Atasagun'u Rus meslektaşıyla buluşturma sözü verdi. Putin, bu sözünü de yerine getirmeyince Atasagun, Moskova'dan eli boş dönmek zorunda kaldı. Putin, bir süre sonra iç yerine dış istihbarattan sorumlu servis şefini Ankara'ya gönderdi. Yasak savmak için bundan güzel bir numara bulunamazdı...

Öcalan'ın idamı

Öcalan'ın idamı tartışmalarında Atasagun'un tavrı etkili oldu. Hükûmetin Öcalan'ın idam dosyasını Avrupa İnsan Hakları Mahkemesi kararı alınana değin Başbakanlık'ta bekletme kararı öncesinde Ecevit'e bir rapor sundu.

---

18 Sedat Ergin, "MİT'e karşı üç maymun", *Hürriyet,* 8 kasım 1999. **199**

15 sayfalık raporda, idam cezasının hemen infazının sakıncaları anlatılıyordu. Üç koalisyon liderinin 12 ocak 2000'deki toplantıda aldıkları infazı erteleme kararı, Atasagun açısından sevindiriciydi. Terör dalgasının yeniden yükselmesi önlenmişti. Öcalan'ın çağrısı üzerine PKK terörünün gerilemesi, Hizbullah'ın gerçek boyutlarının ortaya çıkmasına ortam sağladı. Ülke genelinde Hizbullah operasyonları başladı, birbiri ardına bulunan "mezar evler"den çürümüş cesetler çıkarıldı.

Açığa çıkan kötü tablo, güvenlik birimlerinin yanı sıra MİT'in de suçlanmasına yol açtı. Nasıl olmuştu da Hizbullah'ın cinayetleri, silahlanması, örgütlenmesi öğrenilip üzerine gidilememişti? Herkes bu soruları soruyordu; tabiî gazeteciler ve muhalefet de. Konu, MGK'nın ocak toplantısında gündeme geldi. Atasagun, eleştirileri orada yanıtladı. "Sorguda öldürdükleri insanları MİT ajanı diye sorguluyorlar" deyip, sordu:

– Eğer devlet koruyorsa, kendi adamlarını niye MİT ajanı diye sorgulasınlar? Böyle bir ilişki olmadığını bu çelişki de ortaya koyuyor.

Hizbullah'ı korumadıklarını anlattı. Küçük bir sorun yaşadıklarını kabul etmeden geçemedi:

"PKK terörü hep ön planda olduğu için devletin istihbarat kurumlarının gölgesinde kaldı. Ortaya çıktığından beri bu örgütle ilgili düzenli olarak bilgi toplanmış, operasyon yapılmış ve mücadele edilmiştir."[19]

Evet, sorunun özü buydu. PKK ile mücadeleye o kadar konsantre olmuşlardı ki, Hizbullah o gölgelikte rahatlıkla serpilip boy atma fırsatı bulmuştu.

MİT'in imajını gölgeleyen gelişmelerden biri de Gazeteci Abdi İpekçi'nin öldürülmesine ilişkin davaydı. 1995'te Alman-

19 Serpil Çevikcan, "MİT: Hizbullah korunmadı", *Milliyet,* 1 şubat 2000.

ya'da yakalanan Yalçın Özbey'in sorgusu için bir Emniyet görevlisiyle birlikte iki MİT elemanı bu ülkeye gitmiş, birlikte ifade almışlardı.[20]

Fakat mahkemenin ısrarına rağmen, MİT, Özbey'in ifade tutanaklarını bir türlü bulamadı; ifade kasetlerinin de imha edildiğini bildirdi. Avukatların yoğun çabaları sonucunda Atasagun, Özbey'in ifadesini alan iki MİT elemanının mahkemeye çıkmasına izin verdi. Garip, ama iki MİT elemanı da hiçbir şey hatırlamadıklarını söylediler. Ve sonuçta İpekçi davası zaman aşımından düştü; Oral Çelik ve diğer zanlılar kurtuldular.

Nasıl olduysa davanın düşmesinin ardından Özbey'in ifade tutanakları ortaya çıkıverdi; MİT'in bulamadığı tutanaklar, Emniyet Genel Müdürlüğü arşivlerinden çıkmıştı (!). Tutanakların DGM Savcılığı'na gönderilmesi de davanın akıbetini değiştirmeye yetmedi.

Atasagun'un başında bulunduğu MİT, İpekçi cinayetinin aydınlanmasına yardım etmemiş; tam tersine sır perdesinin olduğu gibi kalmasına katkıda bulunmuştu.

İsimsiz kahramanlar

Almanya'yla 2000 yılının ilk aylarında bir kriz yaşandı. Türkiye'nin dört diplomatı kışkırtıcı ajanlıkla suçlanarak geri çekilmeleri istendi. Atasagun'un tepkisi sert oldu. Almanya'ya yapmayı planladığı geziyi iptal etti.[21]

Kriz, bir süre sonra *Der Spiegel*'e de yansıdı. Ünlü haber dergisi, krizi ayrıntılı olarak aktarıyor, dört diplomatın geri çe-

---

20 "MİT'e göre Çelik ve Özbey suçlu", *Milliyet,* 16 haziran 2000.
21 "Casus diplomat krizi", *Der Spiegel,* sayı 10, 2000, 3 mart 2000.

kildiğini yazıyordu. Alman yetkililer sessiz kalmayı yeğledi. Atasagun ise haberi tümüyle yalanladı.

Can sıkıcı gelişmelerin ikincisi ise Amerika'ya yerleşen Eymür'ün İnternet'te ATİN (Anadolu Türk İnterneti) adlı bir site kurmasıydı. İnternet'ten rakiplerine savaş açan Eymür'ün bazı gazetecilerin MİT'e çalıştığı suçlaması Türkiye'de büyük yankı yaptı.

Gazetecilerin hemen tamamı aynı tavrı gösterdi; bir gazeteci aynı zamanda istihbarat servisine çalışamaz. MİT ajanlığının doğru olduğunu savunan kimse çıkmadı. Türkiye'de bir ilk de yaşandı. Gazeteciler Cemiyeti Başkanı Nail Güreli, Atasagun'a bir mektup yazdı: "MİT'in kullandığı gazeteci var mı?"

Güreli'nin 19 nisan 2000 tarihli mektubuna Atasagun, beş gün sonra yanıt verdi. "Basınımızın güzide mensuplarını kullanmayı aklımızdan geçirmediğimiz gibi, basınımızın da bizi kullanmasını hiçbir zaman arzu etmeyiz." Suçlamaları reddetmekle kalmadı, basını suçladı:

"... Bir dönemde, kendi iradeleri ve felsefeleri doğrultusunda bazı illegal örgütler içerisinde, illegal çalışmalara girmiş ve mücadelelerini kaybetmiş kişiler, halen basın camiasında mevcuttur. Bu kişiler, bu dönemlerinin sorumluluğunu MİT'de aramakta ve ellerine geçen her fırsatta MİT'i küçük düşürme gayretinde bulunmaktadır."

"İsimsiz kahramanlar" dediği MİT mensuplarını savunurken, eski müsteşarlardan değişik bir çizgi sergilemiyordu. Atasagun'un asıl farkı, başarılı operasyonlar yürüten İçişleri Bakanı Sadettin Tantan'ı herkesin önünde kutlamasında gizliydi. Birikimine, çizgisine güveniyordu ve tabiî MİT'i ulaştırmak istediği hedeften emindi...

Eyüp Aşık

Hafiyesi Eyüp

Hataylı öğretmen, öğrenciler arasında anket düzenlemişti. Trabzon Lisesi'nin yatılı öğrencileri, formları o akşam güle oynaya doldurdular. En çok "Liseyi bitirince ne olacaksınız?" sorusu ilgilerini çekmişti. Kimi mühendis yazıyordu, kimi doktor. İçlerinden sadece birisinin, Eyüp Aşık'ın yanıtı farklıydı: "Politikacı olacağım."

Öğretmen, sinirlendi. Öğrencisinin dalga geçtiğini sanmıştı. Onu Disiplin Kurulu'na verdi; ama cezalandırılmasını sağlayamadı. Zaten cezalandırılması da lise son sınıf öğrencisi Eyüp'ün sivrilme tutkusunu dizginlemeye yetmezdi.

Ondaki sivrilme tutkusunu ilk tespit eden, okulun kavgacı tipi Mehmet Taka'ydı. İri cüsseli bir öğrenci olan Taka, arkadaşlarının Öğrenci Birliği Başkanlığı tartışmalarını sessizce izlemişti. Kim aday olsun tartışmaları dinmek bilmiyordu. Sonunda Taka sıkıldı, Eyüp'ü işaret etti:

– Hepinizi dinledim. Başkanlığa layık bir tek onu gördüm. O aday olsun.

Arkadaş grubu, bu isteği kabullendi. Onun adaylığına destek verdiler. Ancak üç bin öğrencinin okuduğu lisede, farklı dengeler söz konusuydu. Trabzonlular, Oflular, Akçaabatlılar, Maçkalılar ve diğer ilçelerden gelenler. Her grup, farklı birini aday çıkarıyordu. Bu da gerginliği tırmandırıyordu. Okul yönetimi, çareyi seçimleri iptal etmekte buldu...

Eyüp, Çaykaralıydı. Kondu köyünde dünyaya gelmişti. Sekiz çocuklu fakir bir ailenin beş numarasıydı. Kayıtlar, 1 ocak 1953'te doğduğunu söylüyordu. Gerçek tarihi ise kimse hatırlamıyordu. Ne babası Mustafa, ne annesi Fatma. Sadece "1952'nin yaz ayları" diyorlardı, o kadar. Toprak insanları için günler birbirine benziyordu.

Yaşamları, çay bahçeleri ile fındık ağaçları arasında geçip gidiyordu. Onlar için çocuk okutmak masraflı bir işti. İlk iki oğullarını okutamamışlardı. Eyüp, okumaya çok hevesliydi. Kitap ya da gazete ne bulursa elinden bırakmıyordu. Okula başlamadan harflerle tanıştı; okumayı kendi başına öğrendi.

İlkokulda doğrudan ikinci sınıfa aldılar. İlkokul günleri keyifliydi. Beş kilometre uzaktaki okula arkadaşlarıyla birlikte yürüyerek gidip geliyorlardı.

İlkokul döneminin en ilginç olayını dördüncü sınıftayken yaşadı. Okul başkanı seçilecekti. Hep beşinci sınıflar aday gösterilirdi. Öğretmenlerden biri bu kuraldan sıkılmıştı. "Eyüp'ü de aday gösterelim" dedi. Öbürleri de kabul etti. Oylama bahçede yapılacaktı. Her aday, bir ağacın önüne dikildi. Öğretmen, düdüğü öttürdü. Öğrenciler, çığlıklar atarak koştular. En büyük kalabalık, onun yanında toplandı. O artık okul başkanıydı, çok sevindi...

Ortaokuldaki yol ayrımı

İlkokulu bitirdiği yıl, 6 yıllık öğretmen okulu sınavına girdi. Erzurum'daki yatılı okulun sınavını kazandı, ama yaş engeline takıldı. İlkokulda sınıf atladığı için yaşı tutmuyordu. Yaşını büyütmek için dilekçe vermeye çalıştı. Babası yardım etmeyince başaramadı.

Dünyası kararmış; öğretmenlik hayalleri suya düşmüştü. Geceler boyu ağladı. Anne ve babası da oğullarının bu haline üzülmüştü. Onu Çaykara Ortaokulu'na göndermeye karar verdiler.

Köyden iki çocuk daha vardı. Yedi kilometre uzaktaki ilçe merkezinde küçük bir dükkânı kiraladılar ortaklaşa. Tahtaların üzerine serdikleri şiltelerde uyuyorlar, gazocağında pişirdikleri yemekleri yiyorlardı. Katıkları da mısır ekmeği ve yoğurttu. Helva ekmek yeme istekleri hep bir hayal olarak kalıyordu.

Hafta sonlarında yürüyerek köylerine gidiyorlardı. Yıkanıp temizleniyor, sonra bir haftalık yiyeceklerini yüklenip Çaykara'ya dönüyorlardı.

Sefalet dönemi bir yıl sürdü. Ertesi yıl, Trabzon Lisesi yatılı bölümünün sınavına girdi. Kazanınca köyünden biraz daha uzaklaştı.

Trabzon'da o yıl bocaladı. İkinci dönemde yeni ortama uyum sağladı. Dersleri yine düzeldi. Başarılı bir öğrenciydi. Ortaokul bitirme sınavındaki notları gayet iyiydi.

Lisede fırsat buldukça şiir yazmaya başladı. Derslerin dışında da kitap okuyordu. Ömer Seyfettin, H. Rahmi Gürpınar gibi yazarların kitaplarını seviyordu.

Lise 2'deyken yaşamı değişti. Yaz tatilinde Rize'deki çay fabrikasında çalışmaya başladı. İlk kez cebi para gördü. Dört düğmeli ceketler modaydı. Yelekli bir takım diktirdi kendine. Yüzü gülmeye başlamıştı.

Son sınıftayken para sıkıntısı olmadı. Mayısta yine fabrikanın yolunu tuttu. Çay sezonu başladığı için tatili beklememiş, iki hafta kadar erken ayrılmıştı okuldan.

Almanya Almanya

Üniversite sınavında aldığı puanla bir yere giremedi. Belki İstanbul'u, Ankara'yı dolaşsa puanına uygun bir fakülte bulacaktı. Ama oralarda okuyacak cesareti yoktu.

O yıl öğrenime ara verdi. Çay fabrikasında büro işlerini, muhasebeyi öğrenmişti. O sayede yeni bir iş buldu. Murgul'dan Hopa'ya bakır taşımak için boru hattı inşa eden bir şirkette muhasebeci olarak çalışmaya başladı. Şantiyeler arasında dolaşıp duruyordu. Hem de iyi para kazanıyordu. Kendine güveni yerine gelmişti.

Üniversite sınavında ikinci yıl daha yüksek puan aldı. Tıp fakültesine tutuyordu. Ama Hopa'daki işinden ayrılmak istemiyordu. Karadeniz Teknik Üniversitesi'ni seçti. Makine mühendisliği okumaya başladı. Yaz ayları yaklaşmıştı. Yine iş bulması gerekiyordu. O sırada duydu, Almanya'da bir fabrikaya gidip para kazanabilirdi. Üstelik orada stajyer öğrencilerden vergi de alınmıyordu. Bu da işverenlerin tercih nedeniydi.

Bir okul arkadaşıyla anlaştı. İki kafadar, uzun bir uğraş sonucunda Almanya'da iş buldular. En önemli sorun Almanca'ydı. Eyüp, lisede İngilizce okumuştu. Tek kelime Almanca bilmiyordu. Almanca kitaplar aldı, oturdu aylarca çalıştı. 1971 yazında Hannover'e ayak bastığında kafasında bir yığın Almanca sözcük uçuşuyordu.

Küçük bir kasabaya yerleşti. Bir Alman ailenin yanında kalıyor; spor malzemeleri üreten bir fabrikada çalışıyordu. Etrafında bir tek Türk yoktu; Türkçe'yi duymuyordu bile. Öyle ki, uçak bileti almak üzere THY bürosuna gittiğinde afalladı. 4,5 ay sonra Türkçe konuşmak, ilk anda zor gelmişti.

Bir yıl sonra yine Almanya'ya gitti. Aynı fabrikada çalıştı, aynı ailenin yanında kaldı.

Hitler'in Kavgam'ı

Bir yandan üniversiteye devam ediyordu. Ama hayatla tanışmıştı. Kabına sığamıyordu. Üniversite üçüncü sınıftayken yeniden sınava girdi. Ankara Hukuk Fakültesi'ni kazandı. KTÜ'den ayrılmamıştı. Lise diplomasının suretini götürüp kaydını yaptırdı. Bir yıl iki fakültede birden okudu; hevesini alınca Hukuk'u bıraktı.

O yıla kadar partilerle ilişkisi olmamıştı. Muhafazakâr bir çevreden gelmişti. Hitler'in *Kavgam*'ını üniversitede okuyup etkilenmişti. Buna rağmen şaşırtıcı bir tercih yaptı. Ferruh Bozbeyli'nin Adalet Partisi'nden ayrılarak kurduğu Demokratik Parti'yi seçti. DP'nin, Süleyman Demirel'e tepkisi dikkatini çekmişti. DP Gençlik Kolları'na girdi, il başkanı oldu.

Artık üniversite son sınıftaydı. Gözünü ticarete çevirmişti. Para kazanmak istiyordu. Ağabeyi Hasan'a borçlandı. Bir de ortak bulup, inşaat malzemeleri satan bir dükkân açtı. Üniversitenin hemen bitişiğinde bir ortaokul ihalesini aldı. Başka bir müteahhitin karnesiyle ihaleye girmişti. Dükkâna gelen malzemelerin de yardımıyla okul binasını öğretim yılına yetiştirdi.

Trabzonspor'un getirdiği şöhret

Üniversiteyi 1975'te bitirdiğinde iş yaşamında önemli adımlar atmıştı. İnşaat işlerine ilaveten nakliyat ve soğutma tesisatlı vitrin üretimine girişmişti. İşleri yolundaydı. *Hürriyet*'in "25 000 Otomobil" kampanyasına katıldı. Şansı yaver gitti, kura ikinci ayda ona isabet etti. Renault'sunu teslim aldığında araç kullanmayı bilmiyordu. Ehliyeti sonradan aldı.

Askerliğini yapacağı Ankara'ya arabasıyla gitti. Zırhlı Birlik- **207** ler'de ilk tümen komutanı Mehmet Buyruk'tu. Daha sonra onun yerine Doğan Güreş geldi. Güreş, Buyruk'a göre oldukça sert bir komutan olarak tanınmıştı.

18 aylık yedeksubaylık sonrasında Trabzon'a dönerken Samsun'a uğradı. Orada birkaç gün oyalandı. Asıl amacı öteden beri gözüne kestirdiği bir kızla konuşmaktı. Uzaktan akraba olan Mevhibe'den hoşlanıyordu. Bir fırsatını bulup, evlenme niyetini açtı ona. Genç kız kabul etti teklifini. Sevinçle döndü Trabzon'a. Annesi babası gidip kızı istediler ve kısa zamanda düğün dernek kuruldu.

Evlendiği yıl olan 1977'den 1983'e kadar geçen dönem, iş yaşamının en parlak günleriydi. Vergi rekortmeni olarak anılıyordu. Kentteki asıl ününü, Trabzonspor yönetimine girdikten sonra yaptı. Muhasip olarak, takıma en büyük katkısı tesisler için arsa alımıydı.

Trabzonspor'un ona katkısı ise daha büyüktü. Geleceğe hazırlanmasını sağladı. Siyasetin kapıları, Trabzonspor sayesinde açıldı...

Özal maçtan çağırdı

Trabzonspor, Cumhurbaşkanlığı Kupası maçı için Ankara'ya gelmişti. Eyüp Aşık da yönetici olarak tribündeydi. Yaşamının pusulasını değiştirecek haberi orada duydu. "Turgut Özal seni çağırıyor" dediler.

Maçtan sonra ANAP Genel Merkezi'ne gitti. Önce Veysel Atasoy, Halil Şıvgın, Mustafa Taşar'la karşılaştı. Sonra Özal'ın yanına girdi:

– Trabzon'da bizim partiyi kur.

Aşık, teklifi duyunca şaşırdı, durakladı. Daha önce MDP kuruculuğunu reddetmişti. 1982 Anayasası'na ret oyu vermiş bir kişi olarak, 12 Eylül'ün partisine nasıl girerdi? Ret gerekçesi buydu, ANAP'a o kadar katı bakmıyordu:

– Size yardımcı olurum. Ama ben henüz politikaya girecek yaşta değilim.

Bu gerekçe Özal'ı ikna etmeye yetmedi. O gün Aşık, ANAP'tan elinde yetki belgesiyle çıktı. Trabzon İl Örgütü'nü kurmakla görevlendirilmişti...

İsimleri bulmak zor olmadı. Asıl güçlüğü bina bulmakta çekti. Kent merkezindeki Dallas Gazinosu, bir kavgada silahlar patladığı için kapatılmıştı. Kadife koltukları, güçlü ses düzeni öylece duruyordu. Aşık, "Tamam. Burayı tutalım" dedi. Arkadaşları, isyanları oynadı:

– Aman yapma. Muhafazakârlar bize oy vermez. Pavyonda parti olur mu?

Uzun süren tartışmayı Aşık kazandı, pavyonu kiraladılar. Doğru bir karar vermişlerdi Özal'ın ilk ziyaretinde de bunu görüp rahatladılar. Akşam gelen Özal'ı dinlemek isteyen kalabalık, geniş salona rahatlıkla sığdı.

Bu gezinin başka bir anlamı da Özal'ın, Aşık'ı ilk kez yakından tanımasıydı. ANAP konvoyu Ordu'ya geldiğinde program zaten sarkmıştı. Özal, bir de yemek molası vermek isteyince Aşık itiraz etti. "Biraz daha gecikirsek kalabalık dağılır." Yemeğe oturmadı, sinirle dışarı çıktı. Az sonra Özal çağırttı. Israrla masaya oturtmaya çalıştı. Baktı olmuyor, çatalını, bıçağını bıraktı, eşine döndü:

– Semra bir deliye çattık. Ben gidiyorum.

Giresun programını iptal edip, doğruca Trabzon'un yolunu tuttu. Orada gördüğü ilgiden de memnun kaldı. Seçim sonuçları da aynı ölçüde sevindiriciydi; tüm milletvekilliklerini ANAP kazanmıştı.

Milletvekili mazbatasını alıp Ankara'ya gittikten birkaç gün sonra yine Özal çağırdı:

– Teşkilat Başkanı Mehmet Keçeciler'in yardımcısı olarak çalışacaksın. O milletvekili olmadığı için meclisle koordinasyonu sen sağlayacaksın.

Keçeciler ve Aşık, ANAP teşkilatını tamamen yıkıp, yeniden yaptılar. Aralarında gizli bir çekişme yaşanıyordu. Aşık, milliyetçi kanatla birlikte hareket ediyordu. İlk günden itibaren milliyetçi kanadın İlhan Aküzüm'ün bürosunda yaptığı toplantılara katılmaya başlamıştı.

Özal, bu toplantıları yakından izliyor; olup bitenleri biliyordu. Aşık'ı bakan yapmayı iki kez düşündü, ismini yazdı; sonra vazgeçti. Gerekçesi ikisinde de aynıydı:

– Eyüp, Halillerle (Şıvgın) birlikte. Kontrol altında tutamam sonra...

Kutsal ittifak isyanı

Umutsuzluğa kapılmıştı; 1987'de seçilemeyeceğinden endişe ediyordu. İstanbul'da birkaç arkadaşıyla birlikte bir nakliyat şirketi kurdu. Yüzde 25 hissesi bulunan şirketten sekiz ay kadar sonra ayrıldı. Tüm umutsuzluğuna rağmen bir kez daha milletvekili seçilmişti.

Hemen ardından, basından sorumlu genel başkan yardımcılığına getirildi. Özal'la araları iyiydi o sıra. Nakşibendîlik tartışmalarında onu savunmakta tereddüt etmedi:

– Ne var bunda? Özal da ben de Nakşiyiz. Toplantılarına bir iki kez katılınca onlardan olursunuz. Öyle kimlik kartı olan birşey değil ki bu!

Böylece Nakşibendîliğini tescil etmiş; muhafazakârlara da

şirin gözükmüştü. Bu kimliği, milliyetçi ve muhafazakâr kanatları barıştırmasında önemli rol oynamıştı. 1988'deki ANAP Büyük Kongresi yaklaşıyordu. "Kutsal ittifak"ın hedefi, partiyi liberallerden temizlemekti. Liberaller ise Özal'a sığınmıştı. Özal, ittifakı sezdi. Kongre öncesinde çıktığı Amerika gezisine Aşık'ı da götürdü. Amacı onu kongre kulislerinden uzaklaştırmaktı. Aşık, sık sık telefonla görüşerek, "kutsal ittifak"ın kongre hazırlıklarına katıldı; anahtar liste hazırlığını bizzat yürüttü. Özal'la birlikte uçaktan iner inmez, doğruca Alparslan Pehlivanlı'nın yanına, Stad Oteli'ne koştu.

Kongrede patlayan silah, her şeyi altüst etti. Kartal Demirağ'ın, Özal'a suikast girişimi üzerine liberaller, anahtar liste çıkarmaktan vazgeçmedi. "Kutsal ittifak" ise geri adım atmadı. Aşık ve Pehlivanlı'nın bastırdığı anahtar liste kongrede dağıtıldı. Bu tavır, ANAP liderini derinden yaraladı. Kongreden galip çıkan ittifakçıları, partiden, hükûmetten temizledi. MKYK'ya ikinci kez seçilen Aşık'ı da genel merkezden uzaklaştırdı.

Bununla da kalmadı. İl teşkilatlarını feshetmeye başladı. Trabzon'un da feshedildiği açıklanınca Aşık, kafa tuttu:

– Genel başkan kongre sonuçlarını yok sayamaz.

Demeci okuyan Özal, telefon edip, fırçaladı, "Sen ne demek istiyorsun?" O andan itibaren de açık bir mücadele başladı aralarında. MKYK'da konu tartışılırken, Özal sinirliydi. Aşık konuşurken bir yandan da Trabzon İl Teşkilatı'nın feshedilmesine ilişkin karar kâğıdını üyeler arasında dolaştırmaya başladı. Özal, az sonra kâğıt önüne gelince gördü ki, çoğunluk kararı onaylamamış. Bağırmaya başladı:

– Ben size genel başkanlık da başbakanlık da yapmam.

Güçlükle yatıştırdılar. Aşık, salondan çıktı ve kâğıt ikinci kez dolaştırıldı. Çaresiz, MKYK üyelerinin çoğu imzaladı. Ancak Özal, bununla yetinmedi; Aşık'ı ihraç istemiyle disipline verdi. **211**

İmdadına Özal'la arası bozulan Bedrettin Dalan yetişti. Telefon etti, uyardı: "Sakın istifa etme." Öyle oldu. Disiplin Kurulu'nda liberaller de lehinde oy kullandı. İhraç istemi reddedildi.

Her kongrede başka lider

Özal'ın cumhurbaşkanı olmasına da karşı çıktı. Yine de Köşk'e en çok çağrılanlardan biriydi. Özal, Olağanüstü Kongre öncesinde, Alparslan Pehlivanlı'yla ikisini çağırdı. Uzun uzun konuştu, onları dinledi. Görüşmeyi bir uyarıyla noktaladı:

– Türkiye'yi yedi sene daha ben idare edeceğim diyorum. Siz Hasan Celal Güzel'i tarif ediyorsunuz. Onda ısrarcı olmayın.

Kongreden birkaç gün önce bir kez daha çağırdı. Bu kez dört kişiydiler. Eyüp Aşık, Alparslan Pehlivanlı, Burhan Kara ve Talat Zengin. Ekip olduklarını biliyordu. İsteğini açıkça dile getirdi:

– Üzerinizde hakkım var. Akbulut'a oy verin.

Dinlediler, çıkarken haber verdiler. "Biz Hasan Bey'in bürosuna gidiyoruz." İkna olmamışlardı. Güzel için çalıştılar. Kongreden yenik çıktılar. Genel başkanlığı Yıldırım Akbulut, yani Özal kazanmıştı.

ANAP'ta yeni dönem başladı. "Dörtlü" kısa sürede Güzel'den uzaklaşıp, Akbulut'a yaklaştı. Aşık, "liberal" ekibin lideri Mesut Yılmaz'la da temastaydı. "Türban konusunda açık tavır alma" diyor; "Semra Özal'ın İstanbul il başkanlığını destekleme" önerisinde bulunuyordu. Bir yandan da Yılmaz aleyhine kampanya yürütüyordu.

"Dörtlü"den Pehlivanlı, TBMM Adalet Komisyonu başkanı olunca ülkücü kesimle ilişkileri yeniden ısınmıştı. Bir af tasarısı söz konusuydu. Susurluk kazasında yaşamını yitiren Abdullah Çatlı da o dönemde komisyona gidip gelenler arasındaydı. "Reis" olarak anılan Çatlı da, ünlü 1991 kongresi öncesinde Ankara'ya gelerek, kulis faaliyetlerine katıldı.[1] "Dörtlü", bu kongrede bir kez daha kaybetmişti. Akbulut tarih olunca Yılmaz'ın safına kaydılar. Pehlivanlı, MKYK toplantısında espri yaptı:

– Bizi kabul ettiniz, ama biz tehlikeli insanlarız. Güzel'e sahip çıktık, batırdık. Akbulut'u batırdık, şimdi sıra size geldi herhalde...

Yeni Genel Başkan Mesut Yılmaz da gülüp geçti. Özal'ın, karşısına Mehmet Keçeciler'i rakip çıkardığı kongrede "Dörtlü"nün büyük yardımını gördü.

O sıralarda tavla oynamak Aşık'ın özel yaşamının tek eğlencesi halini aldı. Zamanla, tavlanın yanı sıra parayla oynanan kâğıt oyunları da eklendi. "Eğlence" diye başladığı oyunlar, küçük bir arkadaş grubu arasında oynanan kumara dönüştü böylece.

Hafiyeliğe özendi

Asıl şöhreti, TBMM İnsan Hakları Komisyonu başkanlığıyla yakaladı. İşkenceye karşı çıkıyor, Güneydoğu'da köylerin yakıldığını açıklıyor; polise insan hakları dersi verilmesini istiyordu. Yeşil'i de o dönemde keşfetti. Tunceli'den gelen yakınmalarda hep Yeşil'in adı geçiyordu. Merak etti, Tunceli Valiliği'ne yazı gönderdi, sordu. Gelen yanıt şaşırtıcıydı:

"Evet, Yeşil kod adlı Mahmut Yıldırım adımıza çalışıyordu. Bu tarihten itibaren ilişiği kesilmiştir."

---

1 Soner Yalçın / Doğan Yurdakul, *Reis, Gladio'nun Türk Tetikçisi*, Öteki Yayınevi, 1. baskı, 1997, s. 267.

Tabiî ki bu yazı gerçekleri yansıtmıyor; Yeşil'in yıllar sonra ortaya çıkacak olan MİT'le ilişkisi konusunda en ufak bir ipucu vermiyordu. Aşık, fazla üzerinde durmadı Yeşil konusunun. Yazıyı bir kenara koydu.

Aşık, 1991 seçimlerinden sonra ANAP grup başkanvekili oldu. "Yılmaz'ın akıl hocası" konumuna yükselmişti. Henüz parti içindeki hâkimiyetini pekiştiremeyen Yılmaz, temmuz 1994'teki Fatih seçimlerini tamamen ona teslim etti. RP'nin garanti gözüyle baktığı Fatih'te ANAP'ın adayı Sadettin Tantan'ın seçimi kazanması Yılmaz'ı rahatlattı. Aşık'ın da konumunu güçlendirdi.

Dönemin Başbakanı Tansu Çiller'e karşı en sert demeçler hep ondan çıktı: "Ateist, cahil, ciddiyetsiz. Marcos'tan beter olacak." Bununla da yetinmedi; Çiller'in Amerika'daki malvarlığını araştırmak üzere bir dedektiflik bürosuyla anlaşılmasına önayak oldu. Kendisinin "hafiyeliğe" özenmesi ise TBMM Faili Meçhul Cinayetleri Araştırma Komisyonu üyeliği sırasında oldu.

Ara seçimi zorlamak için milletvekilliğinden istifasını Yılmaz onaylamadı. ANAP karşı çıkınca da 19 temmuz 1995'teki oylamadan ret sonucu çıktı; istifa işleme konulamadı.

Siyasette gerginliğin tırmandığı günlerdi. Seçim öncesinde Çiller'in kurduğu azınlık hükûmetinin güvenoyu alamaması hayatî önem taşıyordu.

Aşık, Yılmaz'ın elçisi olarak BBP'ye gitti. Muhsin Yazıcıoğlu'yla görüştü. Pazarlık, anlaşmayla sonuçlandı ve BBP'liler ANAP listesinden aday gösterildi.

MHP'yle seçim ittifakı kurma görevi de Aşık'ındı. Alparslan Türkeş, olumlu yaklaşıyordu. "Muhsin'i almayın." Aşık, Yılmaz ve ANAP yöneticilerini ikna etmek için büyük çaba harcadı. 11

saat süren ANAP Başkanlık Divanı'ndan karar çıktığında Türkeş, beklemekten sıkılmıştı. MHP'yle ittifak sürecini bir daha başlatamadı.

Aydın Menderes'in DP'siyle ittifak görüşmelerini tle o yürüttü. Menderes, yedi arkadaşının listelere konmasını, kendisinin de İstanbul'dan aday gösterilmesini istemişti. Bu isteği karşılayamadı. Yılmaz'a iki kez telefon edip görüşemeyen Menderes, sinirlenip RP'nin kapısını çaldı.

Aşık, seçim sonrasında Refah'la koalisyona karşı çıktı. Yılmaz'ın aldırmadığını görünce Antalya'ya tatile gidip, pazarlıkların uzağına kaçtı. RP'yle temaslar kesilip, Anayol'un kurulmasına sevindi.

Ancak Tekel'den sorumlu devlet bakanı olması, Çiller'e bakışını değiştiremedi. Bu nedenle de örtülü ödenekle ilgili belge ilk ona geldi. Zaten tam da bu dönemde "hafiyelik" iyice bir tutkuya dönüşmüştü onda.

Emniyetçi Kemal Yazıcıoğlu, onu ziyaret etti; Kumarhaneler Kralı Ömer Lütfi Topal cinayetini anlattı. Sabancı'nın katili Mustafa Duyar, "Eyüp Abi" diyerek, Suriye'lerden telefon etti. Aşık'ı arayanlar içerisinde Kürşat Yılmaz'ın kardeşi de vardı; Alaattin Çakıcı da, Mehmet Eymür de...

"Eyüp Abi" diye arayan Çakıcı'nın telefonlarına çıkıyor, samimi bir havada konuşuyordu. Susurluk'u çözmek ve Çiller aleyhine bilgi toplamak için görüşemeyeceği kimse yoktu! Etrafında garip bir ilişkiler yumağı oluştu. Tabiî Yılmaz'ın bilgisi dahilinde cereyan ediyordu her şey...

Anayol yıkılıp, Refahyol kurulurken yine öndeydi. "BBP toptan satıldı" sözüne sinirlenen BBP'li Mahir Damatlar, Aşık'ı mecliste yumrukladı. BBP'nin ANAP'la göbek bağı kesilmiş oldu. Aşık, Refahyol döneminde de hafiyeliği sürdürdü. Alaattin Çakıcı'nın isteği üzerine Erol Evcil'le İstanbul'da Plaza Oteli'nde buluşup konuştu. Evcil, Türkbank'ı almak istiyordu; Aşık'a **215** bankayla ilgili dönen dolapları anlattı.[2]

Yeni hükûmet kurulup, yine bakan olması da Aşık'ın hafiyelik merakını noktalayamadı. Yeşil'in öldüğü söylentilerini yalanlamak bile ona düştü. "Yeşil kontrolümüz altında." Muhalefet ayağa kalktı. Sözlerini düzeltti; "Yeşil kontrol altında demiştim." DYP, düzeltmeyle yetinmedi, gensoru önergesi verdi. Oylamada çoğunluk oylar aleyhindeydi; ama muhalefet yeterli sayıyı bulamamıştı. Yılmaz'a gitti, "İstifa edeceğim." Başbakan, kabul etmedi:

"Yaşar Topçu ve benimle ilgili gensorular da aynı şekilde reddedilmişti. Bizi ne duruma düşüreceğinin farkında mısın?"

İstifadan vazgeçmek zorunda kaldı. Çakıcı'nın kendisiyle yaptığı telefon konuşmalarının kasetlerini tedavüle süreceğini o sırada bilmiyordu (!). Öğrendiğinde engellemeye çalıştı, ama başaramadı.[3] Dört ay sonra ortaya çıkan kasetler, hafiyelik macerasını sona erdirdi. Hem bakanlıktan hem de milletvekilliğinden istifa etti.

Başbakan Yılmaz, zor durumda kalan Aşık'ı savundu. Ancak uyardığını da eklemeden geçmedi:

"Ben Eyüp Aşık'ı, Çakıcı'yla konuşmaması konusunda uyardım, bunun kendisi açısından riskli olduğunu söyledim. Kesinkes kanaatim, Eyüp Aşık'ın bu konuda Çakıcı'ya sempatisinden kaynaklanan bir şeyi olmadığıdır. Orada Eyüp Aşık hiç aktif değil, hep pasif bir durumda. Yani adam Aşık'ı arıyor.

Eyüp Aşık'ın bu konuda başka bir hesabı olduğuna hiç ihti-

---

2 Erol Evcil'in, TBMM Türkbank Soruşturma Komisyonu'na Kartal Cezaevi'nde verdiği ifade metni, s. 3, 3 mayıs 2000.

3 Erol Evcil (Eşrefoğlu), 2 kasım 1999 tarihli, 42 sayfalık savcılık ifadesinde, "Bu arada Eyüp Aşık'ın konuşma kaseti gündeme geldi. Kasetin yayımlanmaması için hükûmet kanadından Mehmet Gedik ve Eyüp Aşık'tan yoğun baskılar geliyordu" iddiasında bulundu.

mal vermiyorum. Ama Eyüp Aşık'ın " 'Bu adam çok şey bilen bi-
ri acaba siyaseten kullanabileceğimiz bir bilgi verebilir mi?' di-
ye bir düşüncesi olmuş olabilir."[4]

Aşık ise 7 ocak 1999'da İstanbul 6 No'lu DGM'ye verdiği
ifadede Çakıcı'nın yakalanmasında önemli rolü olduğunu sa-
vundu:

"Çakıcı'nın yakalanması konusunda görüştüğümüz Emniyet
yetkilileri, Çakıcı'yı Amerika'da CİA'nın kullandığını ve Türki-
ye'ye vermeyeceğini iddia ettiler. Çakıcı'yı, 'Hükûmet ABD'yle
anlaştı, seni Türkiye'ye verecekler' diye kandırıp Amerika'dan
çıkmasını sağladık, sonra gittiği Fransa'da yakalandı."

DGM de Aşık'a inandı ve beraatine karar verdi. Beraat kara-
rı, Aşık'ın politik yaşamının yeniden başlamasını sağladı.

18 Nisan 1999 Seçimleri'nde aday oldu. Yılmaz, kampanya
döneminde Aşık'ı kendinden uzakta tuttu. Ülke düzeyinde se-
çim kampanyasında görev vermek bir yana Trabzon mitingi sı-
rasında seçim otobüsünün üzerine bile çıkarmadı.

Yılmaz'ın uzaklaştırdığı Aşık'ı Trabzonlular, bağırlarına bas-
tılar; onca suçlamaya aldırmadan bir de sandıkta akladılar. Yi-
ne de Yılmaz, DSP ve MHP'yle yapılan koalisyonda bakanlık
vermek yerine onu geride tutmayı yeğledi.

Aşık, Yılmaz'ı açıkça eleştirmekle kalmadı; muhalefet safla-
rına geçti. Yılmaz, Cumhurbaşkanı Süleyman Demirel'in görev
süresinin 5 yıl daha uzatılması konusunda da Aşık'ı karşısında
buldu. ANAP lideri, milletvekillerine, "Ben oyumu göstererek
kullandım, arkadaşlarımdan da böyle yapmalarını istesem" di-
ye seslenince Aşık oturduğu yerden bağırdı:

– Ne yapmaya çalışıyorsunuz. Oy vermeyenlere hesap mı
soruluyor?

---

4 Sedat Ergin, "Malki'de yüz kılçık", *Hürriyet,* 28 ekim 1998.

– Sen sonradan geldin, benim ne dediğimi anlamadan konuşuyorsun.

– Dediklerinizi gayet iyi anladım. ANAP'ın imaj sorunu var demeye getiriyorsunuz. ANAP'ın uzun zamandan beri ilk kez kamuoyunda iyi bir imajı var.

ANAP grubundaki bu tartışmayı tüm milletvekilleri sessizce izledi. Yılmaz'ın açıklamalarından çoğu ikna olmamış olacak ki, Demirel'in görev süresinin uzatılmasına "göstererek" oy vermediler.

Demirel, cumhurbaşkanlığı yarışından diskalifiye olunca Aşık ve arkadaşları, Yılmaz'ın aday olmasını beklediler. İstedikleri Yılmaz'ın seçilmesi değil, bu vesileyle ANAP genel başkanlığından uzaklaşmasıydı. Bekledikleri olmadı; Yılmaz oyuna gelmedi.

O zaman da aday olan Yıldırım Akbulut etrafında toplandılar. Akbulut'un cumhurbaşkanı seçilmesi için kulise giriştiler. O da olmadı. Aşık, kazanan tarafta olmayı yine başaramamıştı...

Alaattin Çakıcı

Yeni kuşak mafya

Eline tutuşturulan Walter marka tabancayla fındık ağaçlarının önünde poz verdiğinde dört yaşındaydı. Alaattin Çakıcı, silahla ilk kez o gün tanışmıştı.

1957 yılında çekilen bu fotoğraf, hem Alaattin Çakıcı'nın silahla ilk tanışmasına tanıklık etti; hem de Çakıcı ailesinin baba topraklarındaki son günlerine. Fotoğrafın çekilmesinden kısa süre sonra Çakıcı ailesi, Trabzon'un Fındıklı köyünü terk edip İstanbul'un yolunu tutmak zorunda kaldı. Baba Ali Çakıcı, Zonguldak'ta çalışırken birini vurmuş, cezasını yatıp çıktıktan sonra, kan davası başlamıştı.

Gültepe'ye yerleşen aile, bir kahvehane açtı. Bir yandan da emlak işine girdi. Hazine arazilerindeki gecekondulaşmada söz sahibiydiler. Baba Çakıcı'nın adı, o bölgenin ünlü kabadayıları Kürt Hasan ve Tahsin Çakıroğlu'yla birlikte anılıyordu.

Oğlu Alaattin Çakıcı da babasını örnek alıyor, ilkokulda her gün birileriyle kavga ediyordu. İki kez okul değiştirmek zorunda kaldı. Bir gün ilkokul öğretmeni kolundan tuttu:

– Oğlum sen ancak kahveci olursun. Çok kavgacısın.

Öğretmen haklıydı. Onun, okumakta, defter kitapta gözü yoktu. Vara yoğa kavga çıkarıp, arkadaşlarını pataklıyordu. **219**

Yaşı ilerledikçe, kavgaları azalmıyor, artıyordu. Bir İETT görevlisini yaraladığında 17 yaşındaydı. Yaraladığı adamın "suçu", mahallenin kızlarına sarkıntılık etmekti.

Kavgacılığı, 1974'te jandarma olarak gittiği askerde de devam etti. Birkaç kez sürgün edildi. Askerlik yaptığı yerlerden biri Edirne Cezaevi'ydi. Tesadüf, babası da mahkûm olarak oradaydı. "Milyoner Çiçekçi" Burhan Kolay'ın öldürülmesine azmettirmekten suçlu bulunmuştu...

Mesleğe ilk adım

Askerliğini güçbela bitirdi. "Meslek yaşamı"na ilk adımları yine Gültepe'de attı. Bir kumarhane işletmeye başladı.

Ülkücü camiayla da bu yıllarda tanıştı. Kısa sürede ülkücüler arasında kendine bir yer edindi. Kâğıthane Ülkü Ocakları başkanlığına kadar yükseldi. Bölgesindeki silahlı eylemlerde aktif rol aldı.

Çakıcı ailesinin öbür fertleri de ülkücüydü. Dev-Sol militanları, 18 eylül 1978'de amcasının oğlu Necati'yi, Gültepe'deki dükkânında öldürdüler. Aynı gün ikiz kardeşi Gamze'yi vurduktan sonra üzerine benzin döküp yakmak istediler. İşyerleri defalarca bombalandı.

Alaattin Çakıcı da hedefteydi. 1979'da Şişli'de silahlar onun da üzerine ölüm kustu. Beş kurşun yarası almasına rağmen saldırıdan kurtuldu. Ama babası kendisi kadar şanslı değildi. Mayıs 1980'de tek kurşunla öldürüldü.[1] Çakıcı, 12 Eylül'den sonra tutuklandı. Adını veren, eylem arkadaşı Nurullah Tevfik Ağansoy'du. Pişmanlık Yasası'ndan faydalanmak isteyen Ağansoy,

1 "Hasbahçe'nin babaları", *Hürriyet*, 8-12 ekim 1994.

"itirafçı" olmuş; bildiği her şeyi açıklamıştı. Ağansoy, olayları anlatırken, "Biz devlet için, vatan için vurduk teraneleri yanlıştır. Devleti korumak için değil kişilerin sadist duygularını tatmin için öldürme eylemleri yapılmıştı" diyordu. 13 kişiyi öldürdüğünü itiraf ediyor; Çakıcı'nın "Şişli bölgesi sorumlusu" olduğunu söylüyordu.

Çakıcı, 41 insanın öldürülmesiyle suçlanan ülkücü arkadaşlarıyla birlikte yargılandı. 1982'ye kadar cezaevinde kaldı.

Serbest bırakılınca ülkücü arkadaşlarını etrafına topladı. Önceleri "kumar borcu tahsilatı"nı iş edindi. Sonra da işadamlarıyla tanışıp, çek senet tahsilatına girişti. Racon kesmeye başlamıştı. İmzası, bacaktan tek kurşundu.

Gece âlemindeki ilk vukuatlar

Eğlenceleri de bir başkaydı. Gece kulüplerine 10-15 kişilik kalabalık bir güruh halinde gidiyorlardı. 4-5 masayı birden işgal ediyor; gazinoda hâkimiyet kuruyorlardı. Onlardan başkasının sanatçıya çiçek atması yasaktı. "Lider" Çakıcı, istediği sanatçıyı sahneden indirtiyor; "Çırpınırdı Karadeniz" adlı türküyü defalarca söyletiyordu.

Çakıcı ve adamlarının 1983'te, Harbiye'deki Golden Key adlı gece kulübüne gidişinde de her zamanki olaylardan biri yaşandı. Kadir Soyer adlı sanatçı sahnedeydi:

– Önce Allah'a, sonra karıma taparım.

Çakıcı, Soyer'in bu masum sözlerine sinirlendi. "Türkücü Gönül Öner'den gayrimeşru çocuğu olan bir şarkıcı, nasıl olur da herkesin yakından tanıdığı türkücüyü Allah'la bir tutabilirdi?" Adamlarına döndü, sahneyi gösterdi:

– Bu şarkıcıya bir iki delik açın.

– Abimiz, hangisiyle? Sustalıyla mı, tabancayla mı?

– Sustalıyla... Sahnede kan akacak.

Ve gazinoda ortalık karıştı, gece kulübü personeli sanatçıyı güçlükle kurtardı, Çakıcı'nın adamlarının elinden. Zaten Çakıcı'nın asıl hedefi, kulübün sahibi Aydın Sağay'dı. Ondan haraç almak istiyor, sıkıştırıyordu. Sanatçı Sibel Turnagöl'ün eski kocası olan Sağay, korkudan bir süre Golden Key'i kapattı. Yine de Çakıcı'nın adamlarından dayak yemekten kurtulamadı. Sağay, sekiz sayfalık bir dilekçeyle Çakıcı'yı savcılığa şikâyet etti:

"Kulübüme yüzde 25 ortak olmak istedi. Birçok eğlence yerinden para aldığını bana gözdağı vererek anlattı. Hatta Fahrettin Arslan'dan 2,5 milyon lira aldığını söyledi. Benden de tehditle 500 000 lira aldı."

Tabiî ki, savcılık, şikâyeti doğrulayacak kanıt bulamadı. Çakıcı da her gittiği yerde olay çıkarmaya devam etti. 4 ekim 1985'te gittiği Elmadağ'daki Regine adlı diskotekte de benzer sahneler tekrarlandı.

Çakıcı, yine "Çırpınırdı Karadeniz"i istedi. Diskotekte bu türküyü söyleyebilecek sanatçı yoktu. Çakıcı, diskcokey Nurettin Doğru'yu yanına çağırdı:

– "Komançero"yu çal. 10 kere arka arkaya...

– Bu mümkün değil. 10 kere çalamayız.

– Sen benim dayağımı yedin mi hiç?[2]

Belli ki genç, Çakıcı'yı tanımıyordu. O anda ayakları yerden kesildi, diskoteğin yazıhanesine sürüklendi. Çakıcı'nın adamları, diskcokeyi hastanelik edene kadar dövdüler orada. Korkudan şikâyetçi bile olamadı.

---

2 Ruşen Çakır / Mehmet Yalçın / Mahmut Övür / Hakan Akçaoğlu / Nuray Şirin, "Yeraltında kavga", *Nokta* dergisi, 4 ocak 1987.

Türkeş'e laf ettirmedi

Artık "baba" sınıfına girmişti. Haraca bağladığı isimler arasında "Hayalî İhracat Kralı" olarak tanınan Turan Çevik de yer alıyordu. Çakıcı, Çevik'ten, her ay 10 milyon lira olmak üzere toplam 160 milyon lira tahsil etti. Sanatçı Nükhet Duru'nun eski nişanlısı Metin Arı'nın konfeksiyon mağazasını adamlarına kurşunlattı.

FB yöneticisi Vefa Küçük'ün Suat Sürmen'le anlaşmazlıklarında devreye girdi. Çakıcı ve adamları, Küçük'ün bürosunu bastı. Her iki taraftan da para aldı; sonunda uzlaşma sağlandı.[3]

"Gazinocular Kralı" Fahrettin Arslan'ın oğlu Selçuk Arslan'ın kurşunlanmasında yine onun adı geçti. Ankara'da eğlenirken, bir bardak rakıyı ünlü bir kabadayının başından aşağı dökmesi de şöhretini pekiştirdi. Söylentiye göre, kabadayının Türkeş'le ilgili sözlerine sinirlenmişti:

– Sen nasıl Türkeş'e laf edersin? deyip, rakıyı boşaltıvermişti. Kimi zaman sert kayalara çatıyordu. 12 Eylül'ün sisleri dağılmaya başlayınca eski babalar yavaş yavaş yerlerine dönmeye başlamıştı. Çakıcı, 1986 yılında Türkiye'ye dönen ve yedi ay tutuklu kaldıktan sonra serbest bırakılan Enis Karaduman'la kapışmakta gecikmedi.

Kavga, Çakıcı'nın adamlarının, Gümüşkapı gemisindeki restoranda Karaduman'ın adamı Cemal Topaloğlu'nu dövmeleriyle başladı. Ardından, Enis Karaduman'ın babası Mahmut Karaduman'a ait Vatan Konserveleri'nin büro bekçisine dayak attılar.

Karaduman, cevap vermekte gecikmedi. Çakıcı'nın Zincirlikuyu'daki bürosuna 15-20 el ateş edildi. Polis, olaylardan sonra

Antalya'ya kaçan Karaduman'ı yakaladı.

Hasan Bora'yla kapışması da İstanbul'daki konumunu pekiştiren olaylardan biriydi. Çakıcı, Bora'yı arayıp şarkıcı Gülistan Okan'ı sahneye çıkarmasını rica etmişti. Bora, bu isteğini yerine getirmeyince iki adamını gönderip kaçırtmaya kalkmıştı. Bora'nın ortağı olan İbrahim Tatlıses de olayın tanıklarından biriydi:

– Bütün olaylar Gülistan Okan denen karı için çıktı. Onun eti ne, budu ne? Bir karı için bir delikanlıya bu yapılır mı?

Çakıcı, bu tür tepkilere aldırmıyor, yoluna devam ediyordu.

MİT'e giriş

Alaattin Çakıcı'nın, Dündar Kılıç'la yıldızı hiç barışmadı. 12 Eylül'ün "Babalar Operasyonu"ndan nasibini alan Kılıç, cezaevinden çıktıktan sonra Çakıcı'yla çekişmeye başladı. Kavga giderek tırmandı.

Çakıcı, 1987 yılında Ankara'da Dedeman Oteli'nde, Kılıç'ın iki adamını vurdu. Çakıcı yakalanamadı. Garip biçimde, olay sırasında Mehmet Eymür ve Korkut Eken, otelin karşısındaki işkembecide oturuyordu.

Çakıcı bu olaydan birkaç ay önce MİT'le ilişki kurmuş, eleman olarak çalışmaya başlamıştı. Çakıcı, MİT içerisinde hızla kendine özel bir yer edindi, Mehmet Eymür ve Yavuz Ataç'la dost oldu.[4]

MİT elemanı Süleyman Seba'nın Beşiktaş'a başkan seçildiği kongrenin güvenliğinin Çakıcı'ya emanet edilmesi, işbirliğinin

4 Fatih Çekirge, "Gerçekler", *Sabah,* 25 ağustos 1998.

somut örneklerinden sadece birisiydi.

1988'de ortaya çıkan ünlü "MİT Raporu"nu hazırlarken Eymür'e bilgi verenlerden biri, Çakıcı'ydı. 1989'da, Ankara Emniyet Müdürü Mehmet Ağar'ın çağrısıyla polise teslim olan Çakıcı'ya destek olan da Mehmet Eymür ve Korkut Eken'di. Çakıcı'nın Ankara Kapalı Cezaevi'nde rahat ettirilmesi için Yusuf Koç ve Ahmet Turgut'a (Kürt Ahmet) haber ulaştırılmıştı. Gerçekten de Çakıcı, cezaevinde el üstünde tutuldu. Çakıcı, 8 haziran 1989'da cezaevinden çıkarken Koç ve Turgut'a teşekkür etti ve kurbanlar kestirdi.

Cezaevinden çıkışına 14 gün kala ilginç bir olay olmuştu. Çakıcı, İstanbul'da bir cezaevine nakledilmek isteniyordu; hem de uçakla. Çakıcı, Dündar Kılıç'ın kendisini öldürtmeye hazırlandığından kuşkulanıp araya birilerini soktu ve nakil durduruldu.

Kılıç ve Çakıcı arasındaki kavga, gazete sayfalarına yansıdı. Kılıç, Çakıcı için "Saygılı, hürmetkâr bir adamdı. Cezaevinde olduğum beş yılda canavar olmuş" diyordu:

– Çakıcı, Mehmet Eymür tarafından yönlendirildi. Bizim itibarımızı, onurumuzu küçültmek için böyle şeylere saptı. Terbiyesizlik yaptı. Yolumuz ayrı, kafa yapılarımız ayrı.

Kafa yapılarının farklı olduğunu Çakıcı da kabul ediyordu. O, Kılıç'ın döneminin geçtiğine inanıyordu:

– Tahliyesinden bu güne kadar ki demeçleri, dedikoducu mahalle kadınlarına benziyor. Hâlâ bir şeyin farkında değil. Eskiye rağbet olsaydı bit pazarına nur yağardı.

Çakıcı, artık adının etrafta "ürküntü verdiğini" gururla anlatıyordu. İşini, "tahsilat" olarak tanımlıyor; "kabadayı olmasına bir kamu görevlisinin katkıda bulunduğunu" söylemekten çekinmiyordu.

Sadece kamu görevlileriyle değil, Selçuk Ural, Kadir İnanır **225** gibi sanatçılarla, hatta işadamları ve politikacılarla da arası iyiydi.

1991'e kadar Çakıcı'nın yaşamındaki en önemli kadın Gönül'dü. Onu sevdiğini, âşık olduğunu söylüyordu. Bu evliliğinden Betül, Aytül ve Ali adlı üç çocuğu olmuştu. Ama 1991'de nasıl olduysa oldu, rakibi Dündar Kılıç'ın kızı Uğur'la ilişkiye girdi. O sırada Uğur Kılıç da 10 yıllık evliydi ve iki çocuğu vardı. Uğur Kılıç, Çakıcı'yla birlikte olmaya başladıktan sonra eşi Uğur Özbizerdik'ten boşandı.

Çakıcı'yla Trabzon'da aile arasında kıyılan sade bir nikâhla evlendiler. Başlangıçta uyumlu bir çifttiler; aynı dilden konuşuyorlardı. Yavuz Ataç, aile dostlarından biriydi. Alkent'teki evlerinde, Ataç ve sevgilisi Neyzi Nel'i, defalarca ağırladılar. Ataç, Çakıcı'nın kız kardeşi Gamze'nin, 1991'deki nikâhında tanıklık edecek kadar yakındı aileye. Çakıcı'ya "Palandöken" lakabını takmıştı.[5]

Yurtdışına kaçış

1993'te, MİT'teki "abi"lerinin sağladığı sahte pasaportla yurtdışına kaçtı. Çakıcı, kırmızı pasaportuyla, hiçbir zorluk çekmeden dünyayı dolaştı durdu. Palermo'da İtalyan mafyasının önde gelenleriyle toplantı yapacak kadar rahattı.

Avrupa ülkelerinden sıkılınca Uzakdoğu'ya gitti. Orada 1,5 ay kadar gezdi, dönüşte uçağı Kıbrıs ve Türkiye'nin üzerinden geçti. Üzüldü, kalbi eridi (!).[6]

Amerika'ya gitti, sonra yine Avrupa'ya döndü. Türkiye'yle

---

5 Necdet Açan, "Ataç'ın ülkücü suikast timi", *Aktüel*, 29 ağustos 1998.
6 "Banttaki bakan, işte ikinci kaset", *Hürriyet*, 14 eylül 1998.

telefon bağlantısını hiç koparmadı. İşlerini telefonla idare ediyordu. Gücü, Devlet Bakanı Cavit Çağlar'ı tehdit edecek kadar yerindeydi.

Dost olduğu siyasîlere de telefonun tuşları kadar uzaktı. Eşi Uğur, gözaltına alınınca hemen telefona sarıldı. Devlet Bakanı M. Ali Yılmaz'ı aradı. Yılmaz, Büyük Ankara Oteli'nde, havuz başındaydı. Yanında bakanlar Ömer Barutçu, Mehmet Batallı ve Yıldırım Aktuna da vardı. Çakıcı, ricada bulundu. Yılmaz, "benim canım ciğerim" dediği Çakıcı'nın isteğini ikiletmedi. "Merak etme ben Emniyet müdüründen ricada bulunurum. Kızımıza zarar gelmez" dedi. İstanbul Emniyet Müdürü Necdet Menzir'i arayarak, Uğur Çakıcı'ya kötü muamele yapılmamasını istedi.[7]

Uğur'un başı polisle sık derde giriyordu. Kendisine "çapkın kadın" denilen *Nokta* dergisini okuduğu sırada hastanede yatıyordu. Derginin Genel Yayın Yönetmeni Ayşe Önal'ı, oraya çağırdı ve tabancasını çekti. Önal üzerine atılınca vuramadı.

Türkiye'deki işlerini telefonla idare eden Çakıcı da eşinden geri kalmadı. Eşini eleştiren Hıncal Uluç'u kurşunlattı. İbrahim Türk adlı saldırgan, 4 mart 1994'te tetiğe basarken bağırdı: "Bu kurşunlar Alaattin Abimin hediyesi." Zaten Çakıcı, ertesi gün telefonla gazetelere demeç verip üstlendi: "Hıncal Uluç'u ben vurdurdum..."

Kaçak olduğu dönemde, MİT'le ilişkisi devam ediyordu. 1994 ağustosunda eski arkadaşı Nurullah Tevfik Ağansoy'la Brüksel'de buluştular. O da MİT adına çalışıyordu. Daha önce yine ortak bir operasyona katılmışlardı. Görevleri, Dev-Sol lideri Dursun Karataş'ı öldürmekti. Karataş'ı, Belçika ve Köln'de günlerce aramış, bulamamışlardı.

---

7 Ayhan Aydemir, "Yılmaz: 'Alaattin ciğerim Peker yeğenim' ", *Milliyet,* 27 ağustos 1998.

Bu kez verilen hedef, 15 ağustosta Brüksel'de basın toplantısı yapacak olan DEP eski milletvekilleriydi. Ancak basın toplantısı son anda Hollanda'ya aktarılınca yine başarısız oldular. Elleri boş ayrıldılar. Çakıcı, yurtdışında kaldı; Ağansoy, Türkiye'ye döndü.[8]

Çakıcı ve Ağansoy'un işbirliği, Emlak Bankası eski Genel Müdürü Engin Civan'a saldırı olayında da sürdü. Civan'ın 19 eylül 1994'te yaralanmasının ardından büyük bir skandal patladı.

Çakıcı'nın saldırıdaki rolü hemen ortaya çıktı. Ardından Özal ailesinin de olaya adı karıştı. Ahmet Özal, Bankekspres'in eski ortaklarına olan 5 milyon dolarlık borcunu azaltması için Çakıcı'dan yardım almıştı. Bunu bilen aile dostları Selim Edes de, Civan'a verdiği 3,5 milyon dolarlık rüşvetin geri alınması için yardım istemişti. Zeynep ve Semra Özal, onu Uğur Çakıcı'yla tanıştırmışlar ve sonra olan olmuş, Çakıcı, Civan'ı vurdurmuştu.

Uğur, başlangıçta Özal ailesinden söz etmedi. Sonra fikir değiştirdi. Araya girdiğini söylediği "hatırlı kişiler"in Özal ailesi olduğunu açıkladı. Açıklayınca eşiyle ilişkisi bozuldu ve ayrıldılar. Çakıcı, ayrıldıktan sonra da Uğur'un peşini bırakmadı. Onu öldürteceğini söylüyordu. Söylediğini, 20 ocak 1995'te yaptırdı. Kiralık bir katil, Uğur'u, Uludağ'da, çocuklarının gözü önünde kurşunladı.

Ağansoy'un öldürülmesi

Bu dönemde Civan'ın vurulması nedeniyle aranan Ağansoy, yine Yavuz Ataç'ın yardımıyla yurtdışına kaçtı.[9] Ağansoy, cebin-

---

8 Necdet Açan, "Ataç'ın ülkücü suikast timi", *Aktüel,* 29 ağustos 1998.
9 Veli Özdemir, *Susurluk Belgeleri,* Scala Yayıncılık, nisan 1997, sayfa 21.

de sahte bir pasaport taşıyordu. 30 ağustos 1995'te, Almanya'da yakalandı. Alman Gizli Servisi ve polisine MİT'e çalıştığı bilgisini verdi ve iltica talebinde bulundu.

İlk günlerde ailesinden haber alamayan Ağansoy, endişelendi. 1 kasım 1995'te, Türkiye'ye, "ilgililere" tehdit dolu bir mektup gönderdi:

"Artık kayıp gözüyle bakmama sebep olduğunuz ailemden 1 aralık gününe kadar haber alamadığım takdirde vebali haberleşmenin kesilmesine neden olana ait olmak üzere iltica talebimi genişletme kararı almış bulunmaktayım. Bunun ne demek olduğunu Sayın (Mehmet) Eymür, Sayın Sönmez (Köksal) ve birtakım şahıslar çok iyi bilmektedirler ve bundan devletin göreceği zarar büyüktür."

Tehdit, hemen sonuç verdi. İstanbul'dan gönderilen "Avcı" lakaplı Komiser Şentürk Demiral, Ağansoy'u Türkiye'ye getirdi. Ağansoy, el yazısıyla verdiği ifadede yine MİT'le ilişkisinden söz etti. "Almanya'ya kaçması için Yavuz adlı birinin yardım ettiğini" anlattı.[10]

Ağansoy, Çakıcı aleyhine de açıklamalarda bulundu. Çakıcı, Ağansoy için ölüm emri vermekte gecikmedi. Avukat cüppesi giyen tetikçinin suikast girişiminden son anda kurtulan Ağansoy, daha da sertleşti:

– Alaattin karı katili.

Ağansoy, Çakıcı'nın "devlet adına eylem yaptığı" böbürlenmesini de yalanladı. 1982'de Beyrut'taki Asala kampını basıp Ermeni bir lideri öldürdüğü doğru değildi. Çakıcı'nın ülke yararına bir şey yaptığı yoktu.

Çakıcı'nın katilleri, sonunda Ağansoy'u, 3 nisan 1996'da, Bebek'te, Deniz Taksi Bar'da kıstırıp kurşun yağmuruna tuttular.

---

10 Necdet Açan, "Ataç'ın ülkücü suikast timi", *Aktüel,* 29 ağustos 1998.

Metabolizmam bozuldu

Çakıcı, ülkeden ülkeye geçmeye devam ediyordu. Amerika'ya gitti; oradan İngiltere'ye geçti. Kasım 1996'da, eski eşi Gönül'ü aradığında İskoçya'daydı. O güne değin telekulakların ilgi alanı dışında kalmıştı. Ancak Türkiye'de Susurluk Olayı patlayınca dengeler değişmiş ve telefonu dinlenmeye başlanmıştı.

Çakıcı, telekulakların dinlediği bu konuşmada, kebap ve lahmacun özlemini anlatıyordu. "Uçağa atlıyorum bir soğuk, bir sıcak yere gidiyorum. Metabolizmam bozuldu" diye yakınıp, soruyordu:

Çakıcı:

– Gazetelerde neler var. Benle ilgili ne diyorlar?

Gönül:

– Gazeteler Susurluk'la dolu. Seninle ilgili bir şey yok. Sadece, 'Devlet, ülkücüleri Asala'ya karşı kullandı' diye bir haber var.

– Kızlar nasıl?

– İyi, iyi. İngilizce öğrenmek için sana gelmek istiyorlar. Belki de af çıkar. Sen de hürriyetine kavuşur, Türkiye'ye dönersin.

– Bu hükûmet af maf çıkarmaz. İngiltere çocuklara vize vermiyor. Belki, Amerika yahut Arjantin'e aldırırız. Çocukları hedef alan varsa söyle. Yakarım vallaha. Gencay da şerefsiz çıktı. Ama kardeş ne yapalım. Bazı şeylerine göz yumuyoruz. Türkiye'de siyasetçiler hiçbir işe yaramaz. Hiçbiri. Anladın mı?

Üç gün sonra yeniden aradı Gönül'ü. O da gazete başlıklarını aktardı. Zaten gazeteler Susurluk'la doluydu.[11] Susurluk'un ardından gündemi ANAP Genel Başkanı Mesut Yılmaz'ın Budapeşte'te yumruklanması kapladı.

11 "Banttaki bakan, İşte ikinci kaset", *Hürriyet,* 14 eylül 1998.

Saldırıdan bir hafta kadar sonra Alaattin Çakıcı, harekete geçti. Erol Evcil'i arayıp, Yavuz Ataç'ı, Mesut Yılmaz'la görüştürmesini istedi. Evcil de arkadaşı olan ANAP Bursa İl Başkanı Mehmet Gedik'ten yardım istedi.

Gedik, Mesut Yılmaz'a telefon etti. "MİT'ten önemli pozisyonda bir tanıdık var, Budapeşte olayıyla ilgili bilgi vermek istiyor" dedi, randevu aldı.

Yavuz Ataç, Nenehatun Caddesi'ndeki konuta, Erol Evcil ve Milletvekili İbrahim Yazıcı'nın oğlu Serkan Yazıcı'yla birlikte gitti. Evcil ve Yazıcı yan odada beklerken, Yılmaz ile Ataç'ın görüşmesi 4,5 saat kadar sürdü. Ataç, Budapeşte olayının perde arkasıyla ilgili bilgi vereceğine, Mehmet Eymür'den yakındı, MİT'teki dedikoduları anlattı uzun uzun.[12]

Görüşmeden sonra Mesut Yılmaz, Evcil ve Ataç'ı Eyüp Aşık'a havale etti. Temaslarını Aşık'la sürdürdüler. Bu dönemde Çakıcı, Evcil'in Türkbank'ı alması için çalışıyordu. Ancak planlarını bozan, Emniyet İstihbarat Dairesi eski Başkan Yardımcısı Hanefi Avcı'nın TBMM Susurluk Komisyonu'nda ifade vermesi oldu. Avcı, ifadesinde "Çakıcı'nın bütün işlerini MİT'in organize ettiğini ve Ataç'la arasının iyi olduğunu" anlattı:

"Bursalı bir işadamı Erol Evcil. Bu adam geçmişte Alaattin'i birkaç defa kiralamış, en son banka açmak istiyor. Banka açmasına mani olan birtakım etkili insanlar var devlet yönetiminde."[13]

Avcı, Yavuz Ataç'ın Çakıcı'ya yardım için araya girip Adil Öngen ve bazı kişilerle toplantılar yaptığını da öne sürdü.

---

12 TBMM Türkbank Soruşturma Komisyonu'na Erol Evcil'in 3 mayıs 2000, Mesut Yılmaz'ın ise 25 mayıs 2000 tarihinde verdiği ifadeler.

13 Hanefi Avcı'nın TBMM Susurluk Komisyonu'na 4 şubat 1997'de verdiği ifade. (Veli Özdemir, *Susurluk Belgeleri,* Scala Yayıncılık, nisan 1997, s. 21-22.)   **231**

Sonrası hızlı gelişti. Ataç, bir anda kamuoyunda tanındı; dikkatler Türkbank ihalesine çevrildi.

Flash TV baskını

Her şey bu denli ayyuka çıkınca, Evcil'in, Çakıcı'nın yardımıyla Türkbank'ı alma girişimi büyük darbe yedi. Banka işi yatınca, Çakıcı, Çiller ailesiyle bazı dostlarını hedef almaya karar verdi. Kimi ünlü gazetecileri arayıp, "Çiller ailesi aleyhine yazarsan kalemin kırılır" diye uyardığı günler geride kalmıştı artık.

Tetikçileri, ilk olarak, 12 mart 1997'de borsacı Adil Öngen'e saldırdı. Öngen, arabasının zırhlı olması sayesinde kurtuldu. Çakıcı, iyice sinirlendi. Çiller'e, farklı bir ceza vermeye kalktı. Çiller'e darbe vurmak için Flash TV'ye çıkıp konuşacağını, Yılmaz'a yakın isimlerden Eyüp Aşık'a önceden haber verdi. Aşık'la daha önce de telefonla görüşmüşlerdi. Aşık da Yılmaz'a haberi bildirdi ve ANAP'lılar, 1 mayıs 1997 akşamı, büyük bir heyecan içinde televizyon önüne oturdular. Çakıcı, canlı yayına çıktı:

"Mehmet Bey'e (Üstünkaya) dedim, 'Biz Kanal 6 işini bitirdik. Adil Bey bizden Özer Çiller'e verilmek üzere 20 milyon dolar istedi. Biz onlarla böyle anlaşmadık ki. Yalı komşunuzla lütfen konuşun, bu iş bitmezse sonu kötü olur.' Mehmet Bey, bana, 'Çiller ailesi seni sever' karşılığını verdi."

Konuşma, DYP'de büyük tepkiye yol açtı. Bir grup DYP'li, ertesi akşam Flash TV'nin Beyoğlu'ndaki merkezine silahlı baskın düzenledi. Bir gün sonra da Flash TV'nin Bursa'daki vericileri mühürlendi.

DYP lideri Çiller, kızgındı; İçişleri Bakanı Meral Akşener'e
"Çakıcı'yı yakalayın" talimatını verdi. Akşener, kolları sıvadı;

MİT-Kontrterör Merkezi yöneticisi Mehmet Eymür ve Emniyet İstihbarat Dairesi Başkanı Bülent Orakoğlu'yla çalışmaya başladı. Mayıs sonunda, Çakıcı'nın ABD'de New York'un kuzeyindeki Long İsland'da bir Türk'e ait benzin istasyonuna düzenli olarak uğradığı duyumu Emniyet istihbaratına ulaştı. Başkomiser Şentürk Demiral ve İnterpol görevlisi Adnan Karadeniz'den oluşan iki kişilik bir ekip kuruldu.[14]

Ekibin görevlendirme yazısı hazırlandı. Ancak Akşener, imzalamaya fırsat bulamadan hükûmet düştü. Mesut Yılmaz, başbakan oldu. Erol Evcil, Yavuz Ataç'ın MİT'te operasyon daire başkanlığı görevine getirilebilmesi için kulise girdi. Evcil, ikinci kez Nenehatun Caddesi'nin yolunu tuttu.

Evcil, Yavuz Ataç'ın değerli bir istihbaratçı olduğunu söyledi, daha iyi bir yere atanması ricasında bulundu. Mesut Yılmaz, bu isteği hoş karşılamadı, olumsuz yanıt verdi. Ataç'a sıcak bakmıyordu.

Bir süre sonra da Ataç, yükseltilmek bir yana Çin'e sürgün edildi.[15] Yılmaz ve Çakıcı arasında savaşın başlama vuruşu bu tayin kararıydı...

Operasyon fiyaskosu

İçişleri Bakanlığı'nı devralan ANAP'lı Murat Başesgioğlu'nun ilk işi, Çakıcı'nın peşine düşecek ekibin görev yazısını imzalamak oldu. Ekip yola çıkmaya hazırlanırken, bir yandan da Çakıcı'nın telefonları takibe alındı. Çakıcı'nın, Çiller'in yalı

---

14 Kadir Ercan, "Kasetlerin perde arkası", *Hürriyet,* 1 ekim 1998.

15 Faruk Mercan / Bülent Ceyhan, "Erol Evcil'in 63 sayfa tutan polis ve savcılık ifadeleri", *Zaman,* 13-15 mart 2000; Mesut Yılmaz'ın, TBMM Soruşturma Komisyonu'na verdiği ifade.

komşusu Mehmet Üstünkaya'ya saldırı talimatı da o sayede öğrenildi. Polisin yakaladığı tetikçilerden biri, Çakıcı'nın yeğeni Savaş Çakıcı'ydı.

Ekip, 13 temmuz günü New York'a uçtu. İlk olarak ABD göçmen polisiyle temasa geçti. Göçmen polisi, ortak operasyon evrakını eksik buldu. Ekip, evrakı tamamlamak üzere dört gün sonra Türkiye'ye geri döndü. Beklenmeyen bir gelişme oldu. MİT'teki "hamisi" Yavuz Ataç, operasyonu haber verdi ve Çakıcı, sessizce kuzeye, Kanada'ya kaçtı.[16]

Beş yıldır kaçak olan Çakıcı, ilk kez bir ekibin peşine düşmesini hazmedemedi. Üstelik yeni kabinede bakan olan Aşık'la telefon görüşmeleri sürüyordu. İntikam planını kurdu, teybini hazırladı ve bir ay kadar sonra Aşık'ı bir kez daha aradı. "Sayın bakanımı, Eyüp Bey'i arıyorum" dedi. Aşık, hemen çıktı telefona.

Aşık:

– Ne yapıyorsun? Sıhhatin, sağlığın yerinde mi?

Çakıcı:

– Valla Abi sıhhatimiz işte. Sıhhatimiz aslında iyi değil. Biliyorsun, seninle konuştuk. Sağ olasın. Yani, sen benim ağbimsin. Sen o zaman bize haber verdin işte. Biz de o zaman bildiğin gibi yer değiştirdik.

– Ha...

– Daha sonra duyduk ki.. Tabiî... Yani bazı şeyler duydum, üzüldüm tabiî.

– Bir adam göndermişler oraya. Ondan sonra bir şeyler olmuş, haberin var onlardan herhalde...

Kaset dönüyor, Çakıcı, planını başarıyla uyguluyor, Aşık olan biteni anlamadan, Çakıcı'nın nefretinin Yılmaz'a dönmemesini sağlamaya çalışıyordu.

16 Kadir Ercan, "Kasetlerin perde arkası", *Hürriyet,* 1 ekim 1998.

Çakıcı, telefonu kapattıktan sonra kaseti teypten çıkardı ve gerektiğinde kullanmak üzere öbür kasetlerinin yanına koydu...[17]

Yılmaz'a düşmanlığının öbür nedeni, düşmanı durumundaki Mehmet Eymür'ün Amerika'ya, MİT'te yükseltilmesini istediği Ataç'ın da Pekin'e sürgün edilmesiydi. Pekin'e gitmeden önce Ataç'a telefon etti, uzun süren sohbet sırasında sordu; "Maaş ne orada Abi?" Ataç, 1 200 dolar olduğunu söyleyince, beğenmedi. "Çöpçü bile ayda 1 200 dolar alıyor Türkiye'de" dedi. Ataç'ın yanıtı oldukça manidardı:

– Sağlık olsun bee. Bizim mala mülke ihtiyacımız yok. İhtiyaç olursa dostlar sağ olsun. Oluyor.[18]

Ataç, Pekin'e gitti. Çakıcı ve Evcil, MİT'e müsteşar atanmasıyla ilgili gelişmeleri yakından izlediler. Yorumuna başvurdukları kişilerden biri de "Hakiki MHP'li" dedikleri "Elazığlı abi"ydi...

Andorra'da küçük tehlike

Amerika'daki takipten kurtulan Çakıcı, Avrupa'ya geçmiş; Hollanda, Belçika, İtalya, İspanya ve Fransa arasında gidip geliyordu. Sık sık yer değiştiriyordu. Yakalanması için özel bir ekip yoktu ardında.

Sessizliği bozan, Çakıcı'nın, aralarında Cavit Çağlar, Özer Çiller ve Mehmet Ağar'ın da bulunduğu bazı ünlülere suikast planı hazırlaması oldu. Suikastçılarının 14 şubat 1998'de Yalova'da yakalanmasının ardından Çakıcı yine telefona sarıldı. Su-

---

17 Muammer Elveren, "Kıyamet kopacak", *Hürriyet,* 23 eylül 1998.
18 Hanife Şenyüz, "Kasetlerin en babası", *Radikal,* 30 eylül 1998.   **235**

ikast girişiminin bir bölümünü yalanladı. "Komplo"dan söz ederken bir noktayı özenle vurguluyordu:

– Suikast listesinde Mehmet Ağar'ın adının geçmesine de anlam veremedim. Bırakın böyle bir şeyi, Sayın Ağar'a yanlış yapan beni de karşısında bulur.[19]

Eymür'den uzaklaşan Çakıcı, Ağar'ı saygıyla anıyordu. Çakıcı, iki gün sonra, 18 şubat 1998'de farklı bir nedenle haber oldu. Kurye Cenk Çoktosun'la buluşmak için İspanya'dan Fransa'ya girerken, sınırda bir sorun yaşamıştı. Fransız polisi, bir soygun nedeniyle Andorra çıkışında operasyon yapıyordu. Tam dört saat beklemek zorunda kaldı.

Polis araçlarını görünce telaşlanan Çoktosun, Çakıcı'nın yakalandığını sandı. Türkiye'deki bazı dostlarını arayıp haber verdi. Cep telefonunu dinleyen Türkiye polisi de Başbakan Mesut Yılmaz'a duyurdu bu mutlu gelişmeyi. Yılmaz, o sırada *Sabah* gazetesi yazarlarıyla sohbet ediyordu. Haberi, onlardan saklamadı:

– Çakıcı, Fransa'da yakalanmış...

Ertesi gün *Sabah*'ta yayımlanan haber, herkesi ayağa kaldırdı. 18 şubat 1998'de Paris'i ziyaret eden Cumhurbaşkanı Süleyman Demirel'i izleyen gazeteciler, Çakıcı haberleriyle meşgul oldular. Ancak haberi doğrulatamadılar. Çakıcı, *Hürriyet*'i aradı:

– Fransa'da ufak bir tehlike atlattım, ama yakalanmadım.

Çakıcı'nın Fransız istihbarat kuruluşlarından Renseignement Generaux'da bir gün sorguda kaldıktan sonra serbest bırakıldığı iddiaları da ortaya atıldı. Fakat kanıtlanamadı.

Atlattığı bu tehlikeye rağmen "işini" aksatmadı. Cezaevlerindeki adamlarının durumuyla ilgileniyor, dostlarının düğünlerine kendi adına çiçek göndermekten geri durmuyordu.[20]

---

19 "Çakıcı: Suikast girişimi hayali", *Hürriyet,* 16 şubat 1998.
20 "Çakıcı'nın Belçika polisine verdiği ifade", *Hürriyet,* 30 ağustos 1998.

Evcil'in artık Türkbank'ı almasının mümkün olmadığını kabullenmiş, bu kez Korkmaz Yiğit'in bankayı alması için yardıma başlamıştı. Telefon trafiğinin önemli bir bölümü yine Türkbank ihalesiyle ilgiliydi.

Nasıl yakalandı?

Faaliyetlerindeki yoğunlaşma, Yılmaz Hükûmeti'nin dikkatinin yine üzerinde toplanmasına neden oldu. Yakalama operasyonu, 11 ağustosta, Çakıcı'nın kuryesi olduğu bilinen Cenk Çoktosun'un Hannover'e uçacağı istihbaratıyla başladı.

Çoktosun'un bindiği uçağa iki görevli binerek, takibe başladı. Bu arada Fransa, Almanya ve Belçika polisine haber verildi. İzlendiğini fark etmeyen Çoktosun, Düsseldorf'ta, bir kadınla buluştu. Kadın, Çakıcı'nın koruması Muradi Güler'in Alman eşi Petra Güler'di (Schiemens.) Çoktosun'un getirdiği para ve yeni pasaportu alan Petra Güler, Paris'e, oradan da Bordeaux'a uçtu.

Bir süredir Fransa'da olan Çakıcı ve sevgilisi, üç gündür Bordeaux'nun en lüks oteli Burdigala'da kalıyorlardı. Sevgilisi, Sanatçı Selçuk Ural'ın Modacı Canan Yaka'yla evliliğinden doğan kızı Aslı Ural'dı.

Petra Güler'i, havaalanında eşi Murat Güler karşıladı. Fransız istihbaratçıları peşlerine düştüler ve onlar sayesinde Çakıcı'nın kaldığı otele ulaştılar.

İzlendiğinden habersiz olan Aslı Ural, o gün resepsiyona gelerek garip bir istekte bulundu:

– Bizim çok paramız var. Fakirlere dağıtmak istiyoruz. Tanıdığınız bir hayır kurumu var mı?

Almanca konuşan ve otelin kral dairesinde kalan bu kadının isteği otel görevlilerini şaşırttı. Cumartesi olduğu için her yerin **237** kapalı olduğunu hatırlattılar. Ural, "Peki" deyip, odasına döndü. Çakıcı ve Ural, ertesi gün otelden ayrıldılar. Bindikleri BMW'yi, Muradi Güler kullanıyordu. Almanya'da kalan Türk polislerin gelmesini bekleyen Fransız dedektifler, yakalamak yerine takibe başladılar. Takip, Nice'e kadar sürdü. Çakıcı ve beraberindekiler, Nice'te lüks bir otele yerleştiler.

İki Türk polisi de o gece Nice'e ulaştı. Fransız polisi, artık hazırdı. Operasyonun otel yerine sokakta yapılması kararlaştırıldı. Ertesi sabah saat 11.15'te otelden çıkan Çakıcı'nın etrafı hemen polislerle sarıldı.

Bel çantasında sakladığı 7.65'lik tabancaya el atmak isteyen Muradi Güler, bir yumrukla yere devrildi. Fransız polisi, şaşkınlıktan donakalan Çakıcı'nın üzerini aradı. Onda silah yoktu, üzerinden Turizm Bakanlığı Müşaviri Nesim Acar adını taşıyan sahte bir kırmızı pasaport ve 17 000 dolar çıktı. Üç cep telefonu, sekiz kredi kartı taşıyordu, hepsi de Nesim Acar adına düzenlenmişti. Cep telefonlarının SİM kartlarının ikisi Turkcell'den alınmıştı, birisi İtalya'dan.

Operasyon, son derece gizli tutulmuştu. Operasyonu, Türkiye'de sadece yedi kişi biliyordu. Çakıcı'nın yakalandığı, Başbakan Mesut Yılmaz'a bile operasyondan bir saat sonra haber verildi.[21]

Kaset savaşı

Çakıcı, tutuklanarak Nice Cezaevi'ne kondu. Savcılıktan çıkarılırken çekilen fotoğrafı, 18 ağustos 1998 tarihli hemen tüm gazetelerin birinci sayfalarını süslüyordu. Kısa bir şort ve tişört

21 Faruk Zabcı, "Çakıcı nasıl yakalandı", *Hürriyet,* 5-6 ekim 1998.

giymiş olan Çakıcı'nın elleri arkadan kelepçeliydi, bitkin görünüyordu.

Nice'e gazeteciler ve Çakıcı'nın yakınları akın etti. Henüz ortada bir bilgi yoktu. Mahkeme gününü beklerken, Türkiye'de, gazetelerde bir haber çıktı:

"Çakıcı, Belçika polisine verdiği ifadede, 'Türkiye için önemliyim' dedi."[22]

Oysa Belçika polisi, henüz Nice'e gelmemişti bile. Belçika polisi, haberden bir gün sonra gelip, Çakıcı'yı sorguladı. Türkiye basını, sorgulamadan bir gün önce kaseti ele geçirme başarısını göstermişti.

Basını yanıltan ve sonradan özür dilemelerine neden olan bu haberin kaynağı, istihbaratçılardı. Büyük olasılıkla, Çakıcı'ya, devletle bağlantısını reddeden bir ifade vermesi mesajı ulaştırmaya çalışıyorlardı. Küçük bir hesap hatası yapmışlardı; çünkü Çakıcı'ya, yerel bir gazete olan *Nice Matin* dışında gazete verilmiyordu, televizyon seyrettirilmiyordu.

24 eylüldeki ilk duruşma öncesi, Nice Adliyesi'nin önü, canlı yayın araçları, gazeteciler ve Çakıcı'nın adamlarıyla karnaval yeri gibiydi. Kardeşi Gencay Çakıcı, avukatları Can Doğancan ve Muhittin Yüzüak, adliyenin karşısındaki kafeteryada oturuyorlardı.

Yanlarında oturan bazı gazetecilere, oldukça samimi davranıyorlardı. Onların içtikleri kahvenin, yedikleri salatanın, hatta kaldıkları otelin parasını bile ödüyorlardı. Onlar soru sormuyordu.

Bir grup gazeteci ise olup biteni anlamaya çalışıyordu. Gencay, en beğendiği gazetenin *Cumhuriyet* olduğunu söyledi, RP'nin kapatılmasının ne kadar iyi olduğunu anlattı. Doğancan

---

da telefonlarının dinlenmesinden söz etti. "Mesela ben karımı arayıp, 'Pazartesi geleceğim' dedim, eminim havaalanında polis beni bekliyordur" dedi, gülerek.

Yaşlı avukat Yüzüak, gazetecilerle konuşurken onların biraz uzağındaydı. "Çakıcı, 'Pasaportu devlet verdi' diye savunma yapacak" dedi. Akşam bu haberi televizyonlardan duyan Gencay, çok sinirlendi; Yüzüak'ı anında uzaklaştırdı oradan.

Çakıcı, duruşmaya çıktı; pasaportu kendisinin düzenlediğini söyledi. Altı ay hapis cezası aldı. Oysa "Devlet verdi" deseydi, hemen serbest kalacaktı. Bir zamanlar "Çakal" Carlos'u savunan Fransız Avukat İsabella Coutan Pere, şaştı kaldı bu açıklamaya.

Yeniden cezaevine dönen Çakıcı, avukatı Doğancan aracılığıyla yazılı bir açıklama yaptı. "Ben canımı kurtarmak için devletini idam sehpasına çıkaran kansızlardan değilim" diye başladığı açıklamasında Eyüp Aşık'la 100 kez, Mesut Yılmaz'la 10 kez telefonla konuştuğunu iddia etti.

İntikam peşindeydi. Yılmaz ve Aşık'ı hedef almıştı. Aşık'la konuşurken kaydettiği ve bu günler için sakladığı bandı sürdü savaş alanına. Evcil, kasetin bir kopyasını Mehmet Kocabaş'a verdi. O da kaseti Tansu Çiller ve Mehmet Ağar'a ulaştırdı. Kaset, oradan da aralarında Çevik Bir'in de bulunduğu birçok kişiye yayıldı.[23]

Çakıcı, aynı kaseti mahkemeye de sundu; siyasî suçlu olduğunu kanıtlamaya çalıştı. Asıl bomba, *Hürriyet*'in Paris Temsilcisi Muammer Elveren'in kaseti haberleştirmesi üzerine patladı. Yılmaz Hükûmeti zor durumda kaldı, Aşık önce kasetin montaj olduğunu savundu. Baskılar yoğunlaşınca istifa etmek zorunda kaldı. Çakıcı, istediğini yapmış, intikamını almış oldu.

Kaset savaşı, sadece Çakıcı'nın savaş alanına sürdükleriyle kalmadı. İstihbarat örgütlerinin kaydettiği kimi kasetler de or-

23 Erol Evcil'in (Eşrefoğlu) 2 kasım 1999 tarihli, 42 sayfalık savcılık ifadesi.

taya çıktı. Çakıcı'nın, eski eşi Gönül'le yaptığı konuşmaların kasetlerini, Evcil, Ataç ve Yiğit'le sohbet kasetleri izledi. Her şey ortaya döküldü.

Çakıcı'nın Ankara'ya getirmek istediği Ataç, Pekin'den geri çağrıldı. Çakıcı'nın kırmızı pasaportunu kendisinin verdiği iddialarını reddetse de emekliliğini istemekten başka çaresi kalmadı Ataç'ın.

Türkiye'de olup bitenler, tabiî ki, Çakıcı'nın Fransa'da cezaevinden çıkmasını sağlayamadı. Üstelik Fransa'nın en sıkı korunan mahkûmu haline geldi; dışarıyla bağlantısı koptu. Üstelik Marsilya'daki Les Baumettes Cezaevi'nde, Türkiye'deki cezaevlerinde olduğu gibi cep telefonu da yoktu.

Ceza süresi dolduktan sonra tahliye edilmeyi bekliyordu. O da olmadı. Yargılama başlarken, "Beni Türkiye'ye göndermeyin, öldürürler" diyen Çakıcı, fikir değiştirdi. Bu kez başladı; "Beni Türkiye'ye iade edin." Hatta bu kadarla kalmadı, iade kararı gecikince, Fransa'yı Avrupa İnsan Hakları Mahkemesi'ne şikâyet etti.

"Nazi kampı" dediği cezaevinde sıkılmıştı. Sürekli gardiyanlar gözetiminde, sürekli yalnızdı. Havalandırmaya çıkarıldığında bile öbür mahkûmlar hücrelerine alınıyor, onlarla bile karşılaşamıyordu. Şikâyetçi olduğu göğüs ağrıları yüzünden sık sık revire gidiyor, ama bir röntgen bile çektiremiyordu. Böyle bir cezaevinde kalmaktansa Türkiye'ye dönmeyi göze almıştı. Türkiye'de 18 Nisan Seçimleri yapılmış, DSP-MHP koalisyonu kurulmuştu.

Vatana dönüş

İade dosyası, Fransız yargıçların önünde aylarca bekledi. Sonunda yargıç, idamla yargılanacağı davalardan iadesini reddetti. Sadece iki davadan, Uluç'un vurulması ve "cinayet işlemek üzere çete oluşturarak yönetmek" suçlarından yargılanmak üzere iadesini kabul etti.[24] Bu, Çakıcı için iyi haberdi.

Kötü haber ise Bayrampaşa Cezaevi'nden geldi. Yeğeni Ali Gürsel ve iki adamı cezaevindeki hasımlarınca öldürülmüştü. Yaşamı boyunca 41 kişinin ölümünden sorumlu tutulan Çakıcı'yı, bu ölümlerden çok "Artık Çakıcı'nın üstü çizildi" sözleri sarstı. Katillere, avukatı aracılığıyla yanıt verdi; "Tetik çektiren grupların başındakiler, Alaattin Çakıcı ismini asla unutmasınlar."

Açıklama, yine kan kokuyordu...

Mahpusluk günlerinin en önemli değişikliği, ekim sonunda Marsilya'dan, Paris'teki La Sente Cezaevi'ne nakledilmesi oldu. Bu cezaevinin bir özelliği, bir zamanlar Abdullah Çatlı'nın da orada yatmış olmasıydı. Ünlü "Çakal Carlos" da bu cezaevinde kalıyordu; bu cezaevi diğerlerine göre daha sıkı korunuyordu. Çakıcı ve dostları, umutlandılar. Paris'e nakledilmesi, Türkiye'ye gönderilme yolunda bir adım olabilirdi.

İyi haberi beklerken, kötü haberler birbiri ardına gelmeye devam etti. Önce Çakıcı'ya yakın isimlerden Nihat Akgün öldürüldü. Sonra da Gencay Çakıcı kurşunlandı. Gencay Çakıcı'ya saldırının arkasından Onur Özbizerdik çıktı. 16 yaşındaki Onur, annesi Uğur Çakıcı'nın intikamını almak istemişti.

Birilerinin Çakıcı dosyasını kapatmak istediği kanısı iyice yaygınlaştı. Çakıcı, 14 aralıkta Türkiye'ye iade edilmeden önce avukatı aracılığıyla yaptığı açıklamada tehdit yağdırdı:

"Benimle problemi olanlar bilsin ki insan kardeşini de kaybedebilir, evladını da. Ben yıllardır buz parkurunda ritmik müzik eşliğinde buz balesi yapmıyorum. Seçtiğim hayat tarzının bir konumudur bütün bu olanlar. Benimle işleri olanlar, cezaevi maltalarında veya adliye koridorlarında hesaplaşabilirler. Buna hazırım."

24 Belkıs Kılıçkaya, "Çakıcı'nın iade talebine kabul", NTV, 1 ekim 1999.

İlginç olan, Çakıcı'nın açıklamayı avukatı Muhittin Yüzüak'a yaptırmış olmasıydı. Çakıcı, savunmasını Yüzüak'a teslim ederek, kardeşi Gencay'ın Fransa'daki kararını iptal etmiş oluyordu. Bu da eli kolu bağlı olmaktan çıktığını bir kez daha gösterdi. Ancak Yüzüak'ın davranışlarından hoşlanmadı, birkaç ay sonra kendisi de avukatlıktan azletti onu.

İtibarını ilk iade edenler, uçakta onu Türkiye'ye getiren polisler oldu, "Alaattin Abi" diye hitap ettiler yolculuk boyunca. Polisin sorgulamasını DSP'li Adalet Bakanı Hikmet Sami Türk engelledi. Kartal Cezaevi'ne girince "Oh ne rahat" dedi; ilk ziyaretçilerinden biri, Bursa'da yakalanıp aynı cezaevine konulmuş olan Erol Evcil'di.

Çakıcı için iyi bir haber geldi. Hıncal Uluç'un vurulması davasına da gizli bir el karışmış, hiçbir işlem yapılmamasını sağlamıştı. Mahkeme, bu davanın zaman aşımından düştüğüne karar verdi. Yargıtay bu kararı onayladı. Ancak itiraz üzerine dosyayı görüşen Yargıtay Ceza Genel Kurulu kararı bozdu; yenilenen yargılamada Çakıcı 3 yıl 4 ay hapis cezasına çarptırıldı.

Çakıcı'nın tek sorunu hücrede yalnız olmasıydı. Bir adamının yanına verilmesini istedi. Olumlu yanıt alamayınca Savcı Hüseyin Poyrazoğlu'na yakındı:

– Buranın da Fransa'dan farkı yokmuş. Hatta burası daha da beter. Kendi ülkemde dilimi konuşacak bir kişi bulamıyorum.

Çakıcı, Fransa'yı özlüyordu, ama hiç sorgulanmadığını duyan Fransız Savcı Jean François Pascal çok şaşırdı:

– Gerçekten sorgulamadınız mı? Tüm dosyalardan sorgulanabilir halbuki.

Adalet Bakanlığı, Pascal'ın açıklamasını reddetti. "Pascal savcı değil, mahkemenin zabıt kâtibidir." Bu açıklamanın komikliğinin ortaya çıkması fazla zaman almadı. Bakanlık, özür diledi:

243

– Özür dileriz. Pascal kâtip değil savcıymış. Bizi de Fransa'daki Türkiye Büyükelçiliği yanılttı.

Enteresan bir suçlamaydı! MİT'in eski Müsteşarı Sönmez Köksal'ın başında bulunduğu Paris Büyükelçiliği, Adalet Bakanlığı'nı yanıltmıştı. Neden acaba? Tabiî bu soruya yanıt aranmadı. Çakıcı, altı yıl hapis cezası istemiyle yargılandığı DGM'de ifade vermedi. "Tanık olarak konuş" dendi. Konuşmadı; "Susma hakkını" kullandı. Mahkeme Başkanı Sedat Karagül üsteledi:

– Sizi çok iyi gördüm. Geldiğinizden daha iyisiniz, cevap verebilirsiniz.

– Allah'a hamdolsun. Fransa'da beynimi istediler, ama alamadılar.[25]

Olup bitenleri örten sis perdesi yine kalkmadı. Fakat Çakıcı rahata ermişti. Hücresinde cep telefonu kullanabiliyor; saçlarını boyatabiliyor; hatta gardiyanlarını gecenin bir yarısında lahmacun almaya yollayabiliyordu.

Bu kadarla da kalmıyor, Karagümrük Çetesi lideri Nuri Ergin'le mektuplaşabiliyordu. Karşılıklı kahve tarama ve cinayet emirleri verebiliyor; birbirlerine medya aracılığıyla hakaretler yağdırıyorlardı: "Şerbeti posalanmış şambabası", "Sanal kopyacı", "Voltajı düşük lamba."

Çakıcı, Kartal Cezaevi'nin özel konukları arasına M. Ali Ağca'nın da katılmasına sevindi; "Hoş geldin" mesajı gönderdi; avukatını onun emrine verdi.

Yıllar sonra Türkiye'ye dönmek, cezaevi de olsa her ikisi için de cennete kavuşmak gibiydi...

25 "Üç maymunu oynadı", *Sabah,* 17 şubat 2000.

Korkmaz Yiğit

Kimyası bozulan medya baronu

Korkmaz, bir akşamüzeri okuldan döndüğünde, evdeki olağanüstü havayı daha kapıdayken fark etti. Herkes ayaktaydı. Kardeşleri, annesi, babası, mahalle bakkalının karşısında süklüm püklüm olmuş, suskun duruyorlardı.[1]

Babası, deftere yazdırdığı borcunu ödeyememiş, bakkal da bir sonraki ay başını bekleyememişti. İnsafsız bir bakkaldı. "Paranız yoksa eşyalarınızı verin" diye buyurdu.

İtiraz edecek halleri yoktu. Sanki gelecek ay daha mı farklı olacaktı! Bir tek öğretmen maaşı, beş çocuklu aileyi geçindirmeye yetmiyordu işte. Babası, her ay okuldan eve geliş yolunu dört kez değiştirmek zorunda kalıyordu. Kredisi, bir bakkaldan ancak bir hafta alışveriş yapmaya yetiyordu.

İlk hareketlenen annesi oldu. Sessizce yürüdü. Yerdeki kilimi, yattıkları yün döşeği ve yarısı yenmiş bir teneke kavurmayı, bakkalın götürmesi için hazırladı. Para edecek eşyaları bu kadardı. Bakkala yardım edip, eşyaları kapının önüne kadar çıkardılar. Yiğit ailesi, çıplak bir evle baş başa kaldı.

Korkmaz'ın hafızasında derin bir iz bıraktı bu olay. Bakkalın yüzü, mimikleri, babasının düştüğü durum. Lanet okudu o güne, fakirliğe. Zengin olacaktı. Çok zengin olacak ve asla kimsenin evine, işyerine hacze gitmeyecekti. Kimsenin evinden, işyerinden bir eşya kaldırmayacaktı.

Bu düşle büyüdü. Çocukluğu, Erzincan'da geçti. Cumhuriyet İlkokulu'nu bitirdikten sonra Merkez Ortaokulu'na devam etti. Bir yandan da çalışmaya başladı. Gövdesi minik, para kazanma hırsı büyüktü. İnşaatlarda asansör yoktu o yıllarda. Tane hesabıyla üst katlara tuğla ve kiremit taşıdı. Gücü bir de inşaat kalıplarındaki çivileri sökmeye yetiyordu. Çivileri düzeltip, müteahhitlere satıyordu.

1960'ta, lise 1'e geçtiğinde biraz yapılanmış, büyümüştü. İnşaatlarda amelelik yapmaya başladı. Günlüğü 2,5 liraydı. Ağabeyi Yılmaz'la İstanbul'a gitmeye karar verdikleri gün, bir kanal işinde çalışıyordu. O gün saat 11.00'de işi bıraktı, bir otobüsle yola çıktılar.

Ailenin batıya göç eden ilk fertleriydiler. Yiğit ailesi için o güne değin memleket, Kars ve Erzincan'dan ibaretti. Aslen Azerbaycanlı olan ataları, Kars'ın Hanak kazasının Tatalet köyüne yerleşmiş, 1939'daki depremden sonra devlet bedava arazi verince Erzincan'a göçmüşlerdi.

Annesi ile babası, kardeş çocuklarıydı. İlkokul öğretmeni olan babasının Erzincan'ın Yaylalar köyünde görev yaptığı sırada, 10 nisan 1943'te doğmuştu Korkmaz. Aile, daha sonra Erzincan merkezine göçmüş; çocuklar hiç kent dışına çıkamamıştı.

İskelede gözyaşı

İstanbul otobüsü, ilk molasını Sivas'ta verdi. Korkmaz, yaşamının ilk kompostosunu orada, otogardaki salaş bir lokantada içti. Daha önce lokanta, pastane gibi yerlere hiç gitmemişti. İkinci mola yeri Ankara'ydı. Henüz gün ağarmamıştı. Karanlıklar içindeki koca kent ürküttü, 17 yaşındaki bu delikanlıyı.

İstanbul'a ayak bastığında şaşkındı. Ne iş yapacaklarını ağabeyi de bilmiyordu; Korkmaz da. Üç gün dolaştılar. Sonra karar verdiler.

Korkmaz, Unkapanı'ndan bir boyacı sandığı aldı. Fatih'te, belediyenin önündeki parkta bir ağacın önünde ayakkabı boyacılığı yapmaya başladı.

İkinci işi gazete satışıydı. Sabaha karşı gidip *Hürriyet* gazetesi alıyor; saat 08.30 sıralarına kadar dolaşıp onları satıyordu. Gündüzleri ayakkabı boyamaya devam ediyor, akşamları yine gazete satışına çıkıyordu. Bu kez *Tercüman* ve *Milliyet* gibi gazeteleri koltuğunun altına sıkıştırıyordu. Babıâli'den çıkıp, Çemberlitaş, Laleli ve Fatih'e kadar yürüyor, 300 gazeteyi bitirmeden dönmüyordu.

Ayakkabı boyacılığı ve gazete satışından ayda 920 lira kazanıyordu. Bu para ihtiyaçlarına ancak yetiyor; Beşiktaş'taki bir öğrenci yurdunda kalıyorlardı. Penceresiz, dar, karanlık bir odaydı yattıkları yer.

Zor günlerdi. Her akşam, gazeteleri satıp bitiriyor, yurda dönmeden önce Barbaros İskelesi'nin yanındaki kayalıklara gidiyordu. Orada kendi başına ağlıyor, ağlıyor; gözleri kan çanağına dönmüş bir halde yurda dönüyordu.

Bu hali aynı odada kalan Erzincanlı üç gencin dikkatini çekti; babası Korkmaz'ı onlara emanet etmişti. Bir gün Korkmaz'ı, gizlice takip ettiler. Kayalıklarda ağladığını gördüler. Ertesi gün tıp öğrencisi olan Cengiz Ağabey, Korkmaz'ı yanına çağırdı. "Senin o kayalıklara gittiğini bir daha görmeyeceğim" dedi, azarladı...

Dondurmacılığa başladı

Bir yıl kadar sonra anne ve babası da İstanbul'a taşındı. Yurttan ayrılıp, ailesiyle birlikte oturmaya başladı. Ailenin geçim sıkıntısı bitmemişti. Küçük kardeşleri, cami önlerinde, namaza girenlerin ayakkabılarını koymaları için poşet satıyorlardı. Korkmaz ise ayakkabı boyacılığı ve gazete satıcılığına devam ediyor, bir yandan da Pertevniyal Lisesi'nde okuyordu.

Ancak anne ve babası, ayakkabı boyacısı olduğunu bilmiyordu. Boya sandığını eve götürmüyor; her akşam, 1 lira karşılığında Fatih'teki Bilecik Fırını'na bırakıyordu.

Bir gün ayakkabı boyarken bir baktı ki, annesi manavın köşesine gizlenmiş. Oğluna bakıyor, ağlıyordu. Korkmaz kıpkırmızı oldu, yanına gidip ona sarılmak istedi. Yapamadı, görmezlikten geldi. Annesi de yanına gelmedi. O akşam evde de ayakkabı boyacılığından hiç söz etmedi. Ana oğul bu konuyu hiç konuşmadılar.

Başka bir gün Saraçhane'de, boyacı sandığı sırtında, "Boyacı" diye bağırıp dolaşırken, Hamza adlı arkadaşıyla karşılaştı. Korkmaz, taş kesildi olduğu yerde kalakaldı. Mosmor olup utandığını gören Hamza, başka bir işe girmesini söyledi. Vefa Bozacısı'nı tanıyordu. Konuşup, orada işe girmesini sağladı. Boyacılığı bırakıp, dondurmacı çırağı olarak çalışmaya başladı Korkmaz.

Pastaneden kovdular

Her gün okuldan çıkınca Vefa Bozacısı'na gidiyordu. Önceleri bulaşık yıkıyordu. Sonra dondurmacılığa geçti. Dondurma ve ardından boza yapımını öğrenince Görgülü Pastanesi'ne transfer oldu. Artık usta olduğu için daha yüksek bir maaş alıyordu. Okulu aksatmıyordu. Derslerinde başarılıydı. 1962 yılında liseyi ikincilikle bitirdi. Üniversite sınavlarında yüksek puan aldı. Gönlünde Tıbbiye vardı. Puanı orayı tutuyordu fakat üniversiteye gidip kayıt yaptırması sorun oldu.

Ağustos sıcağında haliyle dondurma satışı fazlaydı. Patronu, birkaç saat için bile pastaneden ayrılmasına izin vermedi. Aradan günler geçti ve üniversiteye gidemedi. Baktı ki, açıkta kalacak, işsiz kalmayı göze aldı. "Ben gidiyorum" dedi. Patronu geri adım atmadı. "Hadi güle güle o zaman, bir daha da gelme..."

Aldırmadı; koşarak üniversiteye gitti. Geç kalmıştı. Teknik Üniversite'de de kayıtlar bitmişti. Ümitleri yok olduğu sırada Güzel Sanatlar Akademisi'nin ek sınav açtığını öğrendi. O sınav sayesinde Beşiktaş'taki Mimarlık Yüksek Okulu'na girme olanağı buldu.

Üniversitede okurken de çalışması gerekti. Halil Bezmen'in Mensucat Santral'daki fabrikasının inşaatlarını yapan bir firmada puantör olarak işe girdi. Kalfalığa kadar yükseldikten sonra ayrılıp kendisi inşaat şirketi kurdu.

Anadolu'da kimsenin gitmediği, tenezzül etmediği müteahhitlik işlerini alıyordu. Tabiî ders çalışmaya zamanı olmuyordu. Projelerini, parayla arkadaşlarına çizdiriyordu. Bir ara devamsızlık yüzünden okuldan atıldı. Bazı öğretim üyelerinin yardımıyla affedilip, okula geri döndü.

İlk evliliğini yaptığında hâlâ öğrenciydi. Evlenmişti, ama evine perde alacak parası yoktu. Apartman yönetimi toplanıp, karar almıştı. "Ya evinize perde alın, ya da çıkın." Zamanla daha fazla para kazanır oldu, evin perde sorunu böylece çözüldü.

Üniversiteyi bitirdikten sonra sıra askerliğe geldi. Burdur'da dört aylık kısa dönem askerlik sonrasında iş yaşamında yeni bir dönemece geldiğini hissetti.

249

Anadolu'daki ufak tefek işlerin peşinde koşmaktan bıkmıştı. Ömrü yollarda, otellerde geçiyordu. Bir gece evinde, bir gece otelde kalıyordu. Araba kullanmayı hiç öğrenmemişti. Şahin marka bir araba almış, bir şoför bulmuştu. Yedi sekiz kere trafik kazası geçirmişti. Ölümden hep kıl payı kurtulan bir kişi olarak, ön koltukta oturmayı alışkanlık haline getirmişti. Gözünü yola dikip, dikkatle izliyordu...

35 yaşına geldiğinde, gidip gelmekten, yollarda yaşamaktan sıkıldı. Kararını verdi. "Artık İstanbul'da iş yapabilirim" diye düşündü. "İnşaat işini iyice öğrendim. Akıllı bir insanım. Neden orada burada sürünüyorum?"

1994'te zengin oldu

1978 yılında yaşamında yeni bir sayfa açtı; Beşiktaş-Yıldız'da bir mimarlık bürosu kurdu. İstanbul'da inşaat işlerine girişmesi büyük bir cesaretti aslında. Çünkü deneyimi dışında hiçbir birikimi yoktu. O nedenle önce parası olan insanlarla ortaklık yaptı. Sultanhamam'da yaptığı bir iş hanını Yahudi bir gruba sattıktan sonra onlarla dostluğunu geliştirdi. 1990 yılında borçlarını ödeyemediği için banka hesaplarına haciz konulan Yiğit, bu dostluklar sayesinde durumunu düzeltti. Dostluğunun kısa sürede ortaklığa dönüştüğü Musevî asıllı işadamlarından biri de Kemal Gülman'dı.[2] İşadamları Rıfat Saban, Molis Sadioğlu, Zeynel Abidin Erdem, Nezih Erdem'le de ortak işler yaptı.[3]

Maslak'ta iş merkezleri yaparak kazandığı paralarla, arazi

2 "Korkmaz Yiğit: Sürpriz zengin", *Yeni Şafak,* 4 ekim 1998.
3 Veli Sarıboğa, "Korkmaz Yiğit'in ifadeleri", *Sabah,* 7 ocak 1999.

alımına ve lüks konuta yöneldi. Arazi alırken, özellikle prob-
lemli olanları tercih etti. Bu tür araziler, ucuza kapatılabiliyor-
du. Beşiktaş Belediye Başkanı Ayfer Atay başta olmak üzere
geniş bir çevresi oluşmuştu. Arazilerle ilgili mevzuat problem-
lerini çözmekte zorlanmıyordu. Sorunsuz hale gelen arazilerin
değeri birdenbire yükseliyordu.

Aldığı arazileri, lüks konut yaparak değerlendirdi. Platin Ko-
nutları ve Yeşil Vadi Konutları'yla adını duyurdu. Pahalı ve gör-
kemli sitelere imza atan bir "yap-satçı" oldu. Lüks daireleri 1-2
milyon dolar gibi yüksek rakamlarla ve de pazarlıksız satıyordu.

Ekonomiye büyük darbe vuran 4 nisan 1994 Krizi, ona yara-
dı. Elinde tomarla senet vardı ve tümü dolar üzerinden yapıl-
mıştı. O senetler, bir gecede büyük bir defineye dönüştü. Alıcı-
ları mahvoldu, ama Yiğit, dolar zengini oldu. Dolarlarını yine
araziye yatırdı. Çırağan'ın karşısındaki Tekel Binası'nı almaya
kalktı. İhaleye girdi, 450 milyar lirayla en yüksek rakamı verdi,
ama ihale iptal edildi. Bir gazeteci olan bitenle ilgilendi, ihale-
nin iptal edildiğini haber yapmak istedi. Yiğit telaşlandı; "Aman
haber yapma, adımız sanımız duyulur!"

Nedense adının kamuoyunda duyulmasını istemiyordu o sı-
ralar.

Malki'yle ortaklık

1995 başlarında Nesim Malki'yle tanıştı. Malki, işadamlarına
yüksek faizle para veren, çeşitli yatırımlarda gizli ortaklıkları
olan bir tefeciydi. Kısa sürede samimi oldular. Yiğit, Malki'ye
"Niso" diye hitap etmeye başladı. Malki de Yiğit'in "Yeşil Vadi"
projesine ortak olmak için 6 milyon dolar verdi.

Bir gün Malki, Yiğit'ten yardım istedi; "Alaattin Çakıcı ve   251

Erol Evcil, sürekli beni sıkıştırıyorlar." Yiğit, İstanbul Valisi Hayri Kozakçıoğlu'nu tanıyordu. Malki'yi alıp ona götürdü. Kozakçıoğlu, koruma önlemleri alacaklarını anlattı, Malki'yi rahatlattı. Valilik'ten çıktıktan sonra birbirlerinden ayrıldılar. Yiğit, tam arabasına binmişti ki, cep telefonu çaldı:

– Ben Alaattin Çakıcı, Abi Niso'yu koruma. O benim ekmek kapım! İstanbul'dan 15-20 kişiye fatura çıkarırım, senede iki kere de sıra Niso'ya gelir. Onu korumaktan vazgeç!

Meğer, Malki, ayrılır ayrılmaz, Evcil'i arayıp, Yiğit'in kendisini valiye götürdüğünü söylemiş, "Artık benden para alamazsın" demiş, Evcil de anında Çakıcı'ya duyurmuştu olan biteni.

Yiğit, "Peki kardeşim" deyip telefonu kapattı. Çakıcı, ikna olmamıştı. İki gün sonra yine aradı. "Sen Niso'yu Papaz'a götürmüşsün." Dündar Kılıç'tan "Papaz" diye bahsediyordu. Yiğit, reddetti:

– Dündar Kılıç'ı tanımam. Sadece Hayri Kozakçıoğlu'na götürdüm. Ama bana bir zarar vereceksen bahane aramana gerek yok.

Çakıcı, ısrar etmedi, telefonu kapattı. Aradan birkaç gün geçti, 28 kasım 1995'te Malki'nin öldürüldüğü haberi geldi. Ertesi gün, Çakıcı yine Yiğit'e telefon etti:

– O p...... beni dün aradı. Niso'yu ara, "Seni yarın öldüreceğim de" dedi. Huylandım, aramadım. Demek ki, benim üzerime yıkacaktı.

– Aman bana anlatma ben bilmek istemiyorum.

– Hayır polis şimdi dinliyordur, bu polise ihbardır. O Yahudi'nin intikamını almayı Allah bana nasip edecek.

Çakıcı, yine sinirle, küfürler ederek bitirdi görüşmeyi.

Birkaç gün sonra Korkut Eken aradı Çakıcı'yı. Malki cinayetiyle ilgisi olup olmadığını sordu. Çakıcı, hemen adresi verdi:

"Bursalı, genç bir işadamı. Uçağı olan, 'patron'un sık görüştüğü bir kişi. Erol Evcil..."

Çakıcı, cinayeti kendisinin üzerine yıkmak istediğini anlatıp, en yakın arkadaşını şikâyet etti. Eken sordu: "Ben bunu şeye, Orhan Bey'e (Taşanlar) söylesem bir mahsuru olur mu senin için?" Çakıcı, "İ.nelik yapmaya devam ederse hesabını sorarım" demesine rağmen tereddütlüydü:

– Patronla bir konuş. O okey derse anlıyor musun, o İstanbul'dakine, anlıyor musun, benim anlattıklarımı anlat.

"Patron", onay vermiş olsa gerek ki, Eken, birkaç gün sonra İstanbul Emniyet Müdürü Orhan Taşanlar'ı ziyaret etti, duyduklarını anlattı.[4]

Fakat nedense Malki cinayetinde polis, yıllarca hiçbir ilerleme sağlayamadı.

Çakıcı'ya ev satışı

Sekiz ay kadar sonra Çakıcı, Yiğit'e bir kez daha telefon etti. "Bugüne kadar senden bir şey istemedim. Ama şimdi bir ricam var. Ellerinden öper iki kızım var. Birisi Koç Lisesi'nde, birisi Marmara Üniversitesi'nde işletmede okur, onlara iki daire vermeni istiyorum" dedi. Önceden etüdünü de yapmıştı. Biri bitmiş, diğeri yapım aşamasında olan iki dairenin yerlerini, numaralarını da söyledi. "Ama benden az kâr al abi. Paranı da peşin ödeyeceğim" diye de ekledi.

Ertesi gün Çakıcı'nın akrabası olan başörtülü bir kadın ile bir erkek Yiğit'e geldi. Her biri 1 milyon dolar olan daireleri almak için spor bir çantada sadece 240 000 dolar getirmişlerdi. Yiğit, itiraz etmeden parayı aldı, tapu için gereken belgeleri verdi.

Çakıcı, bir gün sonra teşekkür için telefon etti. "Abi sana minnet borçluyum. Benden emrin olur mu?" dedi, çok kibardı:

– Ölene kadar kendimi sana borçlu hissedeceğim...

Yiğit, "Hiçbir ricam olmaz" karşılığını verdi. O sırada Vedat Yelkenci adlı işadamıyla arasında sorun vardı. 4,5 milyon dolarını alamıyordu. Yelkenci için Çakıcı'dan yardım istemedi.

Bir süre sonra Çakıcı, bir daire daha istedi. Yiğit, ikinci daireyi de değerinin çok altında bir rakamla verdi. Çakıcı bir daha sordu. "Yardım ister misin?" Yiğit, yine istemedi.

İşleri yolunda sayılırdı. Yiğit, 1996'ya değin inşaat faaliyetini sürdürdü. O yıl, ilk kez farklı bir sektöre göz dikti. Etibank ihalesine girdi, alamadı. Bildiği işe döndü. 1997'de, yeniden ihaleye çıkarılan Tekel Binası'na nihayet sahip oldu. Ardından 10 milyon dolar ödeyerek, ünlü "Sevda Tepesi"ni Kral Faysal'dan aldı.

"Korkmaz Yiğit Eğitim Vakfı"nı kurdu. Arnavutköy'de kendi adına bir lise yaptırdı. Bu lisenin açılışını Cumhurbaşkanı Süleyman Demirel'e yaptırmak istedi. Demirel'i açılışa getirmeyi başaramayınca üzüldü.

Eğitim alanındaki yatırımlarını gören Pertevniyal Lisesi'nden bir öneri aldı. "Acaba mezun olduğun okula para yardımı yapmaz mısın?" Yiğit, kabul etti. Tek koşul öne sürdü; "1 milyon dolar veririm, ama okulun adı Korkmaz Yiğit Pertevniyal Lisesi olarak değiştirilirse." Lise yöneticileri bu isteği reddettiler: "125 yıllık bir okulun adı para için değişmez."

Yiğit, üzerinde durmadı bu olayın. Farklı heyecanlar içindeydi. Özel yaşamında üçüncü evliliğini yapmış, bankacılık sektörüne girmeye hazırlanıyordu.

Türkbank trafiği

Etibank'tan sonra Anadolu Bankası ve Denizbank'ın özelleştirme ihalelerine katıldı. Yeterince parası olmadığı için bu bankaları alamadı. En sonunda Doğuş Grubu'nun elindeki Bank Ekspres'i 100 milyon dolar karşılığında alarak, bankacılık sektörüne adım attı. Fakat bu bankanın yeterli olmadığını düşünüyordu. 30 000 lüks konut yapacak, bu konutları kendi bankalarından sağlayacağı ucuz kredilerle satacaktı. Planı buydu.

Bank Ekspres'i ele geçirince malî imkânları arttı. Bu bankadan alabildiğine yararlandı; Doğa Gayrimenkul Pazarlama ve Vadim adlı iki şirket adına Bank Ekspres'ten aldığı teminat mektuplarına karşılık Emlak Bankası'ndan 20 milyon dolar kredi aldı.[5]

Önce Fransa'daki bir bankayı satın almak istedi. Uçakta karşılaştığı Merkez Bankası Başkanı Gazi Erçel, "Dışarıda banka almak yerine niye Türkbank'la ilgilenmiyorsunuz?" sorusunu yöneltti.[6] Yiğit, bu konuşmadan etkilendi. Mayıs 1998'den itibaren Türkbank'ı almak en önemli hedefi haline geldi. Altı ay gözüne uyku girmedi, hep Türkbank'a sahip olmak hayaliyle yatıp kalktı.[7]

Alaattin Çakıcı'nın, bu bankayla Erol Evcil adına ilgilendiğini biliyordu. Onca olaydan sonra Evcil'in bankayı alamayacağı ortaya çıkmış; o da bu hevesten vazgeçmişti.

Çakıcı, Yiğit'e yardıma hazırdı. Aralarında Türkbank trafiği başladı. İlk görüşme, 21 mayıs 1998'deydi. Çakıcı, Yiğit'i cep telefonundan aradı. İhaleye katılmak üzere dosya alan şirketleri konuştular, hazırlıkları gözden geçirdiler. Çakıcı, "İyi günler efendim" diyerek kapadı telefonu. Şaşılacak kadar saygılıydı.

Telefonlarının dinlendiğinden habersizdiler. Oysa Emniyet,

5 Çiğdem Toker, "Emlakbank'tan Yiğit'e 20 milyon dolar kredi," *Hürriyet,* 14 kasım 1998.

6 Sedat Ergin, "Malki'de yüz kılçık", *Hürriyet,* 28 ekim 1998.

7 1998/1804 Esas No'lu Türkbank Davası İddianamesi, s. 7.

Yiğit'in cep telefonunu dinleyebilmek için DGM'den karar çıkarttırmıştı. MİT de yakın takipteydi.

Bu gelişmelerden habersiz olan Çakıcı ve Yiğit, görüşmelerini sürdürdüler. "Korkmaz Abi" diyordu Çakıcı. "... Şimdi gerçi bunu Kâmuran Çörtük de haber gönderdi. 'O ne istiyorsa o olur. Onun doğrultusunda giderim... çağırırsa ben ne dersem o onu yapar'."

Çakıcı, Yahya Demirel'i aradığını, Ali Şener'e sinirlendiğini anlatıyor; Yiğit ise "Sağ ol var ol canım" karşılığını veriyordu.

Telefon görüşmeleri haziran ortalarına değin sürdü. "Sonuna kadar gideceğim" diyen Yiğit'e, Çakıcı güven veriyordu; "Ben de sonuna kadar seninleyim. Tek başına girer alırsın."[8]

Çakıcı'nın tam desteğini alan Yiğit, bu arada yakın arkadaşı Cefi Kamhi aracılığıyla Devlet Bakanı Güneş Taner'e ulaştı. "Teklifini ver sonra görüşelim" yanıtını verdi Taner.

Yiğit'in Türkbank ihalesine girmek istediğini öğrenen Başbakan Mesut Yılmaz, Emniyet ve MİT'ten bilgi istedi. Her iki kuruluş da Yiğit ile Çakıcı arasında ilişki olduğu kanısındaydı; telefon görüşmelerini saptamıştı. Yılmaz, Taner'e talimat verdi:

– Bize gelen bilgilere göre Çakıcı, Korkmaz Yiğit lehine bu ihaleye karışıyor. Yiğit'i dışlayın.[9]

Taner, birkaç gün sonra kendisine gelen Yiğit'e aktardı bunu. "Bu ihaleye girme, kazansan bile bu ihale sana verilmeyecek, çünkü başbakanın elinde bilgiler var. Çakıcı'yla irtibatın varmış."

Yiğit, bu andan itibaren müthiş bir kulis faaliyetine girdi. Yıl-

---

8 "Türkbank'ı donduran kaset", *Sabah,* 14 ekim 1998.

9 Sedat Ergin, "Malki'de yüz kılçık", *Hürriyet,* 28 ekim 1998; Mesut Yılmaz'ın TBMM Türkbank Soruşturma Komisyonu'na verdiği ifade metni, s. 3, 25 mayıs 2000.

maz'a ulaşmak için her yolu denemeye başladı. Önce Ankara'da zirveye yakın bir isim olan İşadamı Kâmuran Çörtük'le görüştü, bilgi aldı. Çörtük, Türkbank ihalesine girmeyeceğini söyledi. Fakat Yiğit'in yeni aldığı Genç TV'yle ilgileniyordu. Yiğit, 41 milyon 200 bin dolara satın aldığı bu televizyon şirketini, Çörtük'e devretti. Üstelik Çörtük'e Bank Ekspres'ten 25 milyon dolar kredi verdi bu televizyonu alabilmesi için![10] Bu alışverişle perçinlenen Yiğit-Çörtük ilişkisi Türkbank ihalesine değin sürdü.

Yılmaz'ı ikna etti

Yiğit, bir yandan da Başbakan Yılmaz'a ulaşma çabasını yoğunlaştırdı. Her gün aramasına rağmen Yılmaz'la görüşemeyince Kamhi aracılığıyla DTP Genel Başkanı Hüsamettin Cindoruk'a gitti. Yiğit'i dinleyen Cindoruk, Yılmaz'a telefon etti. "Korkmaz Yiğit bana önemli şeyler anlattı. Senin de mutlaka bilmende fayda var."

Cindoruk'un ricası üzerine Yılmaz, 30 hazirana randevu verdi. 30 haziran günü Yiğit, Yılmaz'ın meclisteki odasına gitti. Kamhi yine yanındaydı. "Çakıcı, ilişkisi olduğu laflarını yayarak beni ihale dışında tutmak istiyor. Sadece 1-2 sene evvel Çakıcı'nın bir yakınına ev sattım."[11] Yiğit, ardından sözü Güven Erkaya'yla dostluğa getirdi. Böylece Erkaya'yı tanık gösterdi.

---

10 Uğur Dündar, "Arena", Kanal D, 11 kasım 1998. (Korkmaz Yiğit'in kardeşi Gürbüz Yiğit, Genç TV'yi Çörtük'e, 29 milyon dolara devrettiklerini öne sürdü. Çörtük ise önce 28 milyon 575 bin dolar ödediğini açıkladı, ama 12 kasım 1998'de, bu bedeli 41 milyon 200 bin dolar olarak değiştirdi.)

11 Türkbank davası dördüncü duruşması, Anadolu Ajansı, 12 temmuz 1999 ve Sedat Ergin, "Malki'de yüz kılçık", *Hürriyet,* 28 ekim 1998.

Yılmaz, Emniyet ve MİT'in ilk uyarılarına rağmen Yiğit'e inandı ve "Tamam ihaleye girebilirsiniz" deyip onları gönderdi. Deniz Kuvvetleri Komutanı Oramiral Erkaya, o günlerde yurtdışındaydı. Bir hafta kadar sonra döndü. Yılmaz, bir fırsatını bulup, ona sordu. "Yiğit nasıl bir adamdır?" Erkaya gerçekten Yiğit'i tanıyordu, onun yaptığı Platin Konutları'ndan ev almıştı. Erkaya, "Tanırım, herhangi bir yanlışını görmedim. Çakıcı'yla irtibatı olduğunu sanmıyorum, ama bir defa araştırayım" karşılığını verdi.[12]

Başbakan Yılmaz, yine de ihaleyle ilgisini kesmedi. İhaleye girmeyen İşadamı Kâmuran Çörtük'ü, ihaleden önceki gece çağırarak bilgi alması da bu ilginin sürdüğünün kanıtıydı. Garip bir tesadüf, Çörtük, Yılmaz'ın yanına gitmeden önce Yiğit'le yemekteydi ve görüşmeden sonra yine oraya döndü.[13]

4 ağustos 1998'de ihale yapıldı ve Türkbank'ı, 600 milyon dolar teklif veren Yiğit aldı. İhalenin Yiğit'te kaldığı belli olunca Başbakan Yılmaz çağırdı. Kısa bir görüşme oldu. Yılmaz, "Hayırlı olsun" dileğinde bulundu, tokalaştılar.

Gariplikler zinciri o andan itibaren sökün etti. Emniyet Genel Müdürlüğü'nün Yiğit-Çakıcı ilişkisini saptayan istihbarat notu, ihaleden birkaç saat sonra Merkez Bankası'na ulaştı. Emniyet'in 40 günde hazırlayabildiği notu alan Erçel, bu bilginin üzerinde durmadı bile.

Emniyet, aynı notu bir gün önce de Başbakanlık'a göndermişti. Not, özel bir kuryeyle ve tam saat 17.00'de evrak memuruna teslim edilmişti. Sonuçta istihbarat notu kaybolmuş, komik bir şekilde herkes üzerine düşeni yapmıştı. Doğrusu başarılı bir senaryoydu.

---

12 Uğur Dündar, "Arena Özel Programı", Kanal D, 11 kasım 1998.

13 Türkbank davası dördüncü duruşması, Anadolu Ajansı, 12 temmuz 1999.

Çakıcı'ya cezaevi yardımı

Dengeleri bozan, Çakıcı'nın 17 ağustosta Fransa'da yakalanması oldu. Yiğit, yardım için Çakıcı'ya 2-3 milyon dolar gönderdi. Parayı, Cannes'a götüren Erol Evcil'di.[14] Çakıcı'nın yakalanması sonrasında büyük gürültü koptu. Basın, özellikle de Çakıcı-MİT ilişkileri üzerinde yoğunlaştı. Bu süreçte ilgi çekici bir gelişme, Mehmet Eymür'ün eşi Janset Eymür'ün elektronik posta mesajıyla açıklama yapmasıydı. Bayan Eymür (!), MİT Müsteşarı Şenkal Atasagun'u, MİT görevlisi Yavuz Ataç'ı Çakıcı'yla birlikte yurtdışına operasyona göndermekle suçluyordu.

Çakıcı, Yılmaz'dan intikam için ANAP'lı Bakan Eyüp Aşık'la telefon konuşmasına ait kaseti piyasaya sürdü.[15] Bu kez Yılmaz ve Aşık'a yönelen fırtına, Türkbank'ın satış işlemlerini etkilemedi. Yiğit, ağırlığını farklı bir noktaya kaydırmıştı; "diğer işlerine lojistik destek sağlamak için gazete ve televizyon" satın alıyordu. Kanal E, Kanal 4 ve Kanal 6 televizyonlarını aldı; bir gazete alma arayışına başladı. Bir gün yemeğe çıktığı bir gazete yöneticisinden teklif geldi; "Neden *Yeni Yüzyıl* ve *Ateş*'i düşünmüyorsun?" Makul buldu bu teklifi. *Yeni Yüzyıl* ve *Ateş*'i aldı. Bu gazetelerle yetinmeyip *Milliyet*'e yöneldi. Yıldırım hızıyla yayılıyor, basında üçüncü grup haline geliyordu Yiğit.

12 eylül tarihli bir gazetede, Yiğit'in *Milliyet*'i satın aldığı haberini gören Başbakan Yardımcısı Ecevit, harekete geçti. 14 eylülde, Devlet Bakanı Hüsamettin Özkan ve Maliye Bakanı Zekeriya Temizel'i toplantıya çağırdı. Ecevit, Yılmaz'ın merak etmediği soruların peşindeydi. "Yiğit, 1 milyar 170 milyon doları ne-

---

14 1998/1804 Esas No'lu Türkbank Davası İddianamesi, s. 10.
15 Muammer Elveren, "Kıyamet kopacak", *Hürriyet,* 23 eylül 1998.

reden buldu?" Temizel, bu sorunun yanıtını birkaç gün sonra getirdi Ecevit'e:

– Bu şahsın yapmakta olduğu alımları kendi kaynaklarıyla karşılayabilmesi imkânsızdır.

Ecevit'in, mafyanın medya ve finans sektörüne girmeye çalıştığı kaygısı doğrulanıyordu. Ecevit, Başbakan Yılmaz'ın 22 eylülde ABD'ye gitmesini bekledi. Ertesi gün, başbakan vekili sıfatıyla MİT Müsteşarı Şenkal Atasagun'u çağırdı. Yiğit-Çakıcı ilişkisini sordu. Aldığı yanıtlara şaşırdı. Atasagun da aynı kaygıları paylaşıyordu![16]

Nasıl olduysa, Ecevit'in girişimleri Yiğit'in kulağına gitti. Özkan'dan randevu istedi. 28 eylüldeki bu görüşmede Özkan'ı ikna edemediğini gören Yiğit, iki gün sonra da İçişleri Bakanı Kutlu Aktaş'a gitti. İlk kez Çakıcı'yla ilişkisinin 1995 yılına değin uzandığını itiraf etti. Malki'yi Evcil'in öldürdüğünü söyledi, o sırada Çakıcı'yla yaptığı telefon görüşmelerini anlattı. Ev sattıktan sonra bir daha Çakıcı'yla görüşmediğini savunup, Aktaş'a da Platin Konutları'ndan ev vermekten söz etti:

– Bir milyon dolar, ama mesele değil. Gelin kabul edin.[17]

Açıkça rüşvet teklif ediyordu. Aktaş'ın, tüm konuşmayı kaydettirdiğinden habersizdi tabiî.

Yiğit-Çakıcı kaseti patlıyor

Başbakan Yılmaz, Amerika'dan o gün döndü. Aktaş ve Özkan'la görüşüp gelişmeleri öğrendi. Duydukları, Yiğit'in kendi-

16 Sedat Ergin, "Ecevit: Türkbank ihalesinde biz görevimizi yaptık," *Hürriyet,* 1 kasım 1998.

17 Yavuz Donat, "İşte Kaset", *Sabah,* 31 ekim 1998; Faruk Bildirici, "İşte bakanın teybe kaydettiği sözler", *Hürriyet,* 30 ekim 1998 sine daha önce anlattıklarından daha farklıydı.

Ecevit de işin peşindeydi. 5 ekim pazartesi günü Aktaş'ı çağırarak, kasetin tutanağını okudu. Sonra Aktaş ve Özkan'ı da yanına alarak, başbakanın makam odasına geçti. Artık Yiğit-Çakıcı ilişkisi konusunda somut veriler vardı ellerinde. Türkbank'ın satışını durdurma konusunda görüş birliğine vardılar. Bir yandan "Yiğit'le ilgili kuşkularını satışlarla ilgili olan bazı medya yetkililerine de iletip onları uyardılar."[18] Bir yandan da Yılmaz, Amerika'daki Taner'i arayıp iptal talimatı verdi.

Hükûmet kanadında bu gelişmeler yaşanırken, Çakıcı-Yiğit ilişkisini kanıtlayan kaset CHP İçel Milletvekili Fikri Sağlar'ın eline ulaşmıştı bile. Kaset, postayla gönderilmiş; 28 eylül günü kaseti alan Sağlar, önce Genel Başkan Baykal'a haber vermişti.

Baykal, kaseti dinlerken "Müthiş, muazzam, hayret" deyip durdu. Kaseti kim açıklayacaktı? Sağlar, Baykal'ın açıklamasından yanaydı. Baykal karşı çıktı:

– İki televizyon, üç gazete sahibi olan bir kişi. Husumeti tüm partiye çekmek istemem. Bu bandı sen açıkla.[19]

Sağlar, önerge hazırlıkları sürerken, kaseti, 7 ekimde *Milliyet*'e götürdü. Aydın Doğan ve Derya Sazak'la birlikte dinlediler. Doğan, "Çok şaşırdım, bunları bilmiyordum" dedi. Ancak çok geçti. İlk para transferi gerçekleşmiş, *Milliyet*'in satışı geri dönülemez bir noktaya gelmişti.[20] Nitekim ertesi gün *Milliyet*'te Doğan'ın veda yazısı çıktı, gazete Yiğit'in eline geçti.

Yiğit, Sağlar'ın elindeki kaseti öğrenince Baykal'a koştu. Ka-

18 Sedat Ergin, "Ecevit: Türkbank ihalesinde biz görevimizi yaptık", *Hürriyet*, 1 kasım 1998.

19 Fikri Sağlar-Emin Özgönül, *Kod Adı Susurluk*, Boyut Yayın Grubu, 1. baskı, kasım 1998, s. 26.

20 a.g.e., s. 27.

setin açıklanmamasını istedi. Baykal, kasetin Sağlar'da olduğunu ve açıklanmasını engelleyemeyeceğini söyledi.[21]

Sağlar, 8 ekim 1998'de Uğur Mumcu Vakfı'nın açılış törenine katıldı. Orada karşılaştığı Gazeteci Tuncay Özkan'a kasetten söz etti, sonra dinletti. Özkan kaseti Yılmaz'a haber vermek için izin istedi. İzin alınca da aynı törende bulunan Yılmaz'a, "Fikri Sağlar'ın elinde Korkmaz Yiğit ile Çakıcı arasındaki bir konuşmanın bandı var" dedi.[22]

Yılmaz, ertesi gün Emniyet İstihbarat Başkanı Sabri Uzun ve Organize Suçlar Daire Başkanı Emin Arslan'ı çağırıp kaseti istedi. Arslan, iki gün sonra Çakıcı ve Yiğit arasındaki ilk konuşmaya ilişkin kasetin deşifresini getirdi. Konuşma kaydedildikten sonra arşive kaldırılmış, orada unutulmuştu![23]

O sırada hazırlıklarını tamamlayan Sağlar, 13 ekim günü basın toplantısı yaparak kaseti açıkladı. Sonra da getirip Yılmaz'a verdi. Çıkışta da ihalenin iptal edildiğini açıkladı.

Yılmaz, kaseti Emniyet'e verdi, araştırılmasını istedi. İki gün sonra haber geldi; "Bu bant Emniyet'in bantı değil. Bu dört konuşmalık bir bant. Bizde sadece bunun bir tanesi var, diğer üçü Emniyet'in kayıtlarında yok." O zaman anlaşıldı ki, kasetin kaynağı MİT'in arşiviydi. Kaseti basına sızdıranın amacı da Çakıcı'dan intikam almaktı.

Sonrası hızlı gelişti, Yiğit, *Milliyet*'i, Aydın Doğan'a iade etmek zorunda kaldı. Ayrılmasını kabullenemeyen *Milliyet* çalışanları, Doğan'ın gazeteye dönüşünü alkışlarla karşıladılar. Doğan, Yiğit'e, aldığı avansı geri ödedi.

Milliyet'i diğer gazeteler, bankalar izledi. Büyük bir hızla sa-

21 a.g.e., s. 28.

22 a.g.e., s. 29, 30; Mesut Yılmaz'ın TBMM Türkbank Soruşturma Komisyonu'na verdiği ifade metni, s. 7, 8, 25 mayıs 2000.

23 Sedat Ergin, "Malki'de yüz kılçık", *Hürriyet,* 28 ekim 1998.

hip olduğu kuruluşlar, aynı hızla Yiğit'in elinden çıkmaya başladı. Önce Bank Ekspres'i kaybetti. Ardından *Yeni Yüzyıl* ile *Ateş*'i de Okay Gönensin'e devretti. Ama bu sadece görüntüyü kurtarmak için yapılan işlemdi. *Yeni Yüzyıl*, büyük tiraj kaybetti, bir süre sonra da kapandı.

Yiğit gözaltına alınınca, son kartını kullandı. Yiğit'in, önceden doldurduğu bir video kaset halen kendisine ait olan Kanal 6 ve Kanal E televizyonlarında yayınlandı.

Yiğit, "Bugün 24 ekim saat 03.00. Son 10 günde çok şey yaşadım" diye başlıyor, bitkin bir ifadeyle anlatıyordu. Başbakan Mesut Yılmaz, Devlet Bakanı Güneş Taner, İşadamı Kâmuran Çörtük'le görüşmelerini, Türkbank'la ilgili tüm gelişmeleri anlattı. Çakıcı'yla görüşmesinin sadece iki daire vermeyle sınırlı olduğunu savundu. Çakıcı'nın sesini ilk duyduğunda heyecanlandığını kendine özgü sözcüklerle anlattı; "Kimyam bozuldu."

Video kasetin 14 dakikalık bir bölümü yayınlanmadı. Bu bölüm, medya kuruluşlarının alımıyla ilgili olup bitenleri kapsıyordu. Yayınlandığı kadarı, ortalığı allak bullak etmeye yetti. O gece ilk tepkiyi Baykal verdi; koalisyon hükûmetini düşüreceklerini açıkladı. Öyle de oldu, Yılmaz-Ecevit hükûmeti sona erdi.

Ancak video kaset, Yiğit'i kurtaramadı. Hakkında Bank Ekspres'in içini boşalttığı gerekçesiyle dava açıldı ve aylarca cezaevinde kaldı. 3 mart 1999'da cezaevinden çıkan Yiğit'in son direnme noktası Kanal 6 oldu. Televizyonu güçlendirip, programları canlandırmak için epey para harcadı. Emekli olduktan sonra gayriresmî danışmanı olan Güven Erkaya'nın da Kurtul Altuğ'la birlikte program yapmasını sağladı. Eleştiriler yoğunlaşınca Erkaya, programdan ayrılmak zorunda kaldı.

263

Evcil'in suçlamaları

Yiğit, malî güçlüklerden kurtulma çabası verirken önce Alaattin Çakıcı yurda getirildi; ardından da gizlice Türkiye'ye dönen Erol Evcil, Bursa'da yakalandı. Evcil'in 27 ekim 1999'da yakalandıktan sonra polis ve savcılıkta verdiği ifadeler ile Hizbullah'ın öldürmeden önce sorgulayıp video kasete aldığı Mehmet Sünbül'ün anlatımları, aradan yıllar geçtikten sonra Malki cinayetini aydınlattı.

Genç bir sigortacıyken 10 yıl içinde trilyonlara hükmeder hale gelen Evcil, saplandığı borç batağından kurtulmak için tetikçileri 1,5 trilyon liraya kiralamıştı. Evcil'in ifadeleri ilginç ilişki ağını da göz önüne seriyordu:

"Cavit Çağlar'ın da Niso'nun (Malki) ölümünden önce Emlak Kredi Bankası'ndan Niso üzerinden yanlış hatırlamıyorsam yaklaşık 20-30 milyon dolarlık bir kredi çektiği, bu kredinin bir bölümünü ölümünden önce ödediği, diğer kalan kısmını ise ödemediğini, ayrıca Niso üzerinden birkaç kez daha bu şekilde kredi çektiği ve bunların da her zaman Niso, Cavit Çağlar arasında anlaşmazlık yarattığını biliyorum.

Korkmaz Yiğit'in ise içinde bulunduğu ekonomik durumun bozuk olmasına rağmen Nesim Malki ile gerçekleştirdiği ortaklıklarda İstanbul Yeşil Vadi ve Pendik Kurtköy toplu konut işlerinden Niso'nun ölümüyle hesapsız birtakım kazanımlar elde ettiği ve bunları da ileri süreçte banka ve medya alımlarında kullandığını biliyorum."[24]

Evcil, Yiğit'in Türkbank ihalesini kazanmasıyla ilgili ayrıntılar da verdi:

"... Bankanın ihalesi yaklaşık 600 milyon dolar üzerinden

 24 Erol Evcil'in (Eşrefoğlu) 2 kasım 1999 tarihli, 42 sayfalık savcılık ifadesi.

Korkmaz Yiğit'te kalması ile sonuçlandı. Bu sırada K. Yiğit medyada da birtakım alımlara gitti. K. Yiğit ile A. Çakıcı ilişkisini Mesut Yılmaz biliyordu. 30 haziranda K. Yiğit, M. Yılmaz ile görüştüğünde A. Çakıcı ile usulüne uygun bir şekilde görüşmesini istedi. A. Çakıcı araya adam koyarak nabız yokluyordu. K. Yiğit'in ekonomik durumu çok bozuktu, ama imkân sağlanırsa bankanın alınabileceğini söylüyordu."[25]

ANAP lideri Yılmaz'ın hep reddettiği suçlamalardı bunlar. Evcil, iddialarını, Türkiye Büyük Millet Meclisi Türkbank Soruşturma Komisyonu için savcılara verdiği ifadede daha da boyutlandırdı:

"... Mesut Yılmaz ve Eyüp Aşık ile görüştüm. Bu konuları aynen anlattım. Ayrıca bu konuşmalar dışında bir de yumruk (Budapeşte) olayını da Mesut Yılmaz ile görüştüm. Bana bu yumruk olayını Alaattin Çakıcı ile görüş, kimin yaptığını öğrensin ve hesap sorsun dedi."[26]

Evcil'in ifadeleri büyük yankı yaptı. Eski MİT Kontrterör Daire Başkanı Mehmet Eymür, Evcil'in ifadelerine, kurumdan ayrıldıktan sonra yerleştiği Amerika'dan, İnternet'teki sayfası aracılığıyla eklemelerde bulundu:

"Sonunda banka 600 milyon dolara Korkmaz Yiğit'te kalır. Türkiye çapında yaygın ve oturmuş bir banka olan Türk Ticaret Bankası yüzde 40 peşinle, yani 240 milyon dolar ödenerek, kasasında bankanın kendi parasına ilaveten 485 milyon dolar taze para olduğu halde Korkmaz Yiğit'e devredilecektir.

Zorlu Grubu'nun ihaleyi yükseltmesinden dolayı Korkmaz

---

25 Erol Evcil'in (Eşrefoğlu) 2 kasım 1999 tarihli, 42 sayfalık savcılık ifadesi; Neşe Düzel'e gönderildiği ve yayımlanmadığı belirtilen 24 kasım 1999 tarihli düzeltme, Anadolu Türk İnterneti, http://atin.org/maske.htm, 10 mart 2000.

26 Erol Evcil'in (Eşrefoğlu) Cumhuriyet Savcısı Abdurrahman Canpolat'a verdiği 14 nisan 2000 tarihli ve tek sayfalık ifade.

Yiğit bu parayı ödeyemezse Mesut Yılmaz buna da formül bulacak ve Güneş Taner'e emir vererek aradaki farkın kredi olarak teminini sağlayacaktır.

Banka alınınca, içindeki taze para ile avansı ödenmiş olan *Yeni Yüzyıl* ile *Milliyet* gazeteleri de alınacak ve gazeteler ile banka Mesut Yılmaz'ın hizmetine sunulacaktır. Böylece Mesut Yılmaz hem kendi denetiminde bir medya grubu yaratacak, hem de seçim ve propaganda faaliyetleri için finans kaynağı sıkıntısı çekmeyecektir."

Yılmaz, bu suçlamaları reddetti; Eymür ise iddialarını kanıtlayamadı.

Böyle yaşamak çok zor

Yiğit, aylarca mahkemeye gitti geldi. Duruşmalar sürerken mahkeme Yiğit'in yurtdışına çıkma yasağını kaldırdı. Bu gelişmeye sevinemedi bile.

İş alanındaki sıkıntısı sürüyordu. Borçlarını ödeyemediği için Kanal 6'yı kaybetme tehlikesiyle karşı karşıyaydı. Televizyonu kurtarmak için formül bulamıyordu. Sonunda televizyonu, Ahmet Özal'a devrettiğini açıkladı. Her şeyi hacizde olan, meteliğe kurşun atan Ahmet Özal, bir televizyonu alacak parayı nereden bulabilecekti? Bulamadı da. Malî problemleri çözülemeyen Kanal 6'nın ekranı uzun süre karardı; sonra bir gruba kiralandı.

"Danışıklı satış"a ilk itiraz, Merkez Bankası'na bağlı Tasarruf Mevduatı Sigorta Fonu'ndan geldi. Fon, İstanbul 9. Asliye Ticaret Mahkemesi'nde açtığı davada, Kanal 6'nın 110 milyon dolar (60 trilyon lira) olan hisselerinin mal kaçırma amaçlı olarak devredildiğini öne sürerek, tedbir ve satışın iptalini istedi.[27] Fon, Yiğit'in 22 trilyon 395 milyar liralık gayrimenkullerinin değerinin çok altında bir bankaya devredilmesine de karşı çıktı.

Yiğit'in durumu iyice zora girdi. İki yıl öncesinin muhteşem bir hızla yükselen "Medya baronu" değildi artık. TBMM'de kurulan Türkbank Soruşturma Komisyonu'na ifade verirken kolu kanadı kırılmıştı:

"Birdenbire öyle alabora oldum ki, birdenbire kendimi öyle şeylerin içinde buldum ki, sorumluluğunu taşıdığım insanlardan, ailemden, çocuklarımdan, kendimden, can güvenliğimden endişeye düşer oldum.

Bu kolay taşınabilir bir yük değil. Basit bir örnek vereyim. En küçük oğlum servisle okula gidiyor, veliler imza toplayıp oğlumun servisten alınmasını istiyorlar. Bunlarla beraber yaşamak çok zor..."[28]

Bir de sık sık tekrarladı. "Hayatta hiç yalan söylemedim."

27 Ali Dağlar, "Kanal 6 satışına iptal davası", *Hürriyet,* 27 aralık 1999; "Kim bu kanalın sahibi", *Yeni Şafak,* 29 aralık 1999.

28 Korkmaz Yiğit'in, TBMM Türkbank Soruşturma Komisyonu'na verdiği ifade metni, s. 37, 25 nisan 2000.

Ali Rıza Septioğlu

Yaş durumundan başkan

Cumhurbaşkanı Cevdet Sunay'ın kaderini tek oy değiştirdi. Tek oy, Sunay'ın görev süresinin uzatılması girişimini engellemekle kalmadı, izleyen siyasî olaylara da yeni bir yön verdi.[1] İşte o tek oyu vermekten kaçınanlardan biri, Ali Rıza Septioğlu'ydu. Dönemin AP Genel Başkanı Süleyman Demirel, Sunay'ın görev süresinin uzatılması girişiminin gerekli olan 300 yerine 299 oyla reddedildiğini öğrendikten sonra koridora çıktı. Bir de baktı ki, Septioğlu karşıdan geliyor. Olup bitenden haberi yoktu, sordu; "Ne oldu?" Demirel, "Olan oldu" dedi, uzaklaştı.

Septioğlu, oylamayı neden kaçırdığını sonradan anlattı. Gerekçesi ilginçti. "Eşimle telefonla konuşuyordum."[2] Septioğlu, renkli bir milletvekiliydi. Siyaset dünyasında asıl şöhretini, 1978'de Adalet Partisi'nden ayrılıp, "Onbirler" grubu içerisinde yer almasıyla yaptı.

AP saflarına veda edince, bir anda kendini, rüyasında bile

---

1 Sunay'ın görev süresinin uzatılmasını destekleyen AP'nin 212, CHP'nin 105 milletvekili vardı. Ancak oylamaya CHP'den 13, AP'den 11 milletvekili katılmayınca uzatma girişimi suya düşmüştü.

2 Cüneyt Arcayürek, *Çankaya'ya Giden Yol 1971-1973*, Bilgi Yayınevi, ekim 1985 (2. baskı), s. 493.

göremeyeceği bakanlık koltuğunda buldu. Çünkü Bülent Ecevit'in hükûmet kurabilmek için o on bir milletvekilinin oyuna ihtiyacı vardı.

Meteorolojiden sorumlu devlet bakanı olunca kırmızı plakalı araba kapısına dayandı. İlk şaşkınlığı, arabaya binip arka koltuğa bağdaş kurduktan sonra yaşadı. Ön koltuğa oturan koruma polisini azarladı:

– Ula gavat bakan sen misin ben miyim?

İkinci şaşkınlığı, makam odasında otururken görevlinin sık sık kapıyı açıp, "Buyrun efendim? Bir arzunuz mu var?" diye sorup durmasıyla yaşadı. Septioğlu, sinirlendi:

– Ne o içeri girip duruyorsun? MİT misin, CİA mısın? Bir rahat versene...

– Efendim, ama zile basıp siz çağırıyorsunuz?

– Ne zili, ben zile mile basmıyorum!

Odacı, utana sıkıla bakana ayağının altındaki zili gösterdi. Septioğlu, orada zil olduğunun bile farkında değildi...

Septioğlu'nu kutlamaya gelen müritleri sordular; "Şıhım, ne işine bakarsın?" Yanıtı, kısa oldu; "Havaya, suya..." Meteoroloji diyemezdi ya! Müritleri, Elazığ'a döndüler, gördüklerine haber verdiler:

– Şıhım, Allah'a yaklaşmış...

Ortaokul mezunu olan Septioğlu, meteorolojiye müthiş ilgi gösteriyordu. "Acaba meteorolojinin tahminleri doğru muydu?" En çok merak ettiği buydu! Zaten genel müdürü de görevden almanın çaresini arıyordu. Bir gün memleketini aradı. Zaten bir zamanlar belediye başkanlığı yaptığı Palu'dan hiç kopmamıştı. Çok sayıda hemşerisini meteorolojide işe yerleştirmişti.

Aklına bir plan geldi. Palu Belediye Başkanı'nı arayıp sordu.

Palu'da yağmur yağdığını öğrenince meteoroloji işleri genel

müdürünü arayıp Palu'daki hava durumunu sordu. Genel müdür, hemen karşılık verdi:

– Palu'da hava, az bulutlu ve açık, yağış yok.

– Şimdi seni yakaladım bilemedin...

Genel müdürün görevden alınması için hemen yazı yazdı; gerekçesi de bu olaydı.

Bakanlığı sırasında, eskiden uzaktan baktığı CHP'lilere iyice ısındı. Dost olmaya başladı. Bir gün aynı kabinede bakan olan Orhan Birgit'e söylediği sözler de bu yakınlaşmanın kanıtıydı:

– Siz hep örgüt örgüt diye konuşuyordunuz. Biz hep başka bir şey anlıyorduk, gözümüz korkuyordu. Şuna teşkilat deseydiniz demek ki anlaşacakmışız.

Kızım düzgün yemin et

12 Eylül nedeniyle siyasetten uzak kaldı. Parlamentoya ancak 1987'de dönebildi. Yasaklı günler, eski partisine dönebilmesinin yolunu açmış, Demirel, eski kırgınlıkları unutmuştu.

DYP'den milletvekili seçilen Septioğlu, yine meclis kulisinin neşesi haline geldi. Anlattığı ve hakkında oluşturulan fıkralarla kuliste çınlayan kahkahaların kaynağı oldu.

Meclisten arta kalan zamanlarını poker oynayarak geçiriyordu; kumar makinelerine alışamamıştı. Elinin yeşil çuhaya dokunmasından hoşlanıyordu.

Parlamenterlik yaşamının en önemli ve en kritik görevini 1991'de dördüncü kez milletvekili seçildiğinde yaptı. 1913 doğumlu Septioğlu, en yaşlı üye sıfatıyla yeni dönemin açılışında TBMM başkanlığı görevini üstlendi.

Milletvekillerinin yemin töreni sırasında DEP Milletvekili 271

Leyla Zana kürsüden Kürtçe konuşmaya başlayınca Septioğlu sinirlendi. Zana'yı uyardı:

– Kızım kızım, doğru düzgün yemin et.

Septioğlu, güçlükle tamamlanan yemin oturumundan sonra, gazetecilere yakındı. İşin garibi kendisinin de kökenini hatırlamıştı:

– Ben de Kürt'üm, ama bunlar gibi şov yapmadım, yapmam da...

Dikkat çeken bir nokta ise Zana ve DEP'lilere gösterdiği sert tavrı sakallı RP milletvekillerine göstermemiş; onlara hoşgörülü davranmış olmasıydı...

Amerika'da kayboldu

Bu dönemde Septioğlu, bir Amerika macerası yaşadı. Gezi sırasında kaybolması, gazetelerde haber oldu. Demirel'in cumhurbaşkanı seçilmesine çok üzüldü. "Benim için politika bitti" diyordu.

Nedeni de yıllardır Demirel'e parti içi muhalefet yapmasıydı. Nitekim, Demirel'e karşı hareketini 1993 DYP Kongresi'nde Tansu Çiller'i destekleyerek gösterdi.

Eski tüfeklerin hepsinin İsmet Sezgin'in yanında olduğu hatırlatılıp, neden kendisinin Çiller'i desteklediği sorulduğunda, "40 yıldır kazıkla dolaştım da ondan" karşılığını verdi.

Ancak Çiller de kendisini Genel İdare Kurulu'na almayınca çok üzüldü. Bu kez durumunun ne olduğunu soran gazeteciye, "40 yıldır kazıkla gezdim, şimdi ayağım çukurda dolaşacağım" karşılığını verdi.

Meclis kulisi, 1994'te, hep gülen, espriler yapan Septioğlu'nun küfürleşmesine tanık oldu. Elazığ İl Örgütü'nün feshedilmesi nedeniyle parti yöneticisi ve Elazığ Milletvekili Ahmet Küçükel'e sinirlendi. Genel Başkan Çiller'in önünde Küçükel'e bağırdı, en sevdiği hakaret sözcüğünü kullandı:

– Gavat...

Tekme tokat birbirlerine girdiler, araya giren milletvekilleri güçlükle ayırabildi. Ancak bu kavga ikisine de yaramadı. Çünkü 1995 seçimlerinde ikisi de milletvekili olamadı. Çiller, liste başına Mehmet Ağar'ı koyunca liste dışı kalan Septioğlu, küsüp köşesine çekildi. Demirel'e kızarak iki kez bağımsız aday olup seçildiği gençlik günleri geride kalmıştı. Palu'ya döndü.

Ancak 18 Nisan 1999 Seçimleri öncesinde Ağar'ı dışlayan Çiller, yeniden ona döndü. Bağımsız aday olan Ağar'a karşı oy alma şansı olan kişi Septioğlu'ydu ve Çiller bunun farkındaydı. 1995'te safdışı bıraktığı Septioğlu'nu liste başına koydu.

Kampanyanın ilk günlerinde Ankara'da hastaneye yatmak zorunda kalması bile Elazığ'dan oy almasını önlemedi. Septioğlu'nun seçmeni ne hastalığına bakıyordu ne kampanyasına. Ağar'ın oy patlaması yapmasına rağmen, Septioğlu beşinci kez milletvekili seçildi.

Çaput parçası

Yine TBMM'nin en yaşlı üyesiydi. Bir kez daha TBMM Geçici Başkanlığı görevini üstlenmek ona düştü. Koltuğa oturur oturmaz, kendisine torpil geçti. Öbür milletvekilleriyle birlikte kura çekilmesini beklemeden kendisine bir lojman tahsis etti.

Bu kez Kürtçe yemine kalkışacak milletvekili yoktu, ama türban sorunu çıkacağa benziyordu. Yemin oturumu öncesinde Meclis bürokratlarına daha önceki uygulamaları sordu. "Daha önce meclise türbanlı giren milletvekili oldu mu?" Bü- 273 rokratların yanıtı olumsuzdu:

– Halide Edip dahil başı kapalı giren bayan milletvekili yok.

"Genel başkanıma sorup, ona göre karar vereceğim" dedi, Çiller'den güç almayı umuyordu. "Palu'nun ağası", siyasî yaşamının en zor, en kritik sorunuyla karşı karşıya kaldığının farkındaydı. Tepkilerden çekiniyordu, ancak gazetecilere yaptığı açıklamalarda gönlünün türbandan yana olduğu belliydi:

– 75 yıllık teamüller var. Meclis içtüzüğü ve gelenekleri, görenekleri, ne varsa orada ne gerekirse o yapılır. Bir çaput parçası ülkenin rejimini yıkamaz ya!

Her ne kadar kendinden emin görünmeye çalışsa da 2 mayıs günkü yemin töreni sırasında duruma hâkim olamadı. FP İstanbul Milletvekili Merve Kavakçı'nın Genel Kurul'a girmesiyle birlikte ortalık karıştı. FP'lilerin alkışlarla karşıladıkları Kavakçı için DSP'liler, "dışarı dışarı" diye tempo tuttular. DSP'li Millî Savunma Bakanı Hikmet Sami Türk, kürsünün önüne kadar gelerek Kavakçı'yı dışarı atmasını istedi. Belli ki, Septioğlu, Çiller'le görüştükten sonra kararını vermişti. İtiraz etti:

– İçtüzüğe bakalım, gereği neyse yapalım.

Millî Eğitim Bakanı Metin Bostancıoğlu, bağırarak sordu; "Mayoyla gelebilir mi, mayoyla?" Septioğlu'nun her zaman kısık olan sesi, bu kez üst perdedendi:

– Bana bağırma, bak, ben bağırtıya gelmem, anladın mı!

Ecevit, tam bir şahin kesildi, kürsünün önüne kadar geldi, söz istedi. İyice sinirlenmişti:

– Burası devlete meydan okunacak yer değildir. Bu hanıma haddini bildirin!

Septioğlu oralı olmadı, Kavakçı'yı dışarı atmaya niyeti yoktu. Protestolar, alkışlar sürdü. DYP'li Kamer Genç de kürsüye yürüdü:

– Sayın Başkan, şu kadını çıkarın buradan. Lütfen başörtüsünü çıkarsın. Bu laik cumhuriyete başkaldırmadır.

Protestolar, gürültüler arasında başkanın sesi duyuldu:

– Laik cumhuriyetle ne alakası var birader yani şunun...

Bunun üzerine tartışmalar daha da büyüdü. Septioğlu, hiç istememesine rağmen oturuma ara vermek zorunda kaldı. Kavakçı da bir daha Genel Kurul'a girmeye cesaret edemedi.

Septioğlu, gerginliği yatıştırmak yerine krizi körükledi. Kriz, Genel Kurul dışına taşındı, ülkeye yayıldı. Türkiye, günlerce Kavakçı'nın türbanıyla uğraştı.

Tansu Çiller'le ilgili iddialar konusunda hiçbir somut bilgiye ulaşılamayan ABD'den, Kavakçı söz konusu olunca birkaç gün içinde bilgi geldi; Kavakçı, ABD vatandaşıydı. Üstelik Türkiye'de milletvekili adaylığı başvurusunda bulunduktan sonra yemin etmişti.

Yıldırım Akbulut

Fıkraların dengesi

Ablası Ayten, Yıldırım'ı çok severdi. Hacca gidip, Arafat Dağı'na çıktığında bile kardeşi için dua etti; "Allahım, bütün insanları koru. Yıldırım'ı da cumhurbaşkanı yap."

Kardeşinin cumhurbaşkanı olmasını istiyordu; ama başbakan olacağı hayalinden bile geçmiyordu. Başbakan olduğunu duyduğunda o da şaşırdı. Hiç beklemiyordu! Ya Akbulut? O, "Şaşırmadım" dedi:

– Özal, yemin töreni için geldiğinde "Bir yere ayrılma, seninle konuşacağım" dediğinde anlamıştım.

Tüm bildiği buydu! Özal, yemin ederken o kendini sürprize hazırlamıştı. Gerçekten de Özal, cumhurbaşkanlığı seçimi yapıldığı 9 kasım 1989 günü, TBMM'ye girerken, kendisini karşılayan Akbulut'un kulağına eğilip fısıldamıştı; "Bekle seninle konuşacağım."[1]

Ve yemin töreni sonrasında başbakan olarak atamıştı. Bir de kâğıt uzatmıştı, Bakanlar Kurulu listesi. Akbulut, Özal'ın yanına oturmuş, listedeki isimleri tek tek aramış; bakan olduklarını duyurmuştu. Sonra meclise gitmiş, Genel Kurul'da doğrudan başbakanlık koltuğuna yönelmişti. Herkes, o za-

1 Orhan Tokatlı, *Kırmızı Plakalar,* Doğan Kitap, haziran 1999, s. 160.

man durumu anlamıştı:

– Aaa Akbulut başbakan olmuş...

Ve haber, dalga dalga yayılmıştı. Tüm Türkiye, yeni başbakanın adını öğrenmişti. Peki, Akbulut kimdi? Yaşamöyküsü, o güne değin bilinmiyordu. Nasıl olmuş da zirveye çıkabilmişti? İnsanlar, bu soruların yanıtını aramaya başladılar. Buldular da...

1935 yılında Erzincan'da doğmuştu. Babası Ömer Bey, PTT memuruydu. Sık sık tayini çıkıyordu. Tüm aile, sürekli bir taşınma halindeydi. Yıldırım, ilkokula gittiğinde aile, Eskişehir'deydi. Okulda, büyük öğrencilerle anlaşamadı. Onu dövüp sindirmek istediler. Ama başaramadılar. O topluca bir çocuktu; vurduğunu deviriyordu. Kısa zamanda adı "Cins horoz"a çıktı.

Arkadaşlarından ortaokulda ayrıldı. Babası, bu kez Samsun'a tayin edilmişti. Ortaokulu orada okudu. Liseyi ise memleketi Erzincan'da. Hızlı bir gençti o yıllarda. En büyük tutkusu futboldu. Koyu bir Galatasaray taraftarıydı. Aynı zamanda Erzincan gençlik takımında oynuyordu. Sağaçıktı. Yeni lakabı, topla kurduğu dostluktan esinlenerek konmuştu:

– Rüzgârın oğlu...

Beden eğitimi dersinde de başarılıydı. Edebiyat derslerini, Orhan Veli'nin şiirlerini seviyordu. Diğer dersleri de fena sayılmazdı. Sadece müzik dersiyle arası iyi değildi. Liseyi avukat olma hayaliyle bitirdi.

İstanbul Üniversitesi Hukuk Fakültesi'ne girdi. İstanbul'da önce öğrenci yurdunda kaldı; emekli olan babasının gönderdiği harçlıkla zar zor geçiniyordu. Sonra babasının ölümü üzerine ondan kalan maaşla öğrenimini sürdürdü. Öğrenci olayları başlayınca yurttan ayrılıp Beyazıt'ta bir otele yerleşti. Düzenli bir öğrenciydi; en büyük eğlencesi sinemaydı. Brigitte Bardot ve Grace Kelly hayranıydı...

İşkence davasında avukatlık

Fakülteyi bitirdiğinde sınıf arkadaşı Saime'yle evlenmeye karar vermişlerdi. Birbirlerini seviyorlardı. Tek sorun parasızlıktı. Hem evlenmek hem de staj yapmak. İkisini birden başarmaları imkânsızdı. Sırayla staj yapmaya karar verdiler. Tabiî önce evlendiler...

Eşi avukatlık stajını yaparken, o Erzincan belediyesinde iş buldu. İktisat Müdürlüğü'ne kadar yükseldi. 1967-1968'de, namı diğer "hal müdürü"ydü. Evlilikleri yolundaydı, ilk kızlarına Gülsüm adını vermişlerdi.

Artık avukatlık zamanının geldiğine karar verdi. Stajını yaptı, ilk girdiği, bir gayrimenkul davasıydı. Kazandı. Sonra davalar birbirini izledi. "Kasaba avukatı" olarak sürdü yaşamı. İki kızı daha oldu; Çiğdem ve Lale...

Yaşam çizgisini değiştiren kararı, 1971'de verdi. Politikaya atıldı. Adalet Partisi saflarında yerini aldı. AP Erzincan il başkanı oldu. Bir yandan belediye binasının karşısındaki eski Ticaret Lisesi binasında kiraladığı büroda avukatlığa devam ediyordu.

Akbulut'un yakın arkadaşlarından olan Pancar Kooperatifi' nin muhasebecisi Necdet Aksu, 17 aralık 1972'de gece evine dönerken yolda, devriye gezen polislerle karşılaştı. Alkollü olan Aksu, polislerle tartıştı; küfretti. Sinirlenen polisler, Aksu'yu Yenişehir Karakolu'na götürdüler. Coplamakla kalmayıp, falakaya yatırdılar.

Ertesi sabah serbest kalan Aksu, Akbulut'tan yardım istedi. İlk iş olarak Aksu'ya, Hükûmet Tabipliği'nden rapor alındı. El ve ayaklarındaki dayak izlerini tespit eden doktor, Aksu'ya 12 gün iş göremez raporu verdi. Akbulut, hemen öbür avukat arkadaşlarından yardım istedi. AP'li olmasına rağmen, CHP'liler- **279** le de arası iyiydi. Onlardan da imza aldı, 20 aralıkta, Ferit Melen Hükûmeti'nin İçişleri Bakanı Ferit Kubat'a, 43 imzalı bir protesto telgrafı çekti. Aksu'nun dövülmesinden şikâyet ederken, karakollarda halka kötü davranıldığını savundu: "Polisin karakollara götürülenlere ve halka kötü muamele yaptığı kanaatindeyiz. Bunun bazı örneklerini biliyoruz. Halk bu nedenle karakollardan çekinmekte, korkmakta ve endişe duymaktadır."

Akbulut, valiliğin açtığı soruşturmada da ifade verdi; ceza davasına da müdahil avukat olarak girdi. Erzincan Asliye Ceza Mahkemesi, iki komiser muavinini, üçer ay hapis cezasına mahkûm etti; valilik de üçer günlük maaş kesimi cezası verdi.

12 Mart döneminde işkenceye karşı mücadele veren Avukat Akbulut, aynı çizgiyi 12 Eylül'de de sürdürdü. Askerî Mahkeme'deki, 120 sanıklı Dev-Yol davasına avukat olarak girdi. Akbulut'un avukatlığını üstlendiği beş sanıktan biri olan İlker Ağca, 1980 temmuzunda Perşembe'deki bir miting sonrasında "Devletin faşist köpekleri" diye bağırdığı polislerle silahlı çatışmaya girmek ve iki polisi yaralamakla suçlanıyordu.

Sanık Ağca, işkenceyle alındığını savunduğu Emniyet ifadelerini reddetti. Akbulut da 10 ocak 1983'teki duruşmada bu görüşü tekrarladı. "... Zora dayalı ifadenin ikrar sayılamayacağını" savunan Akbulut, müvekkilinin serbest bırakılmasını istedi. Tahliye istemini reddeden mahkeme, yargılama sonunda Ağca'yı 5 yıl ağır hapis cezasına mahkûm etti.[2]

O yıl, askerî dönemin bitiş düdüğü çalındı, siyasete yeniden izin verildi. Yeni partiler kurulurken, eski lideri Süleyman Demirel'in kuracağı partiyi beklemedi. Önce gözünü MDP'ye dik-

2 Can Dündar, "İçişleri bakanı polise karşı", *Nokta* dergisi, 30 haziran 1985; Evin Göktaş, "İşkenceci polisleri mahkûm ettirmiş", *Yeni Şafak,* 19 şubat 2000.

ti. MDP'nin Erzincan'da il örgütü kurma görevini başkasına verdiğini öğrenince rotasını ANAP'a çevirdi.[3] ANAP Erzincan İl Örgütü'nü kurdu; sonra Ankara'ya gidip, Özal'la tanıştı. Saygıyla eğilip elini öptü.

Seçim sonuçları yüzünü güldürdü. AP'de yıllarca uğraşıp başaramadığı hedefe ANAP'ta altı ayda ulaşmış, milletvekili olmuştu. Avukatlık defterini bir daha açılmamak üzere kapayıp, Ankara'nın yolunu tuttu. TBMM'de ilk görevi başkanvekilliğiydi. Tam bu göreve alışmaya çalışırken, makam arabasının şoförü yeni bir müjde verdi:

– İçişleri bakanı olmuşsunuz!

Tam bir sürprizdi. Zorlu bir dönem başladı. PKK, Güneydoğu'da eylemlere başlamıştı. Bir türlü önü alınamıyordu. O, teşhisini koydu, sözünü sakınmadı; "Güneydoğu'da gerilla savaşı var."

Şeriatçı örgütlerin faaliyetlerinden söz edilmesine karşı çıktı: "Olaylar fazla abartılıyor. Koskoca Türkiye'de birtakım hareketler mutlaka vardır. Bir suç oluşmadan bizim kendimize pozisyon yaratmamız düşünülemez."[4] Bu demeci de çok tartışıldı.

Fakat asıl ününü, polisin yetkilerini artıran Polis Vazife ve Selahiyetleri Yasası değişiklikleri sırasında yaptı. Haziran 1985'te, TBMM'deki görüşmeler sırasında muhalefet milletvekilleri yasayı engellemek için olağanüstü çaba harcadılar. "İşkence yapan polise geniş yetkiler verilmesinin yanlışlığına" dikkat çektiler. Akbulut, suçlanan polisi savunmak için kürsüye çıktı:

"Biz kimseye işkence yapıldığını kabul etmiyoruz. Onun için işkence yapılacakmış gibi bir önlem almaya da gerek görmüyoruz."

3 Orhan Tokatlı, *Kırmızı Plakalar,* Doğan Kitap, haziran 1999, s. 217.
4 "Olaylar fazla abartılıyor" *Nokta* dergisi, 6 ekim 1985.

Erzincan'da girdiği davalarda yaşadıklarını, tutanaklara geçen konuşmalarını unutmuştu. İçişleri Bakanı Akbulut, Avukat Akbulut gibi düşünmüyordu. Makamının gereğini yapan tipik bir politikacıydı...

Özal'dan gelen telefon

Polis yasası görüşmelerindeki cansiperane tutumu, Başbakan Özal'ın takdirini topladı. 1987 seçimlerinde yine liste başından aday gösterildi. İkinci kez seçildi.

Yeniden içişleri bakanı olacağını umuyordu. Bakanlar Kurulu'nun açıklanacağı gün evine kapandı, beklemeye başladı. Liste açıklandı. Ne içişleri bakanıydı ne de başka bir bakanlığa kaydırılmıştı. Sıkıldı, Özal'la seçim öncesinde yaptıkları konuşmaları bir daha gözden geçirdi. Neden bakan olamamıştı, nerede yanlış yapmıştı? Tam bunu anlamaya çalışırken telefon çaldı, arayan başbakandı. Bağladılar, Özal gülerek sordu; "Üzüldün mü?" Evet demeyi kendine yediremedi; "Biz güveni nerede yitirdik diye düşünüyorum..." Özal'ın yanıtı, Akbulut'un üzüntüsünü bir anda silip götürdü:

– Merak etme, merak etme. İnşallah seni meclis başkanı yapacağım.[5]

Özal dediğini yaptı ve Akbulut, siyasî yaşamında bir basamak daha yükseldi; meclis başkanı oldu. İki yıl süren bu görevi sırasında Özal'ın önünden yürümemeye özen gösterdi. Hatta TBMM'ye gelişlerinde kapıda karşıladı. Saygılı bir ilişki tutturdu.

Özal'ın cumhurbaşkanlığına niyetlendiğinin belli olduğu andan itibaren ANAP'ta kulisler hareketlendi. Genel başkanlı-

5 Mehmet Çetingüleç, "Akbulut anlatıyor", *Sabah*, 7 aralık 1999.

ğı içinden geçirmiyor değildi. Hırsından kendini yiyor fakat bir çaba da gösteremiyordu. Dizginlediği gerginliği, bir gün televizyon seyrederken açığa çıktı. Mesut Yılmaz'ın bir programda konuşmasına sinirlenmişti. Aniden bağırması yanındakileri şaşırttı:

– Bu haksız rekabet...

Genel başkanlık yarışında gölgede kaldığı doğruydu. Başbakanlık Konutu'ndaki kulislerde "Türk büyükleri" olarak anılan sekiz genel başkan adayının katıldığı toplantıya çağrılmaması da genel başkanlık ihtimalinin olmadığı izlenimi veriyordu.

Özal, ANAP'ın önde gelenlerini tek tek konuta çağırıp görüş soruyordu. Bir kez de Akbulut'u çağırdı. Akbulut, başbakan atamak için ANAP kongresini beklememesini önerdi. "Başbakan olarak atanan zaten kongreyi de alır" dedi. Hatta Bakanlar Kurulu listesini de yeni başbakanın değil Özal'ın hazırlamasının doğru olacağını ifade etti.

Ne o gün ne de daha sonra Özal'dan olumlu hiçbir sinyal alamadı. Büyük gün yaklaştıkça başbakan atanmasını zayıf bir olasılık olarak görmeye başlamıştı. Özal'ın cumhurbaşkanlığı yemininin hemen ardından verdiği müjdeyi duyunca üzerindeki yük kalktı; başı göğe erdi...

Başbakanlık koltuğuna oturduktan sonra da yine Özal'ın desteğiyle olağanüstü kongrede Hasan Celal Güzel'i alt ederek ANAP genel başkanlığını aldı. Ancak Özal, gümüş tepside armağan ettiği koltukların bedelini, onu silik bir başbakan ve genel başkan yaparak ödetti. Uzun süre Özal'ın baskısına, kimi zaman el altından, kimi zaman da açıktan hükûmet işlerini yönetmesine, kısacası fiilî başbakan olmasına itiraz edemedi. Özal, anayasal yetkisini kullanıp her ay Bakanlar Kurulu'na başkanlık ediyor, bunun da kalmayıp atama kararlarını, kararnameleri Cumhurbaşkanlığı Köşkü'nde hazırlatıp, Akbulut'a

imzaya gönderiyordu. Akbulut da buna ses çıkaramıyordu.[6]
Tam bu sırada birbiri ardına siyasî cinayetler başladı. 31
ocak 1990'da Prof. Muammer Aksoy, 7 mart 1990'da da gazeteci Çetin Emeç öldürüldü. Daha kötüsü, "iktidar boşluğu" yargısının yaygınlığıydı. Bu durum tüm ülkede umutsuzluğu körüklüyordu.

TBMM Başkanı Kaya Erdem, devreye girdi. Başbakan Akbulut ve muhalefet liderleri Süleyman Demirel ile Erdal İnönü'yü toplantıya çağırdı. Zirvede Akbulut, polis ve önlemlerin
yetersizliği eleştirilerini kabul etmedi:

– Çetin Emeç olayında ne gibi mesafe alındığı veya Muammer Aksoy olayında ne gibi mesafe alındığı suallerine cevap
aramaktansa, genel olarak emniyet güçlerinin durumu nedir,
buna göre cevap aramak lazımdır.

Ona göre tüm önlemler alınıyordu; ne polisin ne de hükûmetin bir zaafı söz konusuydu. Akbulut'un tutumu bu olunca
zirveden teröre karşı ortak bildiriden başka bir şey çıkamadı.
Cinayetler de sürüp gitti.[7]

Körfez Krizi

Akbulut, hükûmete yön vermek için bocalarken Körfez Krizi patladı. Krizi fırsat bilen Özal, dış siyasette tek karar mekanizması gibi davranıyor, Türkiye'nin Körfez'de aktif tavır almasını istiyordu.

Akbulut, Türkiye'nin savaşta aktif rol almasını tehlikeli bu-

6 Namık Kemal Zeybek'in sözleri, Ahmet Hakan'ın yönettiği "İskele Sancak"
programı, Kanal 7, 15 ekim 1999.

7 Cüneyt Arcayürek, *Çankaya Hesaplaşması*, Bilgi Yayınevi, nisan 1990, s.
178, 179.

luyordu. Özal'ın girişimiyle gündeme gelen Türkiye'nin Körfez'e asker göndermesine ilişkin yetki kararını engellemek istedi. Akbulut'un ikircikli halini gören Özal işi sıkı tuttu. Meclisteki görüşmelerden bir gün önce, Mehmet Keçeciler'in oğlunun sünnet düğününde Akbulut'a talimat verdi: "Milletvekili ve bakanları topla."

Akbulut, 20 kadar ANAP'lı milletvekili ve bakanı Başbakanlık Konutu'nda topladı. Özal da gizlice Köşk'ten Konut'a geçti. Dondurmalar yendi, çaylar içildi. Özal, cebinden yabancı bir dergide yayımlanmış bir makalenin fotokopisini çıkardı. "Unutulan dost" başlıklı yazıyı okudu. Uzun uzun kritik gelişmeleri anlattı, yetki kararının gerekli olduğunu söyledi. Ve tabiî ANAP'lıları ikna etti. Akbulut, itiraz edecek fırsat bulamadı.

TBMM, "hükûmete, yurtdışına asker gönderme veya Türkiye'de yabancı asker bulundurma yetkisi veren tezkereyi" ertesi gün, görüştü. Üstelik Devlet Bakanı Vehbi Dinçerler başta olmak üzere karara itiraz eden ANAP'lı isyancıları sakinleştirmek de Akbulut'a düştü. Ancak Akbulut, gruba hâkim olmayı başaramayınca muhalefet, yetki kararına "saldırı olması halinde" koşulunu eklemeyi başardı. Bu sınırlandırma, Özal'ın canını sıktı.

12 ağustos 1990'daki bu kararla istediğini alamayan Özal, konuyu eylül başında ikinci kez gündeme getirdi. Akbulut'un kararı oyalamaya çalıştığını fark eden Özal, 3 eylülde akşam saatlerinde aniden Bakanlar Kurulu'nu toplantıya çağırdı. Özal'ın emrivakisi işe yaradı, ne Akbulut itiraz edebildi ne de bakanları.

Özal, mecliste 4 eylülde yapılan görüşmeler sırasında da ANAP'lıların başında bekledi. Gizli oturumdaki oylama bitene değin TBMM'deki odasından ayrılmadı. Ve Akbulut'a rağmen, dışarıya asker gönderme ve yabancı askerlerin Türkiye'de bulundurulmasına izin yetkisinin hükûmete devri kararını **285**

TBMM'den geçirmeyi başardı.

Krizler birbirini izledi. Akbulut, her seferinde bir darbe daha yedi; başbakanlık koltuğunda biraz daha eridi. Akbulut'un siyasî geleceğini derinden etkileyen kriz, Semra Özal'ın ANAP İstanbul il başkanı olmak istemesi üzerine patladı.

Semra Özal'ın politikaya girişine, ilk itiraz, Millî Savunma Bakanı Hüsnü Doğan'dan geldi. Doğan, Semra Özal'ın partide görev üstlenmesine itiraz edince Turgut Özal küplere bindi:

– Hüsnü'ye söyle, MGK toplantısına gelmesin, gelirse azlederim.

Akbulut, bu sözleri Doğan'a nakletti. "MGK'ya katılacağım, bakanlıkta kalmak için böyle bir bedel ödemem!" Doğan'ın bu yanıtını da Özal'a aktardı. Özal geri adım atmadı. "O zaman azledelim." Akbulut itiraz edemedi. Doğan'a telefon edip azledildiğini söylemek de ona düştü.[8] Muhafazakâr kesimle yolları tamamen ayrılmış oldu.

Akbulut'un, bu operasyonu sessizce kabullenmesinin asıl nedeni, Özal'ın ANAP İstanbul ildeki "dikenleri" kendisi için temizlediğini sanması, daha doğrusu Özal'ın bu yönde sözler sarf etmesiydi. Halbuki "liberal" kesim, kampanyada aktif olarak yer alıyor; Mesut Yılmaz, Semra Özal'ı, karargâh olarak kullandığı The Marmara Oteli'nde gizlice ziyaret ederek, desteğini dile getiriyordu. Yılmaz'a, büyük kongrede genel başkanlık kapısının açılmasının tek yolu, İstanbul'daki muhafazakâr kalenin yıkılmasından geçiyordu.

Devlet Bakanı Mustafa Taşar ve Adalet Bakanlığı Müsteşarı Arif Yüksel'in yönetimindeki "iktidar takımı", canını dişine takıp çalıştı. Zorlu, kavgalı bir süreç oldu. ANAP İstanbul il başkanlığı adeta sökülerek alındı ve Semra Özal'a teslim edildi. Bu

8 "Özal'dan Akbulut'a: Gelmesin azlederim", *Cumhuriyet,* 23 şubat 1991.

zafere en çok sevinenlerden biri kuşkusuz Mesut Yılmaz'dı. Başbakan Akbulut, olup bitenleri anladığında çok geç kalmış olacaktı.

İşçilere dökülen gözyaşları

Son yılların en büyük işçi eylemi, onun döneminde oldu. Zonguldaklı maden işçileri, Ankara'ya yürüyüşe geçti. İşçileri, "Yerli Walesa" namıyla anılan Şemsi Denizer sürüklüyordu. Akbulut, ilk kez Özal'a rağmen harekete geçti. Abant'a giderek, işçilerle görüşecek, eylemi durdurmaya çalışacaktı.

Bir gece önce Ankara'da, Hilton Oteli'nin restoranında *Milliyet* yazarlarıyla buluştu. Prof. Mümtaz Soysal, Zonguldaklıydı. Maden işçiliğinin ne denli zorlu bir iş olduğunu biliyor; onların o gece Abant'ta beklerken içinde bulundukları ruh halini az çok tahmin edebiliyordu.

"Bu adamları dinlemek lazım" diye söze başladı Soysal. Çocukluğunda gördüklerini, maden işçilerinin yaşamını anlattı. Dramatik bir konuşmaydı. Soysal, acıklı öyküleri birbirine eklerken, birden başbakanın gözlerinin yaşardığını fark etti. Akbulut'un, yanağından bir damla yaş süzülürken Soysal, sözlerini noktaladı. Daha uzatmaya gerek yoktu.

Akbulut, 5 ocak 1991 sabahı Abant'a gitti. İşçilerle görüşüp, istedikleri ücret artışını verdi; sorunu çözdü. Bir gece önce ağlayan insanın başka türlü davranması da beklenemezdi zaten.

Beklendiği gibi, bu davranışı Özal'ın şimşeklerini üzerine çekti. Özal, o andan itibaren her fırsatta Akbulut'un başına kaktı maden işçilerine verdiği ücret artışını.

Aslında işçilere istediği artışı vermek ekonomiyi zorlamadı. Zaten ekonomi yönetimi sorunluydu. Ekonominin direksiyonunda Güneş Taner'le birlikte Işın Çelebi ve Ekrem Pakdemirli de bulunuyordu, üç bakan birbiriyle sürekli bir çekişme halindeydi.

Taner, "Enflasyonu yüzde 50'nin altına indiremezsem istifa ederim" diyordu. Başaramadı, enflasyonu sadece yüzde 3 azaltabildi. 1990'da yüzde 60,3'e düşen enflasyon, bir yıl sonra yine yükseldi ve yüzde 65,9'a ulaştı. Bunun üzerine Taner, istifasını götürüp verdi. Akbulut kabul etmedi. "Körfez Krizi'ne rağmen enflasyonun bu kadar inmesi bir başarı" dedi.

Özal'a yakın bir isim olan Taner'i kabineden uzaklaştırması mümkün değildi. Kongre yaklaşırken bunu göze alamazdı. Aslında Taner'in, Devlet Bakanı Işın Çelebi'yle sürekli çekişme halinde olmasından hoşlanmıyordu.

Anlaşamadıkları bir konu da köpekleriydi. Akbulut'un gözü gibi sevdiği Kangalları, Taner'in köpeği Jack'le yan yana gelemiyordu. Bir keresinde Herkül ve Topak, Jack'i biraz hırpaladılar. Akbulut, hemen Kangallarını savundu:

"Bizimkiler demir parmaklık arkasında. O ne yapmak istediyse kafese yaklaşıyor, hadise orada oluyor."

Köpekleri için Başbakanlık Konutu'nun bahçesine büyük bir kulübe yapılmıştı. Akbulut, fırsat bulduğunda Kangallarının yanına gidiyordu. Ancak böyle rahatlıyordu.

Sıkılıyordu. Bir yandan Özal'ın baskısı altında bunalırken, bir yandan da basının eleştiri oklarına, daha doğrusu alaycı eleştirilerine hedef oldu. Her davranışı fıkralaştırıldı. Hatta "Akbulut fıkraları" kitaplaştırıldı.

Ama onu en çok üzen bu fıkralar değil, Özal'ın kongredeki tavrıydı. İlk turda Akbulut 557, Mesut Yılmaz 580 oy alınca, Özal ailesi kongre kulisine ağırlığını koydu. Semra Özal, ikinci tur öncesinde görüştüğü delegelerden Mesut Yılmaz'a oy vermelerini istedi. İkinci turda Yılmaz'ın sonuca varmasını sağlayan da Özal ailesinin bu çabası ve İstanbul delegelerinin ağırlığı oldu.

Türkiye siyasî tarihinde başbakanlığı sırasında genel başkanlığı kaybeden ilk siyasî olan Akbulut, üzüntüsünü gizlemedi:
– Karısıyla, kızıyla, doktoruyla, terzisiyle türzüsüyle Mesut'a çalıştı.
Haksızlığa uğramıştı! ANAP'tan ayrıldı, ama Özalcıların kurduğu yeni partiye de girmedi.

Demirel'e suçlama

13 mart 1992'deki Erzincan Depremi'ne çok üzüldü. Hemşerilerinin ve milletvekillerinin başsağlığı dileklerini kabul ederken, şaşırtıcı bir açıklama yaptı:
– Depremde yıkılan SSK hastanesinin ihalesi Süleyman Bey'in üzerinedir.
Demirel, o sırada başbakandı. Akbulut, onu çürük bina yapmakla suçlamadan önce konuyu araştırmıştı:
– Şüpheye mahal bırakmamak için Erzincan'da da teyiden sordum. İhalesi Süleyman Bey'in üzerine olan bir hastanedir. Süleyman Bey'in bu hastane yapımını iftiharla anlattığını da işitmişizdir.
Demirel, Akbulut'u hemen ertesi gün yalanladı. "İhaleyi ben aldım. Ancak 28 kasım 1964'te siyasete girdim. Bu hastanenin inşaatını da idarenin muvafakatıyla başka bir şirkete devrettim."
Nedense devrederken inşaatın ne durumda olduğunu açıklamıyor, sadece işi devrettiğini söyleyerek sorumluluğu üzerinden atmaya çalışıyordu. Fakat garip biçimde binanın yıkılmasını doğal görüyordu:

289

– Hadisenin üzerinden 29 sene geçti. 29 sene sonra eğer inşaatın bir kısmı çökmüşse onu yapana izafe etmezler. 29 sene durmuş çünkü.

Kendisi yapmamıştı, ama hastane binasının yıkılmasını savunuyordu. Gariplik bu kadarla kalmadı. Her depremden sonra olduğu gibi suçlamalar kısa sürede unutuldu. Demirel'in dosyası araştırmaya gerek görülmeden kapatıldı.

Akbulut da ortaya attığı iddianın üzerine bir daha gitmedi. Kavgacı bir üslubu yoktu. Siyasî yaşamına sessiz ve iddiasız bir Erzincan milletvekili olarak devam etti.

Gelişmeler üzmüştü onu. 1993'te kalp krizi geçirdi. 14 yıl önce bir kalp krizi daha geçirmiş olduğu için telaşlandı ailesi. Onu Amerika'ya götürdüler, orada by-pass ameliyatı oldu. Döndüğünde sağlığına kavuşmuştu.

Hastalığın getirdiği bir değişiklik, Mesut Yılmaz'la arasının düzelmesiydi. Yılmaz, onu hastanede ziyaret etmiş, aralarındaki buzlar çözülmüştü. İlişkideki bu ısınma, bir süre sonra ANAP'a dönmesine yol açtı.

1995 seçimlerinde aday oldu. Ancak memleketi Erzincan onu bağrına basmadı. Milletvekili seçilemedi. Siyasetteki ikinci mağlubiyetiydi bu. Kendisi gibi eski ANAP milletvekili olan Kemal Akkaya'yla birlikte ticarete atıldı. Önce Akkaya'nın KKTC'de kurduğu "Kıbrıs Eurobank" adlı bankada, "başkanvekili" olarak görev aldı. Bu görevde uzun süre kalmadı, ayrıldı. Sonra Akkaya'yla birlikte Toyota'nın Ankara temsilciliğini aldı. Otomobil bayiliği ile ANAP Merkez Karar ve Yönetim Kurulu üyeliğini birlikte sürdürdü.

Erzincan'la ilişkisini kesmedi. Memleketindeki en ilginç temaslarından biri, 1996'da, bir seçim gezisi sırasında Mehmet Kırkıncı Hoca'yla karşılaşıp görüşmesiydi. Nurcular, ona her zaman sıcak davranmışlardı. Çünkü içişleri bakanlığı döneminde

Risale-i Nur'un yasak olmadığına dair genelge yayımlamıştı. Ve 1999 seçimlerinde Erzincan'dan koptu. Oradan bir daha seçilemeyeceği ortadaydı. ANAP, onu Ankara 2. Bölge'de ilk sıradan aday gösterdi. Özal'dan bulamadığı vefayı Yılmaz'dan görmüştü.

Dönüşü muhteşem oldu

18 Nisan seçimlerinde meclise döndü. Hem de ne dönüş! 9 kasım 1989'da ayrıldığı meclis başkanlığı koltuğuna yeniden kavuştu. ANAP'ın milletvekili sayısının yetersizliğine rağmen hassas dengeler onu meclis başkanlığına taşıdı. Yolsuzluk, usulsüzlük iddialarıyla yıpranmamış kişiliğiyle TBMM'deki tüm partilerden oy aldı. Cumhuriyet tarihinde ne 10 yıl arayla üçüncü kez meclis başkanlığına seçilen siyasî olmuştu ne de iadei itibarın böylesi görülmüştü!

Seçildiği gün gazetecilere verdiği demeç yine insanları gülümsetti. "Başkanlık seçiminde siz kime oy verdiniz?" sorusuna tam Akbulut fıkrası gibi yanıt vermişti:

– Ben kendime oy kullanmadım, tarafsızlığımı korumak istedim.

Malazgirt Zaferi'nin yıldönümü için yayımladığı kutlama mesajında da bir aylık tarih hatası oldu. 26 Ağustos'taki kutlamalar için 26 temmuzda mesaj yayınladı. TBMM görevlileri hatayı fark edip mesajı gazete, televizyon bürolarından topladılar. Ancak geç kalmışlardı, Anadolu Ajansı mesaj haberini geçmişti bile...

Bu dönemdeki en önemli icraatı, Kürtçe'nin meclis albümüne girmesini engellemekti. FP Milletvekili M. Fuat Fırat'ın, "bildiği yabancı dil" bölümüne "Kürtçe" yazmasına tepki gösteren

MHP'lilerden yana tavır aldı, albümden Kürtçe'yi çıkardı. So-
ranlara, "Kürtçe dil değil şive" yanıtını verdi:

– Maksat, devletin diğer devletlerle ilişkilerinde terçümana
hacet kalmadan o dili konuşacak milletvekillerinin aranması.
Bunlar maksadı aşan beyanlar.

Böyle savundu albümdeki ayıklamayı. Oysa Kürtçe konu-
şulmasına ilişkin yasak, kendisinin başbakanlığı sırasında kal-
dırılmıştı. Özal'dan gelen bu isteğe karşı çıkanlar arasında Ak-
bulut yer almamıştı.

İkinci icraatı, Millî Saraylar Daire Başkanı İ. Hakkı Celayir'i,
emekliliğe zorlamasıydı. Celayir'in yerine, yap-satçı amcaoğlu
Polat Akbulut'u getirdi. Eleştiriler karşısında amcaoğluna kefil
olduğunu söylemekten geri durmadı.

Üçüncü düzenleme de mecliste çalışan bayan görevlilerin
etekleriyle ilgiliydi. Etek boylarının diz üstüne çıkmasını ve
yırtmacı yasakladı. Gerekçesi ise muhteşemdi:

– Kişinin eteğiyle uğraştığımız yok. Biz normali arıyoruz.
Meclisin ulvîliğine yakışır giyim kuşam olmalı.

Ne derse desin asıl amacı dengeyi sağlamaktı. Kürtçe'yle
MHP'lilere, etek boylarıyla da FP'lilere mavi boncuk dağıtıyor-
du. Onun da gözü cumhurbaşkanlığı seçimlerindeydi. Herhal-
de "Neden olmasın" diye düşünüyor; hassas dengelere oynu-
yordu.

Gözünü hassas dengelere dikince hata yaptı. Yemin törenі-
ne türbanla gelince meclisten atılan FP Milletvekili Merve Ka-
vakçı'nın durumunu soran DGM savcısına ne diyeceğini bile-
medi. 15 eylül 1999 tarihinde gönderdiği resmî yazıda, Kavak-
çı'yı milletvekili saymadı:

"Türk vatandaşlığının kaybı ile birlikte Merve Safa Kavakçı'
nın milletvekilliği sıfatı ortadan kalkmıştır."

Akbulut imzalı bu yazıya güvenen DGM Savcısı Nuh Mete

Yüksel, Kavakçı için yurtdışına çıkma yasağı koydurmakla kalmadı, gözaltına almak üzere bir akşam vakti evine gitti. Savcının gece baskını olay oldu. FP'li milletvekilleri eve girmesini engelledi. Ertesi gün büyük gürültü koptu. Cumhurbaşkanı, başbakan başta olmak üzere birçok kişi Yüksel'i eleştirdi: "Akşam vakti bir kadının evine nasıl gidersin?" Halbuki Yüksel, şimdiye değin kadın erkek birçok kişiyi akşam vakti gözaltına almış, hatta DEP milletvekillerini meclisin kapısında yakalatmış, kimse sesini çıkarmamıştı olup bitenlere...

Hava dönünce, Akbulut'un yazısı da değişti. Akbulut, Kavakçı'nın avukatlarına yeni bir yazı verdi. 34 gün önce yazdığı yazıyı yok sayıyordu. Avukatlar, yazıyı alıp hemen Savcı Yüksel'e koştular. Akbulut imzalı bu yazıda, Kavakçı'nın milletvekili olduğu belirtiliyordu. Bu yazıyı gören Yüksel, geri çekildi.

İki gün süren olay Kavakçı'nın istediği gibi kapandı ve itibarı iade edildi. Ancak kaybeden Akbulut oldu. Herkese sempatik görünmeye özen gösteren Akbulut, tam tersine günah keçisi oldu. Eski fıkralar hatırlandı, eleştiri üzerine eleştiri yağdı. "Beni anlamadılar" demesi de fayda etmedi.

Yılbaşında milletvekillerine çanta hediye etmesi, "kıyak emeklilik" yasasını eleştiren gazetecilere TBMM basın bülteninde boykot uygulaması eklenince göz dolduramadı.

Uçan hayaller

Cumhurbaşkanlığı seçimleri yaklaşırken Akbulut canlandı. Demirel'in görev süresinin uzatılması için TBMM'de yapılan oylamalar sırasında dengeleri gözetti. Ne iktidarı, ne muhalefeti üzmemeye özen gösterdi.

5+5 önergesinin reddedilmesinin ardından adaylık sinyalleri vermekte gecikmedi. "Adaylığımız kimsenin iznine tabi değil." ANAP Genel Başkanı Yılmaz adaylığını ilan etse de rakip olacağını ilan ediyordu böylece. Yılmaz'ın hükûmetin adayı olması durumunda şansının artacağına güveniyordu.

Fakat Yılmaz, koalisyon ortaklarından vize alamayınca aday olup seçilememe riskini göze alamadı. Üç koalisyon ortağının Anayasa Mahkemesi Başkanı Ahmet Necdet Sezer'in adı üzerinde anlaşmaları Akbulut'un umutlarına ciddi bir darbe indirdi. Çareyi, "Cumhurbaşkanı meclis içinden seçilmeli" tezini savunmakta buldu.

Muhalefet partilerinden olumlu sinyaller alıyordu. Yılmaz muhalifi ANAP'lılar Lütfullah Kayalar ve Eyüp Aşık ile arkadaşlarının desteğine dayanarak adaylığını ilan etti. Sanki cumhurbaşkanlığı adaylığına değil de eski bir hesabın rövanşını almaya hazırlanıyordu.

İlk tur, beklediği sonucu vermedi. Sadece 56 oy alabildi. İkinci turda ise 88'e tırmanabildi. Aldığı oyların çoğunluğu ANAP'tandı. Sinirler gerildi. Yılmaz, onu suçladı. "Muhalefetin manipülasyonuna geliyorsun, çekil." Akbulut'un yanıtı sert oldu: "Çekilmem, çok istiyorlarsa ihraç etsinler." Yılmaz, bu resti görmezden gelmeyi yeğledi.

Akbulut, son tur öncesinde durumunu bir kez daha gözden geçirdi. Gerçekten umutsuz bir tabloyla karşı karşıyaydı. Adaylıktan vazgeçmekten başka yolu kalmamıştı. Cumhurbaşkanlığı hayalleri uçup gitti.

Ertuğrul Yalçınbayır

Mecliste bir ayrıkotu

Doktor, şaşırmıştı. Elindeki telgraf, Türkiye Komünist Partisi liderlerinden Haydar Kutlu'dan geliyordu: "Değerli insan Ertuğrul Yalçınbayır'ı sağlığına kavuşturduğunuz için teşekkür ederim."

Teşekkürün nedeni olan hasta, Refahlıydı. Telgraf ise bir komünistten geliyordu. Prof. Ender Kortalı anlayamamıştı. Beyin damarlarındaki pıhtıyı aldığı hasta ayılınca, ilk işi telgrafı söylemek oldu. Yalçınbayır güldü:

"Haydar Kutlu ve Nihat Sargın'ın avukatlığını yaptım."

Anlatmaya başladı: "Arkadaşım Münir Derçin teklif etti, kabul ettim. Çünkü 163 kadar 141-142'ye de karşıyım."

Bir fikir özgürlüğü davası olarak görüyordu. RP'de Bursa İl Disiplin Kurulu başkanıydı. 1987'deki duruşmaların çoğuna gidip gelmişti. İmalı sorular da geliyordu: "Adının kayıtlara geçmesinden korkmuyor musun?" Yanıtı kısa oluyordu: "Onlar onur kayıtları..."

Bu çizginin temelleri gençliğinde atılmıştı. İstanbul Üniversitesi Hukuk Fakültesi'ne başladığı yıllarda en çok etkilendiği yazar Seyyit Kutup'tu. İslam sosyalizmini ondan öğrendi. 68 rüzgârları güçlü esiyordu. Etrafındaki herkes solcuydu. Sol kitaplar da okudu. İslam sosyalizmi belleğinin gerilerine düştü. Sosyal demokrat kimliği benimsedi. Bursa Yüksek Talebe Cemiyeti'nin sekreterliğini üstlendi. Kurslar açıyorlar, kütüphaneler kuruyorlardı. Aktif bir solcu olmuştu.

1972'de fakülteyi bitirdi, evlendi. 1974'te askerlik için İnebolu'ya gitti. Asteğmenliği sırasında en yakın arkadaşı Savcı Doğan Öz'dü. Öz, ikinci oğlu Özgür'ün doğumu nedeniyle telgraf göndermişti: "Ömür boyu özgür olması dileğiyle..." Arkadaşlıkları, Öz öldürülene kadar da sürdü.

Askerden dönünce avukatlığa başladı. Yoğun iş trafiği nedeniyle en büyük aşkı futboldan koptu. Futbola, çocukluğunun geçtiği Kiremitçi Kırcaali Mahallesi'nin sokaklarında başlamıştı. Lisedeyken Kırcaali Gençlik Takımı'nı kurmuş, Bursaspor Genç Takımı'nda top koşturmuştu.

Neredeyse profesyonel futbolcu olacaktı. Kulüp yöneticilerinin onu takımda oynatma isteğini babası reddetmişti. Babasının gizli tuttuğu teklifi ancak üniversite yıllarında öğrenebildi. Ünlü bir futbolcu olma, belki de üç büyüklerde oynama fırsatını kaçırdığını düşünüp çok üzüldü.

Avukatlıktan fırsat buldukça futbola ilgi göstermekten geri durmadı. Kimi zaman seyirci, kimi zaman da federasyon müşahidi ya da antrenör olarak futbol dünyasına yakın durdu.

Büro arkadaşları Yahya Şimşek ve Ali Arabacı'yla iyi anlaşıyorlardı. Birlikte Bursa Hukukçular Derneği'ni kurdular. Yalçınbayır, derneğin kuruculuğunu ve ilk dönem başkanlığını yaptı. Üç arkadaş baro seçimlerine yön verdiler.

Politikaya atılma kararını da beraber aldılar. Üçü de ilerde milletvekili olacaktı. İlk olarak CHP'de çalıştılar.

Yalçınbayır, 1977 yerel seçimleri öncesinde CHP merkez ilçe başkanı oldu. Sonra da belediye meclisi üyesi ve CHP grup başkanvekili. Çoğu kez başına buyruk davranıyordu. En ilginç örnek, bir din adamının Süleyman Çelebi türbesiyle ilgili istemini belediye meclisinde desteklemesiydi. Herkesi şaşırttı. Çünkü İslam'la ilgisi sadece cuma namazları ve oruçtu.

Babasının ölümü ve İslam

1979'da annesinin ölümüyle sarsıldı. Bir yıl sonra da babasını kaybetti. Çileli bir ömürdü onlarınki. 1950'de, dört yaşındaki oğulları Ertuğrul'u da alıp, Bulgaristan'ın Hasköy kentinden Bursa'ya göçmüşlerdi.

Annesi ile babasını kaybetmek Ertuğrul Yalçınbayır'ın benliğinin derinlerinde yankı buldu. 27 haziran 1980'deki Berat gecesi büyük bir değişim geçirdi. Evde el etek çekildikten sonra din kitaplarını okumaya başladı. Elmalılı M. Hamdi Yazır'ın, *Hak Dini Kuran Dili*'nden etkilendi. O geceyi diğerleri izledi. Tefekküre dalmış, dünyayı sorguluyordu. Sabahlara kadar oturuyor, İslam'ı inceliyordu. Ve o gecelerin sonunda kararını verdi. Alkolü bıraktı, beş vakit namaza başladı. Yeni bir disipline girmişti.

1982'de hacca gidip geldi. Artık sosyal demokratlardan uzaklaşmıştı. Arkadaşlarının, "Ecevit mi, SODEP mi" tartışmalarına katılmıyordu. Partiye katılması isteklerini reddetti: "Sizinle 100 metrenin 90 metresini koşarım. Ama son 10 metreyi koşamam. Siz laiklik konusunda katısınız."

Bir yandan da İslamî kesime yaklaşıyordu. Türban davalarını üstleniyor, hukuk mücadelesi veriyordu. 1985'lerde RP'ye üye oldu, hem de telefonla. Önceleri aktif değildi. İlk ısınma genelev davasıyla oldu. Davayı üstlendi ve kazandı. Genelevin taşınması kararı çıktı. Ama Danıştay süre verdi. 1991'de Çağdaş Gazeteciler Derneği Güney Marmara Şubesi'nin "Yılın Hukukçusu" ödülünü kazandı. En büyük uğraşılarından biri de çevre konusuydu. Güney Marmara Çevre Derneği'ni kurdu ve çevre mücadelesini yürüttü. En büyük anlaşmazlığı, ünlü işadamı Cavit Çağlar'la yaşadı. Çağlar'ın "Yeşil Şehir" projesine karşı çıktı. Dava açtı. Yıllarca süren davayı kazandı. Ancak mahkeme kararı Yeşil Şehir'in temelini Cumhurbaşkanı Süleyman Demirel'in atmasını engelleyemedi. Ne de olsa Çağlar, "aile fotoğrafı"nda yer alacak kadar yakındı Demirel'e...

Yalçınbayır, 1993'te Orhaneli Termik Santralı'nın kapatılması için uğraş verdi. Arıtma tesisleri kurulana kadar santralın kapatılması kararı çıktı. Bursa'ya doğalgaz çevrim santralı kurulmasına da karşı çıktı. Bu davayı da kazandı. Termik santral mahkeme kararıyla üç yıl çalışmadı. Sonunda santrala arıtma tesisi kuruldu da öyle çalıştırılabildi. Orhaneli santralı, Gökova ve Yatağan'dan önce arıtma tesisine kavuşmuştu.

Edindiği tecrübeleri Gökova için dava açanlara aktardı. Kimileri tepki gösterdi. En sert çıkış, DYP'li Mehmet Gazioğlu'ndan geldi:

– Bunlarla uğraşanlar komünistlerdir.

Mecliste muhalefet günleri

Erbakan ile 1994'te tanıştı. Milletvekili adaylığı söz konusuydu. Ancak seçimler ertelendi. Erbakan'ın avukatlığını üstlendi. Altınoluk sahillerindeki villasını SHP'li belediye yıkmak istiyordu. Davayı kazandı, yıkım önlendi. 1995 seçimlerinde yine aday oldu ve TBMM'ye girdi. Lojman tahsislerinde çocuklulara ve kadınlara öncelik veriliyordu. Hemen dava açtı ve yürütmeyi durdurma kararı aldı. Dava bitmeden, lojmana oturmuştu bile...

TBMM'de hızlı bir muhalefete girişti. RP'nin koalisyona girmesi de hızını kesemedi. Hemen Recai Kutan'a gitti; Orhaneli'deki santralı kapatmasını istedi. Sadece arıtma tesislerinin hızlandırılmasını sağlayabildi. Doğalgaz çevrim santralının temelini bizzat Erbakan'ın atmasını da önleyemedi.

İkna olmadığı konularda RP yönetimine aldırmadı. Çiller'in, mal varlığı ve örtülü ödenek oylamalarında "evet" oyu kullanmaktan kaçınmadı. TOFAŞ ve promosyon oylamalarına da katılmadı.

Bursalı dört milletvekili bir araya gelip, "Diyalog Grubu" kurdular: ANAP'tan İbrahim Yazıcı, DSP'den Hayati Korkmaz, CHP'den eski büro arkadaşı Yahya Şimşek ve RP'den Yalçınbayır. Bursa'nın her sorununa ortak oldular; kentte birlikte dolaştılar. Geceleri toplanıp, bakanlara 300 kadar soru önergesi verdiler.

"Dörtlü muhalefet"in en önemli eylemi, Flash TV'nin kapatılması sırasında yaşandı. Kapatmayı önlemeye çalıştılar. Yalçınbayır, Erbakan'la da görüştü. Kara linklerini çalıştırıp, televizyonu açma fikrini de o buldu. Olay, mecliste görüşülürken, CHP Grup Başkanvekili Önder Sav, bu dörtlüye meclis kürsüsünden teşekkür etti.

Tek talihsizliği, sekiz yıl aradan sonra TBMM takımında futbol oynarken kolunun kırılmasıydı. Görüşmeleri evinden, televizyondan izlemek zorunda kaldı. Dörtlü ekipten Şimşek, ulaştırma bakanına bağırırken, o da zevklendi:

– Bağır yavrum bağır. Orada olsaydım en çok bağıran ben olacaktım. Kolumun kırılmasında da bir hayır varmış.

Bir milletvekili olarak parmak makinesi haline gelmedi. RP yönetimiyle çatışması gruptan bağımsız oy kullanmakla sınırlı kalmadı. Defalarca hacca gidenleri eleştirmesi de partide hoş karşılanmadı:

– Toplumun önce gelen isimleri 25 kere hacca giderek özen- **299** dirici olmamalı. Çünkü hacda belli kontenjan var. Milletvekili olarak fazla hacca gitmek bir hakkın tecavüzüdür.

Eleştirinin hedefi doğrudan Erbakan olunca RP yöneticileri kızmayıp da ne yapsın? Üstelik eşinin başı da türbanlı değildi. RP'yle bağları hızla koptu, kendini partinin dışında buldu.

İktidarda diyalektik mantık

1999'da ANAP'tan girdi seçime. Deneyimli milletvekilleri sınıfındaydı artık. TBMM Anayasa Komisyonu başkanlığına seçildi. Ilımlı çizgisini, farklı kişiliğini bu görevde de korudu. Abdullah Öcalan'ın, PKK'ya yaptığı silahları bırakma çağrısını, ANAP'ın çoğunluğundan farklı değerlendirdi:

– Silahlı mücadeleye son verilmesiyle ilgili her çağrıyı kimden gelirse gelsin olumlu karşılıyorum. Şiddet içermeyen her çağrı olumludur.

Başörtüsü tartışmasında da kendine özgü yol izledi. Parti politikasının dışına çıkarak, TBMM İçtüzüğü'ne başörtü yasağının eklenmesine karşı çıktı. FP, MHP ve DYP milletvekilleriyle aynı yönde oy kullandı.

ANAP Genel Başkanı Mesut Yılmaz, koalisyon ortağı Ecevit'e karşı zor durumda kaldı ve değişiklik teklifini yeniden görüştürmenin yollarını aradı. Yılmaz'ın çabasının sonucu olarak teklif komisyonda yeniden gündeme geldi ve bu kez kabul edildi. Yalçınbayır, yine taviz vermedi, ret oyu kullandı.

Erbakan'ın mahkûmiyetinden sonra 312. maddenin kaldırılmasını savunanların da başını çekti. Demirel'in görev süresinin uzatılmasına da gönlü elvermiyordu; Anayasa Komisyonu başkanı olmasına rağmen görüş belirtmekten kaçınmadı:

– Demirel aday olmayacağını söylesin, herkesi rahatlatsın.

Anayasa değişikliğinin komisyonda görüşülmesinden hemen önce yaptığı bu açıklamaya ilk tepki, aynı partili Yaşar Topçu'dan geldi:

– Anayasa değişikliği Ertuğrul Yalçınbayır'a rağmen geçecektir. Çengelli Marksistlerin kendileri gibi düşünmeyenleri suçlama alışkanlıkları vardır. Ertuğrul Bey demagoji yapıyor, diyalektik mantığa göre hareket ediyor.

Yalçınbayır, sinirlenmedi. "Marksist değilim, ama olsam ne olacak?" dedi. Bir hatırlatmada bulundu:

"O zaman benim yeniden milletvekili olmamdaki emeklerini inkâr mı ediyorlar? 'Senin parlamentoda olman gerekir, milletvekili olarak kalmalısın' diye beni niye teşvik etti?"[1]

"Baba"ya laf edilmesine sinirlenen Topçu'nun tavrı, Yalçınbayır'ın tavrını değiştiremedi. Yalçınbayır, komisyondaki görüşmeler sırasında DSP'li Edip Özgenç yaşlı devlet adamlarını övünce dayanamadı:

– Haklısınız. Zaten içinde bulunduğumuz hafta da Yaşlılar Haftası. Onlara saygıda kusur etmemeliyiz.

Komisyon üyeleri kahkahalara boğuldu. Fakat espri, Demirel'in süresini uzatmak amacıyla hazırlanan Anayasa değişikliğinin komisyondan onay almasını engelleyemedi. Yalçınbayır, muhalefetini komisyon raporunu TBMM Genel Kurulu'na gönderirken de sürdürdü, karşı görüş gerekçelerini rapora açıkça yazdı.

ANAP içindeki ayrıksı tavrı, bu kadarla da kalmadı. 312. maddeyle ilgili yasa değişikliğini, hükûmetin işaretini beklemeden Meclis Genel Kurulu'na indirdi.

TBMM İnsan Hakları Komisyonu Başkanı Sema Pişkin-

---

1 Ömer Şahin, "Marksist atışma", *Zaman,* 23 mart 2000; "Topçu'dan Yalçınbayır'a: Eski Marksist", *Sabah,* 23 mart 2000.

süt'ün hazırladığı raporların emniyetteki işkence uygulamaları-
nı açıkça ortaya koyması üzerine de net tavır aldı. "İşkence id-
diaları, 12 Eylül dönemini de kapsamak üzere köklü biçimde
ele alınmalı" dedi.

O, mecliste bir ayrıkotuydu. Kaldırımlardaki çizgiler üzerin-
den yürümeye çalışan küçük çocuklara benzeyen bir ruhtu
onunki. Koşulları, kuralları, dengeleri, parti politikalarını gözet-
mek yerine kendi doğrularının peşinden ilerliyordu.

Kemal Nehrozoğlu

Çankaya'daki sosyal demokrat

Mülkiye'nin sütunlu salonu, onun güzel sesinin en önemli tanığıydı. Billur, duru nağmelere dönüşen sesi sık sık salonun duvarlarında yankılanırdı.

Şarkı söylemek için her fırsatı değerlendirir, sesinin rengine hayran Mülkiye öğrencilerini hiç kırmaz, hiç nazlanmazdı. Klasik Türk sanat müziği tutkunu arkadaşlarıyla bir köşeye çekilir, şarkılarını icra ederdi. Fakültede sevilen bir öğrenciydi. Arkadaşlarıyla ilişkilerinde sıcak ama ölçülüydü. Doğulu, mazbut bir delikanlıydı.

Doğunun bir kentinden öbürüne uzanan bir çocukluk geçirmişti. Babası Sabri Bey, PTT müdürüydü, sürekli dolaşıyordu. 1940'ta, Lice'de görev yapıyordu. Eşi Behiye Hanım, 23 nisan günü doğum yaptı. Kemal adını verdiler, dördüncü ve en küçük çocuklarına.

Kemal, ilkokula Urfa'da başladı, babasının memleketi Midyat'ta bitirdi. Ortaokula da Midyat'ta başladı, liseyi Ankara'da tamamladı. Ankara Gazi Lisesi'nin fen bölümünden iyi dereceyle mezun oldu.

1957'de girdiği Mülkiye'de üçüncü sınıfta yol ayrımına geldi. Siyasî, Malî, İdarî şubelerden hangisini seçecekti? Siyasî Şube'yi seçip diplomasi kariyerine geçebilmek için yabancı dil barajı vardı; oraya gidemezdi. Ders notları, Malî Şube'ye gitmek için yeterliydi. Ama o İdarî Şube'yi seçti. Kişiliğine en uygun mesleğin idarecilik olduğuna inanmıştı.

Üçüncü sınıfı okudukları 1960 yılında Türkiye sancılı bir dönemden geçiyordu. Mülkiye öğrencileri, DP iktidarına karşı hareketin en ön saflarında yer alıyordu. İstanbul'daki 28 Nisan Olayları'nın ertesi günü, Ankara'da da öğrenciler sokağa döküldü. Kızılay'ı saran o dalganın içinde Kemal de yer alıyordu. 27 Mayıs Müdahalesi'yle birlikte yeniden derslerine döndüler.

Sınıfta tam 17 kız öğrenci vardı. Onlardan biri de Müşerref Sarıöz'dü. Afyon'da doğup, Kırıkkale'de büyüyen bu genç kız, Kemal Nehrozoğlu'nun dikkatini çekti. Son sınıftayken arkadaşlarının da katıldığı bir törenle nişanlandılar. O yıl ikisinin birden mezun olamaması evlilik planlarını bozamadı. 10 ocak 1962'de nikâh kıyıldı; Müşerref Nehrozoğlu da bir yıl gecikmeli olarak fakültenin 1962 mezunları listesinde yer aldı.

Leeds ve Kopenhag yılları

Yeni mezun bir genç olarak, ilk olarak yabancı bir şirketin İçel temsilciliğinde iş buldu. Fakültede son iki yıl İngilizce öğrenmeye ağırlık verdiği bu şirkette çevirmenlik yapıyordu.

1962'de İçişleri Bakanlığı'na girerek asıl mesleğine adım attı; yine İçel'de maiyet memurluğuna atandı. Ardından Gülnar ve Erdemli ilçelerinde kaymakam vekilliği yaptı. 1964'te kaymakamlık kursunu bitirdikten sonra Sivas'ın İmranlı ilçesi kaymakamlığına geçti. Kaymakamlığı sırasında TODAİ'ye devam etti. Kalkınma yönetimi programından sertifika aldı.

Artık askerlik zamanı gelmişti. Yedeksubay olarak Polatlı Topçu ve Füze Okulu'nda görev yaptı. Ekim 1967'de terhis olduktan sonra bu kez Eskişehir'in Seyitgazi ilçesi kaymakamlığına atandı.

Kaymakamlık çizgisinde sıçramayı 1970'te gerçekleştirdi. İçişleri Bakanlığı'nın kaymakamlar arasında açtığı bir sınavı kazanarak, İngiltere'ye gitti. Leeds Üniversitesi Sosyal Bilimler Bölümü'nde "kalkınma yönetimi" konusunda lisansüstü eğitim gördü. Türkiye'ye döndükten sonra yeni görev yeri Erzurum'un Narman ilçesi kaymakamlığıydı. 1972'de uzun yıllar sonra yeniden Ankara'ya döndü. İçişleri Bakanlığı'nda Tetkik Kurulu üyeliği, yeni ve farklı bir alandı. Ancak burada sıkıldı.

Ecevit Hükûmeti kurulunca yeni işbaşına gelen Çalışma Bakanı Önder Sav'ın yurtdışı görevler için sınav açması Nehrozoğlu'nu sevindirdi. Leeds'te yakından tanıdığı Batı kültürüyle iç içe bir yaşam sürdürebilme düşü onu heyecanlandırdı. Hemen başvurdu.

Sav, çoğunluğu torpille yurtdışına gönderilmiş ve dil bilmedikleri için işlevsiz kalan 50 kadar çalışma ataşesi ve sosyal hizmet uzmanının yerine gerçekten liyakatli insanlar arıyordu. O nedenle sınavı sıkı tuttu. Nehrozoğlu sınavı kazanmakta zorlanmadı. Kopenhag çalışma ataşeliğine atandı. Dört yıl kadar Kopenhag'da kaldı. Kitap okumak, öğrenmek için bol zamanı vardı, mutluydu orada.

Emeklilik kararı

Türkiye'ye 1978'de döndü. İki ülkede yaşam birbirinden çok farklıydı. Danimarka'da alabildiğine dingin akan yaşam, Türkiye'de teröre teslim olmuştu. Nehrozoğlu'nun bu ani değişime alışması kolay olmadı. Üstelik Ankara'da da kalamadı. Konya vali yardımcılığına atandı.

Müdahalenin ilk günlerini Konya'da geçirdikten sonra 305

1981'de mesleğinin zirvesine ulaştı. 12 Eylül yönetimi onu Muğ-
la valiliğine getirdi. Valilik görevi üç yıl kadar sürdü, 1984'te
ANAP'ın muhafazakâr kadrolaşmasında hedef aldığı bürokrat-
lardan biri olarak merkeze alındı. Muğlalıların "Valimizi geri is-
teriz" kampanyası da sonuç vermedi.

İçişleri Bakanlığı'nda kızakta beklerken mutluluk verici tek
olay, ağabeyi Kenan Nehrozoğlu'nun Halkçı Parti'den Mardin
milletvekili seçilmiş olmasıydı. Kenan Nehrozoğlu, uzun yıllar
Diyarbakır'da Shell Petrol Şirketi'nin dış ilişkiler müdürü ola-
rak çalışmıştı. Girişimci bir insandı. "Pilmen" adlı bir restoran
açmış ve 1970'lerin Diyarbakırı'nı ilk kez kadın erkek birlikte
gidilebilen, müzik dinlenebilen bir kulübe kavuşturmuştu. Ke-
nan Nehrozoğlu, Pilmen'i bir süre sonra ortaklarına devretmiş-
ti. Siyaset ve Ankara, Kenan Nehrozoğlu'na beklediğini verme-
di. Milletvekilliği 1987'de sona erdi.

Bu arada ANAP iktidarı boyunca merkez valiliğinde bekle-
yen Kemal Nehrozoğlu da 1989'da emekli olmaya karar verdi.
Ardından iki yıl sonra da Müşerref Hanım emekliye ayrıldı. Mü-
şerref Hanım, Mülkiye'den sonra hep geri planda kalmayı yeğle-
miş, eşine ayak uydurabilmek için sık sık iş değiştirmişti. Emek-
li olduğunda son görevi İçişleri Bakanlığı APK uzmanlığıydı. Ay-
demir ve Erdoğan adlarında iki erkek çocuk büyütmüştü.

SHP'ye gönüllü katkı

Görev icabı yıllar boyu oradan oraya taşınıp duran Kemal
Nehrozoğlu, emekli olunca yaşamında yeni bir pencere açtı.
Özel sektörde, hem de turizm alanında rol aldı. Zeynep Turizm
AŞ'de genel müdürlüğe başladı. Şirketin en önemli yatırımı Be-
lek'te bir otel yapımıydı.

Bir yandan da idareci arkadaşlarıyla ilişkiyi sürdürüyordu. Arkadaşları, Türk İdareciler Derneği'ne genel başkan olmasını önerdiler. Kabul etmedi, sadece yönetim kurulu üyesi olabileceği karşılığını verdi. Fakat kongrede, içinde yer aldığı liste seçimi kaybedince o da olmadı.

Enerjisini, birikimini akıtacak başka bir kanal buldu: SHP. Mülkiye'den arkadaşı Hikmet Çetin SHP genel sekreteriydi. SHP'deki arkadaşlarından biri de Hasan Fehmi Güneş'ti. 1991'de SHP, "gölge kabine" kurunca Güneş, "gölge içişleri bakanı" oldu. Güneş'in başlattığı "demokrasinin yerelleşmesi" projesine, Nehrozoğlu da katkıda bulundu. Bu raporla başlayan işbirliği, SHP'nin 1991 seçim bildirgesinin yazımı sırasında sürdü.

Nehrozoğlu, gönüllü katkılarını seçim sonrasında da sürdürdü; başbakan yardımcısı olan Erdal İnönü'nün yakın çevresindeki vali kökenli gayriresmî danışmanlardan biri oldu. Bu ilişki, ona mesleğine yeniden dönüş kapılarını açtı. 1992'de, Ahmet Karabilgin, Atıl Uzelgün gibi isimlerle birlikte Nehrozoğlu da SHP kontenjanından vali oldu.

Üç yıl aradan sonra Kocaeli valiliği, mutluluk vericiydi. Kentte tarihî ve doğal çevrenin korunmasına çaba harcadı. Kentin tarihî Kapanca Sokağı'nın restore edilmesini sağladı. İzmit Tarihî Evlerini Koruma ve Yaşatma Derneği'ne de destek verdi. Olanca hızıyla çalışırken Anayol'un ANAP'lı İçişleri Bakanı Ülkü Güney döneminde, 19 nisan 1996'da Amasya valiliğine atanmasına üzüldü. Kentten ayrılırken, Kocaeli Üniversitesi "onursal doktora"yla ödüllendirdi onu.

Buruk geldiği Amasya'ya da kendi rengini kattı, damgasını vurdu. Kentin koruma planına kavuşturulabilmesi için Mimarlar Odası'yla birlikte çalışma başlattı. Refahyol koalisyonu kurulunca bakanlıkla arasında problemler başladı, durumu zorlaştı. Problemler sonraki hükûmet döneminde de sürdü.

1998'de yeniden merkeze alınması ihtimali belirdi.

Hikmet Çetin o sırada TBMM başkanıydı. Nehrozoğlu'na TBMM genel sekreterliği önerdi. Nehrozoğlu tereddütlü karşıladı. Çetin, bu arada nezaketen dönemin Cumhurbaşkanı Süleyman Demirel'e de iletti durumu. Demirel "Biraz bekle" dedi, bu arada hükûmete de Nehrozoğlu'nun merkeze alınmamasını tavsiye etti. Aradan birkaç ay geçti, seçim kararı alınması belirsizliği dağıttı.

Seçim döneminde içişleri bakanı olan Kutlu Aktaş, Mülkiye'den ağabeyi sayılır, onu severdi. Siyasetçilerin de tavsiyeleri devreye girdi, Nehrozoğlu'nu İstanbul için düşündüler başlangıçta. Fakat İzmir'de görev yapan Erol Çakır, İstanbul'u isteyince Nehrozoğlu'na İzmir yolu göründü.

İzmir'deki çizgisi de öncekilerin kırıksız devamıydı. Çevreye, tarihe önem verdi. Kentin büyük projelerinin gerçekleşmesi için çaba harcadı. İşadamı gibi düşünebilen, valiliğin tek kuruşunun bile peşini bırakmayan, temkinli, tedbirli, demokrat bir valiydi. Bu kentte de sevildi.

1999'da, ABD Başkanı Bill Clinton ile eşi ve kızına, Efes harabelerini gezerken eşlik etti. Bu yıl, Mülkiye'den 1961 mezunu arkadaşları da yıllık olağan buluşmalarını İzmir'de gerçekleştirdiler. Her buluşmada geç vakitlerde fasıl bölümüne geçilir, birlikte şarkı söyler, eğlenirlerdi. Bu buluşmada şarkı söylenmedi. Nehrozoğlu da artık eskisi kadar hevesli değildi. Bürokrasi yılları, Türk sanat müziği tutkusunu gerilere itmişti.

Sürpriz haber, Ahmet Necdet Sezer'in cumhurbaşkanı seçilmesinden sonra geldi; Necdet Seçkinöz'den boşalan cumhurbaşkanlığı genel sekreterliğine atanmıştı!

Halbuki Sezer'le tanışıklığı eski değildi. Anayasa Mahkemesi üyelerinin 1997'deki Karadeniz gezisi sırasında uğradıkları Amasya'da tanışmıştı. Atamada, Sezer'le yakınlıktan çok, dost ve arkadaşlarının "Ciddi devlet adamıdır" tavsiyeleri önemli rol oynadı.

Çevik Bir

Önce Evren keşfetti

Küçük rütbeli bir subayken en büyük sıkıntısı, adının yanlış anlaşılmasıydı. "Buyrun Çevik Bir..." deyince, askerî telefon santrallarında KARTAL 2, KAPLAN 3 gibi kod isimler kullanılmasına alışık olan subaylar, onu santral görevlisi er zanneder; "Oğlum, yüzbaşı falanı bağla..." talimatını verirlerdi. Çevik Bir, bu karışıklığa çok sinirlenirdi.

Yıllar geçtikçe rütbesi yükselip Çevik Bir adı ünlenince sorun kendiliğinden çözüldü. Santral görevlisi erlerin benzetmeleri, kimi zaman gülerek anlattığı hoş bir anı haline geldi.

Zaten adını hep sevmiş, onunla gurur duymuştu. Adının kişiliğine uygun olduğunu düşünüyordu. Bir subayı tanımlamak için bundan ideal bir isim olamazdı. Oysa babası, oğluna Çevik adını verirken onun ilerde asker olması gibi bir hedefi yoktu.

Asker olmayı, Çevik'in kendisi istemişti. Mahalledeki bir gencin askerî okula gitmesinden, üniformasından çok etkilenmişti. Hem ailesinin maddî koşulları da iyi değildi; okumak için en iyi çare, askerî okuldu onun için...

Makedonya'dan Anadolu'ya göçen bir ailenin çocuğuydu. Annesi Selanikliydi. Babası ise Mustafa Kemal'in eğitim gördüğü Askerî İdadi'nin bulunduğu Manastır'da doğmuş, orada büyümüştü. Askerî İdadi, bugün artık Makedonya sınırları içinde kalan Manastır'ın kimliğini belirleyen önemli bir unsurdu. Manastır ve çevresindeki Resne, Ohrid gibi Osmanlı kentlerinin özelliği, İttihat Terakki'nin doğduğu bölge olmasıydı.

Osmanlı'nın Balkan Savaşı'nda yenilmesinden sonra Türklerin Balkanlar'da kalmaları güçleşmişti. Anadolu'ya göçmek zorunda kalmışlardı. Çevik Bir'in ailesi de o yıllarda Balkanlar'dan kopan Türkler arasındaydı. Çevik Bir, ailesinin İzmir'in Buca ilçesine yerleşmesinden sonra 1939'da dünyaya geldi. Ailesi zengin değildi. Askerî okulu seçmeseydi okutamayacaklardı onu.

Bursa Işıklar Askerî Lisesi'nde parlak bir öğrenciydi. Harp Okulu'ndan 1958 yılında istihkâm subayı olarak mezun oldu. Derecesi, ikincilikti. 19 yaşında, bir istihkâm subayı olarak göreve başladı.

Mesleğini seviyordu. Askerlik, onun için küçük yaştan beri bir tutkuydu. Yükselme arzusuyla doluydu. 1970'te, Kara Harp Akademisi'ni, 1971'de de Silahlı Kuvvetler Akademisi'ni bitirdi.

Güvercinlik günleri

12 Mart'ın olaylı günlerinde Ankara'daydı. Mahir Çayan ve 10 arkadaşının ölümüyle sonuçlanan Kızıldere Olayı'nın hemen öncesinde mart 1972'de Ankara'da da operasyonlar birbirini izliyordu. Emniyet, THKP-C operasyonuyla gözaltına alınanlarla dolup boşalıyordu.

Gözaltına alınanlardan biri de Yavuz Önen'di.[1] 10 mart günü kapısı çalındı. Kapıyı açınca bir albay komutasındaki bir grup

1 TMMOB eski başkanı ve İnsan Hakları Vakfı Başkanı Yavuz Önen'le bu kitap için yaptığımız söyleşi; Yavuz Önen: "İşkencecim şimdi general", Deniz Özyılmaz, *V-Özgürlük* gazetesi, 26 haziran 1999, sayı 38.

silahlı askeri gördü karşısında.

Önce Emniyet'e götürdüler onu. Önen, hamile olan eşinin doğum yaptığını ve bir oğlu olduğunu orada polislerden öğrendi. Sonra Güvercinlik'teki jandarma birliğine götürüldü.

Önüne bir dosya koyup, gözlerindeki bağı çıkardılar. Okuyunca gördü ki, ifadesi yazılmıştı bile. İmzalamasını istediler. Reddetti. Oradaki bir subay yerinden kaldırdı, koluna girdi:

– Sen bir kurşunluk adamsın. Elimde yetki de var. Burada anayasayı, yasayı falan unut. Boşuna direnme imzayı bas.

Başını kaldırıp yüzüne baktı. Bir şey diyemedi. Tek yaptığı, subayın yüz çizgilerini belleğine iyice kazımaktı.

Sonra işkence başladı. Dayak, elektrik her şey vardı. İşkence sırasında o subay da bulunuyor ve zaman zaman Önen'in kolunu tutuyordu. Önen, dört gün direndi, ifadeyi imzalamadı. Ta ki, eşinin de oraya getirileceği söylenene kadar! Yeni doğum yapan eşinin oraya getirilmesini göze alamazdı, imzaladı ve işkence bitti.

Önen, birkaç yıl sonra Ankara caddelerinde bir kez daha karşılaştı Güvercinlik'teki subayla. Adının Çevik Bir olduğunu o gün öğrendi. Bir daha hiç unutmadı, unutamazdı...

Evren'in özel kalem müdürü

Bir, Güvercinlik dönemini 1973'te kapadı, aynı yıl yurtdışı göreve atandı. Belçika'da, SHAPE Karargâhı'nda Harekât Dairesi proje subayı olarak görev yaptı. Brüksel'deyken katıldığı NATO kurslarını başarıyla tamamladı.

Yabancı dil bilgisini o yıllarda geliştirdi. İngilizcesi fena değildi, Fransızcasını da anlaşmasına yetecek düzeye getirdi. 1976'da Türkiye'ye döndüğünde artık Silahlı Kuvvetler'in komuta kademesine daha yakındı. Kara Kuvvetleri Komutanlığı Harekât Başkanlığı'nda NATO plan subayı oldu.

Kenan Evren'le tanışması, yükseliş adımlarının sıçramalara dönüşmesini sağladı. Genelkurmay başkanı olan Evren, Bir'i özel kalem müdürlüğüne getirdi. Bu görevi sırasında 12 Eylül Askerî Darbesi hazırlıklarının canlı tanığı oldu.

Evren, "devlet başkanı" unvanını alıp, Genelkurmay'dan Cumhurbaşkanlığı Köşkü'ne taşınınca, onun da çalışma mekânı değişti. Orada da özel kalem müdürlüğünü sürdürdü. 12 Eylül'ün liderinin hep en yakınındaydı. Bir yandan da spora geniş vakit ayırıyor; yüzüyor, ata biniyor, tenis oynuyor, koşuyordu. Ankara'daki futbol maçlarını, özellikle de bir Fenerbahçeli olarak takımının maçlarını hiç kaçırmıyordu.

Askerî konuların yanı sıra dünyada olup bitenlere de meraklıydı. Dış politika konuşmaktan hoşlanıyordu. Sohbetlerinde 12 Eylül Darbesi'ni destekliyor, müdahaleyi haklı buluyordu:

– Herkes işini yapsa, asker araya girip de demokrasiyi kesintiye uğratmaz.

1981'de rütbesi albaylığa yükseltildi. Onu çok seven Evren, yanından ayrılmaması için ilginç bir formül buldu! "Devlet başkanı başyaverliği"nin yanı sıra Cumhurbaşkanlığı Muhafız Alayı komutanlığına atandı. 1983'e kadar yaverlik ve komutanlığı birlikte yürüttü.

Tuğgeneral olunca Köşk'ten ayrılmak zorunda kaldı. Ama Evren'le dostluğu hiç bitmedi. Fırsat buldukça Evren'i telefonla aramayı, ziyaret etmeyi ihmal etmedi. Köşk'te başlayan arkadaşlıklarına büyük değer verdi. Eski dostları olan Evren'in özel doktoru Prof. Ertan Demirtaş, özel kalem müdürlerinden Baki İlkin, o dönemin Basın Müşaviri Ali Baransel, İnönü Üniversitesi Rektörü emekli Tuğgeneral Ömer Şarlak'ın da aralarında bulunduğu grupla zaman zaman yemeğe çıktı. Bu yemeklerde dostlarına fıkra anlatmaktan hoşlanıyordu. Favorisi bir Arnavut fıkrasıydı:

"Arnavutlar onurlarına çok düşkündür. Fakir düşen bir Arnavut eşyalarını satmaya karar verir. Eline üç dört parça eski eşya alıp yola düşer. Fakat bir türlü 'Eskici, eskici' diye bağırmayı başaramaz. Onurlu ya bizim Arnavut! Bir süre dolaşır, bir şey satamaz. Sonunda bir eskici görür, onun peşinden yürümeye başlar. O, 'Eskici, eski satarım' diye bağırdıkça, Arnavut da kısık sesle ekler: 'Ben de, ben de'..."

Hoşsohbet, yaşamaktan keyif alan bir insandı.

BMW tutkusu

Tuğgeneral rütbesini takmasıyla birlikte yeniden NATO günleri başladı. Brüksel'de SHAPE Lojistik ve İnfrastrüktür Daire başkanlığı yaptı. Ardından Türkiye'ye döndü. Erzurum Aşkale'de görev yaptı. Dördüncü Zırhlı Tugay Komutanı oldu. Farklı bir komutan olarak erlerle voleybol oynuyor, onları ödüllendirmekten hoşlanıyordu. Orduevinde rakı içmeyi, BMW marka iki kapılı küçük kırmızı arabasıyla hız yapmayı seviyordu. Otomobiliyle Aşkale caddelerinden hızla geçerken, açık camlardan yüksek sesle çalan pop müzik duyuluyordu. BMW tutkusu o günlerde başladı, sonraki yıllarda da hiç bitmedi, makam arabası seçerken hep BMW'yi tercih etti.

1987'de tümgeneralliğe terfi etti. Ve Ankara'ya döndü. Zırhlı Birlikler Okulu ve Eğitim Tümen komutanlığına atandı. Spora her gün zaman ayırdı. Akşam saatlerinde ya spor salonunun yanındaki kortta tenis oynuyordu ya da lojman civarında koşuyordu.

Askerler ve alt rütbedeki subaylarla sıcak ilişki kurdu. Alt   313 rütbedekilerin sevdiği bir subaydı. Astları, onun gelecekte büyük bir komutan olacağına inanıyordu. O ise "Durun bakalım..." diyerek, gülümsüyordu...

Bu yıllarda adı "asker döveni cezalandıran komutan"a çıktı. Bir ere dayak atan binbaşıyı 15 gün hapisle cezalandırdı. Bu, orduda sık rastlanan bir olay değildi.

Daha sonra Kara Kuvvetleri Harekât başkanlığına atandı. 1991 yılında korgeneralliğe yükselene kadar bu görevde kaldı. Bu yıllarda da kendini sadece askerî lojmanlara, üniformaya hapsetmedi. Hafta sonları mont ya da spor bir ceket giyip, eşi Nilgün Hanım'la dolaştı. Kimi zaman İstanbul'da deniz kenarında, kimi zaman Ankara'daki sinemaların civarında, bir resim sergisinde ya da bir alışveriş merkezinde kol kola yürüdüler.

İktisatçı olan Nilgün (Öztuğça) Hanım, ikinci eşiydi. İktisat eğitimi almasına ve organizasyon üzerine tez hazırlamasına karşın diğer yüksek rütbeli subayların eşleri gibi iş yaşamı yerine ev kadınlığını seçmişti. Ama Türk Kalp Vakfı'nın icra kurulu üyesi ve Uluslararası Kadın Derneği üyesi olarak aktif bir sosyal yaşam edindi, evine kapanmadı. Çevik-Nilgün çiftinin bir oğulları oldu, adını Uygar koydular.

Stadyum formülü

Askerî kariyerindeki en önemli dönemeç, Somali'ydi. Birleşmiş Milletler'in, Somali'deki BM Barış Gücü Komutanlığı'na bir Türk komutanı ataması gündeme geldiğinde ABD, Genelkurmay Harekât Başkanı Bir'i tercih etti. ABD Savunma Bakanlığı, bu tercihi açıkça ifade etti. Genelkurmay, bu tercihi kabullendi; kimin gideceğinden çok, Barış Gücü'ne ilk kez bir Türk subayın komuta etmesiyle ilgiliydiler.

Bir, daha Somali'ye gitmeden gazetelerde "Somali Kaplanı" olarak adlandırılmaya başlandı. Oysa Somali'de işler, bir çırpıda çözüleceğe benzemiyordu. BM, barışın kurulduğu gerekçesiyle Amerikan askerlerinin sayısını azaltmaya hazırlanırken, Mogadişu'da çatışmalar bitmek yerine daha da alevlenmişti.

Nitekim Bir'in 1993 şubatında gittiği Somali'deki izlenimleri olumsuzdu. Ankara'ya dönerken, sıkıntısını gizlemedi:

– Orada durum kritik. Daha karargâhım bile oluşmamış. Oraya gittiğimde görev yapmak isterim. Ortada dolaşan bir general konumunda olacaksam bu işe hiç girmem. Ben başarmak için varım ve şartlar oluşmuşsa başarırım.

Açıklamanın ardından tartışmalar başladı: Türkiye, komutanlığı üstlenmeli mi, üstlenmemeli mi? Türkiye'ye dönüp istişarelerde bulunmadan açıklama yapması nedeniyle eleştirildi:

– Türkiye, BM Güvenlik Konseyi'ne girmek için çalışmalar başlatacak. Somali'deki komutanlık, bu planın önemli bir parçasıydı. Bir'in, görevi devralmayacağı işareti vermesi, planı bozuyor. Bir'in Türkiye'ye dönüp, istişarelerde bulunmadan açıklama yapması, biraz aceleci bir davranıştır.

Tartışmalar ve tereddütler nedeniyle komutanlığı, planlandığı gibi 8 mart 1993'te devralamadı. BM, Barış Gücü komutanının yetkilerini yeniden belirledi.

Bir, ilk görüşmeler sırasında BM yetkililerini şaşırttı. Somali'deki savaş koşullarından, askerî planlardan çok ayrıntılarla ilgileniyordu. "Forsum nerede duracak?" türünden sorularla meşguldü kafası. BM yetkilileri, bunların Somali için fuzuli sorular olduğunu söyleyip, zorlukla ikna ettiler onu.

Somali'ye uçarken gazeteciler sordu: "Yapacaklarınızı planladınız mı?" Bir, çözüm formülünü bulduğunu sanıyordu:

– Bir stadyum bulur, oraya doldururum hepsini...

Tabiî bu sözler, bir hayal olarak kaldı. Somali'de komutanlı- **315** ğın o kadar kolay olmadığını çabuk anladı. Üstelik Farah Aidid kuvvetlerine karşı operasyonları, Amerikalı komutan yardımcısı yönetiyor, Bir ise çoğunlukla karargâhta kalıyordu.

Öyle ki, haziranda Somali'de çatışmalar sürerken bayram tatilini geçirmek üzere Türkiye'ye gelecek fırsatı bulabildi. 15 Pakistanlı askerin öldürüldüğü haberini ailesiyle birlikte tatil yaptığı Antalya'da öğrendi. Tatilini yarıda kesip Mogadişu'ya dönmek zorunda kaldı.

Türk askeri bayılır mı?

Dönmesi çatışmaları azaltıcı bir etki yapmadı. Üstelik bir İtalyan askerinin, Amerikan askerlerinin attığı gözyaşartıcı bombayla yaralanması, İtalyan Genelkurmayı'nı kızdırdı. Bir'i BM'ye şikâyet ettiler:

"...Olayların baş sorumlusu BM Komutanı Çevik Bir'dir. Bir, otoritesi olmayan otoriter bir komutan..."

İtalyanların şikâyeti, Türkiye'de fazla yankı yapmadı, hiç sorgulanmadı. Gazeteler, Bir'i "Somali Kaplanı" olarak anmayı sürdürdüler.

Tam bu dönemde Mogadişu'daki Türk birliğine bir havan mermisi düştü. Mermi, nöbetçi kulübesini çevreleyen kum torbalarına saplandı. Patlamadan hafif yaralarla kurtulan Türk askeri, bombanın şokuyla bayıldı.

Saldırı sırasında birlikte olan Hürriyet muhabiri Kadir Ercan, hemen telefona koşup haberi yazdırdı. Ertesi gün Bir sinirlendi. "Çağırın o gazeteciyi" dedi. Ercan, hemen Bir'in huzuruna çıktı. Bir, onu görür görmez bağırmaya başladı:

– Nasıl yazmışsın o haberi öyle?

– Nasıl yazmışım Paşam?

– Türk askeri bayıldı demişsin!

– Bayılmadı mı Paşam?

– Türk askeri bayılmaz. Türk askeri korkmaz. Sen bizi düşmanlarımıza rezil ettin. Bu haberi okuyan PKK'lılar bizimle alay edecek. Türk askeri bomba sesinden bile düşüp bayılıyor zannedecek.

Konuştukça sesi daha çok yükseliyor, daha sert bağırıyordu. Şaşkına dönen gazeteci, sordu:

– Başka türlü nasıl yazacaktım? Türk birliğine bir saldırı oldu, bir asker hafif yaralandı ve bayıldı, diye yazdım

– Haberi öyle yazacaktın ki, "Türk birliğine yapılan saldırı kahraman Mehmetçik tarafından zayiatsız olarak püskürtülmüştüüüür."

Bir, son sözcüğü öylesine uzattı ki, Ercan'ın itiraz edecek hali kalmadı.

– Emredersiniz Komutanım. Paşam bir dahaki sefere öyle yazarım.

– Bunun bir dahaki seferi mi var? Defool...

Bu konuşmanın ardından Ercan, Somali'de daha fazla kalamadı. Bir'in talimatıyla ilk uçağa bindirilip Türkiye'ye gönderildi.

Müstakbel Genelkurmay başkanı

Birkaç ay sonra, bu kez Amerikalılar Bir'i eleştirdi. Başkan Clinton, 13 ABD askerinin öldürülmesinden BM'yi sorumlu tutup, askerlerinin BM komutanı olan Bir'den emir almayacağını açıkladı. Bir'in süresi dolmadan geri çekilmesi gündeme geldi. Tartışmalar uzun sürünce 18 ocak 1994'e gelindi ve komutanlık dönemi sona erdi. Komutanlığı, Malezyalı korgenerale devrederken, başarısızlığını kabullendi:

317

– Kalıcı barış, Somali'nin silahsızlandırılmasıyla sağlanır. Ama biz hâlâ bunu başaramadık.

İtirafı, diplomatik çevrelerdeki itibarını sarsmadı. Bunun kanıtı, görev süresinin sona ermesi nedeniyle BM'de düzenlenen veda kokteylinde gördüğü ilgiydi. BM Genel Sekreteri Butros Gali ve Barış Güçlerinden Sorumlu Yardımcısı Kofi Annan da törendeydi. Annan, Bir'e madalya takarken, dinleyenleri şaşırtan bir konuşma yaptı:

– İşte Türkiye'nin müstakbel Genelkurmay başkanı...

Annan'ın bu sözlerini duyan, İngiliz, Fransız, Rus büyükelçiler, hemen Türk Büyükelçi İnal Batu'nun yanına koştular. "Doğru mu? Nasıl Genelkurmay başkanı olacak? Darbe mi yapacak?" Batu, uzun uzun Türkiye'deki askerî terfi sistemini anlatmak zorunda kaldı.

Gerçekten Bir, 11 ay görev yaptığı Somali'den Türkiye'ye döndüğünde prestijinin zirvesindeydi. Genelkurmay Harekât başkanlığına atandı. Kuzey Irak'ta PKK'ya karşı düzenlenen askerî harekâtın mimarlığını yaptı. 35 000 askerin katıldığı harekât bu kadar büyük ilk sınırötesi operasyondu, ama sonuncu olmadı. Onu benzer sınırötesi operasyonlar izledi.

Angola kaplanına destek yok

1995 Askerî Şûrası'nda orgenerallik rütbesine yükseltildi. Silahlı Kuvvetler tarihinin en genç orgeneraliydi. 56 yaşında orgeneral olmuştu. Ondan önce, bu rekor, bir yaş farkıyla Teoman Koman'a aitti.

Genelkurmay ikinci başkanlığına atandı. Kendisine yakın olan Genel Sekreter Erol Özkasnak gibi bazı isimlerin de katkısıyla Genelkurmay karargâhını yöneten subay durumuna yükseldi. Bu dönemde ilginç bir gelişme oldu. Butros Gali, Büyükelçi İnal Batu'yu çağırdı. "Angola'ya da Türk komutan istiyoruz." Batu sevindi, hemen merkeze kripto gönderdi. "Bu Çevik Bir'in tayininde olduğu gibi Türkiye'nin itibarını artırır. Derhal bir general isminin bildirilmesinde fayda var." Batu, yanıtın en geç 48 saat içinde geleceğini umuyordu. Yanılmıştı. Beklediği gibi olmadı. Aradan günler geçti. Yanıt alamayan Batu, Dışişleri Bakanı Erdal İnönü'yü aradı. Aldığı karşılıktan tatmin olmayınca Başbakan Yardımcısı Hikmet Çetin'e telefon etti. Bu konuşmadan kısa bir süre sonra Ankara'dan beklediği yanıt geldi. Angola'ya Türk komutan istemi reddediliyordu:

– Oraya en azından bir karargâh bölüğü göndermemiz gerekir. Oysa Bosna ve Güneydoğu nedeniyle şu anda bunu yapamayız.

Batu, beyninden vurulmuşa döndü. Son çare olarak Bir'i arayıp durumu anlattı.

– Paşam şaşırdım. Siz Türkiye'ye neler kattınız? Bu teklif nasıl olur kabul edilmez!

Fakat Bir, ona destek vermek yerine Angola'ya komutan göndermenin zorluğunu savundu. Batu, bu görüşmeden de sonuç alamadı ve Angola'ya komutan gönderilemedi.

Anlaşılan Bir, Türk Silahlı Kuvvetleri'nden bu kez bir "Angola kaplanı" çıkmasına destek vermemişti. Hatta belki de istememiş, "Somali Kaplanı"nın ilk ve tek kalmasını kendisi açısından yararlı bulmuştu!

Ege'de savaş

Sık sık Dışişleri'yle anlaşmazlığa düşüyordu. Görüş farklılığı, Kardak Krizi sonrasında da ortaya çıktı. Bir pazar günü, askerler ve diplomatlar, Ege'deki durumu tartışmak üzere toplanmıştı. Bir, aniden sinirlendi, diplomatlara bağırmaya başladı:

– Yetti artık! Nedir bu Dışişleri'nin söyledikleri!

Dışişleri'nin, Ege'deki bazı adacıkların Yunanistan'a ait olduğu açıklamalarından hoşlanmamıştı. Oysa anlaşmalar ortadaydı. Bir, bu anlaşmaları kabullenmek istemiyordu! Nitekim kısa bir süre sonra Genelkurmay, Kalalimnos'a çıkma kararı aldı. Karadayı, bilgi vermek üzere Demirel'e gitmeye hazırlanırken kararı öğrenen Dışişleri hareketlendi. Kalalimnos'un tartışmalı bir yer olmadığına emindiler. Daha ötesi Kalalimnos'un bir Yunan adası olduğunu biliyorlardı.

Kötü bir tesadüf, o günlerde Dışişleri Bakanı olan Deniz Baykal ve Başbakan Tansu Çiller yurtdışındaydı. Dışişleri üst düzey diplomatları, Demirel'i aramaya karar verdiler.

Cumhurbaşkanına, adanın statüsüyle ilgili ayrıntılı bilgiler verip durumu açıkladılar. Demirel, hemen müdahale edip, Ege'de savaşı, bir adım kala önledi.

Balans ayarı

Bir, Genelkurmay'da aktif bir çizgi izliyordu. "Akredite gazeteciler" dönemini başlattı. Onaylamadığı gazetecilerin Genelkurmay'a girmesini, haber yazmasını engelledi.

İsrail'le mart 1996'da imzaladığı "Askerî Eğitim ve İşbirliği Anlaşması" büyük gürültü kopardı. Eleştirilere aldırmadı bile. İmzanın hemen ardından, Türk-Amerikan Konseyi'nin davetlisi olarak Amerika gezisine çıktı. "2000 yılında Türkiye'nin politik ve askerî düşünceleri" konulu konuşmalar yaptı:

"İran radikal İslamcılığı ihraç etmeye çalışıyor. Türkiye bölgedeki laik ve demokratik tek ülke olarak köktendinci eğilimleri dengeliyor."

Ordunun cumhuriyet rejimini korumayı görev bildiğini de vurguladı. Konuşmaların ikisinde sivil, birinde resmî giyinmişti. "Asker, politikacı olarak konuşuyor" diye eleştirildi. "Amerika'nın adamı" olmakla suçlandı.

RP'lilerin şimşeklerini, kışlalarda bidonlardan cami yapılmaması ve namaz saatlerini düzenleyen bir genelge nedeniyle üzerinde topladı. İslamî basın ayağa kalktı; hakaretler yağdırıp, orduyu din düşmanlığıyla suçladılar. Yanıt, Anadolu Ajansı'nın bir haberiyle geldi. RP, "bir askerî yetkili"ye atfen verilen bu açıklamayı "muhtıra" olarak niteleyip, "askerî yetkili"nin peşine düştü. Bir'in adından söz edildi, ama kanıtlanamadı. Ancak RP'yle yıldızları da o günden sonra hiç barışmadı.

Refahyol döneminde Genelkurmay Başkanı Orgeneral Karadayı'dan çok onun demeçleri duyuluyordu. Genelkurmay sözcüsü durumundaydı. "Kürt sorunu yoktur. Güneydoğu sorunu vardır" derken de aynı konumdaydı; Susurluk skandalı konusunda ANAP lideri Mesut Yılmaz'a, "Sonuna kadar üzerine gidin" mesajı verirken de. Yılmaz, asker kökenli Milletvekili Yücel Seçkiner'i, Çevik Bir'e göndererek, ordunun tavrını sormuştu. O da bu karşılığı vermişti.

Bunlar olurken, Bir, projelerini hayata geçirmeye devam etti. İşadamlarını Genelkurmay'da toplayıp, "Savunma Sanayii Seferberliği"ne çağırdı. Savunma sanayii projelerini anlattı. Sloganı da tekti: "Hedef ulusal savunma sanayii"...

Bu girişiminin nedeni, ABD'nin örtülü ambargosuydu. ABD, Türkiye'nin aldığı Süper Cobra helikopterlerini ve firkateynleri aylardır göndermiyordu. 30 ekim 1996 tarihli bir mektup gönderdi: "Biz almaktan vazgeçtik." Amerika'ya tepkisi bununla da kalmadı. Millî Savunma Bakanı Oltan Sungurlu'yla birlikte ABD'ye gitmedi. Tüm ısrarlara rağmen gitmemesi de bir tür protestoydu. Oysa ABD'yle iyi ilişkiler içindeydi. Her gittiğinde, büyük ilgiyle karşılanıyor; alkışlarla uğurlanıyordu. Yine de he-   **321** likopter ve firkateyn sorunu aşılamıyordu.

1997'deki Amerika gezisinde de aynı sorunlar gündemdeydi. Yine sözler alındı. Helikopterlerin değil ama üç firkateynin gönderileceği söylendi. Ancak gezinin bu yanı, gölgede kaldı. Bir, İran'ı terörist ülke olarak nitelendirmiş, laikliğin korunması gereğini vurgulamıştı:

"Silahlı Kuvvetler, Atatürk ilkeleri doğrultusunda laik demokratik Türkiye Cumhuriyeti'nin bekçisidir."

Daha önemlisi, 3 şubat 1997 günü tankların Sincan caddelerinden geçirilmesini, "demokrasinin balans ayarı" olarak nitelendirmesiydi! Sonradan bu sözlerin kendisine ait olmadığını açıkladı. Ama bu yalanlama, tepkileri önlemeye yetmedi.

İktidar partisi RP, ayağa kalktı; onu Divanı Harp'e vermekten söz ettiler. İran'ın Erzurum konsolosu, Çevik Bir'i açıktan eleştirdi. Ancak 28 Şubat süreci ve "Batı Çalışma Grubu"nun başaktörü olan Bir'e söz söylemenin bedelini ağır ödedi; "istenmeyen adam" ilan edilip ülkesine gönderildi.

Apoletli diplomasi

Bir, Genelkurmay sözcülüğünün ötesinde, o güne değin eşine rastlanmadık biçimde diplomatik bir faaliyet yürütmeye başladı. "Apoletli diplomat" olarak, sık sık dış ülkelere gezilere çıktı; Türkiye'nin dış politika anlayışı sorunlarıyla ilgili demeçler verdi.

Türkiye'ye gelen her yabancı konuk, Başbakanlık, Dışişleri Bakanlığı ziyaretlerinden sonra Genelkurmay'a uğrayıp, Bir'le görüşüyordu. Konukların en çok merak ettikleri soru da hep aynıydı: "Darbe yapacak mısınız?"

Bir ise bu sorulara hep benzer yanıtlar verdi. Silahlı Kuvvetler'in kararlılığını anlatmakla yetindi. Amerikan Dışişleri'nin iki numaralı diplomatı Strobe Talbott'un, haziran 1997'deki ziyareti sırasında aldığı mesaj da farklı olmadı:

– Türk ordusu, Refahyol'un bir hafta içinde istifa etmemesi halinde, doğrudan müdahalenin kaçınılmaz olacağını söylüyor. Washington, darbe istemiyordu. ABD Dışişleri Bakanı Madeleine Albright, 13 haziran günü, bu mesajı açıkça dile getirdi: "... sorunların demokratik bir çerçeve içinde çözülmesi gerekli."

Albright'ın bu mesajı, ertesi gün gazetelerde "Krize ABD mesajı" başlığıyla duyuruldu: "Ankara'ya demokratik düzenin dışına çıkılmaması gerektiğini bildirdik."

Amerika'nın bu uyarısı üzerine gözler bir kez daha Genelkurmay'a döndü. Aradan dört gün geçmişti ki, Erbakan, Demirel'e istifasını sundu ve o da görevi Çiller'e vermeyerek sorunu çözdü.

Büyükelçi krizi

Refahyol Hükûmeti düştükten sonra da askerler geriye çekilmedi, 28 Şubat süreci devam etti. Dinî bir cemaatin lideri olan Fetthullah Gülen'in, mart 1998'de Roma'ya giderek Papa'yla görüşmesi Bir'i ayağa kaldırdı. Asıl kızdığı, Türkiye'nin Roma Büyükelçisi Altan Güven'in, bir dinî cemaat lideri olan Fethullah Hoca'yı havaalanında karşılamasıydı.

Bir, karargâhtan dört generali de yanına alarak o dönemde başbakan yardımcısı olan Ecevit'e gitti. Kaygılarını iletirken bir de somut istekte bulundu: "Büyükelçiyi görevden alın." Ecevit, beklemediği bir yanıt verdi:

– Karşılamaya gitmesini sayın büyükelçiden ben rica ettim...

Görüşme, tatsız bir havada sona erdi. Bu görüşmede doğan gerginlik, Genelkurmay ile hükûmet ilişkilerine de yansıdı. Yılmaz, 13 martta Tiflis'e yaptığı gezi sırasında gece geç vakit ga- **323** zetecileri kabul etti. Bir ara konuşurken elini omzunun üzerine götürüp önce apolet tarifi yaptı, ardından işaret parmağıyla bir sayısını işaret etti. Gazeteciler, hemen atıldılar:

– Çevik Bir'i kastediyorsunuz...

Yılmaz, yine Bir'in adını anmadı, ama başını sallayarak onayladı. Evet, Bir'in görev süresinin uzatılabileceğini kastediyordu.

Otel odasında oynanan bu garip oyun, gazetelere "Yılmaz sessiz film oynadı" yorumuyla yansıdı. Genelkurmay, Yılmaz'a sert bir duyuruyla yanıt verdi. Bir, bununla da yetinmedi; haberleri yazan Yalçın Doğan, M. Ali Birand ve Muharrem Sarıkaya'nın askerî tesislere girmelerini yasakladı.

Daha bu krizin etkisi geçmeden yeni bir gerginlik doğdu. Bu kez neden, Bir'in yaptırdığı belirtilen bir kamuoyu araştırması haberleriydi. Yapılacak bir seçimden FP'nin birinci parti çıkacağı sonucuna ulaşılan anket siyasî kulisleri dalgalandırdı. Bir, anket yaptırdığı haberlerini yalanladı, ama gazetecilere "Kamuoyu yoklamalarına göre FP birinci parti. Bizim açımızdan irtica hâlâ birinci tehdittir" dedi. Hükûmetten sert karşılık geldi. İlk tepkiyi Ecevit verdi: "Laiklik, her dindarı potansiyel mürteci gibi görerek korunamaz." Başbakan Mesut Yılmaz da Ecevit'i destekledi:

"Türkiye'de bu tespitleri yapması gereken kişiler var, yapmaması gereken kişiler var. Yapmaması gereken kişiler böyle bir tespitte bulunurlarsa ben böyle bir yorumda bulunmam."

Yılmaz'ın, Çevik Bir'i "yetkisini aşmakla" suçlayan bu açıklaması krizi iyice tırmandırdı. Genelkurmay'ın sert yanıtı 5 temmuz 1998 tarihinde geldi:

"TC Anayasası'nda öngörülen demokratik, laik, sosyal bir hukuk devleti yapısına en ciddi tehdidin 'şeriat esasına dayalı' devlet kurmayı amaçlayan gerici ideoloji olduğu düşüncesi sadece TSK'nın bir tespiti değildir."

Bu değerlendirmenin ardından TSK'nın bir tartışma içine

çekilmesinden duyulan rahatsızlık vurgulandı ve en önemlisi Bir'in kendisiyle ilgili savunma yoluna gidilmedi. Bir'in konuşmasından sadece, "münferit bazı sözler" olarak bahsedildi! Hükûmet tartışmayı noktalamak zorunda kaldı, ama muhalefet sürdürdü. Çiller, Bir'in görevden alınmasını istedi ve tartışma uzayıp gitti. Bir, bu tür dalgalanmalara rağmen 28 Şubat sürecinin en etkin komutanı olmaya devam etti. Kıvrıkoğlu, Genelkurmay başkanı olana kadar da öyle kaldı. 1998'de 1. Ordu komutanlığına atanarak, "ikinci üniversite" olarak kabul ettiği Genelkurmay karargâhından uzaklaştı. İstanbul'da görev yaparken, Genelkurmay'dayken geliştirdiği ilişkileri sürdürdü, ama eski günlerin tersine tamamen sessiz kaldı.

1. Ordu komutanı olarak dikkat çeken davranışı, PKK lideri Abdullah Öcalan'ın hapsedildiği İmralı Adası'na giderek güvenlik önlemlerini denetlemesiydi.

1999 Askerî Şûrası öncesinde daha önceden olduğu gibi Kara Kuvvetleri komutanı olacağı söylentileri yayıldı. Emekliye ayrılacağına ihtimal vermeyenler, TSK'nın kuralları çerçevesinde Çevik Bir'in hiçbir şansının olmadığını bilmiyorlardı.

Şûra, emeklilik kararını onayladı. Bir'in, askerlik sayfasını kapatmaya hazırlandığı günlerde Türkiye büyük bir felaket yaşadı: Marmara depremi. Bir, depremin ertesi sabahı, Gölcük kıyılarında bir helikopterle dolaşarak felaketin boyutlarını gördü. Hazırladığı raporu, açıktaki bir firkateynin iletişim sisteminden Ankara'ya iletti.[2]

Ardından deprem bölgesinde sıkıyönetim ilan edilmesi tartışmaları başladı. Aynı dönemde, 1. Ordu komutanı olan Bir'in görev süresinin bir yıl uzamasına ilişkin kararname çıkarılacağı söylentileri yayıldı. Bir'in gönlü de bu uzatmadan yanaydı tabiî ki. Ancak Genelkurmay, sürenin uzatılması yönünde hiçbir girişimde bulunmadı. Bir, zamanı gelince mecburen üniformasını çıkardı ve emeklilik günlerine buruk başladı.

Ankara'da Dikmen Vadisi'ndeki bloklarda dubleks bir daire sahibi olan Bir, ardından 80 000 dolar ödeyerek bir de Bodrum'dan ev aldı. Ancak köşesine çekilmeyi içine sindiremedi.[3] "Tabiatım itibarıyla köşesine çekilecek adam değilim. Tecrübemi gençlere aktarmak istiyorum" dedi.[4]

Yakın dostu Evren'in yolundan giderek, öncelikle anılarının bir bölümünü *Somali'ye Bir Umut* adlı kitapta topladı. Kitaba bakılırsa, Somali'de her şey yolunda gitmişti, kendisi de orada askerî başarılar, hatta "kahramanlıklar" sergilemişti!

Oysa kitapta kimi yanlışlıklar da vardı. Örneğin Türk birliğine 4 ağustos akşamı yapılan saldırı olayını anlatırken, yemekhane çadırına iki havan mermisi düştüğünü yazıyordu.[5] Oysa havan mermilerinden biri yemekhane çadırına değil, nöbetçi kulübesine düşmüştü. İkinci havan mermisi ise Türk birliğine değil, bitişikteki Norveç birliğine isabet etmişti Bir'in bu yanlışa düşmesi doğaldı. Çünkü Bir, saldırı sırasında Türk birliğinde değil, 2-3 kilometre ötedeki karargâh binasındaydı.

Tabiî Bir, kitabı yazarken, Somali'nin meslek yaşamında önemli bir aşama olduğunun farkındaydı. "İyi ki gitmişim. Bundan sonra da komutan arkadaşlarıma benzer görevler verilmesini diliyorum" dedi. Angola'ya Türk komutan gitmesini istemediği günler geride kalmıştı artık...

---

3 Serpil Yılmaz, "Askerden siyasetçi olmaz sivilden darbeci olur", 13 ağustos 1999; Ali Adakoğlu-Adem Demir, "Çevik Bir kaşaneyi 28 Şubat sürecinde almış", *Akit,* 24-25 şubat 2000.

4 İsmet Solak, "Ankara Kulisi", NTV, 2 ekim 1999.

5 Çevik Bir, *Somali'ye Bir Umut,* Sabah Kitapları, 1. baskı, aralık 1999, s. 177.

Özel şirketlerin iş tekliflerini reddetti. Dostları, ona "Kimsenin emrine girme" demişti, onları dinledi. Spora, özellikle de tenise daha çok zaman ayırmaya başladı. Türkiye Herkes İçin Spor Federasyonu'nda yönetim kurulu üyesi oldu. Bilgi birikimini ve deneyimlerini sivil toplum kuruluşları aracılığıyla topluma aktarmak için faaliyete geçti. Amerika'ya giderek, konferanslar verdi.

Artık üniformasız olmasına rağmen uluslarası düzeydeki itibarını kaybetmedi. İsrailliler, kendi ürettikleri "Merkave" tanklarına, "Çevik Paşa tankı" adını verdiler.[6] Bu tankları Türkiye'ye satmak istiyorlardı.

Cumhurbaşkanı adaylığı

Bir, ekim 1999'da çıktığı Amerika ziyareti sırasında, Somali'de birlikte görev yaptığı ABD Büyükelçisi Oakley'in evinde konuk oldu. Amerikan Ulusal Güvenliği İçin Faaliyet Gösteren Musevî Enstitüsü'nün "Uluslararası Liderlik Ödülü"nü aldı. Bol bol alkışlandı. Gazeteciler ise siyaseti sordular. "Girecek misiniz?" Yanıtı, kesin bir ret değildi:

"Şu an için siyaseti düşünmüyorum. Ancak bu karar yalnızca bugünü temsil ediyor."

Amerika gezisinin Türkiye'deki etkisini önemsiyordu. Belli ki, bir zamanlama yapmıştı. Amerika gezisiyle ilgili haberlerin ardından çıktı vitrine. Beklenen açıklamasını 29 kasım akşamı, Rumelili Yönetici ve İşadamları Derneği'nin gecesinde yaptı:

– Cumhurbaşkanlığına adayım...

---

6 Güngör Uras, "Türk, Övün, Çalış, Güven... Ama uyuma !" *Milliyet,* 27 ekim 1999.

Gerekçesi de ilginçti: "Evde oturup, temizlik günlerinde, eşimin 'Paşa, spora ne zaman gidiyorsun?' diye sormasını bekleyemem ya!" dedi.

Adaylık açıklaması, salonda alkışlarla karşılandı. Fakat salon dışında aynı etkiyi yapmadı. Eleştiri üzerine eleştiri yağarken, gazeteci Cengiz Çandar, bir soru yöneltti:

"Can Ataklı, bir süre önce *Öküz* dergisinde yayımlanan söyleşisinde bir generalden söz ediyor ve 'Bu general, Şemdin Sakık'ın ifadesine kendi yazdığı bir metni ekleyerek Cengiz Çandar ve M. Ali Birand'ı suçladı; bu metin yayımlanmadığı takdirde gazeteyi batırmakla tehdit etti' diyordu. Bu generalin Çevik Bir olduğu çeşitli gazetelerde ileri sürüldü.

Öyle bir generalin olmuş olduğunu -doğal olarak- en başta ben biliyorum. Çevik Bir çıkıp, 'Hayır, bu general ben değilim' demezse, basın tarihimizdeki en çirkin komployu, o vakit sahip olduğu silah baskısıyla yapan bir kişi olarak şaibe altında kalacaktır."[7]

Bir, Çandar'a yanıt vermedi. Aynı soruyu daha sonra Hasan Cemal, Fehmi Koru ve ardından Akın Birdal da yöneltti.[8] Bir, sessizliğini yine bozmadı. Belki de yalanlayacak bir şey yoktu ortada...

Bu gelişmelerin ardından Bir'in adı, aylarca basında görülmedi. Aylar sonra İstanbul'daki askerî birliklerdeki bazı tabelaların kaldırılması, Bir'i hatırlattı. "Orduya sadakat şerefimizdir" ve benzeri ifadeler taşıyan tabelalar, Bir'in komutanlığı döneminde kışlalara yerleştirilmişti. Kaldırılmasının nedeni ise, dışardan görülebilecek şekilde konuşlandırılmalarıydı.

Başka bir deyişle, Çevik Bir, tabelaların askerlere değil sivillere seslenmesini uygun görmüştü.

---

7 Cengiz Çandar, "Karışık İşler", *Sabah,* 2 aralık 1999.
8 Hasan Cemal, "Gecikmiş Bir Yazı: Çevik Bir Paşa", *Milliyet,* 4 aralık 1999;
Fehmi Koru, "Medya Nereye Koşuyor, *Yeni Şafak,* 10 aralık 1999; "Vay Çevik vay",
Millî Gazete, 10 aralık 1999.

Doğan Güreş

Silahlı Kuvvetler'in sildiği komutan

Doğan Güreş'in, Kara Kuvvetleri komutanlığına atanma kararnamesi önüne uzatıldığında, Turgut Özal, deniz kenarında serinlemeye çalışıyordu. Korgeneralin getirdiği kararnameden hoşlanmamıştı, ama imzalamaktan başka yolu da kalmamıştı! Çaresiz, imzayı attı ve Güreş'in önünü açtı.

Özal'ın başbakanlığı sırasında şortla askerî kıta denetlemesinden rahatsız olan askerler, mayoyla kararname imzalamasında sakınca görmemişlerdi. Askerler için o sırada önemli olan, Özal'ın 1987'deki "Necdet Üruğ-Necdet Öztorun" operasyonunun intikamının alınmasıydı![1]

İki yıl içerisinde dengeler değişmiş ve Özal, Kara Kuvvetleri komutanlığına istediği kişiyi getirememişti. Başlangıçta, Özal'ın Kara Kuvvetleri için iki seçeneği vardı. Birincisi, çok iyi anlaştığı Kara Kuvvetleri Komutanı Orgeneral Kemal Yamak'ın görev süresini uzatmaktı. İkincisi NATO Güneydoğu Kuvvetleri Komutanı Orgeneral Aşır Özözer'i bu göreve getirmekti. Nakşibendî olduğu iddia edilen Özözer, 12 Mart'ın ünlü generali Faik Türün'ün damadıydı. Tabiî asıl amacı, ilerde bu iki kişiden birini Genelkurmay başkanı yapmaktı.

---

1 "Özal-Ordu kapışmasının ayak sesleri", *Yüzyıl* dergisi, 14 ekim 1990.

Özal, Özözer seçeneğinin üzerinde bile duramadı. Sadece Yamak'ın süresinin uzatılması seçeneğini Cumhurbaşkanı Kenan Evren'e götürebildi. "2000 planı" konusunda kendisine destek veren Evren, bu kez karşı çıktı. "Bir kişi için kanun çıkarılamaz. Ben taraftar değilim." Evren, Güreş'in Kara Kuvvetleri Komutanı olmasından yanaydı:

– Normali budur. Gerçi o da yaş haddi dolayısıyla ileride Genelkurmay başkanı olduğunda bu makamda iki sene kalabilecektir. Eğer arzu edilirse Genelkurmay başkanının yaş haddi 67'den 68'e çıkarılır.

Özal, daha fazla ısrar edemedi. "Ben de Doğan Güreş'i beğenir ve takdir ederim. Öyle yapalım" demek zorunda kaldı.[2] Sadece Evren değil, Genelkurmay Başkanı Orgeneral Necip Torumtay da Güreş'in bu göreve gelmesinden yanaydı.

Özal'ın kararnameye ağustos 1989'da, bir tatil beldesinde koyduğu imza, aslında Silahlı Kuvvetler'in "intikam operasyonu"nun zaferini kabullenmesi anlamını taşıyordu.

Silahlı Kuvvetler'in intikam harekâtı, Doğan Güreş'in aradan sıyrılmasını sağladı. Özal, üç ay sonra Cumhurbaşkanı olduğunda da eski planlarını yürürlüğe koyma fırsatı bulamadı.

Sürpriz istifa

Güreş'in, Genelkurmay başkanlığına gelişi tam bir sürprizdi. Orgeneral Necip Torumtay'ın, Genelkurmay başkanlığından istifası, Güreş'e, hiç beklemediği bir anda Türk Silahlı Kuvvetleri'nin zirvesine çıkma şansını verdi.

2 Kenan Evren, *Kenan Evren'in Anıları,* Milliyet Yayınları, mart 1992, 6. cilt, s. 431-432.

Torumtay'ı kızdıran tek bir olay değildi. Özal, Körfez Krizi sırasında birçok kararı Genelkurmay'a haber vermeden alıyordu. Bu durum Torumtay'ı zor durumda bırakıyordu.

ABD Büyükelçisi Morton Abramowitz'le yaşadığı olay da bu türdendi. Abramowitz, Dışişleri kanalıyla aldığı randevuya, JUSMMAT (ABD Askerî Yardım Kurulu) başkanı olan tümgenerali de getirdi. Tümgeneral, Körfez'de bir savaş çıkması durumunda yapılacakları anlatmaya başladı. Türk askerlerinin yapacaklarını da sıralamaya başlayınca Torumtay şaşırdı. Bunlardan haberi yoktu!

Büyükelçi de Washington'dan aldığı mesajı gösterdi, anlattı. "Kasım ayında Paris'te yapılan AKKUM görüşmeleri sırasında Başkan Bush ile Cumhurbaşkanı Özal, bir araya gelip Körfez konusunu değerlendirdiler ve Sayın Özal, Başkan Bush'a, bundan sonraki askerî ortak çalışmalar için sizi temas noktası olarak gösterdi." Torumtay, büyükelçiyi hayretle dinledi:

– Ama bunlardan benim haberim yok. Şu ana kadar hükûmetimden Körfez'de askerî harekâtla ilgili bir direktif almadım. Alınca gerekli olanlar koordinasyon için uygun kanallardan size iletilir.

Bu tatsız konuşmayla sona eren görüşmeden iki gün sonra büyükelçi, JUSMMAT başkanı tümgenerali Torumtay'a yeniden gönderdi. Gerçi bu durumdan o sorumlu değildi, ama yine de özür dileme gereği duymuştu.[3]

Torumtay, yaralanmıştı; devletin karar mekanizmasının rayından çıktığını düşünüyordu. Bu arada Özal da Körfez'de kafasındaki planı uygulamak için girişimlerini sürdürüyor, Bakan-

---

3 Necip Torumtay, *Anılar,* Milliyet Yayınları, ağustos 1994, 3. baskı, s. 118; Ümit Sezgin-Celal Kazdağlı, "Sıra Torumtay'a nasıl geldi?" *Tempo* dergisi, 9-15 aralık 1990.

lar Kurulu'nu topluyor düşüncelerini anlatıyor; kimi dar gruplarda da "Ben etrafımda savaşacak generaller istiyorum. Bu askerlerin dizleri titriyor" türünden konuşmalarda bulunuyordu. Ancak hükûmetin krizle ilgili olarak "Silahlı Kuvvetler'e direktifi" ise bir türlü tamamlanamıyordu. Genelkurmay, Dışişleri ve MGK Genel Sekreterliği'nin ortak çalışmayla hazırladığı taslak, Özal'da bekliyordu.

Torumtay, 1 aralık 1990 günü Cumhurbaşkanlığı Köşkü'ne çıktı. Özal, "Körfez Krizi'yle ilgili Silahlı Kuvvetler'e verilecek direktif" için başbakan, dışişleri ve millî savunma bakanlarıyla toplantı halindeydi. Torumtay, hatırlattı. "Artık hükûmet direktifi ortaya çıkarılmalı ve tavrımız ortaya konmalıdır."

Aynı gün gece 21.00 sıralarında "siyasî direktif" metni Torumtay'ın önüne ulaştırıldı. Fakat alışılmadık bir metindi. Başbakanlık müsteşarı kapak yazısını imzalayıp göndermişti, ama başbakan ve bakanlara ilişkin imza haneleri boştu.[4]

Ayrıca Genelkurmay karargâhının da katılımıyla hazırlanan taslak, Özal'ın, emekli olduktan sonra cumhurbaşkanlığı genel sekreterliğine getirdiği Yamak'ın da katkısıyla değiştirilmişti. Askerî çevrelerdeki lakabı "kısa devre" olan Yamak'ın eli değince, savunma amaçlı hazırlanan askerî planlar, Irak'a karşı "saldırı planı" halini almıştı.

Torumtay, bu gelişmeleri içine sindiremedi. 3 aralık 1990 günü Başbakan Yıldırım Akbulut'u ziyaret ederek, sarı zarfı uzattı. Zarftaki istifa dilekçesi tek cümleden ibaretti:

"İnandığım prensipler ve devlet anlayışımla hizmete devamı mümkün göremediğim için istifa ediyorum."

İstifayı gören Akbulut şaşırdı, nedenini anlamamıştı. To-

---

4 Cüneyt Arcayürek, *Kriz Doğuran Savaş,* Bilgi Yayınevi, mayıs 2000, s. 132-133.

rumtay'ın görev süresinin bitmesine daha dokuz ay vardı! Onu vazgeçirmeye çalıştı:

– Paşa istifadan vazgeç. Aramızda hiçbir ihtilaf yok. Vazgeç, iki üç gün istirahat et.

Torumtay, vazgeçmesinin mümkün olmadığını söylerken, açıklama gereği duydu:

– Benim sizinle bir problemim olmadı. Olmaz da...

Akbulut, Torumtay ayrıldıktan sonra hemen Özal'a telefon etti. Özal, 1. Esnaf Şûrası'na katılmak üzere makam arabasıyla Çankaya Köşkü'nden Kızılay'a doğru iniyordu. Araç telefonu o sırada çaldı. Özal, Torumtay'ın istifasını duyunca sinirlendi. "Böyle kritik bir dönemde Genelkurmay başkanı nasıl istifa eder?"

O da Torumtay'ı ikna etmeye çalıştı. Torumtay kararlıydı, başaramadı. Özal, ertesi gün Güreş'i çağırdı. 45 dakika süren görüşmenin ardından Güreş'in Genelkurmay başkanlığına atandığı açıklandı.

Brüksel yılları

Halbuki Güreş, Kara Kuvvetleri'nde bir yıl daha kalsa Genelkurmay başkanı olamadan emekliye ayrılacaktı. Torumtay'ın ani istifası, Güreş'in şansı olmuştu.

O gün Güreş, 64 yaşındaydı; geride 41 yıllık başarılı bir askerlik geçmişi uzanıyordu. 1949'da Harp Okulu'nu bitirdikten sonra Ulaştırma Okulu'na devam etmiş, oradan 1949'da mezun olmuştu. Ordudaki ilk görevleri, oto bölük bakım komutanlığı, oto bölük takım subaylığı ve oto bölüm komutanlığıydı. Bu görevlerin yanı sıra Ulaştırma Okulu'nda öğretmenlik de yapmıştı.

Ancak ulaştırma sınıfında kalmak istemedi. 1965'te Harp **333**

Akademisi'ni bitirdikten sonra piyade sınıfına nakledildi. Ardından hızla yükselmeye başladı. Önce Kara Kuvvetleri Komutanlığı lojistik plan dairesi proje subaylığına atandı.

Bu karargâh görevini, Atina askerî ataşeliği ve Genelkurmay Harekât Plan Daire Şube Müdürlüğü personel daire başkanlığı izledi. Sonra yeniden yurtdışı göreve çıktı. Brüksel'de NATO karargâhında görev yaptı. Ancak Güreş ve eşi orada iyi izlenimler bırakmamıştı.

Oradan döndükten sonra hızla terfi etti. Zırhlı Birlikler Okulu ve Eğitim Tümen komutanlığı yaptıktan sonra 3. Kolordu komutanlığına atandı. 1985 yılında orgeneralliğe terfi etti. Orgeneral olarak Harp Akademileri komutanlığı ve 1. Ordu komutanlığı görevlerinde bulundu; oradan da Kara Kuvvetleri komutanlığına ve ardından Genelkurmay başkanlığına atandı.

Sivillere kafa tuttu

Güreş, Genelkurmay başkanlığı görevine krizli bir dönemde başladı. Torumtay'ın katılmadığı devir teslim töreninde gazeteciler sordular. "Körfez Krizi konusunda ne yapacaksınız?" Sorunun anlamı belliydi! "Özal'a boyun mu eğeceksiniz, yoksa Torumtay'ın çizgisini mi sürdüreceksiniz?" Yanıtı, Torumtay'ı izleyeceği yönündeydi:

"Strateji çizilmiştir. Bana düşen, bu stratejiye bağlı olarak demokratik kurallar içinde hedefe ulaşmakta lokomotif görevi yapmaktır."

Başlangıçta Özal'a taviz verdi. Torumtay'ın yapmak istemediğini gerçekleştirerek sınıra asker sevkiyatını hızlandırdı. Bir yandan da gönlünün savaştan yana olmadığını açığa vurdu. "Bize tecavüz olmadığı sürece parmağımızı bile kımıldatmayız."

Bu sözler Özal'ın "Bir koy üç al" olarak simgeleşen savaş yanlısı politikasıyla çelişiyordu. Demeç çatışması sürdü gitti. Özal, günler sonra, "Bana kalsa Körfez'e asker yollardım" derken, aslında Güreş'in bu engellemesini işaret ediyordu.

Güreş, o dönemde sert bir askerdi. Başbakan Yıldırım Akbulut'a, "ANAP'lılar orduevlerinde toplanmasın" ültimatomunu verdi. Diyarbakır belediye başkanına "Havaalanının yakınındaki yüksek binaların üst katlarını yıkın. Uçakların inişini engelliyor" emrini verdi! Maaş farklarının askerler aleyhine açılmasını protesto edip, iki ay maaş almadı.

Hele Genelkurmay'ın, MSB'ye bağlanmasından söz edilince yine sözünü esirgemedi:

– Genelkurmay başkanı, bakanın müşaviri ve karargâh subayı durumuna düşemez.

Bu tavrı Millî Savunma Bakanı Barlas Doğu'yu çok etkiledi! Doğu'nun gazetecilere yaptığı açıklama, bırakın Genelkurmay başkanının onun emri altına girmesini, onun Güreş'ten ne kadar çekindiğinin itirafıydı:

– Sayın Genelkurmay başkanının talimatını almadan açıklama yapamam.

Güreş, bu gafı zevkle dinledi. Ama Mardin Valisi Bolat Bolatoğlu'nun, "Burada sivil mi, askerî otorite mi var, belli değil" sözlerine cevabı anında patlattı:

– Vali beyin dili sürçtü herhalde.

En büyük şöhreti, kahvesine zehir konulması olayında yaptı. Gazeteler günlerce suikasttan nasıl kurtulduğunu yazdılar. Ancak o döneme rastlayan "TSK'nın TC'yi koruma kollama görevi değişmedi" demeci ise basında büyük yankı bulmadı. Günlük, haftalık demeçlerinin tonu hep dipçikler kadar sert ve yalındı!

Basına el atıp, Abdullah Öcalan'la yapılan söyleşilerin yayınını engelledi; kimi gazetecileri askerî mahkemelerde yargılattı. **335**

Kürtçe televizyon

DEP milletvekilleri Leyla Zana ve Hatip Dicle'nin TBMM'deki yemin törenine kırmızı-sarı-yeşil mendillerle çıkmasına tepki gösterip onları hırpalayan DYP'li milletvekillerine telefon açıp, "Ellerinize sağlık" diye kutlamaktan geri durmadı.

Otorite alanını o kadar genişletti ki, bir ara cumhurbaşkanına çıkıp erken seçim istediği haberleri bile yayıldı. Ne yalanlandı, ne doğrulandı.

Cumhurbaşkanı Özal, prostat ameliyatı için gittiği Amerika'da bir demeç verdi, yeni bir tartışma başlattı:

– GAP televizyonundan Kürtçe yayın yapılmasına komutanlar da sıcak bakıyor. Deniz Kuvvetleri komutanı açıkça olumlu görüş belirtti.

Güreş, bu sözlere sinirlendi. Kürtçe'nin MGK'da görüşüldüğünü yalanladı:

– Hiç kimsenin MGK'daki görüşmeler hakkında açıklama yapma hakkı yoktur. Yine de görüşülecek bir konu varsa, MGK şapkamı giyer, görüşlerimi söylerim.[5] Deniz Kuvvetleri Komutanı Oramiral İrfan Tınaz da Özal'ı yalanladı. "Böyle bir şey söylemedim. Ne MGK'da ne başka bir yerde."[6]

Güreş, Güneydoğu'dan her gün yeni bir şehit haberinin geldiği dönemde Kürtçe televizyona izin verilemeyeceğine inanıyordu. "Her şehitte bir yaş ihtiyarlıyorum, ama moralimi bozmuyorum." Görüşünü Özal'a iletti.

Eski Cumhurbaşkanı Kenan Evren de demeçleriyle Güreş'e destek verdi. ANAP grubundan da destek bulamayan Özal, Kürtçe televizyon konusunda geri adım atmak zorunda kaldı.

---

5 Evren Değer, "Güreş'in sözleri", *Cumhuriyet,* 5 Mayıs 1992.
6 Güneri Cıvaoğlu, "Tınaz'dan Açıklama", *Sabah,* 1 mayıs 1992.

Bu gelişme Güreş'e rahat bir nefes aldırdı. Bu dönemde onu üzen en önemli gelişme, bir tatbikat sırasında Amerikan donanmasından açılan ateşle Muavenet zırhlısının vurulmasıydı. İnanamadı bir yanlışlık olduğuna. "Geminin kazayla vurulduğuna inanmak güç" dedi.

Suçlayan mektuplar

Güreş, 1993 eylülünde emekli olacaktı. Kara Kuvvetleri Komutanı Orgeneral Muhittin Fisunoğlu'nun emeklilik süresi de ağustosta doluyordu. Dolayısıyla Fisunoğlu da kısa bir zaman farkıyla Genelkurmay başkanlığını kaçırıyordu. Nisan ayı başlarında Güreş, Fisunoğlu'nu çağırdı:

– Ben Sayın Ayaz ile (millî savunma bakanı) ve Sayın Demirel'le (başbakan) görüştüm. Sen bu sene Genelkurmay başkanı oluyorsun.

Durakladı. "Yalnız bir husus var" deyip ekledi:

– Ben uzatma teklifi gelirse uzatmayacağım veyahut da öyle bir teşebbüste bulunmayacağım. Öyle bir şey yaparsam şerefsizim. Senin de müddetin bitince, aynı sözü veriyor musun? Şeref sözü veriyor musun?

Fisunoğlu, tereddütsüz "Evet" yanıtını verdi.[7] Birbirine şeref sözü veren komutanların görüşmesi anlaşmayla sona erdi. Fakat bu görüşmenin üzerinden henüz günler geçmişti ki, 17 nisanda Cumhurbaşkanı Turgut Özal'ın beklenmeyen ölümü dengeleri altüst etti.

Güreş, cumhurbaşkanlığı için adı geçince hemen reddetti;

---

7 Evren Değer, "Fisunoğlu: Gerilim yaratan mektup muhtıraydı", *Cumhuriyet,* 15 haziran 1994.

"Cumhurbaşkanlığı için katiyen istekli değilim. Benim dört yıldızım var. Sivil seçer, asker selam durur." Gözü, cumhurbaşkanlığında değil, Genelkurmay başkanlığı süresini uzatmaktaydı. Cumhurbaşkanı olan Süleyman Demirel'den boşalan başbakanlık koltuğuna Tansu Çiller oturunca rahatladı. Çiller'le çok iyi anlaşıyorlardı.

İngiltere Genelkurmay Başkanı, Ankara ziyareti sırasında sordu. "Kadın başbakanınız rahat emir veriyor mu?" Güreş'in yanıtı, sadece İngiliz komutanı değil, gazetecileri de şaşırttı:

– Ne demek rahat emir verebiliyor mu? Tak diye emir veriyor, ben şak diye selamı çakıp emri uyguluyorum."

Sanki birden dili çözülmüştü. Televizyonlarda, gazetelerde, eski Genelkurmay başkanlarıyla kıyaslanmayacak kadar sık boy gösteriyordu. Çiller için "Kararlı ve cesur bir kadın" diyor; PKK konusunda her gün birbirinden farklı yorumlarda bulunuyordu. Bir demecinde, "Demokrasi nezaketi olmasa PKK'nın işini altı ayda bitiririz" diyerek, mazeret gösteriyor, başka bir demecinde "müjde" veriyordu:

– Bu kış ya teslim olacaklar, ya ölecekler.

Kış geçince fikrini değiştirdi, vadeyi uzattı; "PKK'nın işini önümüzdeki bahara kadar bitirmeye söz veriyorum." Bahar da geldi, yine sözünü tutamadı. Bu kez "Cudi'ye Türk bayrağı diktik" tarzında açıklamalara başladı. Sanki Cudi, başka bir ülkenin topraklarındaydı.

Güneydoğu'da faili meçhul cinayetlerin müthiş bir hızla artmasına aldırmadı. Jandarma Genel Komutanı Orgeneral Eşref Bitlis'in uçağının esrarengiz biçimde düşmesini görmezden geldi. Bitlis'in ölümüyle ilgili iddiaların üzerinde durmadı bile.

Güreş'in kulisi sonuç verdi. Çiller, Güreş'in görev süresinin bir yıl daha uzatılmasını sağladı. "Dereyi geçerken at değiştirilmez"di Çiller'in gerekçesi.

Ancak bu ödüllendirmenin ucu Fisunoğlu'na dokundu. Genelkurmay başkanlığı beklerken aniden emekliye ayrılan Fisunoğlu, Güreş'in kendisine verdiği sözün gereğini yerine getirmemesine tepki gösterdi. Güreş aleyhine demeçler vermeye başladı. Demeçler birbirini izleyince Fisunoğlu hakkında da söylentiler yayıldı. "Medyum Memiş'e fal baktırıyordu." Fisunoğlu, bu söylentiyi reddetti:

– Allah'a inanırım, ama bunun dışında hiçbir manevî değere inanmam. Rüyaya ve fala inanmam.

Ancak emir subayı aracılığıyla görüştüğü Medyum Memiş'in asker kardeşinin Gebze'ye tayinine hasta olduğu gerekçesiyle yardımcı olduğunu kabul etti.[8]

Bu açıklamalar, Güreş ve komutanları kızdırdı. Güreş'in yanı sıra Kara Kuvvetleri Komutanı Orgeneral İ. Hakkı Karadayı, Deniz Kuvvetleri Komutanı Oramiral Vural Beyazıt ve Hava Kuvvetleri Komutanı Orgeneral Halis Burhan, Fisunoğlu'na bir mektup gönderdiler. 3 aralık 1993 tarihli mektupta Fisunoğlu'na susması uyarısında bulundular:

"... Medyum Memiş olayı nasıl ki, kamuoyunda ve Silahlı Kuvvetlerimizde son derece itibar kırıcı bir hava yarattı ise ekte fotokopisini gönderdiğimiz o zaman pek çok kademelere de gönderilmiş bir sürü mektup ve belgeden sadece birinin içeriği dahi açıklandığında ordumuzu ne derece rencide edeceği ortadadır.

Silahlı Kuvvetlerimizin bugününe ve geleceğine olumsuz etkileri olabilecek her türlü tavır, hareket ve beyandan sakınmanızı umuyor ve rica ediyoruz."

Fisunoğlu, 16 aralık 1993 tarihli mektubunda "Feveranınızı anlamak mümkün değil" yanıtını verdi. O da imzasız mektuplar konusuna değindi:

---

8 Fisunoğlu ile söyleşi, *EP* dergisi, 21 kasım 1993.

"... görevde iken aldığım çeşitli imzalı (evet imzalı), imzasız veya sahte imzalı mektuplarda dördünüzle ilgili ne ithamlar, ne dedikodular, ne çamurlar, neler neler vardı. Ama ben bunları bir gün kullanmayı aklımın ucundan bile geçirmeden, tenezzül dahi etmeden yırttım, attım, unuttum. Allah şahittir."[9]

Mektup böyle uzayıp gidiyordu. Her iki taraf da mektupları gizli tuttu. Kavganın gerçek boyutları, mektupların haziran 1994'te basına sızmasından sonra açığa çıkacaktı.

Serdar'ın vukuatları

Güreş ailesi basında en çok yer alan Genelkurmay başkanıydı. Oğlu Serdar'ın Uludağ'da, Bodrum'da ya da İstanbul barlarındaki kavgaları sık sık yazılıp çizildi.

Benzer haberlerin en ilginci, Serdar ve Hakan Güreş'in Harbiye Orduevi'nde sekiz ayda 491 milyon lira tutan hesaplarının ödenmemesine ilişkindi. Bu haberin yayımlanmasının ardından orduevi yöneticileri başka yerlere atandılar. Bir süre sonra da Serdar'ın köpeği arsenikle zehirlenip öldürüldü. Sürüp giden vukuat haberleri, Serdar'ın Ankara'daki bir konservatuvara nakledilmesiyle duruldu.

Orgeneral Güreş'in, Genelkurmay başkanlığındaki son yılıydı. O yıl daha açık bir dil kullanıyordu. Demirel'i bile karşısına alıp, cumhurbaşkanına "Sivillerin de yedeği vardır" diyen ilk Genelkurmay başkanı oldu. Uzatmaya karşı çıkan Kültür Bakanı Fikri Sağlar'a da "Sağlar ne zaman başbakan oldular?" cevabını reva gördü.

O yıl, Silahlı Kuvvetler'in, PKK'ya karşı topyekûn mücadele-

9 Fikret Bilâ, "Orduda tarihi mektuplar", *Milliyet,* 14 haziran 1994.

ye girdiği bir dönemdi. PKK'nın Kuzey Irak'taki Zeli Kampı havadan bombalandı ve sınırötesi operasyonlar yoğunlaştı. DEP'li milletvekillerinin dokunulmazlıklarının kaldırılması için bir mektup yazarak Çiller'e güç verdi. Çiller de bir çırpıda 2 mart 1994 darbesini gerçekleştirip, DEP'lileri meclisten cezaevine gönderdi.

Yine de bu çıkışları, görev süresinin bir yıl daha uzatılmasına yetmedi. Çiller çok çalıştı. Fakat Çiller'in, 29 nisan 1994'te yaptığı bir telefon konuşmasının basına sızması her şeyi altüst etti.

Çiller, koalisyon ortağı SHP'nin lideri Murat Karayalçın'ın da onayını aldığını belirterek, bakanları Necmettin Cevheri ve Bekir Sami Daçe'ye talimat veriyordu: "Sayın Güreş'in görev süresini bir yıl daha uzatmak için yetki yasası hazırlayın."[10]

Çiller, üçlü telefon konuşmasının Başbakanlık Konutu'nun önünde bekleyen bir gazeteci tarafından tesadüfen dinlendiğini bilmiyordu. Ertesi gün gazeteleri görünce öğrendi. O andan itibaren de huzursuzluk her tarafa yayıldı. Gelişmeler, Güreş'in koltuktan uzaklaşmasını kaçınılmaz kıldı.

24 eylül 1994'teki veda sırasında Çiller çok hüzünlüydü. Sahne o kadar dokunaklıydı ki, kimse Çiller ve Güreş'in birbirinden ayrılacağına inanamadı. Millî savunma bakanı olacağı konuşulmaya başlandı. "Hayır" dedi, "Marmaris'e çekilip anılarımı yazacağım. Çok yoruldum."

Güreş'in ayrılmasının ardından yapılan Askerî Şûra toplantısı ilginçti. O şûrada, gerici faaliyetlere katıldıkları gerekçesiyle Silahlı Kuvvetler'den atılan subay sayısı rekor düzeye çıkıverdi. Oysa Güreş döneminde bu sayı epeyce azalmıştı! Belki Güreş, bu konuda da o dönemde tarikat liderleriyle görüşmeye özel önem veren Çiller'den etkilenmişti!

---

10 Faruk Bildirici, *Gizli Kulaklar Ülkesi*, İletişim Yayınları, 1998, s. 158-161.   **341**

Çiller'le platonik bağ

Emekli olunca Marmaris'e yerleşti. Burada da gazetecilerle görüşmeye, ilginç demeçler vermeye devam etti. Türkiye'nin "Bosna'ya gizli silah yardımı yaptığını" bile açıkladı! Marmaris'te geçen bir yıl içinde politikadan uzak duracağını söylüyordu. Komşusu olan 12 Eylül Darbesi'nin emekli lideri Kenan Evren'in tavsiyesi de bu yöndeydi.

Evinin duvarında yüzünün yarısı Atatürk, yarısı Çiller olan bir tablo asılı olan Güreş için Çiller'in işaretinin cazibesi büyüktü.[11] Aralarında platonik bir bağ oluşmuştu.[12] Resim yapmaya fırsat bulamadan Marmaris'i terk etti, DYP'den milletvekili adayı oldu. Kilis'teki seçim kampanyasında en büyük yardımcısı oğlu Serdar ve onun arkadaşlarıydı.

Serdar'ın arkadaşları ilginç tiplerdi. İstanbul'da 18 kasım 1995'te bir kadına tecavüz ettiği iddiasıyla gözaltına alınan Cengiz Tanyıldızı bile Serdar Güreş'in koruması olduğunu söyledi. Tanyıldızı kendisini Jandarma İstihbaratı'nın elemanı olarak tanıttı. Polisin yaptığı araştırma, Tanyıldızı'nın kullandığı kimliğin gerçek, üzerindeki bilgilerin sahte olduğunu ortaya koydu. Tanyıldızı ve 13 arkadaşı, "sahte istihbarat örgütü kurdukları" gerekçesiyle yargılandılar. Serdar Güreş, üç ay hapse mahkûm oldu.[13]

Tanyıldızı'yla ilgili haberler, Doğan Güreş'in seçim kampanyasında pek yankı bulmadı. Kilisliler, 24 aralık 1995 seçimlerinde milletvekili olarak TBMM'ye gönderdiler.

Seçim sonrasında, Güreş'in, millî savunma bakanlığına geti-

---

11 Turan Yılmaz, "Kabineyi fena bulmamış", *Hürriyet,* 1 temmuz 1996.
12 Yavuz Gökmen, *Sarışın Güzel Kadın,* Doğan Kitapçılık, şubat 1999, s. 29-31.
13 Doğan Yurdakul-Cengiz Erdinç, *Çetele,* Ümit Yayıncılık, kasım 1998, s. 272-273; "Sahte istihbarat örgütü", *Sabah,* 11 şubat 1998.

rileceği haberleri hızla yayıldı. O da itiraz etmedi:

"Benim millî savunma bakanlığına gelmeme TSK hiçbir şey demez. Ama bir zamanlar yaptılar, albayı getirdiler. O olmaz işte, tuğgeneral getirseniz de olmaz."

Oysa Marmaris'teyken farklı konuşuyor, "Olamaz" diyordu. "TSK'nın geleneğinde böyle bir şey yoktur." Silahlı Kuvvetler'in geleneğiyle ilgili sözlerini politikaya girer girmez unutmuştu.

Gerçekten de "Silahlı Kuvvetler'in geleneği"nde eski Genelkurmay başkanlarının bakan olması yoktu. Genelkurmay başkanlığı yapıp da politikaya bulaşmayan kişi sayısı çok azdı. O güne değin Genelkurmay başkanlığı yapan 21 askerden sadece sekizi politika dışında kalabilmişti. O sekizinin politikaya girmemesinde de asıl etken isteksizlikleri değil, politikanın o günkü dengeleriydi. Harp Okulu sadece başarılı askerler yetiştirmekle kalmamış, aynı zamanda çok sayıda politikacı yetiştirmişti.

Silahlı Kuvvetler'in en önemli geleneği, Genelkurmay başkanlarını cumhurbaşkanı yapmaktı. Güreş'e gelene değin sadece üç sivil cumhurbaşkanı olabilmişti; Celal Bayar, Turgut Özal ve Süleyman Demirel. Güreş, 1995'te milletvekili seçilip meclise girdiğinde kendini DYP'nin potansiyel cumhurbaşkanı adayı olarak görüyordu.

İskoç etek yakıştırması

Refah'ın birinci parti çıkmasına rağmen partisinin ANAP'la koalisyon yapması Güreş'i rahatlattı. Anayol koalisyonu yıkılana kadar sesi çıkmadı. Ne zaman ki, Çiller, Refah'la koalisyon pazarlıklarına başladı, o zaman büyük bir kamuoyu baskısı altında kaldı, patinaj yapmaya başladı.

Önce RP dışındaki partilerin koalisyon kurmasını istedi. RP'yle   **343** kurulacak bir hükûmete güvenoyu vermeyeceğini ilan etti! Komşusu Evren'e de kararlı konuştu: "Ben bu koalisyonu Silahlı Kuvvetler'e anlatamam." Her fırsatta kararlılığını vurguluyordu.

Çiller, DYP'deki rahatsızlığı fark etmiş, milletvekilleriyle gruplar halinde toplantılar yapıyordu. Güreş, toplantıda uyardı:

– Yapmayın, yaparsanız bugüne kadar bütün kazandıklarınızı kaybedersiniz. [14]

Orada bulunan Emre Gönensay da destek verdi. O da Refah'la koalisyona karşı çıktı.

Toplantı sonrasında Gönensay, Güreş'e fısıldadı: "Paşam sizinle birlikte çıkıp biraz konuşalım." Çiller duydu bu sözleri. Hemen duruma müdahale etti. "Paşam siz kalın sizinle biraz görüşeceğim." Gönensay çıktı, Güreş orada kaldı.[15]

Güreş'in o kararlılığı görüşme sırasında eridi, yok oldu. Güreş, oradan çıktıktan sonra fikir değiştirdi. "Hükûmetin iyisi kötüsü olmaz" demeye başladı. Güvenoylamasına katılıp ret oyu vermek yerine Marmaris'e kaçmayı tercih etti. Oylama sırasında yüzüp güneşlenerek, koalisyona kerhen destek oldu.

Buna karşılık Çiller de ona yönelen eleştirilere kalkan oldu. "Kendisi benimle birlikte büyük bir kahraman gibi terör mücadelesinde bulunmuştur. Hiç kimse onu silemez" dedi.

Güreş, silah arkadaşlarının, kamuoyunun eleştirilerine rağmen koalisyona destek vermeyi sürdürdü. Necmettin Erbakan'ın Libya gezisi sonrasında muhalefetin verdiği gensoru oylaması öncesinde de meraklı gözler ona döndü. Oyunun rengini soran gazeteci Muharrem Sarıkaya'ya verdiği yanıt, belleklerde derin bir iz bıraktı:

– Oyumun rengini görürsünüz. Beğenirseniz pantolon giydi-

---

14 Zafer Özcan, "Güreş: 28 Şubat sivillerin işi", *Zaman*, 27 eylül 1999.
15 Faruk Bildirici, *Maskeli Leydi*, Ümit Yayınları, 1998, s. 364-365.

rirsiniz, beğenmezseniz etek...

Ret oyu verip yine Refahyol'a destek olunca bir etek tartışmasıdır aldı yürüdü. ANAP Genel Başkan Yardımcısı Yaşar Dedelek, "Paşama İskoç etek yakışır" dedi.[16] Dedelek'i, hükûmet muhalifi kadınlar izledi, kimileri etek alıp Güreş'e gönderdi.

Güreş, 14 temmuz 1997'de Refahyol Hükûmeti devrilene kadar DYP'de kaldı. Baskılar göğüsleyemeyeceği kadar artınca DYP'den istifa etti. DYP'den koptuğu dönemde, TBMM'deki hiçbir oylamada Çiller'in aleyhine oy kullanmadı. Bir yıl kadar bağımsız kaldıktan sonra DYP'ye geri döndü.

18 Nisan seçimleri öncesinde Fazilet Partisi ve "küskünler"in öncülüğünde, Meclis'in olağanüstü toplanmasından hoşlanmadı. Bu toplantıyı doğru bulmuyordu. Kuliste otururken, Fazilet'i suçladı. Sanki geçmişte Refahyol'a destek veren o değildi.

– FP'nin geçmişten ders aldığı, merkeze yönelip demokrasi çizgisine geldiği gibi bir duygu içindeydim, ama bu davranışlarıyla FP, demokrasi dışı bir parti haline gelmiştir.

18 nisan 1999 seçimlerinde yeniden DYP'den aday oldu. İstanbul ya da Ankara'dan aday olmak istiyordu. Çiller'e kabul ettiremedi. "Sizden aday olmayacağım" demesine rağmen bir kez daha Kilis'ten aday oldu. Seçim kampanyası zorlu geçti. Çiller'in, Kilis'e kadar gelip, "Silah arkadaşım" diye övgüler düzmesi de fazla işe yaramadı. Güreş, güçlükle milletvekili seçilebildi.

Seçim sonrasında sessiz de olsa bir ara Çiller muhaliflerine destek verdi. Bir zamanlar en yakınındayken DYP yönetiminden istifa ederek "velinimeti"ne bayrak açan Meral Akşener'in sırtını "Her zaman yanındayım kızım" diyerek sıvazladı.

---

16 "Meclisten insan manzaraları", *Hürriyet,* 17 ekim 1996.

Fakat artık kimse onun tavrının ne olduğunu merak etmiyordu. Ayağının altındaki zemin kaymış, eski ağırlığını kaybetmişti. Her şeyden önce yıllarını verdiği Silahlı Kuvvetler onu defterden silmişti. K.Maraş'taki "Orgeneral Doğan Güreş Kışlası"nın bile adı değiştirilmişti.[17] Ordu, sadece bir tabelayı sökmekle kalmamış, Güreş'i bağrından koparıp atmıştı.

"Önce paşam, sonra imzam"

Demirel'in görev süresi biterken yeniden ortaya çıktı. "Kimse bu meclisin dışından cumhurbaşkanı aramasın" deyip adaylığını açıkladı:

– Ben bu göreve hazırım. Birikimimi o makamda değerlendirmek isterim.

Tabiî orduya yeniden çiçek attı. "Siyasete girmem için çok baskı yaptılar. Kim bunlar? Başta kuvvet komutanları. Vehbi Koç, İnan Kıraç ve Aydın Doğan ısrar ettiler."[18] Hatta DYP'ye girmesini de onlar istemişlerdi!

Cumhurbaşkanlığı seçimi öncesinde Genelkurmay'la ilişkisini yeniden düzeltmeye çalıştı. Emekli paşalar aracılığıyla mesajlar iletti; bir yandan da askerlerin kendisinin adaylığına sıcak baktığı havasını yaymak istedi. Fazla inandırıcı olamadı.

Aylar, yıllar öncesinden söz aldığı Genel Başkanı Tansu Çiller'in manevraları canını sıktı. Çiller, öbür parti liderleriyle birlikte A. Necdet Sezer'in adaylığına imza verdi; bununla da yetinmeyip bir de kendisine yakın isimlerden Amasya Milletveki-

---

17 "Doğan Güreş kışlasının adı değiştirildi", *Hürriyet,* 25 temmuz 1997. (Bu kışlaya Kurtuluş Savaşı'nda Adana Cephesi'nde kurmay başkan olarak görev yapan Tümgeneral M. Hayri Tarhan'ın adı verildi.)

18 Zafer Özcan, "Güreş: 28 Şubat sivillerin işi", *Zaman,* 27 eylül 1999.

li Ahmet İyimaya'nın aday olmasını sağladı. Paşa, bir oyun döndüğünü anladı. İtiraz edecek oldu, ama "Merak etme sana oy vereceğiz" diyerek yatıştırdılar.

Gerçekten DYP'liler, ilk tur öncesinde "Önce paşam, sonra imzam" sloganını dillerinden düşürmüyorlardı. Oylama sonucu paşayı yıktı; sadece 35 oy almıştı.

Çekilmek yerine DYP'li milletvekillerini tek tek dolaştı, rica etti: "Onurumu kurtarın. İlk turda aldığım 35 oyun üstüne çıkmalıyım" dedi.

Milletvekillerinin işaretine baktığı Çiller'in sözleri "ama"larla doluydu:

"Güreş Paşa'nın durumuna ben de üzülüyorum ama. Yani meclisin iradesi keşke farklı tecelli etse diyeceğiz ama. Artık gelinen noktada, bu beşli ittifaktan sonra artık yapılabilecek bir şey yok."

Güreş, çekilmesi mesajını anlamak istemiyordu. Nitekim ikinci turda da DYP'lilerin büyük bölümü tercihlerini Akbulut'tan yana kullandılar. Sonucu hissederek daha oylama bitmeden sessizce TBMM'den ayrıldı.

Oyları, 22'ye inmişti. Çiller ve partisi, onu yapayalnız bırakmıştı.

Üçüncü turdan hemen önce yarıştan çekildi. "Kırıldınız mı?" diye soruldu. Açık konuştu. "Kırılacak küsecek yaşta değilim, ama üzüldüm."

Siyaset öyküsünü düş kırıklığıyla noktaladı.

Hüseyin Kıvrıkoğlu

Havacı olmak istemedi

Kıvrıklar ailesi, yaz aylarını harman yerinde geçirirdi. Çocukları da tarlada çalışan anne babalarına yardım ederlerdi. Küçük Hüseyin bir ineğin çektiği dövene biner, başakların üzerinde döner dururdu.

Koyunlardan sağılan sütleri, eşekle mandıraya taşımak da Hüseyin'in işiydi. Güğümlerin yüklendiği eşeği sürmek zevkliydi. Ama boyu yetmiyor, kendi başına eşeğe binmekte güçlük çekiyordu. Hep bir arkadaşından yardım istemek zorunda kalıyordu.

Çoğu zaman yardım eden, mahalleden arkadaşı Ali Osman oluyordu. Kendisinden dört yaş büyük olan Ali Osman'la (Polat) iyi arkadaştı. Ali Osman Hüseyin'e eşeğe binmesi için yardımcı oluyor, sonra da eşekleri mandıraya kadar birlikte sürüyorlar, yakıcı güneşin altında yine birlikte dönüyorlardı.

Baba Mehmet, güneşle dost bir çiftçiydi. Bitmek tükenmek bilmeyen bir enerjisi vardı. Eli her şeye yatkındı. Yük taşımak için gereken arabayı kendisi yapar; tarladan artan zamanlarda radyo ve saat tamiriyle uğraşırdı. Minik parçalar arasında kendinden geçerdi.

Mehmet'in yaşamı hep Bozüyük'te (Bilecik) geçmişti. Bozüyük, Osmanlı'nın ilk yerleştiği bölgelerden biriydi. Orada yerli- 349 lere "manav" sonradan göçenlere de "yörük" deniyordu. Kıvrıklar, manavlardandı. Kökeni Türkmenlere dayanan bu geniş aileye Bozüyük'te "Kıvrıklar" denmesinin nedeni çok iyi bilinmiyordu. Kimine göre, saçları kıvırcık olduğu için "Kıvrıklar" denmişti, kimine göre de bu soyadı "kıvrak zekâlı" anlamında "kıvrak"tan geliyordu.

Kıvrıklar, oğulları Mustafa'yı okutup asker yapmışlardı. Ancak Mehmet okumak yerine kendisine tarlada geçecek bir ya
şam seçmişti. Şükriye Hanım'la evlenmiş, Kasımpaşa Mahallesi'ndeki iki katlı minik ev, kısa süre sonra çocuk sesleriyle şenlenmişti. 1932'de Hasan doğmuş, iki yıl sonra soğuk bir aralık
gününde Hüseyin dünyaya gelmiş; onları Ahmet ve Fatma izlemişti.

İlkokula ilk adım

Büyük oğlan Hasan, okumak yerine terziliği yeğlemişti. Hüseyin ise ağabeyinden farklıydı. Okumak istiyordu. Mustafa
amcasının üniformasına imreniyordu. Onu örnek alıyor, "Asker
olacağım" diyordu. Gözü yükseklerdeydi:

– Ben de Fevzi Çakmak gibi paşa olacağım.

Yedi yaşına gelince, babası ilkokula yazdırdı. 2. Mektep, hemen evlerinin karşısındaydı. "Talebe Künye Defteri"ne 49 numarayla kaydedildi:

"Hüseyin Kıvrık. Doğduğu yıl 1934. Doğduğu yer Bozüyük,
Babasının adı Mehmet. Annesinin adı Şükriye. Velisinin içtimai
vaziyeti çiftçi. Mektebe kaydolduğu tarih 18 ekim 1941."

Deftere, körüklü, kara örtülü eski tip makinelerle çekilmiş
siyah beyaz bir fotoğraf yapıştırıldı. Saçları üç numara tıraşlı,
gülümsemeyen bir çocuktu fotoğraftaki...

Okula çabuk ısındı. Çalışkan bir öğrenciydi. Düzenliydi. Defterlerinin kenarının kıvrılmasına tahammül edemezdi. 2. Mektep, küçük bir okuldu. Sadece üç sınıfı vardı. O nedenle 1943'te daha büyük bir okul olan, 1. Mektebe geçti.

1. Mektep binası daha büyüktü. Siyah önlüklü, beyaz yakalı öğrenciler, kız erkek karışık sınıflarda okuyorlardı. Teneffüslerde erkek çocuklar ön bahçede, kızlar arka bahçede oynuyorlar, sınıfta ise kızlar ön sıralarda toplu olarak oturuyorlar, erkek çocuklara arka sıralar kalıyordu.

Mehmet Öğretmen'in dersleri

478 numaralı "Kıvrık Hüseyin", dördüncü sırada oturuyordu. Öğretmen gelmeden önce sınıf tahtasını o hazırlıyordu. Derslerde de dikkatle öğretmeni dinliyordu.

Öğretmenleri Mehmet Okan'ı tüm öğrencileri seviyordu. Cumhuriyetçi, Atatürkçü bir öğretmendi. Çocuklara da bu çizgiyi benimsetmeye önem veriyordu. Namazı farklı tanımlıyordu:

- Namaz jimnastiktir, fakat ibadettir.

Orucu da "perhiz"e benzetiyordu. "Oruç da bir tür perhizdir, ama ibadettir." Bu sözlerden etkilenen öğrencilerin çoğu gibi Hüseyin de oruç tutmaya başlıyordu.

Yaşamla ilgili deneyimlerini de öğrencilerine aktarıyordu Mehmet Öğretmen. Bir gün öğrencilerine bir rüyasını anlattı:

"Bir grup, güle oynaya şarkılar söyleyerek yürüyordu. Arada bir kırbaç şaklıyor, içlerinden biri devrilip, ölüyor, kalabalık önce onunla ilgileniyordu. Ama sonra yine kalkıp, güle oynaya, şarkılar söyleyerek yürümeye devam ediyorlardı. Sonra yine kırbaç sesi, sonra yine şarkılar... Böyle devam ediyordu."

"İşte hayat bu" diyordu Mehmet Öğretmen... Birileri ölür gi- 351 der, ama kalanlar yaşama devam eder. Tüm sınıf sessizce dinliyordu. Öğretmenin sınıfta olmadığı zamanlarda ise gürültüden geçilmiyordu. Teneffüslerden sonra tahta merdivenlerden koşarak sınıfa çıkıyorlar; uğultu sınıfta da devam ediyordu. Onları ancak sınıf mümessili Kadir (Tırtıllı) susturabiliyordu. Bulgaristan göçmeni olan Kadir, iriyarı bir çocuktu...

Dana kılından top

Yokluk yıllarıydı. Bir kırmızı kalem ya da bir boyalı kalem kutusu elden ele bütün sınıfı dolaşıyordu. Sınıfta en iyi resim yapan Taceddin'di (Kesemen). Çoğunun yerine Taceddin resim yapar, arkadaşlarının da iyi not almasını sağlardı. Hüseyin de iyi resim yapamayanlardan biriydi. Öbür derslerde aldığı pekiyi notuna resim dersinde ulaşamıyordu.

Hüseyin daha çok okumayı severdi. Boş zamanlarının çoğunu bir şeyler okuyarak geçirirdi. Kızlar, o yıllarda Kerime Nadir, Esat Mahmut gibi yazarların romanlarını ellerinden düşürmezlerdi. O ise daha çok derslerle ilgili kitaplar, dergiler okurdu. Bütün sınıf gibi o da bir çocuk dergisine aboneydi.

Arkadaşlarının makara yuvarlama oyununa katılmazdı. Dana kılından yapılan toplarla oynanan futbola da itibar etmezdi. Az konuşur, sorulara cevap vermekle yetinirdi. Cevapları da kısa ve net olurdu.

Bazı akşamlar, mahalledeki arkadaşlarıyla "eşli saklambaç" oynuyorlardı. Yaz tatillerinde harman yerinde de aynı oyunu oynamaktan hoşlanıyordu. Fakat bu sefer saman yığınlarının içlerinde saklanıyorlardı, köstebekler gibi...

Harman komşusu İsmail'le (Olcay) güreş tuttukları da oluyordu. İsmail iki yaş büyüktü Hüseyin'den. Yine de çoğu zaman İsmail yeniliyordu...

Geceleri harman yerinde uyuyorlar, Hüseyin gündüzleri koyun sürüsünü güdüyordu. Koyunların başında dururken çoğunlukla elinde bir kitap olurdu.

10 Kasım'da bayıldı

İlkokuldan, 1946'da pekiyi dereceyle mezun oldu. Diploma defterinde, Türkçe, tarih-coğrafya-yurttaşlık bilgisi, tabiat bilgisi, aile bilgisi, aritmetik-geometri, müzik, cimnastik, hal ve gidiş derslerinin ortalaması pekiyi'ydi. Sadece resim dersinden orta, yazı dersinden ise iyi almıştı.

Diploma defterinde küçük bir değişiklik vardı. İlkokula girerken "Kıvrık" olan soyadı, bu kez "Kıvrıkoğlu" olarak yazılmıştı. Bu değişikliğin nedeni de belli değildi...

İlkokuldan sonra, öğrenimine Bozüyük Ortaokulu'nda devam etti. Ortaokulda, ilkokuldaki sınıf arkadaşlarından bazılarıyla ayrı sınıflara düşmüşlerdi. Hüseyin, 1/B sınıfındaydı. O yıl iftihar listesine geçmişti.

10 Kasım'da yapılan Atatürk'ü anma töreni sırasında Hüseyin fenalaştı. Hemen bir sınıfa götürüp, bir sıraya oturttular. 1/A sınıfında olduğu için uzakta kalan ilkokul arkadaşlarından Zişan (Kızılcıklı) merak etti. Hüseyin'i götürdükleri sınıfın kapısını araladı. O dönemde kız ve erkek öğrenciler, birbiriyle konuşmazdı. Zişan, o tedirginlikle sadece kapıdan başını uzattı:

– Ne oldu Hüseyin? Başın mı döndü?

– Yok, duygulandım...

Zişan, sessizce kapıyı çekip ayrıldı...

Altı buçuk postası

Ortaokul yıllarında da dersten başka bir şey düşünmüyordu. Arkadaşları gibi futbol oynamak için Bozüyük Gençlik Kulübü'ne gitmiyordu. Disiplinli, az konuşan bir gençti. Ortaokulu bitirdiği 1949 yılı, yaşamında gerçek bir dönüm noktasıydı. Birçok okulun sınavına girdi. İlk haber Ziraat Enstitüsü'nden geldi, kazanmıştı. Ama gitmedi. Bursa Işıklar Askerî Lisesi'nin sınav sonucunu bekledi.

Sonunda rüyaları gerçek oldu. Üniformalı yaşamın kapıları sonuna kadar açıldı. Ailesinden, Bozüyük'ten ayrıldı. Bursa ve askerlikle tanıştı.

Yeni yaşam tarzını kısa sürede benimsedi. Yaz tatillerinde Bozüyük'e döndüğünde de askerî lisede edindiği alışkanlıkları aynen sürdürüyordu. Erken yatıp, erken kalkıyor, yemek saatlerini değiştirmiyordu. Spor yapmayı da ihmal etmiyordu.

Zamanının çoğunu yine evde, kitap okuyarak geçiriyordu. Arkadaşlarıyla daha az görüşüyordu. O dönemin Bozüyüklü genç kız ve erkeklerinin büyük eğlence kaynağı olan "Altı buçuk postası"na bile çoğu zaman ilgi göstermiyordu.

O yıllarda posta treni Bozüyük'e her gün o saatte geliyor, gençler de o saatlerde istasyona kadar yürüyüp, etrafta geziniyor, birbirleriyle sohbet ediyorlardı.

Askerî lisedeki başarılı öğrencilik dönemini Harp Okulu izledi. Harp Okulu'ndan 1955'te mezun oldu. Polatlı'daki Topçu Okulu'na gitmeden önce evlendi. 25 şubat 1956'da kıyılan nikâhla yaşamını birleştirdiği Olcay Hanım da liseyi bitirmişti. Olcay Hanım, eşinden iki yaş küçüktü, 23 kasım 1936'da Edirne'de doğmuştu. İlk çocukları, iki yıl sonra doğdu. Adını Levent koydular. Bir yıl sonra doğan ikinci çocukları da erkekti. Ona da Haluk adını verdiler.

Teğmen Hüseyin Kıvrıkoğlu, Topçu Okulu'ndan birincilikle mezun olmuş; ilk görev yeri olan Bornova'ya yerleşmişti. Alayın hemen yakınında bir ev tutmuş; göreve bağlılığı ve ciddiyeti nedeniyle oradaki 14 teğmen içerisinde kısa sürede sivrilmişti. Boş zamanlarında İngilizce çalışıyor, sinema ve tiyatroya gidiyordu.

Hukuk savaşı vermeseydi

Bornova'nın ardından Amerika'ya gitti. Ardından, 1963'te İzmit'te nükleer yetenekli Nike füzelerinin bulunduğu komutanlığa atandı. Ancak o yıl alınan bir kararla batarya komutanlığı Hava Kuvvetleri Komutanlığı'na devredildi. Bataryada görev yapan karacı ve denizci subaylara da havacı üniforması giydirildi. Kıvrıkoğlu da bir yıl mavi üniformayla dolaştı.

Ertesi yıl Harp Akademileri sınavını kazanınca yeşil karacı üniformasına yeniden kavuşacağını ümit etti. İstanbul'daki Harp Akademileri Komutanlığı'nda göreve başlamasına rağmen Hava Kuvvetleri Komutanlığı, Kıvrıkoğlu'nun Kara Kuvvetleri kadrosuna geçmesine izin vermedi.

Kıvrıkoğlu, bu karara dilekçeyle itiraz etti. Yanıtın olumsuz olması onu yıldıramadı. Hukuk savaşına girişti. Hava Kuvvetleri Komutanlığı, üçüncü dilekçeye bir uyarıyla karşılık verdi:

"Dilekçelerinizle üst makamları fuzuli şekilde meşgul ettiğinizden şikâyetinizin tekrarı halinde hakkınızda yasal işlem yapılacaktır."

Bu uyarı da onu vazgeçiremedi, dilekçelere devam etti. Sekizinci dilekçesini doğrudan Genelkurmay Başkanlığı'na yazdı. Karacı bir subay olarak Hava Kuvvetleri bünyesinde alıkonmasının hukuken hatalı olduğunu, kariyerine müdahale edildiğini savundu.

Genelkurmay'dan gelen yanıt, hukuk savaşını noktaladı. Genelkurmay, itirazını haklı bulmuş ve kadrosunun Kara Kuvvetleri'ne iadesini kararlaştırmıştı. Kıvrıkoğlu, mavi üniformayı çıkarıp, yeşil karacı üniformasını sevinçle giydi. İnatla hukuk mücadelesine devam etmeseydi havacı subay olarak kalacaktı. Pilot kökenli olmadığı için en çok tuğgeneralliğe kadar yükselebilecek ve o rütbeden emekli olacaktı. Hukuk savaşı verirken Genelkurmay başkanlığına giden yolda önüne çıkan engelleri bertaraf etmişti...

1967'de Harp Akademisi'nden mezun olduktan sonra Türk Silahlı Kuvvetleri'nin değişik kademelerinde kıta komutanlığı, karargâh subaylığı, Napoli'de AFSOUTH Karargâhı'nda Harekât Dairesi karargâh subaylığı görevlerinde bulundu.

1980'de tuğgenerallik rütbesine terfi etti. Kıvrıkoğlu ailesinin, amcası Mustafa Kıvrıkoğlu'ndan sonra generallik rütbesine yükselen ikinci üyesiydi. Annesi Şükriye Hanım, oğlu Hüseyin'in generalliğe yükselişini görememiş; 1976'da yaşamını yitirmişti. Annesinin ölümünden sonra Bozüyük'e gidişleri seyrekleşti, memleketiyle ilişkisini sadece arkadaşlarına bayram kartları atarak, karşılaştıklarında sohbet ederek sürdürdü.

Büyük oğlu Levent'in evliliği de tuğgeneralliğine rastladı. Jinekolog olan Levent, kendisi gibi doktor bir eş seçti. 1983'te evlenen Levent'in, üç yıl sonra bir kızı oldu. İlk toruna Funda adı verildi...

Oğlunun ölümü üzdü

Kıvrıkoğlu, artık ordunun üst kademelerine doğru hızla tırmanıyordu. Tuğgeneral rütbesiyle, Belçika'da SHAPE Harekât Merkezi amirliği, 3. Piyade Er Eğitim Tugay ve 11. Piyade Tugay komutanlığı görevlerinde bulundu. 1984'te tümgeneralliğe yükseldi. NATO LSE kurmay başkanlığı ve 9. Piyade Tümen komutanlığı yaptı.

Korgeneral olduğu 1988 kötü bir yıldı. Önce babasını kaybetti, sonra da küçük oğlu Haluk'u. 29 yaşındaki genç, daha önce bir dolaşım sistemi rahatsızlığı geçirmişti. Yeniden rahatsızlanınca İstanbul'da askerî bir hastaneye kaldırılmış ve hiç beklenmedik bir biçimde yaşamını yitirmişti. Bu olay, Kıvrıkoğlu ailesi için büyük bir yıkımdı. Kıvrıkoğlu, bu büyük üzüntü nedeniyle askerî hastaneyi suçladı. Yıllarca askerî hastanelerden söz edildiği zaman tüyleri diken diken oldu. Fakat yine de yıllar sonra prostat ameliyatı için kendisini askerî doktorların ellerine emanet etmekte tereddüt göstermedi.

Babasının ölümünden sonra akrabalar arasında yaşanan bazı problemler de canını sıktı. Cenaze töreni için yaptığı günübirlik Bozüyük ziyaretinden sonra uzun süre bir daha memleketine gitmedi...

Ankara'da, Silahlı Kuvvetler'in komuta kademesinde önemli bir yer edinmişti. Korgeneral rütbesiyle ilk olarak Genelkurmay personel başkanlığı görevinde bulundu. Personel başkanlığı, hem tüm mevzuatı satır satır öğrenmesini sağladı, hem de Ordu'nun yönetim kademesini yakından tanımasına neden oldu. Ardından 5. Kolordu komutanlığına, Çorlu'ya atandı. Kıta görevinden sonra 1992'de yeniden Ankara'ya döndü.

Bu kez Millî Savunma Bakanlığı'nda müsteşardı. Nevzat Ayaz'ın bakanlığı döneminde bir yıl kadar bu görevde kaldı. Silahlı Kuvvetler ve bakan arasında "köprü" işlevi görüyordu. Bakan da onunla çalışmaktan mutluydu.

Dikkati çeken, astlarının da üstleriyle benzer tanımlamalarla onu anlatmasıydı. Kıvrıkoğlu, astlarına karşı samimi davranıyordu. Birlikte çalıştığı astları onu "merhamet abidesi" olarak **357** tanımlıyorlardı. Evrak getiren bir subayı, astı da olsa ayakta bekletmiyordu:

– Buyrun oturun...

Evrakı hızla okuyor, sorun yoksa hemen imzalıyordu. Evrakı masada yığıp günlerce orada tutmaktan hoşlanmıyordu. İlişkilerinde resmiyet yerine, sadeliği ve samimiyeti yeğliyordu. Bayram kartlarına basmakalıp yazılar bastırmaktan kaçınıyor; kartlarını elle yazıyordu.

Tüm gazeteleri satır satır izleyen Kıvrıkoğlu'nun hafızası güçlüydü. Yıllar geçtikten sonra bile Harp Akademisi'nde kurmay albay olarak görev yaparken bir yandan askerlik dersi verdiği Robert Kolej'deki öğrencilerini unutmamıştı. Karşılaştığı öğrencilerin ders notlarını bile hatırlıyordu.

Kıbrıs'ta seken mermi

1993'te orgeneralliğe terfi eden Kıvrıkoğlu için İzmir yılları başladı. Yeni görevi, NATO Güneydoğu Avrupa Müttefik Kara Kuvvetleri komutanlığıydı. İngilizce'yi iyi bilmesi, bu göreve atanmasındaki önemli etkenlerden biriydi.

İzmir'e giderken yaşamındaki en önemli değişiklik, özel arabasını satması oldu. Bu rütbeye geldikten sonra özel araç kullanması mümkün değildi. Birçok şeye daha az zaman bulabiliyordu artık. İstanbul'dan getirttiği filmleri izleyecek yeterli zamanı olmuyordu.

En büyük zevki her fırsatta okumaktı. Sigara kullanmadığı için, okurken sadece kuşburnu çayı içiyordu. Fenerbahçe tutkusu hiç azalmadan sürüyordu. Sadece taraftar değil, aynı zamanda Fenerbahçe kongrelerinde oy kullanma hakkına sahip bir üyeydi. Mümkün olduğu kadar takımının maçlarını kaçırmıyor, hatta katıldığı kimi küçük toplantılarda yanında küçük bir radyo bulundurup önemli maçları dinlediği de oluyordu.

İstanbul'a atanmasının en güzel yanı, 1995'te doğan ikinci torunu Pelin'e yakınlaşmasıydı. Küçük Pelin, ailenin neşe kaynağıydı.

Kıvrıkoğlu, 1. Ordu komutanı olarak İstanbul'da yaşarken de eskiden olduğu gibi adını ön plana çıkarmamayı yeğledi. Gazetecilere açıktı, onlarla konuşuyor; ama haber olmayı istemiyordu.

Kız kardeşi Fatma, İstanbul 1. Ordu komutanlığı sırasında ağabeyini ziyaret etti. Bir cuma günüydü. Makamında oturup sohbet ederken, dışardan İstiklal Marşı duyuldu. Sancak töreni yapılıyordu. Sesler üzerine Kıvrıkoğlu, yerinden doğruldu, kapalı mekânda olmasına rağmen selam durdu. Fatma da ayağa kalktı. Marş bittikten sonra yeniden sohbete döndüler. Ama Fatma, ağabeyinin bu davranışından çok etkilenmişti...

Ordu komutanlığı sırasında canını sıkan tek olay, korumalarından birinin vurulmasıydı. Sivil koruması, askerî korumasını kendisi de oradayken yaralamıştı. Nedeni anlaşılamayan bu olay, onu tedirgin etti.

30 ağustos 1997'de Kara Kuvvetleri komutanlığına atandıktan sonra Kıbrıs'ta yakınında cereyan eden yeni bir olay tedirginliğini artırdı. 5 kasım 1997 günü, komutanlar, Kıbrıs'ta S-300 füzelerinin imha edilmesi tatbikatını izliyordu. Tam o sırada bir M-16 kurşunu Kıvrıkoğlu'nun üç sıra arkasındaki Albay Vural Berkay'ın göğsüne saplandı. 39. Tümen destek kıtalar grup komutanı olan Albay Berkay, dürbünüyle tatbikatı izlerken ayağa kalkmıştı. Kıvrıkoğlu önünde oturuyordu. Ya o da ayakta izleseydi?

Merminin nereden geldiği araştırıldı. Tatbikat sırasında kullanılan mermilerden birinin sekerek protokol çadırına ulaştığı **359** sonucuna varıldı. Bu sonuç, Kıvrıkoğlu'nun endişelerini gidermeye yetmedi. Yakın çevresine, "Bana üç kere suikast teşebbüsünde bulunuldu" diyordu. Hatta suikasttan korunmak için çelik yelekle dolaştığı söylentileri çıkmıştı...[1]

Kıvrıkoğlu, bir yandan da Genelkurmay başkanlığına giden yolda dikkatli adımlarla ilerliyordu. 28 Şubat sürecinin ayrılmaz bir parçasıydı. Millî Güvenlik Kurulu toplantılarında, Fethullah Gülen cemaatinin irtica tehdidi kapsamı içinde görülmesi gerektiği çıkışları Kara Kuvvetleri komutanı olarak Orgeneral Kıvrıkoğlu'ndan gelmişti.

Onuncu Yıl Marşı ve başlama vuruşu

İslamcı basın, Orgeneral Kıvrıkoğlu, Genelkurmay başkanlığı'nı devralmaya hazırlanırken "Kıvrıkoğlu'nun Batı Çalışma Grubu'nu feshedeceği" tezini her vesileyle yineleyip duruyordu. Bu yorumları, Stephen Kinzer'in *New York Times* gazetesindeki yazısını izledi. Kinzer, "Kıvrıkoğlu döneminde irticaya karşı mücadelenin yumuşayacağı" değerlendirmesinden yola çıkıyordu.

Orgeneral Kıvrıkoğlu, Genelkurmay başkanlığını devraldıktan hemen sonra bu iddiaları yanıtladı. Gazi Orduevi'nde verilen 30 Ağustos resepsiyonunda gazetecilerle sohbet ederken sözü Kinzer'in yazısına getirdi ve sordu:

– İrtica karşısında duyarlı olmayan bir askerin bu makamlara gelebilmesi mümkün müdür? Böyle biri albaylıktan yukarı çıkamaz.

1. Ordu komutanlığı ve Kara Kuvvetleri komutanlığı sırasın-

1 Y.Faruk Mangırcı, *Çankaya Savaşları*, Aralık 1999, Sayfa 246.

da da aleyhinde benzer kampanyalar açıldığını vurguladı. "Bu, komutanlar arasına nifak sokma çabası" dedi. Bu vesileyle son beş yıldır Genelkurmay başkanlığına hazırlandığını da açıkladı:

– Genelkurmay başkanlığımın son iki üç yıl içinde gündeme geldiğini yazıyorlar. Bu yanlış. Çünkü bana Genelkurmay başkanlığının kapısının açılması 1993 yılında oldu. Millî Savunma Bakanlığı müsteşarlığından orgeneralliğe terfi ettiğim zaman önümün açık olduğunu biliyordum."[2]

Kıvrıkoğlu, demeç vermekten çok, içini döküyordu. Sözlerini, "Bu yöntemlere başvurursanız ters teper. Nitekim ters tepmiştir" diyerek noktaladı.

Resepsiyona gelen Cumhurbaşkanı Süleyman Demirel ve eşini, Onuncu Yıl Marşı ve havaî fişekler eşliğinde kapıda karşıladı. Silahlı Kuvvetler'de 2002 yılına kadar sürecek, "Kıvrıkoğlu dönemi" de bu havada başladı...

Seçim ertelemeye müdahale

Orgeneral Kıvrıkoğlu, Genelkurmay Karargâhı'nda tüm ipleri eline aldı; Silahlı Kuvvetler'in dış ilişkilerini üstlendi; kendisinden başkasının konuşmasını, açıklama yapmasını engelledi.

En büyük değişiklik buydu. Oysa Karadayı döneminde Genelkurmay Karargâhı'nda ikinci başkan olan Çevik Bir, yer yer 1. Başkan Karadayı'dan daha çok ön plana çıkmıştı. Oysa Kıvrıkoğlu döneminde, Genelkurmay İkinci Başkanı Orgeneral Hilmi Özkök ve daha sonra aynı göreve gelen Orgeneral Edip Başer'in adları bile duyulmadı.

İlk aylarda Kıvrıkoğlu da medyanın önüne sık çıkmadı; daha çok Genelkurmay adına yazılı açıklamalarla sürdürdü görevini. Ta ki "küskün milletvekilleri"nin TBMM'yi toplayıp, seçimi erteleme ve Türk Ceza Yasası'nın 312. maddesini değiştirmeye kalkmalarına kadar.

Kıvrıkoğlu, siyasî gelişmelere Hürriyet Ankara Temsilcisi Sedat Ergin'e, 18 mart 1999'da verdiği demeçle "müdahale" etti:

– 163. maddenin iptali irtica tehdidinin bugünlere varmasına yol açmıştı. Şu anki kanunların artık irticanın büyümesini önleyemediği de bir gerçek. Hal böyleyken 312'nin yumuşatılması, bir kaos yaratır."

Seçimlerin ertelenmesinin de kaos yaratacağından endişe ediyordu. "Biz seçimlerin vaktinde yapılmasında büyük menfaat olduğuna inanıyoruz."

Kıvrıkoğlu'nun bu mesajları, siyaset sahnesinde bomba etkisi yaptı. TBMM'yi toplamayı başaran "küskün milletvekilleri" topluluğu iki gün içinde darmadağın oldu. TBMM yeniden kapandı ve 18 Nisan Seçimleri kesinleşti. Seçimlere giden yolu Kıvrıkoğlu'nun müdahalesi açtı...

Deprem çıkışı

Orgeneral Kıvrıkoğlu, ikinci çıkışını eylül 1999'da yaptı. Silahlı Kuvvetler'in depremzedelere yardımda geç kaldığı eleştirilerine sinirlenmişti. Bir grup gazeteciyi çağırdı Genelkurmay'a. Önce medyayı eleştirdi. "Mehmetçik ilk üç gün televizyonda hiç gözükmedi. Basınımız hep yabancılara ağırlık verdi." Kurtarma çalışmalarına katılan komutanlara verdiği yeni emri anlattı:

"Onlara dedim ki, 'Basın sizin yaptıklarınızı görmüyorsa, siz onlara ne yaptığınızı gösterin. Kollarından tutup götürün'."

Onun ardından Mehmetçik de sık sık televizyona çıkmaya başladı.

Mehmetçik yardıma koşmuş, ama medya yeterince duyurmamıştı (!). Medya, Orgeneral Kıvrıkoğlu'nun mesajını yıldırım hızıyla aldı; ertesi günden itibaren tablo birdenbire değişti. Kurtarma faaliyetlerine koşan yabancı ekiplerin yerini Mehmetçik görüntüleri aldı. Kimi televizyonlar, bu görüntüleri kanalın logosu haline getirdi neredeyse!

O günlerde Kıvrıkoğlu ailesinin üçüncü askeri olan kuzeni Tuğgeneral Hayri Kıvrıkoğlu da sık sık ekranlara çıktı. Hem yardım çalışmalarını anlattı, hem de halkı, çadırlara kadar gelip propaganda yapan şeriatçılara ve PKK'lılara karşı uyardı. Tuğgeneral Kıvrıkoğlu, komuta ettiği 8. Mekanize Tugay'la birlikte yardım için Tekirdağ'dan Gölcük'e gelmişti...

Genelkurmay Başkanı Orgeneral Kıvrıkoğlu, basınla ilk sohbet toplantısında deprem dışındaki konulara da değindi. Sözünü hiç esirgemedi:

"'28 Şubat bitmiştir' şeklinde yaklaşımlarla karşılaşıyoruz. 28 Şubat bir süreçtir. 28 Şubat gerekirse 10 sene sürecektir. Gerekirse yüz sene, gerekirse bin sene devam edecek bir süreçtir."[3]

Bir de FP'li bir milletvekilinin, deprem bölgesindeki bir belediye başkanıyla konuşmasının metnini dağıttı gazetecilere. Adı açıklanmayan FP'liye göre, "Deprem, Allah'ın askerleri cezalandırması"ydı (!). Medya, bu konuşmanın sahibini aramaya girişti hemen. Ertesi gün FP Sakarya Milletvekili Nezir Aydın'ın adı manşetlere çıktı. Aydın, yalanladı, ama savcılık soruşturma açtı.

Fakat konuşmanın DSP'li belediye meclis üyeleri de dahil, tanıkları olayı doğrulamadılar. Orgeneral Kıvrıkoğlu'nu zor durumda bıraktılar. Suçlama ortada kaldı...

---

3 Sedat Ergin, "Askerden 12 mesaj", *Hürriyet*, 4 eylül 1999.

İkinci balans ayarı

Yargıtay Başkanı Sami Selçuk'un, 1982 Anayasası'nı reddeden ünlü konuşması, Orgeneral Kıvrıkoğlu'nu sinirlendirdi. Cumhurbaşkanı Demirel'i ziyaretinde Selçuk'un Yargıtay'ın açılış konuşmasını gündeme getirdi:

– Anayasa, halkın yüzde 92'sinin teveccühüne mazhar oldu. Tabiî ki bazı yetersizlikleri olabilir. Anayasal kurumları gayrimeşru göstermek yanlıştır.

Kıvrıkoğlu, Demirel'e de Selçuk'un konuşmasını protesto etmediği için serzenişte bulundu. "Aslında o gün salonu terk edip tepki koymak lazımdı." Cumhurbaşkanı Demirel ise Selçuk'un sözlerini TBMM'nin açılışında yanıtlayacağını, olayı tepkisiz bırakmayacağını ifade etti.[4]

Ardından Genelkurmay'ın yazılı açıklamaları hızlandı. Orgeneral Kıvrıkoğlu'nun demeçleri basında daha sık görülür oldu. "Gerici tehdidi mutlaka yok edeceğiz."[5] Sık sık yineledi bu görüşleri... Kıvrıkoğlu, Yazar Ahmet Taner Kışlalı'nın 21 ekim 1999'da öldürülmesi üzerine, Silahlı Kuvvetler'in tepkisini sözle ifade etmeyi bıraktı; tavrını eyleme döktü. Türk Silahlı Kuvvetleri'nden dört bini aşkın subay, ilk kez bir sivilin cenaze törenine katıldı. Hem de üniformalarıyla...

Orgeneral Kıvrıkoğlu da Romanya gezisini kısa kesip, Kışlalı'nın cenaze törenine katıldı. Cumhurbaşkanı, başbakan ve tüm siyasîler yuhalanırken, o alkışlarla karşılandı:

– Türkiye seninle gurur duyuyor...

Kışlalı'nın cenazesi, Silahlı Kuvetler'in güç ve kararlılık göste-

---

4 Taşkın Şenol, "864 Rakımlı Tepe'de neler konuşuldu", *Star,* 30 eylül 1999.

5 *Military Technologies* adlı dergiden alıntı; "Bitirmeye kararlıyız", *Hürriyet,* 9 ekim 1999.

risine dönüştü. Orgeneral Kıvrıkoğlu'nun, önceki Genelkurmay başkanlarından farkının da altının çizilmesini sağladı. Silahlı Kuvvetler'in, Sincan'da şubat 1997'de tanklarla yaptığı "balans ayarı", Kışlalı'nın cenazesinde bu kez üniformalarla gerçekleştirilmişti. Kaldı ki, Kıvrıkoğlu, Sincan'daki "balans ayarı"na da sahip çıktı. FP Genel Başkanı Recai Kutan'ın, "Tankları Sincan yerine Hizbullah'ın üzerine niye sürmediniz?" sözlerini hışımla yanıtladı:

– Bu zihniyetin temsilcileri, Türkiye'deki irticanın bu seviyeye ulaşmasında en büyük pay sahibi olanlardır. Türk Silahlı Kuvvetleri, yüce milletinin de desteğiyle bu zihniyetin amacına ulaşmasına asla izin vermeyecektir.

Kıvrıkoğlu, irticayla ilgili gördüğü hiçbir yanlışı tepkisiz bırakmadı. Başbakan Bülent Ecevit'in, İslamî bir cemaatin lideri olan Fethullah Gülen'in okullarıyla ilgili sözlerini Millî Güvenlik Kurulu'nda eleştirdi. Bu okullarda irtica propagandası yapıldığını vurguladı.

Ayrıca kamuoyuna yansıyan video bantlarının da Gülen'in kimliğinin anlaşılması bakımından yeterli olduğunu anlattı. Ecevit ise Erbakan gibi susmak yerine bu teşhise katılmadığını dile getirdi.[6] Ecevit ile Kıvrıkoğlu, MGK'da Gülen nedeniyle hep karşı karşıya geldiler. Kıvrıkoğlu'nun bu çıkışlarının sonucu olarak, Ecevit'in sempatisine rağmen Gülen, Amerika'dan dönmeye cesaret edemedi...

Cumhurbaşkanlığı seçimi

Orgeneral Kıvrıkoğlu, sakınmasız tutumunu cumhurbaşkanlığı seçimleri sırasında da sürdürdü. ANAP Genel Başkanı

Mesut Yılmaz'ın cumhurbaşkanı adaylığı tartışılırken, Yolsuzlukla Mücadele Derneği yöneticilerini Genelkurmay'da kabul etti. Dernek başkanı olan emekli asker ve eski milletvekili Tevfik Diker'in, yeni cumhurbaşkanının "dürüst, şaibesiz biri olması gerektiği" sözlerini onayladı ve ekledi:

"Avrupa Birliği'ne aday olduğumuz bu dönemde, siyaset ve siyasetçi Avrupa normlarına göre hazırlanmalı. Bu da siyasetçinin görevi. Avrupa'da seçimlerde küçülen partilerin genel başkanları görevde kalamıyor."[7]

Bu sözlerin tek muhatabı vardı. O da Mesut Yılmaz'dı. ANAP lideri hakkındaki iddiaları araştırmak üzere TBMM'de tam sekiz komisyon kurulmuştu. Ve dahası Yılmaz'ın 1991'de genel başkan olarak girdiği ilk seçimlerde yüzde 24 olan ANAP'ın oyu, 1999 seçimlerinde yüzde 13'e düşmüştü.

Tüm siyasîler, gazeteciler, yazarlar, Orgeneral Kıvrıkoğlu'nun sözlerinin doğrudan Yılmaz'ı hedef aldığı yorumunu yaptı. Yılmaz da aynı yorumu yapmış olacak ki, yakın çevresinde kendisinin de çabalarıyla doğan beklentiye rağmen cumhurbaşkanlığına aday olmadı. Yılmaz'ın hamle yapamamasında Kıvrıkoğlu'nun çıkışlarının rolü önemliydi.

Sıra geldi koalisyon partilerinin ortak cumhurbaşkanı adayı belirlemesine. Koalisyonda pazarlıklar sürerken, bir gazetedeki kulis haberinde Kıvrıkoğlu'na atfen, "Biz bu işte yokuz" sözleri yer aldı.[8] Kıvrıkoğlu, bu habere çok sinirlendi, yazılı açıklamayla yanıt verdi:

"... gündemde bulunan cumhurbaşkanlığı seçimleriyle ilgili olarak Silahlı Kuvvetler'in bu konuda hiçbir fikrinin veya değerlendirmesinin olmaması düşünülemez.

---

7 Evren Değer, "Gelinim sen anla", *Radikal,* 12 nisan 2000.
8 Taha Akyol, "Ankara Kulisi", *Milliyet,* 14 nisan 2000.

Türk Silahlı Kuvvetleri'nin de örneğin cumhurbaşkanı olacak zat hakkında, ilkeler ve arzu edilen nitelikler bazında değerlendirmeleri mevcuttur. Bu değerlendirmeler, gerektiğinde ilgili zeminlerde dile getirilmektedir."[9]

Tabiî bu açıklamadaki mesaj da hedefine ulaştı. Başbakan Ecevit, parti liderleriyle yaptığı temas programının sonuna bir de Kıvrıkoğlu'yla görüşmeyi ekledi. "İlgili zemin"de söylenenler sır olarak kaldı.

Ancak iki yıllık çizgisinden anlaşılan o ki, Orgeneral Kıvrıkoğlu, "Türkiye Cumhuriyeti'ni koruma ve kollama" görevini titizlikle yürüten bir Genelkurmay başkanı...

---

[9] Genelkurmay Başkanlığı Genel Sekreterliği'nden yapılan 14 nisan 2000 tarihli yazılı açıklama.

Hakkı Şenyuva

Katili arayan baba

O, oğlunun katilini arayan bir baba. Aradan uzun yıllar geçmiş. Ama o, hiç bıkmadan, hiç yorulmadan katilin izini sürmeye devam ediyor.

Oğlunu evinin duvarlarında yaşatıyor. Evin her tarafı, oğlu Hakan'ın irili ufaklı fotoğraflarıyla bezeli. Odası, 10 haziran 1979'da bıraktığı gibi duruyor. Yatağının üzerinde de bir fotoğrafı gülümsüyor, anne babasına...

Bu kadarla da kalmıyor, anne ve baba, yıllardır her hafta, istisnasız her hafta çarşamba ve pazar günleri mezarlığa gidiyorlar. Oğullarını ziyaret ediyor, ölüm yıldönümünü unutmuyorlar. Her yıl gazetelere ilan veriyorlar. Her 10 haziranda tüm aile mezar başında toplanıyor.

Oğulları Hakan Şenyuva'nın 12 Eylül öncesinin cinayetler listesinde bir isim olmasını kabullenemiyorlar. Onu, kanlı dönemin tarihinde kısa bir dipnot olarak bırakmak istemiyorlar.

Baba İ. Hakkı Şenyuva, oğlunu anlatırken konuşmakta zorlanıyor. Gözleri doluyor, sözcükler boğazına takılıyor. Oğul acısı, yüzüne, gözlerine yansıyor. 72 yıllık yaşamı iki döneme ayrılıyor: oğlu öldürülene kadar, oğlu öldürüldükten sonra. 1979 öncesinde bir emekli general. 1979 sonrasında oğlunun katilini arayan bir baba.

48 yaşında emekli edilen general

Hakkı Şenyuva'nın yaşam çizgisi 1926 yılında başlamış. Harp Akademisi'ni 1944 yılında bitirmiş.

Askerî yaşamında en önemli durak noktası 27 Mayıs 1960. Hakkı Şenyuva, o günlerde Ankara'da topçu tabur komutan vekiliydi. Askerî müdahale sırasında pasif kalmayı içine sindiremiyordu. Çünkü o bir CHP'liydi ve DP'nin yaptıklarını kabullenemiyordu.

Ön plana çıktı. Ankara Komutanlığı Harekât Şubesi'nde görev aldı. Bu görevde bir yıl kaldı. Önce CENTO'ya atandı. 1962'de yarbay olmuştu. Sınava gidip kazandı ve Paris'e NATO Karargâhı'na atandı.

İki çocuğu ve eşiyle birlikte Paris'e gitti. Kızı Canan ve oğlu Hakan da öğrenimlerini orada sürdürdüler. NATO kolejinde okudular. 1964'te yurda döndüler.

Artık albaydı. Diyarbakır'a, 7. Kolordu Komutanlığı İstihbarat Şube müdürlüğüne atandı. Bir gün arabayla, Adana'ya gidiyorlardı. Hakan babasına döndü:

– Baba, niçin bizim halkımız bu kadar yoksul?

Babası da çevredeki insanların yoksulluğuna üzülüyordu; "Sizler çalışıp ülkeyi kalkındıracaksınız" öğüdünü verdi. Hakan, babasının öğüdünü dinledi.

İ. Hakkı Şenyuva, hiç beklemeden rütbe alıyordu. Parlak bir askerî kariyeri vardı. 1970'te general olmuştu. Brüksel'e yine NATO Karargâhı'na atandı. 1972'de döndüğünde Adapazarı'na atandı. 2. Piyade Tümen komutan yardımcısı ve Kandıra garnizon komutanı olmuştu. Eşi Tuna, çocuklarıyla birlikte Ankara'ya yerleşmişti. Hakan ve kardeşi Hünkâr, Ankara Koleji'nde okuyorlardı.

Kandıra, güzel bir kentti. Yaşamı, askerî birlikte ya da orduevinde geçiyordu. CHP'nin ünlü Dışişleri Bakanı Turan Güneş de Kandıralıydı. Şenyuva'nın CHP'li olduğunu öğrenmişti. Kente her gelişinde ziyaret ediyor; kahve içiyor sohbet ediyorlardı. Bu ziyaretlerin Adalet Partililerin tepkisini çektiğini bilmiyordu. Adı "Ecevitçi"ye çıkmıştı.

1974 yılında yerel seçimler yapıldı. Kandıra'da belediye başkanlığını CHP kazandı. Nuri Bayar ve diğer AP'liler, gerekçeyi buldular:

"Garnizon komutanı AP'yi tutmadığı için kaybettik."

Dönemin Genelkurmay Başkanı Orgeneral Semih Sancar, AP'ye yakın bir kişiydi. Bu söylentiler Sancar'a kadar uzandı. Ve 30 ağustos 1974'teki Askerî Şûra'dan, Hakkı Şenyuva'nın hiç beklemediği bir karar çıktı: emekliye sevk edilmişti.

12 general kadrosu vardı, rütbe alacaklar sıralamasında 4. ya da 5.'ydi. Ama ismi çizilmişti. Üstelik Bülent Ecevit de başbakandı. Ta ki bir gün Güneş'le karşılaşıncaya kadar da ne olup bittiğini anlayamadı. Dışişleri'nde sohbet ettiler. Güneş sonunda dayanamayıp, söyledi:

"Paşam galiba siz bizim yüzümüzden emekli edildiniz..."

"Olabilir..." dedi. Araştırdı, gerçekten de öyleydi. Kırılmıştı. 48 yaşında emekli edilmesini bir türlü hazmedemiyordu.. Tüm aile üzgündü. Ankara'ya taşındı. Bir plastik şirketinin acentalığını aldı, küçük bir ticarethane açtı...

Belinde silah katili aradı

Oğlu Hakan da o yıl koleji bitirdi. İngilizce ve Fransızca bilen Hakan, diplomasiyi seçti. Siyasal Bilgiler Fakültesi Dış İlişkiler Bölümü'ne girdi. İlk iki yıl, boykotlarla geçti. Eğitim hep aksıyordu.

Olaylar, korkutuyordu. Hakan da kenarda durmuyor, fikirleri doğrultusunda mücadele ediyordu. 1978'de SBF Öğrenci Derneği Yönetim Kurulu üyeliğine seçildi. Baba Şenyuva, bir gün oğlunu çağırdı:

– Aman evladım. Bu karışık ortamda bu üyelikten çık.

– Peki baba. Elimden geleni yapacağım.

Aradan günler geçti. Hakan, mayıs ayında bir arkadaşıyla eve geldi:

– Baba, yönetim kurulu üyeliğinden ayrıldım.

Baba çok sevindi. Alnından öptü. O akşam ilk kez karşılıklı içtiler. Rakı kadehlerini tokuşturdular. Baba Şenyuva, mutluydu. Oğlu sözünü dinlemişti.

Gerçeğin farklı olduğunu bir yıl sonra öğrendi. Hakan, SBF'nin arkasındaki sokaklardan birinde pusuya düşürülmüştü. Tek kurşunla kalbinden vurulmuştu. Cenaze töreni görkemliydi. Binlerce insan katılmış, haykırmıştı:

"Hakanlar ölmez."

Ertesi gün SBF Dekanı Prof. Cevat Geray, telefon etti. Başsağlığı diliyordu:

"Siz evladınızı, biz öğrencilerim ile dekanlığımız arasında terayağından kıl çeker gibi bütün sorunlarımızı halleden değerli bir dernek başkanımızı kaybettik."

Anladı ki, Hakan, yönetim kurulundan ayrılmamış; hatta başkan olmuş, bu durumu babasından bir yıl gizlemişti. Baba Şenyuva, gerçeği öğrenmişti, ama ne yazık ki artık yapacak birşeyi yoktu.

Ticareti bıraktı. Katil aramaya çıktı. Ülkücüler, olayı görenlerin tanık olmasını önlemişlerdi. Polis de hazırlık soruşturmasını geçiştirmiş, hiçbir ev aranmamış, olaya karışan ülkücülerin ifadeleri bile alınmamıştı.

Baba Şenyuva, beline silahını taktı. Tanık aramaya çıktı. Tek

tek evleri dolaşıyor, katilin izini sürüyordu. Bir gün ülkücüler üzerine geldiler; o da elini beline atıp üzerlerine yürüdü. Olay büyümedi.

Ankara Sıkıyönetim Komutanı Nihat Özer dönem arkadaşıydı. Ondan yardım istedi. Komutanın çabaları sonuç verdi. Şedit Töre, Akif Koyuyeşil, Mustafa Tecirli ve Yaşar Güzeldemirci adlı ülkücüler yakalandılar.

O günlerde ilginç bir olay oldu. Kapı çalındı. Açtı, bir genç, üzerinde Hakan'ın paltosu vardı. Oğlunu gördüğünü sandı. Sonra kendine geldi. Meğer Hakan, paltosunu arkadaşı Şevki Kobal'a vermiş, o da SBF'de Hakan'ın anısına bir hafta düzenlediklerini söylemeye gelmişti.

Kültür haftası sadece bir kez düzenlenebildi. Çünkü ertesi yıl Şevki de öldürüldü.

O günlerde bir arkadaşından duydu. Zamanın bir devlet bakanı, "Elebaşılarını teker teker temizleyeceğiz" demiş, oğlundan sonra dernek yönetiminden üç kişi daha öldürülmüştü "İşte adres bu" diye düşündü. "Gençleri öldürmek için bir çete kurmuşlar."

Artık 12 Eylül dönemi başlamıştı. Mamak'taki duruşmalar, yaşamının odağı olmuştu. Askerî mahkemedeki duruşmalara gidip geliyordu. Sanıkları, Bahçelievler Katliamı ve MHP davalarının ünlü avukatı Şevket Can Özbay savunuyordu. Özbay, bir duruşmada ayağa kalktı:

– SBF'nin azılı komünistlerinin o gün, o sokakta ne işi varmış?

Şenyuva çok kızdı. Özbay'ı, Ankara Barosu'na, Sıkıyönetim Komutanlığı'na şikâyet etti. Sonuç alamadı. Fakat Şenyuva ailesi, Hakan'ı asla unutmadı. Anne Tuna Şenyuva, oğluyla yaşadı, onun için şiirler yazdı. Şiirlerini, *Oğul Oğul Bal Oğul* adlı kitapta topladı.

Katili dikkatli savcı buldu

1981 ağustosunda gelen bir telefon umut verdi. Arayan Sefa Çavdar adlı bir bakkal çırağıydı. "Olayı gördüm. Her şeyi anlatacağım. Ama polis istemiyorum" diyordu. Baba Şenyuva, konuşmak üzere eve çağırdı. Gelince de eline kâğıt kalem tutuşturdu. Sefa Çavdar, hiç itiraz etmeden tüm bildiklerini olduğu gibi yazdı.

25 kasımdaki duruşmaya birlikte gittiler. Şenyuva, Çavdar'ın yazdığı kâğıdı mahkemeye verdi ve dinlenmesini istedi. Yargıç Ali Hüner, "Bugün dinleyemem. Gelecek duruşmada dinleyelim" dedi. Israrları sonuç vermedi.

Bir sonraki duruşmada her şey değişmişti. Çavdar, Şenyuva'yı şaşırttı:

"Evet, bu mektubu ben yazdım. El yazısı benim. Fakat paşa, tabancayı kafama dayadı, o söyledi ben yazdım..."

Bu ifadeyle rahatlayan Avukat Can Özbay gülüyordu. İntikamını almıştı. Yargıç, Şenyuva için suç duyurusunda bulundu. Tanık bulayım derken, suçlu duruma düşürülmüştü. Bu kez kendini aklamak için çalıştı. Sonunda takipsizlik kararı verildi.

Cinayet davası, yıllar sürdü. Önce dört sanık mahkûm oldu. Yargıtay kararı bozunca, ikinci yargılamada beraat ettiler.

Ankara'da sıkıyönetimin kaldırılması davanın seyrini değiştirdi. Dava dosyası, Diyarbakır Askerî Savcılığı'na gönderilmişti. Dikkatli bir savcı dosyayı inceleyince müthiş gerçeği keşfetti. Sanıklardan Akif Koyuyeşil ifadesinde katilin adını veriyordu: Fehmi Söylemez.

Polis, bu ifadeyi gözardı etmişti. Mahkeme de, Askerî Yargıtay da bu ifadeyi atlamıştı. Ve bir savcı, olayı açığa çıkarmıştı.

Dosya 1986 yılında Ankara'ya döndü. 2. Ağır Ceza Mahkemesi'nde yeni dava başladı. Fakat katil zanlısı Fehmi Söylemez bir türlü yakalanamıyordu. Kahramanmaraş'ta İsadivanlı Mahallesi'ndeki adresinde bulunamıyordu.

Kıbrıs ya da Almanya'da olduğu söyleniyordu. Kıbrıs'a gitti bulamadı. Almanya'daki konsolosluklara yazılar yazdırdı. Yine izine rastlanmadı. Yıllar geçtikçe her duruşma birbirine benzemeye başladı. Yargıç, hep aynı kararı veriyordu: "Gıyabî tutuklu sanık bulunamadığından duruşmanın ertelenmesine..."

Baba Şenyuva yine de yılmadı. Her ipucunu değerlendirmekten geri durmadı. TBMM Susurluk Komisyonu'na da başvurdu: "Oğlumu ve arkadaşlarını öldürenler, Susurluk kazasında ortaya çıkan çete elemanlarının arkadaşlarıdır." Buradan da sonuç alamadı.

Zaman ilerlemeye devam etti. 21 yıl, bir ömür geçti. Her yıl olduğu gibi, 10 haziran 2000 günü de oğlunu andı; çaresizliğini, acısını gazete ilanına yansıttı:

"Sevgili yavrumuz Hakan Şenyuva,

Ankara Üniversitesi Siyasal Bilgiler Fakültesi Öğrenci Derneği başkanıyken, 10 haziran 1979 günü -karanlık güçlerin beyin yıkaması sonucu yaratılan- ülkücü çetelerce şehit edilişinin 21. yıldönümünde seni hasret ve özlemle anıyor, tüm katilleri ve yandaşlarını lanetliyoruz.

1956 doğumlu Kahramanmaraş, İsadivanlı Mahallesi nüfusuna kayıtlı katil zanlısı Ali oğlu Fehmi Söylemez firarda olup, 21 yıldır yakalanamamıştır. Katil zanlısının anne ve babası Kahramanmaraş İsadivanlı Mahallesi Vişneli Sokak 7 numarada oturmaktadırlar. Dava, Ankara 2. Ağır Ceza Mahkemesi'nin 1986/96 esas sayılı dosyasında katil zanlısı Fehmi Söylemez'in gıyabında sürmekte olup, sorumlu emniyet makamlarınca bugüne kadar katilin yakalanması hususunda ciddi bir araştırma gerçekleştirilememiştir.

Sevgili oğlum, bugünlerde umut verici çalışmalarına şahit **375** olduğumuz hükûmetimiz ve Emniyet güçlerinin katil zanlısı Fehmi Söylemez'in yakalanması hususunda da gerekli talimatı vereceğini umuyor, adalet ve vicdan sahibi vatandaşlarımızın da desteğini bekliyoruz.

Sevgili oğlumuz Hakan Şenyuva, seni 21 yıldır her geçen gün daha büyük ve derin özlemle, seni seven ve tanıyanlarla birlikte anıyor ve gönüllerimizde yaşatıyoruz.

General ve Bayan İ. Hakkı Şenyuva."

O, hâlâ kararlı. "Ölene kadar katili aramaya devam edeceğim. Umudumu tüketmeyeceğim."

Ömer Tanlak

Davadan dönen ülkücü

Pusulasını kaybetmiş bir yaşamı, alevler noktaladı. Ömer Tanlak'ın öyküsü, 35 yıl sürdü. Geriye, eylemler, itiraflar, kaçışlar, cezaevleri, işsizlikler, parasızlıklar kaldı; pek az da mutluluklar...

Bir de anılarını bıraktı. Yaşadıklarının bilinmesini istiyordu, hem de kendi kaleminden. Bedenini alevlere teslim etmeden iki yıl önce başlamıştı yazmaya. İlk satırları, doğuma değil ölüme dairdi:

"İnsan kaç yaşında ülkücü olur, nasıl ve neden olur? Kaç yaşında hangi şartlarda adam öldürmesi gerekir? Bomba atmayı, her şeyi öğrenecektim. Ama ben bu yaşımda daha insanların neden ölmesi gerektiğini bilmiyordum."

Hep ölüme yakın olmuş, önce ölümü öğrenmişti. Ölmenin gerekliliğini öğrenmek! 12 Eylül öncesi gençliği için oldukça sıradan bir işti. O bu süreçle 1975 yılında tanışmıştı.

14 yaşındaydı ve adı henüz, "davadan dönen ülkücü"ye çıkmamıştı. Ortaokul son sınıftaydı. "Ne de olsa son sınıftayım" diyerek dersleri asmış, futbola dalmıştı. Futbol ona kötü bir oyun oynadı. Matematik ve fen bilgisinden bütünlemeye kaldı. Bu, okuldaki ilk teklemeydi, hem de yaşamındaki ilk dönemeç...

Fahri Hoca'dan matematik dersleri almaya başladı. Hoca, sadece matematik öğretmiyor; "Çırpınırdı Karadeniz"i de ezberletiyordu. Matematiğin yanı sıra ülkücülüğü de öğrendi.

Bütünlemeyi aşıp, liseye geçtiğinde bir ülkücü olmuştu. Ortaokul yıllarında top oynadığı, ağaçlardan meyve topladığı arkadaşları Ahmet ve Ömer'le aynı sınıfta olduğuna önce sevindi. Sonra acı haber geldi. Onlar solcu yani komünist olmuşlardı (!).

Onlardan uzaklaştı. Futbol da bitti, kızları konuşmak da. Kavgalar başladı. Lisede solcular kalabalıktı. Kaç kez sopalarla kovaladılar, okula gitmesi iyice zorlaştı.

Sınıfta kalınca zamanının çoğunu Etlik Ülkü Ocakları'nda geçirmeye başladı. O yaz Afşin'e gitti eniştesinin yanına. Amaç silah almaktı. Oradaki ülkücüler yardım etti. Ancak parası tabanca almaya yetmedi. "Saldırma"yla yetindi.

Dönüşte mutluydu. Büyük bir hevesle Erol Türkmen'e anlattı bıçağını. "Çok güzel" dedi. "İncecik sarı bir kılıfı bile var, keçi derisinden dikilmiş." Erol ilgilenmedi bile. "Hangi devirdeyiz, görmüyorsun. Herkesin elinde silah var, otomatik, yarı otomatik. Sen bir saldırmayla ne yapabilirsin?" Küçümsemişti onu. "Sen tabancadan haber ver, beraber gidersek silah alabilir miyiz?"

Şaşırmıştı. Belki de ona bıçaktan söz etmek hataydı. Türkmen, cezaevine girip çıkmış, silah taşıyan, saldırgan bir gençti. Adam öldürmekten çekinmiyordu. Bu kişiliği onu 1979 yılında yedi kişinin öldürüldüğü Piyangotepe Katliamı'nda tetikçiliğe sürükledi. Tek korkusu bir daha cezaevine girmekti. Nitekim yakalanacağını anlayınca tabancasındaki son kurşunu kafasına sıktı. 21 yaşındayken ölümü seçen Türkmen, o güne kadar en az 10 kişiyi öldürmüştü...

Maskeli beşler çetesi

Ertesi yıl, Etlik Lisesi'nde silahlar konuştu. Lisenin havası değişti, ülkücüler hâkimiyet kurdu. O da yeniden okula döndü. Lisede tam bir terör estiriyorlardı. Solcu talebeler koridora bile çıkmaya cesaret edemiyorlardı. Çıkanlar dövülüyor ya da tehdit ediliyorlardı.

Bir koridorun sorumluluğu da ona düşmüştü. Görevi, sınıflardaki komünist faaliyetleri rapor etmekti. Kendini Yahudi avına çıkmış SS subayları gibi hissediyordu. Ama yine de okuldaki solcuları dövmekten, kovalamaktan geri durmuyordu.

Sadece Ahmet'i koruyordu. "Koridora benden habersiz çıkma. Beraber gideriz" diyordu Ahmet'e. Çocukluk arkadaşının okuldan atılmasını istemiyordu.

Okula giriş çıkışlarda silahlı nöbetler başladı. Belki de tesadüf, ama o hiç silah kullanmak zorunda kalmadı. Oysa etrafı yaralamalar, öldürmelerle doluydu.

Yepyeni parkası bir "iş"e kurban gitti. Birkaç günlüğüne Şamil'e vermişti. Aradan günler geçti; "Ne oldu parkam?" Yanıt oldukça açıklayıcıydı: "Senin parkanla iş yaptık. Getirelim ama giyme istersen." Ne yapsın? Parkadan vazgeçti.

Votka-cola'yla da tam bugünlerde tanıştı. Okulu bıraktı. Afşin'e gidip bir tabanca aldı; Alman Valter'i. Parası yetmeyince saatini de bıraktı. Mermi alamayınca canı sıkıldı. İmdadına, MHP'de muhasiplik yapan bir arkadaşı yetişti: "Merminin sözü mü olur?" Ve altı mermi verdi.

Artık kendi silahına sahip olmanın gururu içinde dolaşıyordu. Orada nöbet, burada kavga. Öldürülenin intikamı, mücadelenin gücü derken, ülkücü arkadaşlarından Metin Öztürk bir kavgada öldü. Bu ölüm, yaşamına bir yenilik kattı: "Maskeli beşler çetesi".

Dört arkadaşından geldi teklif. "Metin'le bir örgüt kurmuş-
tuk. Onun yerine sen gel." Kabul etti. Çete, örgüt içinde örgüt-
tü. Eylemler planladılar; *Cumhuriyet* gazetesinin bombalan-
ması, Mamak Lisesi'nin basılması, Hitit Anıtı'nın devrilmesi.
Planlarını gerçekleştiremediler...

Antalya'ya kaçış

1977 baharında Tanlak ailesi Antalya'ya yerleşti. Asıl amaç-
ları, oğulları Ömer'i eylemlerden kurtarmaktı. Başaramadılar.
Ülkücü arkadaşları, Ömer'i, "karikatürist" kadrosuyla Ant-Bir-
lik'te işe soktular. Etlik'ten başka ülkücüler de Ant-Birlik'e gel-
di. Yine birlikteydiler.

Bir gece, Aksu İplik Fabrikası'ndaki solcu işçilerin, 10-15 ül-
kücüyü bir odada kıstırdığını duydular. Dört kişi yardıma gitti-
ler. Ömer'in cebinde yarım dinamit lokumu vardı. Karanlıkta iki
kişi üzerlerine geldi. Ömer dinamiti kullanamadı, ama Baki
Ceylan silahını ateşledi, solcuların ikisini de yaraladı. Kaçtılar.
Ömer, Ankara'ya gitti. Milliyetçi İşçi Sendikaları Konfederasyo-
nu'nun yardımıyla saklandı.

Aranmadığını öğrenince yeniden Antalya'ya döndü. Eylem-
lere katılıyordu, ama içindeki kopuş giderek güçlenmekteydi.
Ankara'dayken görüştüğü kız arkadaşı, eylemlere girmesini is-
temiyordu. O kıza gönülden bağlıydı...

Ülkücüler, ondaki değişimi çabuk fark ettiler. İlişkiyi sağla-
ma bağlamak için oyunlara giriştiler. Ankara Ülkü Ocakla-
rı'ndan Esertepe'de vurulan üç polisin sanıklarını Ömer'e gön-
derdiler. O da Antalya Ülkü Ocakları'na götürdü.

Şüpheli bakışlar üzerindeydi artık. "Gel Elazığ'a gidelim" de-
diler, bir ülkücüyü suçlamalardan kurtaracaklardı. Giderken el-

lerinde paket yoktu. Fakat dönüşte otobüste oturduğu koltuğun üstündeki yere Burhan uzunca bir paket koydu. Ne olduğunu sormadı. Pakette makineli bir tüfek olduğunu sonradan öğrendi. Polis arama yapsa, silahın Ömer'e ait olduğunu söyleyecekler, böylece onun ülkücü davadan kopmasını önleyeceklerdi (!).

1978 yılı böyle geçti. Bir ayağı, Antalya'da, bir ayağı Ankara'daydı. Kız arkadaşını görmekti amacı. 1979'un ilk haftalarında beklemediği bir gelişme oldu. Etlik Ülkü Ocakları Yönetim Kurulu'na atadılar onu. İstemiyordu böyle bir görevi. Artık kurtuluş çareleri aramaktaydı.

Sonunda ilk hamlesini yaptı. Etlik'ten ayrılabilmek için polisin birçoğunu aradığı yolunda bir haber yaydı. Tesadüfen başka bir ülkücünün polis ağabeyi de kardeşini kurtarmak için böyle bir haber yaymıştı. İki kaynaktan gelince yalan haber, etkili oldu. Etlik ülkücüleri dört bir yana dağıldı.

Ömer de İstanbul'daki dayısının yanına gitti. Davadan dönme kararını vermişti. Topkapı'dan Etlik'teki eylemleri anlatan imzasız bir mektubu Etlik Karakolu'na postaladı. Eylemlere kendi ismini de yazdı. Yakalanırsa her şeyi anlatacaktı.

Mektup istediği sonucu vermedi. Etlik'deki polisler, mektubu görmezden geldiler. Ömer, bir süre sonra bir şey olmamış gibi Etlik'e döndü. Yaşam, Ankara-Antalya hattında devam etti. Ancak Piyangotepe Katliamı'nın planlanışına tanık olunca sarsıldı. Bu girdaptan kurtulması gerektiğine bir kez daha inandı.

Bir hamle daha yaptı. Kahvenin taranıp yedi kişinin öldürülmesinden sonra Etlik Karakolu'na telefon etti. "Piyangotepe'de yedi kişiyi ben öldürdüm. Adım Ömer Tanlak." Yine sonuç alamadı. Polisler onu aramadılar bile.

Vazgeçmemeye kararlıydı. Dönüşü olmayan bir yola girmişti. Ülkücülerin yanına da gitmiyordu. Bir hata yaptı. "Kolombo" lakaplı arkadaşıyla Maltepe'deki Yaşam Pastanesi'ne gidip, orada *Cumhuriyet* gazetesi okumaya kalktı. Oysa orası ülkücülerin mekânıydı, onları dövmeye kalktılar. "Ülkücüyüz. Arandığımız için bu gazeteden olayı takip ediyoruz" yalanını attılar. Kurtulamadılar. "İyi o zaman. Sizi MHP Genel Merkezi'ne götürelim, orası aranmaz." dediler. Mecburen kabul ettiler. İki gün MHP'deki bir salonda yatıp kalktılar.

Bu arada Etlik Ülkü Ocakları'na haber vermişlerdi. "Colombo"yu başka bir yere gönderdiler. Ömer'i de bir kahveye götürüp, Etlik Ülkü Ocağı Başkanı Abdurrahman Sarı'nın karşısına diktiler. Sarı, yüzüne nefretle baktı:

– Ajan, kime iş veriyorsun?

İnkar etti. "Senin hakkında karar verildi" dedi Sarı. Bir kişiyi Ülkü Ocakları Başkanı Muhsin Yazıcıoğlu'yla görüşmeye gönderdiler. "Ben de başkanla görüşmek istiyorum" deyip, kahveden fırladı. Hemen bir taksiye binip, kaçtı. Çankaya Karakolu'na gitti. Polisler dinlemediler bile, kapı dışarı ettiler. Kimliğinin kahvede kaldığını ertesi gün fark etti. Çaresiz, kimliğini almak için gitti. Nereden bilsin, taksi şoförünün karakola bıraktıktan sonra MHP'ye dönüp bilgi verdiğini? Gider gitmez, 7-8 kişi etrafını sardı; içeri alıp sorguya başladılar.

Şansı yaver gitti; tam bu sırada Alparslan Türkeş geldi, MİSK Eğitim Merkezi'ne bakacaktı. Onu da alıp, "Başbuğ"u karşılamak için dışarı çıktılar. O sırada bir fırsatını bulup kaçtı. Yine şansı yardım etmişti...

Sahte pasaportla Avrupa

Denizli'deki enistesine gitti, aylarca saklandı. Ankara'ya döndüğünde "davadan döndüğünü" duymayan kalmamıştı. Hatta solcular bile. İlerici Gençlik Derneği'nden bir tanıdıkla karşılaştı. *Politika* gazetesine götürdüler onu. Artık evden eve dolaşıyor, gizleniyordu.

Aydınlıkçı olduğunu bildiği Haldun Solak'la karşılaşması yönünü değiştirdi. "Seni koruruz, gerekirse yurtdışına çıkarırız" teklifinde bulundu. Kabul edince *Aydınlık* gazetesine götürdü. Gazete yöneticisi Doğan Yurdakul'la görüştü. Yurdakul, kendi el yazısıyla bir itiraf yazmasını istedi.

İtiraflarını, Aşağı Ayrancı'da bir evde yazdı. Ve 30 kasım günü kıyamet koptu. Cüneyt Arcayürek ve Örsan Öymen'in katıldığı küçük basın toplantısında tüm bildiklerini anlattı. 5 aralık 1979'da yayın başladı: "Davadan dönen ülkücü Ömer Tanlak anlatıyor".

Bir anda tüm Türkiye onu tanıdı. *Hergün* gazetesi, "ajan" ilan etti; "Ülkücüler arasına sokulmuş Kızıl Çin ajanı." Ömer'de, öldürülme korkusu başladı. Bir hafta boyunca gizlendi. Yine korumalar eşliğinde İstanbul'a götürdüler. Burada da hiçbir evde birkaç günden fazla kalmıyor, dışarı çıktığında en az üç kişi tarafından korunuyordu.

Ömer, tam bu heyecan dalgasının ortasında tutturdu. "Kız arkadaşımı görmeden hiçbir yere gitmem." Çaresiz, onu yeniden Ankara'ya götürdüler, kızı bulup yanına getirdiler. Buluşma, Ömer için büyük bir hayal kırıklığıydı. Kız, yakınlık göstermek bir yana ayrılmak istediğini söyledi.

Bu arada yurtdışına kaçış hazırlıkları tamamlanmıştı. 3 nisan 1980 günü Varan Turizm'le İstanbul'a hareket etti. İstanbul Topkapı'da *Aydınlık* gazetesinde çalışan Macit isimli biri karşıladı.

Macit, Yedikule'deki bir evde planı anlattı. Levent Gülsoy adına düzenlenmiş, onun fotoğrafını taşıyan bir pasaport, aynı isme Merkez Bankası'ndan alınmış 200 dolar döviz ve Sabena Hava Yolları'ndan alınmış Brüksel'e gidiş dönüş uçak bileti verdi. **383**

11 nisan 1980 günü, Brüksel'e uçtu. Havaalanında üç kişilik bir grup karşıladı Ömer'i. Pasaport ve bileti elinden hemen aldılar. Brüksel'de bir eve götürdüler. Orada kalırken siyasî mülteci olmak için başvurdu. Mültecilerle ilgili bir kuruluştan her ay maddî yardım aldı. Bir yandan dil kursuna gitti. Bir yandan da çeşitli işlerde çalıştı; sabahçı kahvelerinde, lokantalarda...

Ağustos 1980'de Brüksel'den Hollanda'ya gitti. Den Haag kentinde bir basın toplantısı düzenledi. 40 kadar gazete ve televizyon muhabirinin sorularını cevaplandırdı. Yeniden Brüksel'e döndü.

Ardından Türkiye'den bir "itirafçı" haberi daha geldi; Ali Yurtaslan da itiraflarda bulunup, Danimarka'ya kaçırılmıştı. Yurtaslan'la birlikte ortak bir basın toplantısı planlandığı söylendi. Sınırdan yürüyerek Almanya'ya geçti. Fakat basın toplantısından son anda vazgeçildi. Aynı yoldan yürüyerek Brüksel'e döndü.

Hollanda'daki basın toplantısı Avrupa'daki ülkücü kuruluşları harekete geçirmeye yetmişti. Ömer'in adı, "Davadan dönen"lerin bulunduğu 10 kişilik öldürülecekler listesine kondu. Bunu duyunca yine gizlenmeye başladı.

Türkiye'ye dönüş

Brüksel günleri yedi ay kadar sürdü. 12 Eylül ilan edilince dönüp, MHP davasında bildiklerini anlatmaya karar verdi. Saklanmaktan sıkılmış, Türkiye'yi özlemişti. 9 kasımda Ankara'ya ayak basar basmaz tutuklandı, Mamak Cezaevi'ne kondu.

Oysa Ömer, 12 Eylül savcılarından büyük itibar göreceğine inanmıştı. Beklediği gibi el üstünde tutulmadı, yakaladıkları gibi içeri attılar. Tanık olayım derken sanık olmuştu (!).

Mamak'ta ilk günlerin tek iyi yanı, Doğu Perinçek ve arkadaşlarının koğuşunda kalmasıydı. TİKP yöneticileri Dil Okulu'na nakledilince Ömer için yaşam zorlaştı. Cezaevinin sırtını verdiği Hüseyin Gazi Tepesi bile sevimliliğini yitirmişti. Güneş, tepenin ardından yükseliyor; ama ülkücülerle sık sık yüz yüze gelen Ömer'in gerginliğini gideremiyordu.

İşkenceyle de tanıştı Anlayamadı. O zaten her şeyi anlatmak için gelmişti. Saklayacağı bir şey yoktu ki? Sayfalar dolusu anlattı, yazdı. Avrupa'ya kaçıranları da, kaçmadan önceki eylemleri de. Gel gör ki, yine de Mamak Askerî Cezaevi'nde aylarca kaldı. Suçladığı kişiler çıktı, Ömer içerde kaldı. Brüksel'den gönüllü dönmesinin ödülünü alamamıştı. Askerî savcılığa anlatmaya çalıştı:

"Anarşiye karşı birlik ve bütünlüğü savunmam anarşiden kopmak isteyen insanlarca örnek alınmıştır. Tahliye olup olmamam tüm bu insanları etkileyecektir."

26 aralık 1980 tarihinde Askerî savcılığa verdiği ifadede, "davadan dönmesi"nin nedenini bir kez daha anlattı:

"Her şeyi unutup gittiğim yolun yanlış olduğunu kabul ederek bir köşeye çekilmeyi ve insan gibi yaşamayı denedim. Ancak karşımda olan ve dost görünen bu çark kendisine lazım olan bir tetik çeker parmağı bırakmak istemedi. Yine olayların içine çekilmek istendim. Kocaman bir cinayet örgütüne karşı yine de mücadele etmeye çalıştım. Ancak bu mücadelede yalnızdım. Ne zamanın hükûmetleri ne de polisi bizimle birlikte değildi.

Bu zaman zarfında benim gibi birçok genç kullanıldı. Bunlardan birçoğu sizlerin karşısına katil veya eşkıya olarak getirildi. Bunların birçoğu sizlerin de bildiği gibi suça istemeden karışmış ya da itilmişlerdir. Gördüğüm çeşitli suçlar, tanık olduğum öldürmeler katliam derecesine varan cinayetlere üzüntüy- 385 le baktım. Ancak elim kolum bağlı çaresizdim. Birçok insan da aynı çaresizlik içinde çeşitli cinayetlere sürüklendiler.

Piyangotepe Katliamı'yla birlikte içimi dökmek, polise ve adalete yardım etmek istedim. Ancak polisin gevşek, hatta kasıtlı taraflı tutumuyla adalet mercileri de yüzüme kapandı. Ve bundan sonra uğruna her şeyimizi verdiğimiz Ülkü Ocakları ve MHP tarafından ajan ilan edildim. Bildiklerimi halka anlatabilmek için basın yolunu seçtim."

Şaşkınlığını dilekçelere dökmüştü. "Düzgün vatandaş" olma isteği anlaşılamayan Ömer, 17 ay sonra tahliye edildi...

Sevince dükkânı kaybetti

Henüz yaşam enerjisini yitirmemişti. Yeni bir yaşamın ağırlığını kaldıracak enerjisi vardı. İlk günler, özgürlük çarptı. Bol oksijen almış maden işçileri gibiydi. Kız arkadaşına koştu. Onu gerçekten seviyordu. Kazanmak için uğraştı, didindi. Olmadı, olamadı. Yaşam çizgileri ayrıldı...

Ailesinin yerleştiği Antalya'ya gitti. Ailesi ona bir iş buldu. Bir baharat fabrikasının Antalya temsilciliğini yapıyordu. İşi nedeniyle sık sık bir kargo şirketine uğramak zorunda kalıyordu. Orada tanıştığı Melike'yi hemen sevdi. Ömer, gece gündüz telefon ediyor, şirkete gidip geliyordu. Melike kısa zamanda bir tutku haline geldi.

Bir yandan da Bahçelievler'de bir dükkân açma hazırlığına girişti. İşler yoluna giriyordu. Her şey, Melike'nin kardeşiyle birlikte dükkânı görmeye geldiği gün değişti. O gün, Ömer içkiliydi. Kaçmaya karar verdiler. El ele verip Ankara'nın yolunu tuttular. Evlendiler. Ömer 25, Melike 22 yaşındaydı. Yıl 1986'ydı.

Kara bulutlar dağılır gibi olmuştu. Kötü haber, Antalya'dan

geldi. Ortağı, dükkândaki malları satmış, paraları alıp kaçmıştı. Bu bir yıkım haberiydi. Yeni iş kurması zorlaşmıştı. İlk iyi haber, eşine iş bulmak oldu. Eşi memurluğa başladı. Aile bütçesi dönmeye başlamıştı. Ömer de deri işleme atölyesinde ve başka işlerde çalıştı. İlk çocukları oldu. Adını Cem koydular. İki yıl sonra yine bir erkek çocukları oldu. Ona da Alp adını verdiler.

Hayat, güçbela ilerliyordu. Basından insanlar tanıyordu. Uğur Mumcu'ya da gidip geliyordu. Mumcu da yardım etti. Fikri Sağlar döneminde Kültür Bakanlığı'nda işe başladı. Bu olay, sağ basının hemen dikkatini çekti. Haberler çıkıyordu; "Nasıl olur da, Kültür Bakanlığı'nda çalışır?" gibilerinden...

Tam da o günlerdeydi. Ünlü hukukçu Muammer Aksoy öldürülmüştü. Cinayet haberlerini izlerken, şimşekler çaktı. Olay yerindeki kalabalık içerisinde tanıdık bir yüz vardı. Yerinde duramadı, araştırmaya başladı. *Tempo* dergisine de demeç verdi; "Arap Selim (Türkmen) olay yerindeydi."

Demecin getirdiği tek şey, Kültür Bakanlığı'ndan ayrılması oldu. Çünkü Tanlak'ı hedef alan yayınlar yoğunlaşmıştı. Arap Selim'i aramaya devam etti. DGM Savcısı Nusret Demiral'la da tanıştı. Aramalar sonuç vermedi; Arap Selim'in olay tarihinde bir Arap ülkesinde olduğu belirlendi. O kadar...

Dedektiflik günleri

Yaşamı bir daha sarsıldı. Öldürülme korkusu da tazelendi. Ankara'dan gitmeyi kafasına koymuştu. Politikacılardan Edirne'de iş bulma vaadi aldı. Eşinin de tayinini çıkarttı. Ve Edirne'ye gittiler. Orada iş bulamamakla kalmadı; ülkücüler varlığını çabuk keşfetti. Apar topar Ankara'ya geri döndüler. Eşinin tayinine bu kez de Demiral yardım etti.

Yine iş sıkıntısı çekerken, SHP İzmir milletvekili Erol Güngör geldi. Oğlu Mustafa Güngör, TBMM lojmanlarında öldürülmüştü. Erol Güngör, araya gazeteci tanıdık koydu. "Katili bul" dedi. Büyük para verecekti, avans olarak da 5 milyon lira.

Teklif Ömer'e cazip geldi, kabul etti. Dedektif gibi iz sürmekten zaten zevk alıyordu. Bir süre çalıştı, ilerleme sağlayamadı. Güngör'den para da alamayınca vazgeçti, ipin ucunu bıraktı. Bir arkadaşının yardımıyla deri atölyesine geri döndü...

Bu arada eşiyle kavgaları da sıklaşmıştı. Asıl sorun geçim derdiydi. İşsizlik tartışmaları olunca, "MİT'te çalışıyorum" diyordu. Gerçi bazen sürpriz paralar geliyordu. Ama yine de söylediği inandırıcı değildi. Sonunda eşi Ömer'i terk etti, ailesinin yanına Antalya'ya gitti. Ardından Ömer de Antalya'ya taşındı, barıştılar. Çiğköfte satmaya başladı. Küçük bir pansiyon işletti. İşler ters gidince Ankara'ya döndüler.

Pazarlamacılık yapıyordu. Katalog dağıtıyor, telefonla sipariş alıyordu. Para kazanamadı. Cep telefonu satmaya başladı. Bir gün telefonlardan birinin ücretini şirkete götürmedi. İşten çıkardılar, telefonun parasını ödettiler.

Bir süre sonra başka şirket buldu. O şirketten de 300 milyon liralık kefalet senedi istediler. Üstelik senedi bir memurun imzalamasını istiyorlardı. Eşi memurdu, ama imzalatamadı: "300 milyonu nasıl öderim sonra?" diye itiraz etti.

Üzüldü, güven ilişkisi kalmamıştı aralarında. "Madem kefil olmuyorsun, boşanalım" dedi. Eşi inanmadı. Nasıl inansın? Hep ayrılma isteğine karşı çıkmıştı. "İntihar ederim" demişti. Tehditle de kalmamış, iki kere denemişti...

Bu kez farklıydı; kırılmıştı. Boşanma davası açtı. İlk duruşmada da boşanma kararı çıktı. Çocuklar, eşinde kaldı. Tarih, haziran 1996'ydı. Ayrılık, Ömer'e bunalım getirdi. Yalpalıyordu.

Alkole sarılmıştı. Eşi ve çocuklarına dönmek istiyordu. Eşine kabul ettiremiyordu. Bir gün çarşafı boynuna bağlayıp, kendini balkondan aşağı bıraktı. Çarşaf koptu, yere düştü. Bereket ikinci kattaydı, kurtuldu.

Başka bir gün Melike'ye telefon etti. Baktı olmuyor, bıçağı karnına sapladı. Yarası derin değildi, hastaneye götürdüler. Polis geldi, adres sordu, söyledi. Telefon sordu, "Yok" dedi. Polis inanmadı, yine sordu. "Yaz" dedi, bir rakam attı kafadan. Polis de yazıp, görevini tamamladı.

Melike'yle yeniden bir araya gelmekten vazgeçmedi. Zaman zaman eve gitti. Her gidişinde de kavga çıktı. "İntihar"dan sık söz ediyordu. 18 kasım günü eve geldi, alkollüydü. Eşini balkonda bekledi. Görünce de, neft karıştırdığı benzin bidonunu eline aldı. Biraz içti, sonra başından aşağı döküp, çakmağı çaktı. Önce kolları tutuştu, sonra yerdeki benzin birikintisi. Oradan geçen bir servis aracındakiler görüp koştular. Battaniyelerle söndürüp, hastaneye kaldırdılar. Altı gün komada kaldı. Yaraları temizlenirken, kalbi durdu. Doktorlar yeniden çalıştırdı; "Vücudu yaşamak istiyor" dediler. Kalbi, 22 kasımda bir kez daha durdu. Kayıp bir yaşam noktalanmıştı.

Ömer Tanlak'ı, 12 Eylül öncesi kayıp gençliğinin bir örneği olarak anmak gerek. Onun öyküsü, bu ülkenin tarihinden bir parça...

Eşber Yağmurdereli

Hukuk kurbanı

Yağmurdereli'nin yargılanma öyküsü, Bursa'daki bir dolmuş durağında başladı. Polis, durakta bekleyen iki gençten şüphelenmişti. Yakalamaya karar verdiler. Polisi fark eden gençlerden biri kaçtı; öbürü elindeki paketle birlikte yakalandı. Paketten 16 kutu mermi ve 15 fünye çıktı.

Karakolda sorgu başladı. Erol Harput adlı genç, arkadaşının da adını verdi: Alaattin Özden. Sonra polis güzel bir mizansen hazırladı. Harput, İstanbul'a götürüldü ve Özden'e telefon ettirildi:

– Ben de polisin elinden kurtuldum. Buluşalım.

Özden, arkadaşına inanmıştı. Buluşma yerine gelince yakalandı. O da vakit geçirmeden sorguya alındı. İtiraflar başlamıştı:

– THKP-C Acilciler Halkın Devrimci Öncüleri fraksiyonuna mensubuz. Avukat Eşber Yağmurdereli'nin yönetiminde faaliyet gösteriyoruz.

Polis, avukatın evine baskın düzenledi. Polis evde kitaplardan başka bir şey bulamadı. Yağmurdereli'nin yanında duran Müslim Kuran dikkatlerini çekti. "Aynı binanın teras katında oturuyorum" dedi. Orayı da aramaya karar verdiler. Onun evindeki komodine bakarlarken, Kuran açıklama yaptı:

– O komodin benim değil. Eşber, yeni mobilya alınca evi dar

olduğu için o komodinin burada durmasını istemişti.

Yağmurdereli de arkadaşını doğruladı. Polis, komodinin kilitli gözünü zorla açtı. Kilolarca altın açığa çıkmış, aranan bulunmuştu. Yağmurdereli, Kuran ve evde bulunan Cevat Yiğit gözaltına alındı. Yıllarca sürecek yargılama öyküsünün başlangıç tarihi 5 mart 1978'di.

Yasal süre yedi gün olmasına rağmen gözaltı 13 gün sürdü. Gözaltına alınanların sayısı dokuza ulaşmıştı. Sorgular, altınların kaynağının üç ay önce gerçekleştirilen Samsun'daki kuyumcu soygunu olduğunu ortaya çıkardı. İtiraflara göre, Yağmurdereli talimat vermiş, Cevat Yiğit ve Erol Harput aslî fail olarak soygunu gerçekleştirmiş, Ahmet Babaoğlu arabayı çalmış, Alaattin Soylu da planlanmasına katkıda bulunmuştu. Yağmurdereli suçlamaları reddediyordu.

Ancak altınların bir kısmını kendi ihtiyacı için İnegöl'deki bir kuyumcuya sattığını söyledi. Yağmurdereli, satış sırasında yanında bulunan eşiyle birlikte kuyumcuya götürüldü. Sattıkları 164 gram altın, kuyumcudan geri alındı. Evde bulunanlarla birlikte yaklaşık dört kilo altın sahibine iade edildi. Altınların dört kilosu ise bulunamadı.

13 martta mahkemeye çıkarıldı ve tutuklandı. Samsun Cezaevinde sadece 10 gün kalabildi. 23 martta Trabzon Cezaevi'ne nakledildi; cezaevi turları başlamıştı. Orada kaldığı süre de üç ayı geçmedi, bu kez Amasya Cezaevi'ne nakledildi.

Bu arada Samsun 2. Ağır Ceza Mahkemesi'ndeki yargılama başlamıştı. Yağmurdereli, sadece bir duruşmada bulunabildi. İtirazları da fayda etmiyor, duruşmalara götürülmüyordu. 28 eylül 1978'de mahkemeye başvurdu:

"Gözaltında beni MİT sorguladı. İşkenceye maruz kaldım. Falakaya yatırıldım. Elektrik verildi. Vücuduma hortumla soğuk su tuttular ve sigaralarını vücudumda söndürdüler."

Mahkeme, işkence iddialarını dikkate almıyordu: "Sanıkların dayak zoruyla ifade verdiklerine dair açıklamaları ve raporları, gerçeklerle doğrulanan ikrarlarını zayıflatıcı nitelikte görülmemektedir." Bunun anlamı açıktı, işkence doğruyu açığa çıkarmışsa doğaldır.

Yağmurdereli, bu kararlardan da sonradan haberdar oldu. Çünkü o sırada Amasya'dan, Mardin'e, oradan da Diyarbakır Cezaevi'ne nakledilmişti. Mahkeme karar verdiğinde de oradaydı. Savcı Nevzat Bakoğlu, 19 temmuz 1979'daki duruşmada, Yağmurdereli'nin TCK 512. maddesine göre en fazla üç yıl hapse çarptırılmasını istemişti. Suçu, "suçta elde edilen eşyayı saklamak"tı.

Mahkemenin 9 kasımdaki kararı sadece Yağmurdereli'yi değil, savcıyı bile şaşırttı. Yağmurdereli'nin suçu TCK. 141. maddesine sokulmuştu. "Bir sosyal sınıfın diğeri üzerinde tahakkümünü kurmaya çalışan örgütü yönettiği" gerekçesiyle 36 yıl ağır hapis cezasına çarptırılmıştı.

12 Eylül cezayı artırdı

Yargıtay, mahkemenin kararını bozdu. Gerekçe, sıkıyönetim ilan edildiği için davanın askerî mahkemede görülmesi gerekliliğiydi. 12 Eylül geldiğinde, Yağmurdereli'nin dosyası, Erzincan ve İstanbul'daki askerî mahkemeler arasında gidip geliyordu. Dosyanın turları, ağustos 1984'e kadar sürdü. Ne garipti ki, diğer askerî mahkemelerdeki "Acilciler" davalarıyla, bu dava arasında olaylar ve şahıslar açısından bir ilişki bulunamadı (!). O zaman da dava dosyası yine Samsun'daki mahkemeye döndü.

Yağmurdereli, askerî mahkemelerdeki duruşmaların hiçbirine katılamamıştı. Adalet Bakanlığı'nın talimatları da yerine getirilmemiş, üstelik Sinop'ta bir yıl kadar tecritte tutulmuştu. *Akrep* oyununda yazdıklarını da burada yaşamıştı.

Samsun 2. Ağır Ceza Mahkemesi'ndeki savcı değişmemişti; kanıtlar ve dosya da aynıydı, ancak koşullar değişmişti. Savcı Bakoğlu, altı yıl önceki mütalaasını unutmuştu, Yağmurdereli'nin 146. maddeye göre cezalandırılmasını istedi. Bu mahkemenin ilk kararından daha da ağırdı. Mahkeme, 8 mart 1985'teki kararında, savcının isteğine uydu. Yağmurdereli'yi, "Devletin anayasa ve temel nizamını güç kullanarak bozduğu" gerekçesiyle ölüm cezasına mahkûm etti. Cezası, "görme özüründen ötürü içe kapanma ve kendisini başkalarına kabul ettirebilmek için suç işlediği" gerekçesiyle, ömür boyu hapis cezasına dönüştürüldü.

Yedi yıl süren yargılama 1986'da Yargıtay'ın onamasıyla sonuçlandığında Bursa Cezaevi'nde kalıyordu. 24 temmuz 1990'da Uluslararası Af Örgütü, "Yağmurdereli'nin adil olmayan yargılaması" başlıklı bir rapor hazırladı. Bu rapor, tartışmaları hızlandırdı, Yağmurdereli, 12 şubat 1990'da Cumhurbaşkanı Turgut Özal'ın af önerisini geri çevirirken, "12 Eylül yargılaması"na dikkati çekti: "Beni affetmek yerine yeniden yargılanmamı sağlayın."

Cezaevi günleri, 1991'e kadar sürdü. Hükûmet, af niteliğinde bir yasa değişikliği yapmış; şartlı salıverme hükümlerini hafifletmişti. Cezaevinden çıktığında, aradan tam 13 yıl geçmişti. Takvimler 1 ağustos 1991'i gösteriyordu.

Yeni dava gecikmedi

Cezaevinden çıkınca bir köşeye çekilmedi: yazmaya, toplantılarda konuşmalar yapmaya başladı. İnsan Hakları Derneği'nin Şişli Abidei Hürriyet Meydanı'nda düzenlediği mitinge katıldığında henüz cezaevi anıları tazeydi. Dışarı çıkalı 38 gün olmuştu. Konuşmasında cezaevlerinde tanıdığı insanları anmadan geçemezdi:

"Cezaevlerinde birlikte yaşadığımız, her şeyi paylaştığımız, birlikte direndiğimiz arkadaşlardan, Kürt arkadaşlarımı orada bırakarak geldim. Bu yarım bir hüzündür. Ama inanıyorum ki, halkın yükselen mücadelesi bir gün onları da cezaevinden çıkaracak, özgürlük alanlarına taşıyacaktır."

Sonra Terörle Mücadele Yasası'nı eleştirdi. Sözü 12 Eylül dönemine getirdi. "Beş tane cahil adamın kurduğu ortaklık iktidara el koymuştu. Ve toplum o günden sonra karanlıklara itildi." Cezaevlerinin toplumsal muhalefetin odağı haline geldiğini anlattı:

"İçerdekiler kadar dışardakiler de kahramandırlar.

Kardeşler! giderek toplumsal muhalefet yükselmeye başladı. Kürdistan'da Kürt halkı, tarihinde ilk kez, kendi özgürlük ve demokrasisini kazanmak üzere ayağa kalktı. Kendi öncüsüne ulaştı. Binlerce yıllık ezilmişliğini ve içine itilmiş olduğu insanlıkdışı şartları reddederek, özgürlüğü ve demokrasisini kazanmak üzere bugün de hepimizin izlediğimiz gibi olumlu bir noktaya geldi."

İşçi sınıfının mücadelesinin de yükseldiğini vurguladı. "Bugün buralarda az gibi görünsek de hepimiz biliyoruz ki, dağlarda kalabalığız, fabrikalarda kalabalığız ve giderek daha da kalabalık olacağız." O kürsüden inerken sloganlar atılıyordu: "Fabrikalar, tarlalar, siyasî iktidar, her şey emeğin olacak."

Miting sona ererken, görevli polisler de teyplerini, videolarını topladılar. Emniyet'e gidip, kasetleri deşifre ettiler. Tam 11 sayfa tutmuştu. DGM savcısı, bu metni görünce, düşünceyi cezalandırma maddesini önüne açıp, iddianame yazmaya başladı. **395**

141-142. maddeler kalkmış, yerine Terörle Mücadele Yasası'nın 8. maddesi gelmişti.

Bu yargılama süreci de altı yıl sürdü. Önce 1 yıl 8 ay hapse mahkûm edildi. Yargıtay, bu kararı bozdu. DGM, aynı kararı tekrarladı. 1995'te 8. maddede yapılan küçük değişiklik cezanın 10 aya inmesini sağladı. Yargıtay, mayıs 1997'de bu cezayı onayladı.

Düşünce açıklamanın cezası bu kadarla kalmadı. Mahkûm edilmesi, eski cezadan kalan 22,5 yıllık kısmı da yeniden yatması anlamına geliyordu. Avukatlar itiraz ettiler: "1974 affı da infaz affı niteliğindeydi; ama eski mahkumiyetler tüm sonuçlarıyla yok sayıldı." Bu itiraz reddedildi.

Yağmurdereli, "Barış İçin 1 Milyon İmza" kampanyası için günlerce çalıştı. Toplantı, panel, konferans maratonu günlerce sürdü. 1 milyon vatandaştan imza topladı. İmzaları, kampanyayı destekleyen sivil kuruluşların yöneticileriyle birlikte 17 mayıs 1997'de TBMM Başkanlığı'na teslim etti.

1 milyon yurttaşın demokrasi talebine yanıtın gelmesi uzun sürmedi (!). Yağmurdereli hakkında 8 eylül 1991'de İnsan Hakları Derneği'nin düzenlediği bir toplantıda yaptığı konuşma nedeniyle açılan kovuşturma aniden sonuçlanıverdi. Ve ardından Terörle Mücadele Yasası'nın 8. maddesi uyarınca İstanbul 2 Numaralı DGM tarafından verilen 10 aylık hapis cezası Yargıtay'da onandı.

Yağmurdereli'ye yeniden cezaevi yolu gözükmüştü. 19 ekim 1997'de, Kanal D'den çıkarken gözaltına alındı. Geceyi Gayrettepe'de geçiren Yağmurdereli, ertesi gün DGM Savcılığı'na götürüldü. Savcı, Yağmurdereli'nin neden getirildiğini anlayamadı. Bir tutuklama kararı yoktu ve Yargıtay'ın onadığı kararın uygulamaya konması için işlemler henüz tamamlanmamıştı.

Serbest bırakmak yerine ilginç bir formül buldular. Yeni

mahkûmiyet nedeniyle daha önce yararlandığı şartlı salıveril-
me hakkı iptal edildi. Samsun 2. Ağır Ceza Mahkemesi'ne baş-
vurma, oradan tutuklama kararı çıkarılması tam üç gün sürdü.
Bu süre içerisinde Yağmurdereli de oradan oraya sürüklendi.
Adliye-Emniyet turları bir türlü noktalanamadı. Ümraniye
Cezaevi'ne kondu, ama aynı gece bir araca bindirilerek apar to-
par Çankırı Cezaevi'ne götürüldü. Ancak kamuoyundaki tepki-
leri yatıştırmak için af girişimine başlandı. Gözlerinin görme-
mesi nedeniyle cumhurbaşkanı affedecekti.

Yağmurdereli, hastaneye gitmeyi reddetti. "Düşünceyi suç
sayan hükümler kaldırılsın. Tek çözüm budur." O hastaneye git-
meyince sağlık kurulu cezaevine geldi. Muayene olmayı kabul
etmemesine rağmen rapor düzenlendi.

Bu rapor da siyasî iktidarın "iki gözü görmeyen bir adamı
cezaevinde tutma" eleştirisinden kurtulmasına yetmedi. Adlî
Tıp Kurumu, raporu iptal etti, sağlık kurulunun muayene etme-
den rapor vermesi mümkün değildi.

Adalet Bakanı Oltan Sungurlu'dan talimat alan Çankırı
Cumhuriyet Başsavcılığı bir kez daha harekete geçti, Devlet
Hastanesi'nde bir rapor daha düzenlendi. Bu rapor üzerine Yağ-
murdereli, 9 kasım 1997'de tahliye edildi. Uğurlarken, savcı
İ. Ethem Dikmen söz verdi. "Bir yıl dolmadan tahliye kararını
geri almayacağım."

Yağmurdereli, tahliye olduktan sonra yine köşesine çekil-
medi. İki gün sonra bir televizyonda canlı yayına çıktı. Spiker
sordu:

– Sizin evinizde havan topu bulunduran bir terörist olduğu-
nuz doğru mu?

– 12 Eylül koşullarında bir düzen muhalifi olarak yargılan-
dım. Adil olmayan bir yargılamayla cezalandırılırken, binlerce
kişinin öldürülmesinden yargılananlar, davaları zamanaşımına **397**

uğratılarak kendilerini kurtardılar.

Yağmurdereli, benzer çıkışlarını sürdürürken yurtdışına kaçacağı haberleri yayımlanmaya başladı bazı gazetelerde. Bu arada AB yolunda büyük umutlar beslenen Lüksemburg Zirvesi'nden de beklenen sonucun alınamayacağı ortaya çıkmıştı.

Savcı Dikmen, uğurlarken verdiği sözü iki ay sonra unuttu, tahliye kararını geri aldırdı. Yağmurdereli'yi yakalatmak için ilginç bir yönteme başvurdu. Çankırı Cezaevi'ndeyken onu ziyaret edenlerin listesini çıkardı. Dostlarının adreslerine polis baskınları başladı.

Bu arada Yağmurdereli'nin de affını sağlayacak "mini demokrasi paketi" mecliste takıldı, bir türlü yasalaşamadı. Son umut da suya düşünce Yağmurdereli'ye yine cezaevi yolu göründü.

Yağmurdereli, 1 haziran 1998'de "yakalanarak" cezaevine konuldu. "Müddetnamesi" hemen eline tutuşturuldu. 22 yıl 178 gün cezaevinde kalacak, 15 kasım 2020'de tahliye edilecekti...

Ve bir kez daha infaz başladı. Cezaevinde sağlığı yine bozulan Yağmurdereli, her af girişimi gündeme geldikçe yeniden anıldı. O kadar...

Yesevizade

Aforoz edilmiş İslamcı yazar

Yesevizade, adı İslamcı kesimde Edip Yüksel ve Reşat Halife'yle birlikte anılan bir yazar. İslamcı dergi ve gazetelerin "Müslümanca düşünmemek"le suçlayıp aforoz ettiği bir düşün adamı...

Aforoz edilmesinin nedeni de İslam adına ortaya çıkan şiddetin kaynağının "Şeriatçı İslam anlayışı" olduğunu savunması ve alternatif olarak "Kuranî ve demokratik İslam"a dayanması.

Hakkındaki suçlamaların en ilginci RP'nin yayın organı *Millî Gazete*'de 27-29 kasım 1990 tarihli yazıdaydı:

"Hezeyannamesinin son ilavesi de bu yılın mart ayında öldürülen mason Çetin Emeç'e ayrılmış. Öldürülen Prof. Muammer Aksoy'u da unutmamış Yesevizade. Bir ağıt yakmadığı kalmış, bu şeriat düşmanlarına. Çok görmüyorum. Ne de olsa, artık kendisi de onlar gibi şeriat düşmanıdır."

Evet, gördüğünüz gibi Yesevizade'nin suçu, Süleyman Demirel'le ilgili kitabının sonunda Emeç ve Aksoy cinayetlerine karşı çıkması, şiddeti lanetlemesi. Eleştiriler bu kadarla da kalmıyor. Ünlü Hintli lider Mahatma Gandhi'yi, "insanı kâmil" olarak nitelendirmesi de eleştiriliyor. Yazının sonunda Yesevizade, uyarılıyor:

"İlim ve felsefe deyip duruyorsun. İlim ve felsefe de ne olu- **399** yor ki, Allah'ın mutlak müessesesi olan şeriatı beğenmeyip onların ışığında yeniden İslam inşa etmeye kalkışabiliyorsun?"

"Farklı düşünen adam olmayı bırak. Müslümanca düşün. Farklı düşüneceğim diye irtidat uçurumuna nasıl yuvarlandığını gör ve geri dön!"

İslamcıların gözünde, "farklı düşünmek"ten büyük suç yok. Farklı düşünen, sorular soran herkes hemen düşman ilan ediliyor. Ya da "paranoyak" damgası basılıyor. Kişinin geçmişine de bakılmıyor, samimiyetine de.

Oysa Yesevizade, lise yıllarından itibaren "politize olmuş" bir Müslüman. Kitapları, yazıları hep İslam'ı konu ediniyor. Soyunun Hoca Ahmed Yesevî'den geldiğini ifade ederek, kitaplarında, asıl adı olan Alparslan Yasa yerine "Yesevizade" imzasını kullanıyor. Bu ismi kullanmasının nedeni de İslamiyet'e olan inancı.

"Şeriatçı İslam anlayışı"na karşı çıkana kadar İslamcılar, Yesevizade'yi kendilerinden saymış; *Yeniden Millî Mücadele, Sebil, Millî Gazete, Yeni Devir, Vesika, Şûra* ve *Zaman*'da yazdığı yazılara hiç itiraz etmemişler. Ama ne zaman ki, İslam adına demokrasiyi savunmaya başlamış, o zaman sorun çıkmış. En çok kızılan da "İnsan Hakları Evrensel Beyannamesi'nde Kuran'a aykırı bir şey yok. Bunun altına imzamı atıyorum" sözleriymiş. Hiç bütün insanlar kardeş olur mu? "Geleneksel şeriatçılar"a göre, "Sadece Müslümanlar kardeştir." Tersini savunan da zaten kâfirdir.

Yesevizade'nin insan sevgisindeki değişimin önemli bir nedeni Fransa'da yaşadıkları. 1967 yılında öğrenim için gittiği Paris'te bir Fransız kızla evlendi. İlk kez de eşinin büyükbabası öldüğü zaman kendisini sorguladı. Hıristiyan olan büyükbabanın cenazesi bir odaya konmuştu. Herkes tek tek girip onun için dua ediyordu. Odaya girince bocaladı:

"Orada yatan insan Müslüman değil, şeriatçı kafayla düşündüğüm zaman bu insan kâfir olarak öbür dünyaya gitmiş, o yüzden hayvandan farkı yok. Müslüman olmadığı için benim bu insana dua etmem, rahmetle anmam boş. Fakat o anda bütün ruhum isyan etti. Ben bu insanı bu kadar seviyorum, ne olursa olsun dedim, oturdum, Fatiha okudum, öptüm, dua ettim, 'Allahım onun günahlarını affet' dedim."

Fikrî dönüşümünde ilk duraktı o gün. O andan itibaren her duasında sadece Müslümanlar için değil, tüm insanlar için yakarır oldu. Yıllar geçtikçe kafasında düğümlenen bu gibi sorular, bitmek bilmeyen çözümsüz meseleler, sonunda 1984 yılında onu büyük bir fikir buhranına sürükledi. Ve o günden itibaren de İslam'ı ve inançlarını sorgulamaya yöneldi.

1968 Olayları sırasında Fransa'da yaşadı; 1973'te Türkiye'ye döndü. Ama Fransız eşi, Türkiye'ye uyum sağlayamadı; 1978'de ayrılıp, ülkesine döndü. O da fikrî çalışmalarını daha da yoğunlaştırdı. 12 Eylül döneminde bir grup arkadaşıyla birlikte ev toplantılarına başladı. Bu toplantılar üç yıl kadar sürdü. Sonunda bu tartışmaları üyesi olduğu Yazarlar Birliği'ne taşıdı.

Tartıştıkça yeni sorular çıktı; sorular arttıkça anlaşmazlıklar derinleşti. Kafasındaki soruların yanıtlarını İslamiyet'te bulamamak Yesevizade'yi bunalttı. Bir gün yazar arkadaşları arasında küçük bir anket yaptı:

– Siz neden Allah'a inanıyorsunuz?

Aldığı karşılıklar, kafasındaki karmaşayı daha da yoğunlaştırdı. Gördü ki, hiçbiri inancını irdelememiş; sadece bu topraklarda büyümüş olmaktan dolayı Müslüman olmuş(!). İşte o zaman Müslümanlıktan şüpheye düştü ve agnostisizme (bilinemezcilik) kaymaya başladı. Yine Fransa'ya gidip, kendisiyle ve beynindeki sorunlarla baş başa kalmaktan başka yol bulamadı.

1985 yılında çıktığı Paris yolculuğu bu kez iki ay sürdü. Günler, kitabevlerini dolaşmakla, okumakla, araştırmakla geçti Kafasındaki sorulara yanıtlar bulunca ufku açıldı, Türkiye'ye yepyeni bir kişi olarak döndü. Şeriatçılıktan uzaklaştı ve "demokratik İslam"ı savunmaya başladı. İslamî dergilere bu yönde yazılar yazdı.

"Demokratik İslam" düşüncesiyle haşır neşir olurken, bir yandan da Faisal Finans'ta Ankara temsilci yardımcısı olarak görev yaptı. İşinde de, İslamiyetle ilgili tartışmalarda da beklediğini bulamadı. Faisal Finans'tan 1987'de kavgalı ayrılıp yine Paris'in yolunu tuttu...

Millî görüşle çatışma

Niyeti Paris'e yerleşip bir daha dönmemekti; küsmüştü. RP'nin yurtdışı örgütü gibi çalışan Millî Görüş Teşkilatı'yla bağlantı kurdu. Paris'teki camide görevlendirdiler. 2 500 frank ücret alıyor; camide yatıp kalkıyordu. Türklerin evlerine gidiyor, sohbet toplantıları da düzenliyordu. Müslümanlar arasında barış havası yaymaya başlamıştı. Çünkü o gitmeden kısa süre önce Cemalettin Kaplan ile Millî Görüş Teşkilatı arasında çatışma çıkmıştı ve kavga tüm hızıyla sürüyordu:

"Büyük bir çatışmadan yeni çıkmışlardı. Kaplancılar camiyi ele geçirmek istemiş, camide birbirlerine kurşun sıkmışlar. Millî Görüşçüler, Kaplancıları camiden kovmuşlar. Cemalettin Kaplan ayrı baş oldu, hilafetini ilan etti. Erbakan da kendini gizli halife ilan etmiş el altından biat topluyordu. Bana da 'Biz biat ettik, sen de biat et' dediler, reddettim. Hatta o günlerde Berlin'den gelen bir Millî Görüş heyetinin, camide, Erbakan'a biat etmemenin küfür olacağına dair bir vaazına şahit oldum."

O bağımsız kaldı; çabası, siyasî eğilimleri ne olursa olsun, bütün Türkleri cami çatısı altında kenetlemeye yönelikti. Ama ilişkileri de iyice soğudu. Artık kendi başına davranıyor, Türkleri etrafında toplamaya çalışıyordu. Bir cami yaptırmak için harekete geçince yeni şeyler öğrendi:

"Meğer Millî Görüşçüler daha önce de cami için bina satın alacağız diye büyük miktarda para toplamışlar. Cami cemaati olan işçilerden bazıları bir aylık maaşlarını olduğu gibi vermiş, ama onlar cami için topladıkları parayı RP propagandasına harcamışlar. Millî Görüş temsilcileriyle tartışınca, 'Biz cihat ediyoruz, dava uğruna harcadık' dediler."

Yesevizade, etrafına güven telkin etmişti. Cami kampanyasına başladı. Makbuzla para topluyordu; kısa sürede 15 000 - 20 000 frank toplandı. Bu gelişmeler, Millî Görüş'ün bazı fanatiklerini rahatsız etmişti. "Bu da ayrı bir baş olup, tabanımızı parçalar" endişesi başlamıştı. Sonunda, Ankara'daki RP merkezinin de onayını alarak camiyi terk etmesini istediler.

3,5 ay süren cami dönemi kapanmıştı. Sonraki günler, inşaatlarda, kaçak işlerde çalışarak geçti. Bir yandan da araştırmaya, okumaya devam ediyordu. Sonunda Türkiye hasreti ağır bastı ve Ankara'ya döndü.

Hakikati arayış neşriyatı

Dokuz ay süren son Paris yolculuğu, onu, düşüncelerini daha açık savunmaya itti. Şeriatçı kesimle köprüleri o dönemde attı. 1990'da Demirel'le ilgili yazdığı kitabı basacak yayınevi bulamadı. O da üzerine "Hakikati Arayış Neşriyatı" yazıp, kitabını kendisi bastı. Kitaptaki "geleneksel İslam"ı eleştiren bölümler, aforoz edilmesine neden oldu. Dağıtım şirketleri de almayınca, kitabı satması mümkün olamadı. Yine de yılmadı ve yazmaya, kitaplar yayımlamaya devam etti.

Sevgi Peygamberi kitabında, Mahatma Gandhi'yi "merhum" olarak andığı için Diyanet'ten "Gayrimüslim birini nasıl rahmetle anarsın?" eleştirisi aldı. Geleneksel İslamcılar, demokrasi karşısında takiye yapan bu güçler ona hep birlikte hücum ettiler.

Çünkü o farklı bir Müslüman'dı. Onlar gibi geleneksel İslam'a inanmıyor; tam tersine İslam'ın tek kaynağının Kuran olduğunu ve Türkçe okunması gerektiğini dile getiriyordu. İran, Cezayir, Suudi Arabistan örneklerini reddediyor, en önemlisi, devleti suçluyordu:

"Türkiye'de Müslüman entegrizmi (cihat adı altında kan dökmeyi kutsayarak irticaî düzen kurmaya çalışan siyasî cereyan) ya da bilinen adıyla şeriatçılık, bizzat devlet eliyle besleniyor. Diyanet, İlahiyatlar ve imam hatiplerde dinî eğitim ve öğretim münhasıran geleneksel şeriata dayanıyor. Bu öğretimin etkisi altında 'Gerçek İslamiyet budur, mutlaka şeri bir düzen kurulmalı' inancına kapılınca potansiyel militan oluyorsunuz. İBDA-C gibi bir grup çıktığında en azından alkışlıyorsunuz. O anlayıştaki gazeteler, Çetin Emeç'in öldürülmesini 'Oh oldu, kâfir' diye alkışlayabiliyor."

Tıpkı bir gece evinin önünden kaçırılan ve bir daha haber alınamayan Konca Kuriş gibi o da Müslüman kadınların türban ve çarşafla örtünmesine başka türlü yaklaşıyordu:

"Geleneksel şeriatta, kadının başını örtmesi, uzun etek giymesi dahi yeterli görülmüyor. Mutlaka çarşaflı, yüzü peçeli, eli eldivenli olacak. Şeriatçı zihniyetin tezahürü Taliban'ın uyguladığı gibi örtünmedir. Oysa Kuran'a göre erkek ve kadın, ahlakî ve nezih şekilde örtünmekle mükelleftir. Her şey toplumların örfü ve kendi zevklerine bırakılmıştır. Kuran'da Müslüman kadınlara başınızı örtün emri yoktur. O zamanki Arap örfüne göre başlarında taşıdıkları bir örtüyle göğüslerini kapamaları emredilmiştir. Amaç başın değil, göğsün örtülmesidir. Ayette 'Dışarı çıktığınızda bir üstlük alın. Kendinizi örtün ki tanınasınız' diyor. Tanınmayasınız değil, tam aksine tanınasınız diyor. Müslüman kadın, cariyeden ayrılıyor. Bir insan Kuran'ı öyle yorumlayıp başörtüsü takmak istiyorsa engel olunmamalı. Ama kadın kimliğinin inkârı olan çarşaf engellenmeli."

Yesevizade, İslamcı şiddete karşı mücadeleden vazgeçmiyor. Üzerinde çalıştığı son kitabı da aynı konuda, *Demokrasinin İlahi Temeli/ İslam Demokrasisinin Teorisi.*

Suat Candemir

Özal'ın fıkracısı

"Suat, Suat sahneye" alkışları, sahnedeki Huysuz Virjin'i rahatsız etmişti. Alkışların gereğini yapıp sahneye çağırdı, ama kılçık atmadan da duramadı. "Şimdi size Özal'ın başfıkracısını takdim ediyorum..."

Suat, sahneye koştu, mikrofonu aldı, ilk iş olarak, Huysuz'un küçümseyen sözlerini yanıtladı:

"Halkı eğlendirmek için kadın kılığına girmektense Özal'ın fıkracısı olmayı tercih ederim."

Sahnede fazla kalmadı, bir fıkra anlatıp, alkışlar arasında yerine döndü. Günay Restoran'dakilerin bir kısmı için tanıdık bir simaydı çünkü...

O gece Huysuz Virjin'i kızdıran Suat Candemir, İstanbul'un gece yaşamının gölgede kalan renklerinden biriydi. Spotların önünde parlayan bir yıldız değil, özel davetlerde sahne alan bir kahkaha kaynağıydı.

2 000'i aşkın fıkrayı dağarcığına yüklemiş, büyük işadamlarına, politikacılara fıkralar anlatıp onları eğlendiriyordu; dahası hayatını fıkralarla kazanıyordu.

Hopa'da doğmuş bir İstanbulluydu o. Tüm ilgisini fıkralara verince öğrenimini sürdürememiş, Pertevniyal Lisesi'nden kovulmuştu. Yazları çalışmıyordu, kışları hiç çalışmıyordu(!). Zaten yaşamı boyunca hiç işi olmamıştı. Sadece eşinin ailesini, kızlarını vermeleri için ikna edebilmek amacıyla 1,5 yıl kadar Perşembe Pazarı'nda demir tüccarlığı yapmıştı, o kadar. Kınalıada'da oturuyordu, ama asıl meskeni Büyük Kulüp'tü. Arayanlar onu zamanının çoğunu geçirdiği, Çiftehavuzlar'daki bu zenginler kulübünde bulabiliyordu...

Orduevinde fıkralar

Hep gülümseyen bir tipti Suat. Öyle ki, neşe tüm hücrelerine sinmişti. Gözlerinin içi, yüz çizgileri hep gülüyordu. Hem asla surat asmıyordu, asla.

"Benim para sorunum olmaz" dedi Suat. Rahat mı, rahattı. "Bir cip mi alacağım, hazırlarım bir liste. İşadamı arkadaşlarımı sıralarım oraya. Kimi yazsam itiraz etmez, 2 000, 5 000, ne yazdıysam verirler. Hatta yazmadıklarım bana kızar, 'Yahu Suat bize dargın mısın?' derler."

Zaten parayı fazla önemsediği de yoktu. İhtiyacı olunca arıyordu parayı.

Bir de karakalem resimler yapıyordu. Büyük boy resimler çiziyor, kulüpte sergiler açıyordu sık sık. İşadamları, tanıdıkları, karakalem resimlerini almak için sıraya giriyordu. Resimlerini, çağrıldığı davetlere, kahkaha kaynağı olduğu toplantılara da götürüyordu kimi zaman...

Fıkranın gücünü ilk kez askerde fark etmişti. Diyarbakır Orduevi'nde sahneye çıkıp fıkralar anlatmıştı. Kolordu komutanının eşi, hep aynı fıkrayı anlattırıyordu; ezberlemelerine rağmen dinleyen subaylar ve eşleri, her seferinde kahkahalarla gülüyorlardı. Suat, her alkıştan sonra komutanın eşinin önünde eğilip, teşekkür ediyordu:

– Hanımefendi bu alkışlar sizin sayenizde...

İzleyenler, bu sefer daha içten kahkahalar atıyorlardı; Suat da insanları güldürdükçe mutlu oluyordu. Askerden döndükten sonra gözü sahnelerdeydi. Eşi izin vermedi. "Etrafına bak" dedi, "Sahne hayatına çıkmış bir mutlu çift göster kabul ediyorum." Çaresiz, kabullendi eşinin isteğini.

Uyuyan zenginler

Eşi izin vermeyince onun sahnesi, Büyük Kulüp ya da çeşitli davetler olmuştu. 1998 yazında Antalya'daydı. Eyliklerin Royal Resort Oteli'nde kalıyordu. Bir gün Halis Toprak'ın teknesi sahile yanaştı, davet etti. Tekne kalabalıktı. Sakıp Sabancı, Ali Rıza Çarmıklı, Kâmil Yazıcı ve daha birçok ünlü işadamı. Tekneyle açıldılar, bir iki sohbet, öğle vakti geldi. İşadamları tek tek kamaralara, öğle uykusuna çekildiler.

Suat, teknenin arkasında yalnız kaldı. O sırada yaklaşan bir tekne gördü. "Bu tekne kimin?" Kaptan, "Ceylanların" dedi. Mahmut Ceylan'ı gördü güvertede. Hemen o tekneye geçti, başladı muhabbete.

"Mahmut, Diyarbakır şivesiyle 'Suatım buyur gurban' dedi. 45 dakika sohbet ettik, fıkralar anlattım. Bir baktım ki, bizim teknedekiler uyanmış. Lafın ortasında hemen kalktım, 'Ben gidiyorum' dedim. Mahmut, dedi ki, 'Ne istiysen, ne emrediysen, bir şey mi oldu?' 'Yoo, görmiysen mi, bizim ağalar kalktı, bilirsin ben bir zengini buldum mu öbürkünü bırakırım. Onlar demin uyudukları vakit servetlerinin sahibi değildiler, ama şimdi onlar uyandı artık sen zayıf düştün, ben gidiyem' deyince Mahmut başladı yerlere yatmaya...

Gittim öbür tekneye, bunu anlattım. Sakıp Ağa'ya dedim ki, **409**

'Ne yapayım, geldim senin kapıya kulağımı dayadım, sen horrr sa, vaaar sa, yoook sa diye horluyorsun, Hem insanlar, insanlar uyurken servetlerini harcayamazlar, bağış yapamazlar. O uyanıkken sizden zengindi oraya gittim. Ama siz kalkınca onun hiçbir fonksiyonu kalmadı, sizin tekneye geldim.'"

O gün kahkahalar atan Sakıp Ağa, Suat'ı her gördüğünde "Benim esprili arkadaşım" deyip, yanındakilere tanıştırdı:

– Bak, Suat Bey'i tanıyorsun, bu adam mizahh, mizahhh, mizahhh.

İşte o zaman Suat, mutlu oldu. İnsanları güldürmesi için bir yerlere çağrılmaktan onur duydu. Belleğine yüklediği fıkraları birbiri ardına, hem de şive farkları ve el kol hareketleriyle renklendirerek anlatıp insanları güldürdükçe tatmin oldu.

Özal sevgisi

Turgut Özal'ı da fıkralar aracılığıyla tanımıştı. Özal'ı tanımaktan dolayı kendini şanslı kabul ediyordu. "Ben Türkiye'deki en şanslı belki 10 kişiden biriyim. Çünkü Özal'ın yakınında yaşadım. Gittiği yerlere götürdü, arabasına bindirdi, bizi onore etti."

Özal, ondan çok hoşlanmıştı; "İstanbul'a her geldiğimde yanımda olacaksın." Suat, Özal'ın bu talimatını ikiletmemişti tabiî. İstanbul'da nereye giderse gitsin hep yanında olmuştu; orduevinde olduğu zamanlar, 18. katta Koruma Müdürü Musa Öztürk'ün yanında beklemişti. O günlerden renkli bir anısı kaldı...

"Bir sefer, Özal yanına çağırdı. 'Suat bir laz fıkrası öğrendim onu anlatacağım' dedi. 'Lazın biri minareye çıkmış, inememiş, beni buradan indirin diye bağırmış, gelmişler beline bir ip bağlayıp çekmişler aşağıya, beyin üzeri düşmüş. Yahu geçen sefer de çekmiştik kurtulmuştu, niye öldü demişler.' 6-7 misafir vardı odada, onlar güldüler.

'Sayın Cumhurbaşkanım misafirler niye gülüyor onu anlamadım' dedim. Yanlış anlatıyorsunuz, esprisi olmuyor. Birincisi, minareye çıkanın 20 senelik minare tamircisi olduğunu söylemeniz lazım. İkincisi, Laz oradan bağırıyor, 'Uşaklar beni buradan kurtarıınnn' diye. Minarenin altında birikenler, 'Ula şimdi bu oraya niçin çıktı yahu, şimdi çıkmanin da zamani mi?' demişler. Çare bulamamış, oyalıyorlar birbirlerini. 'Yahu en iyisi kahveye gidelim Mahmut Abi'yi çağıralım' demişler. Demek ki bütün köyde tek akıllı bir Mahmut Abi var. Kahveye gidip çağırmışlar. Mahmut Abi, bir ip bağlatıp çekmiş tamirciyi aşağı, adam beyin üstü düşüp ölmüş. 'Ula geçen gün kuyudan çekmişidik kurtuldu, şimdi niye olmadı?' Efendim kuyuyu söylemezsek esprisi olmaz. Dedim ki, 'Sayın Cumhurbaşkanım böyle bir şey olduğu zaman çağırın beni anlatayım. Ben niye 18. katta oturuyorum? Ben size hiç, 'Verin iki gün devleti ben yöneteyim' diyor muyum?' Göbeğini oynatarak güldü."

Sadece Özal da değil, tanıştığı politikacıların listesi hayli kabarıktı. Mesut Yılmaz, Yıldırım Akbulut, Yalım Erez, Mehmet Ağar, Hüsamettin Özkan ve Cavit Çağlar'a kadar uzanan birçok politikacıyla dost olmuştu. Söz politikacılardan açılınca, Berna Yılmaz'a olan sevgi ve saygısını belirtmeden geçemiyordu:

– Berna Hanım, sevdiğim, saydığım bir dostum, arkadaşım. Benden iki yaş küçük olmasına rağmen "Berna Abla" diye hitap ederim, saygımdan.

Mesut Yılmaz'ı da dışarda göründüğünden daha farklı tanımıştı. "Mesut Bey evde rahat gülen, espri yapmayı çok seven, beni gördüğünde takılan iyi bir devlet adamı. Dışarda zorla güldürmeye çalışmalarının manası yok."

Kitaplı kitapsız ayrımı

Ona göre, Türkiye'de herkes, en başta da politikacılar mizahla hep içlidışlıydı. "Bir kere meclisin kendisi mizah" diyordu. İsmet İnönü'nün 1939 depremi sonrasında Erzincan ziyaretini karamizah örneği kabul ediyordu:

"İnönü soruyor, 'Nasılsınız, nasılsınız?' Nasıl olabilirler? İşte bu aslında bir mizah ve Türk halkı mizahı çok seviyor!"

Kemal Sunal filmlerinin defalarca seyredilmesinin nedenini de halktaki mizah sevgisine bağlıyordu Suat. Televizyonlardaki talk show programlarının çoğunu belden aşağı espirilerin çokluğu ve yapaylığı nedeniyle beğenmiyordu. Suat, "doğaçlama"dan yanaydı. Tabiî doğaçlama için de havaya girmek gerekti (!).

"Mesela seçimlerden önce Elazığ'a gittiğimizde havamdaydım" dedi, Elazığlı bir fıkracıyla giriştiği "fıkra güreşi"ni anlattı, zevkle...

"Mehmet Ağar'ın seçiminden bir önceki gün Elazığ'a gittik. 60 kişi yemek yiyoruz. Elazığ'ın fıkracısını getirdiler. 'Yav sen ne konuşusun, Fethullah Abi kitabını yazmış, onu getirelim. 'Yav bırak' dedim, 'O kitaplıysa biz kitapsızız bize getirmeyin adamı üzeriz' dedim. Yok mok, 'Sen karışma, Fethullah Abi'yi çağırın' dediler, çağırdılar. Fethullah Abi geldi 55 yaşında bir adam. Karşımda dilini yuttu, gitti. Konuşturur muyum?

En sonunda oradan birisi bağırdı. 'Ulan Fethullah senin ağzine yapam, bizi uyutmuşsen 40 yıldır.' Ona çok güldü millet."

Suat'ta hikâye çoktu! Resimlerini, hem Pavorotti, hem de Kenan Evren çok beğenmişti! Millî Takım'la, bir maçtan dönerken, kaptan pilot, uçak düşecek diyerek onu susturmuştu (!). Piontek, İtalya'da Beşiktaşlı oyuncuları fazla güldürüp yorduğu için otelden kovmuştu! Daha neler neler...

O, alanında rakipsiz olduğuna inanıyordu; "Ben istersem güldürürüm. Ben istersem yatırırım yere."

Sonsöz

"Yaratıcı önderlerden yoksun olan zamanımız"

Türkiye'nin silueti, tabiî ki, bu kitapta portrelerine yer verdiğim insanlardan ibaret değil. Ben sadece son yıllarda çeşitli vesilelerle gündeme gelen, aktüelleşen isimler arasından bir demet oluşturdum. Bu isimler arasında ağırlığı politikacıların alması kaçınılmazdı. Çünkü ülkemizin geleceğinde en büyük söz sahibi olanlar politikacılardı, ama yaşamöyküleri, kişilikleri, düşünce yapılarının oluşumu en az bilinenler yine onlardı.

Ne yazık ki, insanların geçmişlerinde dolaşmaktan aldığım hazzı, dosyayı kapattıktan sonra duyamadım. Bir üzüntü kapladı içimi, buruk bir tat kaldı damağımda. Gezindiğim bahçe, rengârenk çiçeklerle, frezyalarla ve de zambaklarla kaplı değildi. Gelişigüzel büyümüş otlarla kaplı, çorak bir arazide yürümek zorunda kalmıştım. Üstelik rüzgâr yalıyordu yanağımı; tek tük rastladım açılıp saçılmaya güç bulamamış minik kır çiçeklerine...

Gördüğüm manzaradan sıkılınca, portreleriyle ünlü Stefan Zweig'a başvurdum. Zweig'ın, politikacılara ilişkin düşüncelerini merak ettim. *Fouché - Bir Politikacının Portresi* adlı kitabının önsözünü hayretle okudum:

"Zamanımız, kahramanların özyaşamöykülerini arıyor ve hoşlanıyor. Politika alanında yaratıcı önderlerden yana yoksun olan zamanımız, geçmişin parlak önderlerini arıyor."

Şaşırdım, Zweig'ın 1929 Avrupası'nda vardığı bu sonuçla benim 2000 Türkiyesi'nde gördüğüm politikacı manzarası pek farklı değildi. Üstelik Zweig'ın, politikanın işleyiş mantığı ve politikaya ilişkin beklentiler konusundaki yaklaşımı da bugünün Türkiyesi'nde hâlâ geçerli:

"Güvenilmez ve çoğu zaman kötülerin kötüsü politika oyununu, ulusların çocuklarını ve yarınlarını gözü kapalı bir bağlılıkla teslim ettikleri politikayı, sarsılmaz inançlara bağlı, doğru ve geniş görüşlü insanların değil, tersine diplomat adını verdiğimiz o meslek kumarbazlarının, eli çabukluk, boş sözler ve sağlam sinirler ustalarının oynadığını ve ötekilerin hep oyuna getirildiklerini her gün ve yeni baştan görmekteyiz."

Üzücü de olsa gerçek durum hâlâ bu. Türkiye "yaratıcı önderlerini" bulmak bir yana, Cumhuriyet tarihinin en kritik dönemini, en basiretsiz politikacılarıyla aşmaya çalışıyor.

Artık Cumhuriyet'in kuruluş yıllarında yetişen birikimli, sorumluluk duygusu yüksek, ülkenin çıkarlarını kişisel beklentilerinin üzerinde tutan kuşağın nesli tükendi. Onlar devlet adamıydılar; bıraktıkları boşlukları doldurmaya kalkanlar ise -çoğunlukla- politikacı. Ülkenin ufkunu açacak, problemleri çözecek projeleri topluma sunacak takatları yok. Senaryosunu beğenmedikleri bir oyunu oynamak üzere sahneye çıkan acemi aktörler gibi geziniyorlar ortada. Durum bu olunca seçmenler de politikacılara, siyasî önderlere güven duymuyor.

Güven bunalımının en önemli nedeni de politikacıların daha önceki yıllarda "kendilerine gözü kapalı bir bağlılıkla duyulan güveni" kötüye kullanmış olmaları...

Oysa günümüzde politikacılar, aristokrat bir zümre değil, halkın içinden çıkmış insanlar. Hatta çoğunluğu bugün çözümü

beklenen sorunları yaşamış, bir zamanlar yoksulluk çekmiş insanlar. Demokrasinin nimetlerinden faydalanmış, zirveye yükselmişler. Fakat şimdi köklerinden kopmuşlar, yabancılaşmışlar. Belki kişilikleri ve dünya görüşleri onları bu noktaya getirdi. Belki de siyasî partilerin lidere bağlı antidemokratik yapıları neden oldu buna. Nedeni ne olursa olsun gelinen nokta bu.

Politikadaki çürüme, hayatın öbür alanlarına da sirayet ediyor; topluma örnek olması gereken kimi insanlar, karanlık ilişkiler içine girebiliyorlar. Oysa bu toplum politikadaki kokuşmayı da aşabilecek potansiyele sahip. Ancak politika ve politikacıların barınakları olan partiler, büyük bir akarsuyun önüne çekilen bir set gibi Türkiye'nin gerçek potansiyelini kullanmasını engelliyorlar.

Yine de umutluyum. Çünkü onlar dere yatağına yapılan "kondu" türü yapılara benziyorlar. Büyük kentlerde son yıllarda sık gördük, seller geldi ve sular, yatağını işgal eden binaları sildi süpürdü, kendi yolunu açtı, her şey doğal mecrasına döndü.

İnanıyorum, doğadaki bu örnek, politikada da yaşanacak, bu ülke hak ettiği yöneticilere ve katıksız demokrasiye kavuşacak. Tabiî bu kadar değil. Karanlık ilişkiler ağı ve bu dünyanın ürettiği kirlilik yok olacak; "gurur duyulacak" karanlık kahramanlar tarihin çöp sepetine atılacak. Faili meçhul cinayetler ortadan kalkacak, demokrasinin önündeki setler yıkılacak.

Ve ben şimdi "bütün kederli ezgileri ümide kurban etmek" istiyorum. Biliyorum ki, medeniyetin çarkları her şeye rağmen daha iyiye, daha güzele doğru dönüyor...

İçindekiler